전신으로 이어진 대한제국,
성공과 좌절의 역사

전신으로 이어진 대한제국, 성공과 좌절의 역사

김 연 희 지음

혜안

책을 펴내며

나는 이 책을 2006년 박사학위 취득을 위해 썼다. 이 책을 쓴 지 10년이 넘은 셈이다. 한국과학사를 전공하며 박사학위의 중심 시대로 고종 치하를 주목했던 것은 한국 전 역사에서 이 시대가 가지는 의미 때문이었다. 이 시대만큼 왜곡과 편견으로 점철된 시기도 우리 역사상 별로 없고 결과를 빤히 아는 시기도, 그래서 외면하고 싶은 시기도 별로 없다. 어차피 결론은 식민지로의 전락이었으니 말이다. 그래서 고종은 인기 없기로 둘째가라면 서러운 왕이 되었다. 사실 그는 인기는 둘째 치고 줏대 없이 당파 싸움에 휘말리고 외국에 각종 이권이나 퍼주며 이리저리 끌려 다니다 일본에 나라를 빼앗긴 무능력한 왕으로, 국가와 민족의 자긍심에 회복 불가능의 상처를 입힌 군주로 치부되었다. 그리고 이 시기 역시 그에 대한 평가와 함께 부정적이다.

하지만 "역사와 전통을 자랑하며 문화국으로 자부심 높던 나라가 어떻게 하루아침에 식민지로 전락하는 수모를 겪게 되었고, 혐오와 굴욕의 민족으로 전락되었는지—이 민족성과 관련해서는 인터넷 댓글들에서 아직도 발견되고 있다—그리고 아직도 식민의 수렁으로부터 벗어나지 못하고 있는지"라는 의문은 지속되고 있으며, 나에게도 마찬가지였다. 정말 '이 시기에 고종은 그렇게 돌이킬 수 없는 잘못을 저질렀는가'라는 생각도 들었다.

이런 의문을 해결하는 방법 가운데 하나는 이 시기를 좀 더 철저하게 들여다보고 상처와 직면하는 것이라는 생각이 들었다. 또 그래야만 해결의 실마리를 찾을 수 있을 것이라고 생각했다. 이 시기를 과학사의 관점으로 고찰하면서 나는 고종 치하의 조선에서 근대 과학과 관련해 의미 있는 작업들이 상당히 진행되었다는 점, 특히 국가 통치를 위한 기반 사업에서 두드러지게 수행되었다는 점을 발견했다. 그리고 이 사업들이 진행되면서 전통 조선 사회도 역시 변화가 이루어지고 있음도 보았다. 이 과정이 특히 잘 드러나는 사업이 근대 통신 체계 도입과 관련되어 있다고 판단했고 이를 주제로 삼아 좀 더 면밀하고 세세하게 과정을 들여다보았다. 그 결과가 이 책이다.

이 주제를 선택함에 또 하나의 문제의식은 과학기술에 대해 가지고 있는 일반적 편견과 관련이 있다. 대부분 과학과 기술, 특히 근대에 형성된 과학과 기술은 가치 판단의 대상이 아니며, 하나의 완성된 결과물이며, 단지 이용하는 방식에 따라 옳고 그름을 판단할 수 있다고 생각한다. 하지만 적어도 생산된 기술을 선택하고 수입하는 사회에서는 목적과 환경에 따라 변형이 쉽게 일어나 유일한 결과물이 아닌 다양한 변종이 생겨날 수 있다. 특히 조선에 도입된 전신은 단기간에 사업주도자들이 바뀜에 따라 여러 번 변형이 일어났고 변종이 파생되었음을 보이고 있다고 생각했다.

이런 문제의식을 가지고 논문을 구성하는 데 제기된 가장 큰 고민은 연표에 한 줄 정도로만 기입되어 있는 고종 시대 신기술 전신 도입 정책의 결과물을 어떻게 살아있는 근대 기술로 재현할 수 있는가 하는 점이었다. 이 고민을 해결하기 위해 전신 사업을 둘러싼 여러 정치 외교적 움직임뿐만 아니라 이들 전신 체제를 실제 운용했던 전신 기술자, 그들의 훈련 프로그램 및 학습 방식, 그들이 활동했던 공간, 그들이 만졌던 기기, 그들의 구체적 업무와 이들을 관리했던 중앙 부처, 조직 관리 방식과 같은 사실적이고 현실적인 이야기들에 무게를 두려 했다. 사회와 상호 영향을 미쳤던 실제 운영과정을 고찰하려 했다.

나는 이 책에 문제의식과 고민의 해결 과정을 담았다. 그렇다고 내 작업이 고종을 두둔하려는 것은 아니다. 고종은 한 국가의 지도자로서 실패했고, 나라가 식민지로 전락하는 것을 막지 못했다는 데에 큰 책임이 있다. 하지만 변화를 기피하는 아둔한 조선을 문명개화국으로 발전시키기 위해서 식민지화했다는 일본의 주장, 그리고 이를 위해 동원된 민족성에 대한 모멸은 반드시 시정되어야 한다고 생각했다. 부족한 필력으로 이런 여러 의도와 고민이 이 책에서 제대로 표현되고 구현되었는지는 의문이다. 그리고 이것이 잘 그려졌는지에 대한 반성도 여전히 남아 있다.

그럼에도 불구하고 이 문제들을 해결하기 위해 여러 도움을 받았음을 고백하려 한다. 지금은 과학기술정보통신부가 된 정보통신부의 행정자료실, 우정사업본부 박물관에 소장된 자료들의 도움을 많이 받았다. 관계자 여러분께 늦었지만 감사드린다. 책의 부족한 부분을 꼼꼼히 지적해준 동학 임종태님, 선배 신동원님께도 감사드린다. 그리고 논문 지도는 물론 과학사학자로의 성장을 도와주신 김영식 교수님께 존경과 감사를 드린다. 이 책의 출판을 도와주신 혜안의 오일주 사장님, 김태규 실장님께도 감사드린다.

비록 나의 게으름 탓에 책의 출판이 늦었지만, 이 책을 통해 많은 사람들과 내 문제의식과 고민을 나누었으면 하는 바람이다.

2018년 6월

김 연 희

글싣는 차례

서 론

1.

이 책은 고종 시대에 진행된 전신 사업의 전 과정을 다룬 것이다. 전기 통신은 1876년 조선이 개항한 지 불과 7, 8년 만에 도입되어 새로운 국가 통신 제도의 한 축을 담당한 근대 기술이었다. 전신이 도입되기 이전에도 조선 정부는 역원과 봉수를 양대 축으로 하는 통신 제도를 운영하고 있었다. 이 제도가 조선 고유의 통신방법은 아니었지만 중앙집권을 지향했던 조선은 건국 이래 국경이나 각 지방의 상황에 중앙 정부가 신속하게 대처하기 위한 통신 제도의 중요성을 인식하고 있었다. 따라서 유교를 건국이념으로 했던 조선은 건국 초기부터, 大行人과 小行人이라는 우무관련 관직을 둔 『周禮』와 왕의 德音을 유포하기 위해 통신 제도를 두는 일이 시급하다는 孔子의 지적을 들어 통신 제도를 재정비했고, 중앙 정부가 관리할 법적 근거를 마련했다.[1] 이처럼 통신 제도를 관리

---

1) 『周禮』, 「秋官司寇第五」; 『孟子』, 「公孫丑章句上」, "孔子曰, 德之流行, 速於置郵而傳命".

운영하던 조선 정부의 위정자들은 개항을 전후해 전신에 관한 정보를 접하게 되었다. 그들은 곧 전신의 장점, 즉 신속성과 운영의 간단함을 파악했으며 이를 도입해 기존의 국가 통신 제도를 대체하는 방법을 모색하기 시작했다. 그 후 20년이 지나 1900년 즈음이 되면 전신은 조선 정부가 구축한 근대 통신망의 한 축을 담당하며 운영되었다. 그러나 1905년 일본에 의해 강점됨으로써 제국의 침략도구가 되고 말았다.

전신이 조선에 소개된 것은 인류가 전기를 소통수단에 이용하기 시작한 지 70, 80년이 지나서부터였다. 전기를 이용한 통신방식은 전래의 통신방법과는 전혀 다른 차원의 기술이었다. 이 새로운 기술로 전래의 모든 통신 방법들과는 비교할 수 없을 정도로 빠르게 정보를 소통할 수 있었다. 하지만 처음 개발되었을 때의 전신은 사용기기들이 번잡하고 불안정해 광범위하게 사용하기가 어려웠다. 이 문제를 해결하기 위한 노력이 지속되어 전신 방식이 개량되었고 기기는 변형되었으며 새로운 관련 전기 이론들이 만들어졌고, 그 과정에서 모든 문자를 점과 선의 전기 신호로 바꾸어 정보를 보내는 통신방식이 등장하기에 이르렀다.[2] 모스(Samuel F. B. Morse, 1782~1872)가 개발한 이 방식은 전자석을 채용한 간단한 전신기기와 전류를 끊어 점과 선으로 만든 부호를 이용한 것으로 전신의 광범위한 확장과 발전의 단초가 되었다.[3]

---

2) 톰 스탠디지(Tom Standage) 지음, 조용철 옮김, 『19세기 인터넷과 텔레그래프 이야기』(한울, 2001), 24~26쪽.

3) 전기로 신호를 전달하는 전신은 1800년을 전후해 갈바니(Luigi Galvani, 1737~1798)와 볼타(Alessandro A. A. Volta, 1745~1827)가 이전과는 다른 방식의 전지를 발명함으로써 그 가능성이 제기되었다. 1809년 독일의 폰 죄머링(S. T. von Sömmerring, 1755~1830)은 전기가 용액을 통과할 때 거품이 생기는 것을 관찰하고, 이것을 이용해서 알파벳을 전달하는 전신 장치를 고안했다. 이때 그는 26개의 전선을 이용해서 약 3km까지 알파벳을 전달하는 데 성공했지만 전기분해를 이용한 그의 전신 장치에 필요한 전기 부품의 값이 너무 비쌌기

모스 전신기의 발명 이후로도 전신 방식을 개량하기 위한 노력은 지속되었다. 우선 송수신 거리가 멀어짐에 따른 전신 정보의 오류를 해결하기 위한 기술 개발, 한 번에 보낼 수 있는 송신 정보량을 증가시키기 위한 기기 발명이 이어졌다. 특히 음성을 전기 신호화하려는 시도와 전보문을 그대로 송신자가 보낼 수 있게 하는 기기의 개발, 또는 송신하려는 문서 자체를 그대로 보낼 수 있게 하려는 노력이 광범위하게 이루어져, 전화와 텔레프린터와 같은 새로운 기기의 발명을 낳았다. 이들의 발명으로 전신 통신 방식은 또 다시 한 차원 더 높은 발전을 이룰 수 있게 되었다. 또 전신에 필수적 조건이었던 전신 선로에 대한 연구도 지속되었다. 사람들은 바다 건너 사람들과도 신속하게 소통하기를 원했다. 이를 위해 바닷물에 부식되지 않고 길어진 전신선의 저항을 최소화할 전신선을 발명하기 위해 10년 이상의 기간동안 실패를 거듭하며 연구가 진행되었

때문에 경제성이 없어 실용화되지는 못했다. 1820년 외르스테드(Hans C. Oersted, 1777~1851)는 전류가 자침의 회전에 미치는 전자기 현상을 발견했다. 이 발견은 곧 프랑스의 과학자 앙페르(André M. Ampere, 1775~1836)에 의해서 확인되었고, 앙페르 법칙으로 불려진 그의 발견은 그 후 자침을 이용해 신호를 전달하려는 수많은 시도의 토대가 되었다. 자침을 이용한 전신기기 가운데 가장 많이 이용된 것 중 하나는 1837년 영국의 쿠크(W. F. Cooke)와 휘트스톤(Charles Wheatstone)이 5개의 자침을 이용해서 만든 알파벳을 전송하는 전신기였다. 이 전신기가 영국의 철도 회사에서 채용된 후 이 전신방식은 영국에서 대대적으로 수용되었다. 또 당시 이용되던 통신방식으로는 샤프 스타일이 있었다. 샤프 스타일은 클로드 샤프(Claud Chappe, 1763~1805)가 1791년에 개발한 방식으로 회전하는 긴 막대기 끝에 두 개의 회전팔(조정기)과 그것에 매달린 작은 회전팔(표시기)에 98가지의 코드를 매달았고, 이 표시기에 흑백 셔터로 빛을 비추어 정보를 전하는 방식이었다. 따라서 이것이 설치된 곳에는 표시기의 코드들을 해석하기 위한 코드북이 비치되어 있어야 했다. 이처럼 모스 이전에 개발된 통신 방식들은 기기의 작동과 정보의 소통을 눈으로 확인할 수 있는 방식이 주를 이루었다. 하지만 이 방식들은 정확하지 않아 정보량이 많아지면 문제를 일으켰을 뿐만 아니라 기상 조건에도 많은 영향을 받았다. 이에 대해서는 톰 스탠디지, 앞의 책, 24~26쪽 ; 임경순, "통신방식의 역사", 『물리학과 첨단기술』(2001년 6월호), 2쪽.

다. 이는 톰슨 경(William Thomson, 1824~1907)이 전기 신호를 바다 건너로 전달할 수 있는 케이블과 또 고장 난 지점을 찾을 수 있는 방법 및 해저전신선을 가설하는 방법을 제안함으로써 마무리되었다.[4] 해저선의 포설뿐만 아니라 가설된 전신선을 효과적으로 이용하는 방법도 개발되었다. 하나의 전신선에 오로지 송수신 전신기 한 쌍만을 연결해 이용하는 일을 낭비라고 생각한 이들은 이중, 삼중 심지어 다중으로 전신선을 이용할 수 있는 방법을 마련하기도 했다.[5] 이는 기기의 개발이나 새로운 코드방식의 고안으로 이어져 전신선 하나의 효율과 속도를 증가시켰다. 하지만 전신 사업자들은 여전히 전신선을 가설해야 했고 이를 끊어지지 않도록 관리해야 했다. 특히 전신이라는 통신방식에 적대적이거나 자연환경이 험악한 지역에서 전신 사업을 할 경우 이를 관리하는 일은 많은 비용을 부담해야 하는 일이기도 했다.

전신선 가설과 관리 문제는 전류 대신 전파를 이용하는 무선전신 방식 개발과 더불어 해결되었다. 이 무선 통신방식은 전신선 없이 중계기지만 세우면 되었으므로 전신선을 가설하고 관리하는 비용부담을 줄였을 뿐만 아니라 전신 선로 가설에 필요한 시간을 감소시킴으로써 전기통신의 권역을 확장시켰다. 무선통신이 통신의 발전에 더 크게 기여한 일은 전파를 이용한 다양한 방식의 통신 기구를 발명한 일이다. 대표적인 예가 라디오와 폐쇄회로를 이용한 텔레비전이었다.[6] 그리고 제2차 세계

---

4) 그는 이 해저전선 포설에 성공함으로써 나이트 작위를 수여받았다. 톰 스탠디지, 앞의 책, 71~84쪽 참조.

5) 1872년 고안된 보도(Jean-Maurice-Emile Baudot, 1820~1895)의 시분할 다중전신은 피아노와 유사한 5개 건반을 지닌 것으로 통신 역사의 획기적 전기를 마련한 것이기도 하다. 그의 방식은 텔레타이프라이터의 원천이 되었고 현대 컴퓨터 통신을 비롯한 디지털 통신의 확장성 문제를 해결하기 위해 만들어진 ASCII 코드 방식으로 대체되기 전까지 가장 빠른 통신코드로 이용되었다. 이에 대해서는 임경순, 앞의 글, 8쪽.

대전을 거치면서 군사용으로 고안되기 시작해 민간으로 확산된 컴퓨터와 휴대 전화는 요즘에 이르러 언제 어디에서나 개인간의 소통을 가능하게 하는 통신의 총아로 자리 잡았다. 이처럼 전기를 통신 방식에 도입하기 시작하면서 비롯된 200년간의 전기통신 역사는 다양한 변화와 발전을 보이며 현대에 이르게 되었다.

현대에 이르러 통신기술을 생산해내는 국가가 많아지기는 했지만 조선에 전신 기술이 소개될 때인 1870, 80년대만 해도 유선전신 기술을 발명해내고 발전시키는 일은 영국, 미국, 프랑스, 독일과 같이 몇몇 국가들에 국한되어 있었다. 이들 국가들의 공통점은 모두 전 세계적으로 식민지를 보유하고 있거나 식민지 쟁탈전을 벌이던 제국주의 국가라는 점이었다. 이들 국가들은 전 세계에 퍼져 있는 식민지를 관리하는 일에 전신이 매우 유용하다는 점을 알았으며 이들 나라의 상인들 역시 전신으로 더 많은 이윤을 확보할 수 있다는 점을 인지해 전신 기술을 이용하기 시작했다.[7] 이들 국가들은 전 세계적 전신망 가설을 중요한 과제로 설정하고 진행했으므로, 전신 선로의 통로이거나 종착점이 되는 지역으로 자연스레 전신 기술이 이전되었다. 이는 대개 식민지로 전락했거나 식민지 쟁탈을 위해 열강간의 대결이 한창인 곳들로 아프리카, 아시아 대륙 대부분 국가들이 이에 해당했다.

전신 기술을 수입해야 하는 국가들의 전신에 대한 인식이나 도입되는 양상, 또는 전신 체계의 형성 과정, 그리고 전신 기술이 사회에 미친 영향은 각각 달랐다. 예를 들어 유럽과 인도 사이의 길목에 있는 오스만투르크, 1770년대 이미 식민지로 전락했던 인도, 서양의 침입 위협 속에서

6) 같은 글, 5~6쪽.

7) 이들 국가에서 확보한 전신망에 대해서는 Daniel R. Headrick, *the Invisible Weapon* (New York Oxford univ. 1991), 15~27쪽을 참조할 것.

방어를 위해 체제 변혁을 꾀했던 일본, 서양 열강들이 식민지 쟁탈전을 벌이고 있던 청나라 등에서 전신이 이해되고 도입되는 방식은 달랐다.[8] 이들 대부분은 전신 기술에 호의적이었지만 노골적으로 적대감을 표명하는 경우도 있었다.[9]

---

8) 오스만투르크에 전신이 소개된 것은 1847년에 영국에 의해서였다. 하지만 관료들의 저지로 전신 도입이 이루어지지 않다가, 1855년의 크림전쟁 발발로 동맹국인 영국과 프랑스에 의해 가설되기 시작했다. 인도의 경우는 1830년대 오샤네시(William O'Shaughnessy)의 전신 실험 성공으로 전신 기술을 탄생시킨 나라가 되기는 했지만 그의 기술이 인도의 전신 체계에 적용되지는 않았다. 그 대신 그는 인도 지역의 전신 가설권을 가지게 되었다. 인도에서 전신 사업은 1853년 착공해 1855년 완공된 6,800km의 전신 선로와 46개의 전보사로 시작되었다. 전신 사업은 영국 총독부가 독점 운영했다. 오스만투르크에서 전신선을 확보했던 영국은 인도의 전신 선로를 오스만투르크의 전신망에 연결시킴으로써 최단거리의 육로 전신선을 확보할 수 있었다. 미국의 압력에 의해 개항을 한 일본 역시 전신 기술 수입국의 하나였다. 일본에서 전신은 1858년 페리(Matthew Calbraith Perry)제독에 의해 처음 소개되었는데 당시 일본의 藩主들은 이 새로운 통신방법에 매우 호의적이어서 몇몇 藩主는 비밀리에 전신 선로를 가설했고, 전신기를 사들였으며 전신 기술 습득을 위해 유학생을 외국으로 파견했다. 특히 사쓰마군과 조슈군 藩主는 전신을 도입하는 데에 적극적이었는데 이들은 도쿠가와 幕府에 반기를 들어 천황중심의 정부를 수립하며 일본의 체제를 변혁시켰던 메이지 유신의 중심세력이었다. 이에 대해서는 Yakup Bekatas, "The Sultan's Messenger : Cultural Constructions of Ottoman Telegraphy, 1874~1880", *the History of Technology*, vol. 41(2000), 669~696쪽 ; Daniel R. Headrick, 앞의 책, 51~53, 56~62쪽 ; 電信總局 편, 『中國電信紀要』(1961) ; Yakup Bekatas, "Displaying the American Genius : the Electromagnetic Telegraph in the Wider World", *The British Journal for the History of Science*, vol. 34(2001), 224~231쪽 ; Tessa Morris-Suzuki, *The Technological Transformation of Japan*(Cambridge univ. press, 1994), 72~74쪽을 참조.

9) 전신 기술에 적대감을 표명한 국가는 청이었다. 청은 1860년 베이징이 함락되는 수모를 겪음과 동시에 영국과 프랑스, 그리고 2, 3년 후의 일이기는 하지만 러시아로부터 전신 가설 및 운영권을 허여할 것을 요구받았다. 이런 환경은 청으로 하여금 전신을 서양 야만인의 침략 수단으로 규정하게 했으며 실제 영국과 프랑스 등 몇몇 국가는 청 정부와 상의를 하거나 허가 요청도 없이 전신선을 가설하기도 했다. 이런 일들로 청 정부의 전신에 대한 적대감은 더 증가되어 청 지방관 차원에서 전신주를 뽑거나 전신 선로를 매입하거나 하는 방법으로 서양 제국의 전신 사업을 방해했다. 하지만 청 정부는 베이징

전신을 수입한 국가들에서 전신의 영향은 전신 사업의 주도권을 장악한 세력들에게 정치적 영향력을 강화시키거나 지배 지역을 확장시키는 것만으로 한정되지 않았다. 전신 기술 수입국의 사회적, 산업적, 문화적 변화를 초래하기도 했다. 오스만투르크에서는 전신 기술 이전을 위해 세워진 전신 기술학교가 서양 과학과 문물이 전파되는 중요한 통로가 되었고, 또 일본에서는 전신 선로 가설에 필요한 硝子 생산이나 전신기부

조약에 의해 서양 제국의 전신 가설사업을 저지할 수 없었으므로 이런 방해 작업은 서양 제국들의 반발만을 불러일으킬 뿐이었다. 즉 청나라의 전신 기술에 대한 적대감은 이미 힘을 상실한 것이어서 서양 세력의 침투를 저지하는 데에 효과적이지 않았다. 이에 대해서는 Daniel R. Headrick, 앞의 책, 60~61쪽 ; 한편 전신에 대해 적대적이기는 했지만 청 정부 역시 전신이라는 새로운 통신방법의 효용성을 완전히 외면하지는 않았다. 즉 전신 기술을 이용해 군사 정보 통로를 확보하려는 작업을 전개하기 시작했다. 1880년대 초반부터 청 정부는 중앙과 지방, 군사적으로 중요한 지역을 잇는 지역을 전신 선로를 가설하기 시작했던 것이다. 이에 대해서는 電信總局 편, 앞의 책, 10쪽 참조 ; 전신도입에 대한 태도가 달랐던 만큼 전신도입의 영향과 결과 역시 국가들마다 달랐다. 오스만투르크에서 전신 사업은 중앙 통치력을 강화시키는 데에 크게 기여했다. 강력해진 오스만투르크의 황제는 이를 이용해 이집트와 중동 아시아 지역까지 그 세력을 떨쳐 범이슬람권을 지배할 수 있었다. 이렇게 지배력 확대의 기반 역할을 담당했던 전신 기술은 역으로 오스만투르크 제국을 붕괴시키는 역할도 담당했다. 오스만투르크 제국에 저항하는 젊은 터키군들을 도와 오스만투르크 제국 몰락에 기여했던 것이다. 인도에서는 병력과 무기에서 영국군보다 우세했던 세포이의 반란을 영국군이 효과적으로 진압할 수 있었던 것이 영국군이 확보한 전신망 때문이었다는 평가가 전신선 가설 속도를 올리는 데에 중요한 배경으로 작용했다. 1891년 영국은 인도에 전신선을 60,000km 넘게 확보할 수 있었고 이를 다루는 전보사를 500개 가깝게 설치할 수 있었다. 이런 전신선의 확장은 철도의 가설과 함께 인도 內地 깊숙이 영국 상인들을 침투시켰고 따라서 더 넓은 원료공급지 확보를 가능하게 했다. 일본의 경우 천황을 중심으로 한 중앙집권 국가를 형성하는 데에 전신이 중요한 역할을 담당했다. 막부 정권에 반기를 들고 천황중심의 체제로 복귀하는 데 성공했던 사쓰마군과 조슈군의 藩主들은 막부 정권에 대한 신속한 공격이 전신 기술로 가능했다고 평가하고 정권을 장악한 이후부터 일본 전역에 전신 선로를 깔아 신정부에 대한 반발과 저항에 관련한 정보를 수집하려 했으며 또 이를 통해 강력한 중앙집권적 정부를 탄생시키려 했다. 일본 천황을 재옹립한 메이지 유신정권의 의도는 전신 선로의 확장과 더불어 관철되었다.

품을 자국에서 생산함에 따라 일본 산업세라믹이나 기계제작과 같은 공업 분야의 발전에 영향을 미치기도 했던 것이다.[10]

2.

이처럼 전신 기술을 수입한 국가들에서 전신은 사회적, 정치적, 경제적으로 많은 변화를 일으키는 계기가 되었다. 그렇다면 중앙집권 국가로 500년을 이어오며 관료 지배의 전통을 다졌던 조선에서는 어떠했을까? 조선에서 새로운 통신기술에 대해 어떻게 인식했을까? 그리고 조선의 위정자들은 전신 기술 도입에 어떤 태도를 취했을까? 그리고 전신 사업은 어떻게 진행되었을까? 그리고 조선 정부에 큰 영향력을 행사하고 있던 청과 일본의 반응은 어떠했을까? 그리고 전신 기술을 수용한 결과 조선 사회는 어떻게 변했으며 채용된 전신 기술은 어떤 수준의 것이었을까?

이런 질문들을 해결하기 위해 먼저 조선 전신 역사에 대한 기존의 연구들을 살펴보았다. 조선의 전신 기술 수용과 운영과 관련한 중요한 연구들 대부분은 1960년대와 1980년대 체신부에서 수행했던 『電氣通信事業 八十年史』, 혹은 『韓國電氣通信 100年史 上』과 같은 사사 편찬 작업을 토대로 조선시대 전신망을 재발견한 것들이었다.[11] 이 연구들은 대체로 조선에 언제 전신 선로가 가설되었는가에 초점을 맞추었으며, 당시 개화에 눈뜬 몇몇 선각자들이 근대 문물을 도입하기 위해 노력했고 전신은

---

10) Tessa Morris-Suzuki, 앞의 책, 72~74쪽.

11) 체신부, 電氣通信事業 八十年史編纂委員會 編, 『電氣通信事業 八十年史(이하 80년사로 줄임)』(체신부, 1966) ; 체신부, 『韓國電氣通信 100年史 上』(이하 『100년사』로 줄임(체신부, 1985).

그 결과물 중 하나임을 보여주었다.[12] 그 가운데 柳炳魯는 전기통신에 대한 조선인들의 이해 정도와 전신 가설 과정을 보여주었고, 權大植은 조선 정부의 기간전신 선로 구축 과정을 좀 더 세밀하게 소개했다.[13] 김정기는 조선에 최초로 가설된 서로전신선의 배경에 주목하면서 서로전신선이 청나라의 조선 침탈의 일환이며, 청이 서로전선 가설과 전신 운영을 위해 조선 정부를 경제적으로 강하게 압박함에 따라 민간에서 반청의식이 형성되었음을 보여 전신 기술의 부정적인 영향을 분석했다.[14] 이 연구들은 공통적으로 초기 전신 선로 도입 과정을 대상으로 한 것으로 이의 검토로 고종 시대 전 기간에 걸쳐 진행된 전신 도입과 운영에 대한 의문들을 모두 해소하기 어려웠다.

하지만 선행 연구들을 검토하면서 조선에서의 전신 기술 도입 및 수용 과정이 앞에서 거론한 국가들과는 다르다는 점을 알 수 있었다. 먼저 지적할 수 있는 차이점으로 전신이 소개되는 과정이 이들 국가들과 달랐음을 들 수 있다. 다른 나라들이 전신 기술 생산국들과의 직접 접촉으로 전신 기술을 소개받고 수용했음에 반해 조선은 자발적으로 전신 기술 관련 정보 수집을 추진했다는 점이다. 또 다른 점은 전신 기술 도입을 추진하는 과정에서 개입된 외세의 영향력이 매우 강했고 이를

12) 진용옥, "近代 電氣通信 導入의 科學史的 意義와 社會的 背景"(전기통신사편찬연구위원회, 1987) ; 진용옥, "전기통신학술연구과제 : 정보통신발달사자료정리"(전기통신사편찬연구위원회, 1988) ; 李載坤, "韓國電氣. 電子, 通信, 放送, 技術史", 『韓國現代文化史大系 5, 科學技術史(下)』(고대민족문화연구소출판부, 1981), 592~595쪽 ; 한국과학기술진흥재단 엮음, 『세계자연과학사대계 XVII : 한국과학사』(1987), 387~391쪽.

13) 柳炳魯, "大韓帝國時代 電氣通信의 導入에 관한 연구"(충남대학교 석사학위 논문, 1992) ; 權大植, "初創期 韓國電氣通信事業史에 關한 硏究"(건국대학교 행정대학원 석사학위 논문, 1985).

14) 김정기, "西路電線(인천－한성－의주)의 架設과 反淸意識의 形成", 『김철준박사화갑기념논문집』(지식산업사, 1993), 801쪽.

저지하려는 조선 정부의 저항도 강했다는 점이다. 외세의 강한 영향력 때문에 전신 사업을 주도적으로 수행하기조차 어려웠고, 그 압박 정도는 마치 청에서 서양제국이 행한 횡포와 다르지 않았음에도 전신에 대한 인식이 청처럼 적대적으로 변하지 않았다는 점을 지적할 수 있다. 조선에서 적대감이 전혀 없었던 것은 아니었지만 이 적대감은 民의 반외세 감정에 의한 한시적인 것이었다. 그리고 전신에 대한 관료들의 태도도 다른 나라의 경우와 달랐다. 청이나 오스만투르크의 관료들은 전신선 가설을 중앙 정부의 감독 강화로 받아들여 반발했지만 조선에서 이런 움직임은 없었다. 이처럼 앞에서 지적한 나라들이나 조선이 모두 전신을 수입했다는 공통점에도 불구하고 이런 차이가 어떤 이유로 나타난 것인지를 분석하는 일도 중요한 과제라고 본다. 더 나아가 조선 정부는 전신에 개입된 외세의 영향력을 제거하기 위해 부단히 노력했고 그 과정에서 정치적 상황이 호전됨에 따라 즉각적으로 전신 사업을 주도적으로 운영했다는 점도 매우 특징적이다. 여기에는 일본이나 인도에서처럼 전신의 적극적 도입을 초래한 획기적인 사건, 예를 들면 천황제 추진이나 세포이 반란과 같은 사건이 있었던 것도 아니었다. 이런 특징들은 조선 정부 내부에서 전신 도입의 필요성에 대한 인식이 자체적으로 형성된 점과 관련 있는 것으로 보이며, 이전의 통신 제도의 상황과 조선 정부 위정자들의 전신에 대한 인식과도 연관이 있을 것으로 생각할 수 있다.

3.

이 책은 조선 정부가 전신을 도입하고 운영하는 과정을 검토하여 전신 기술 도입이 조선에 미친 영향을 살펴보기 위한 것이다. 이를 위해 전신 체계가 전신 기술이라는 단일한 요소에 의해서가 아니라 이를 총괄하는 중앙 정부 기구, 전신 선로, 전보사, 기술 인력, 전신 기술, 이용자, 전신 사업 주도권자로 구성되는 것으로 상정했다. 이는 조선에서의 전신도입이 조선 정부에 의해서만 이루어지지 않은 까닭이기도 했지만 제시된 각 요소들의 상호 작용에 의해 조선에서의 전신 체계가 많이 변하는 양상을 보였기 때문이기도 하다.

그리고 조선 정부가 전신을 도입해 운영했던 30여 년간을 다섯 시기로 구분했다. 즉 개항 이후 1884년 갑신정변 이전까지, 1885년에서 1894년 갑오개혁 이전까지, 1894년에서 1896년까지, 1896년에서 1904년까지로 구분했다. 마지막으로 일본에 의해 조선 정부의 전신 사업 주도권이 강점당하면서 일본의 통신 체계내로 편입되는 과정의 변화양상을 살피기 위해 1904년에서 1910년까지 살펴보았다. 이런 시기 구분은 정치적, 외교적으로 일어났던 큰 사건들을 중심으로 했는데, 이는 전신 체계의 변화가 조선에서 청, 일의 세력이 강화되거나 약해졌던 정치외교적 사건들과 깊게 관련되어 있기 때문이다.

이 책은 각 시기마다 달라지는 전신 체계 구성요소들의 변화를 중심으로 구성했다. 제1장에서는 개항 이후 1884년 갑신정변 이전까지, 고종을 포함한 위정자들이 전신 기술을 도입하기 위해 수행한 작업을 검토했다. 이 시기에는 아직 본격적으로 전신 기술이 도입되어 운영되지는 않았지만, 새로운 통신기술인 전신을 알게 되면서 도입 필요성을 논의하고 운영 방식을 택하기 위해 정보 수집 활동을 다양하게 전개하며 도입의 타당성을 모색했다. 그 결과 정부의 총괄 중앙기구가 수립되고, 소수이지만 전신 기술을 습득한 기술자들이 나타났다. 이 시기 조선 정부 위정자들의 자발적 노력으로 형성된 전신에 대한 긍정적인 인식과 도입 필요성의 자각은 통신 사업 주도권을 국가 주권의 일부로 포함시켜 수용하게 함으로써 외세의 강점 야욕으로부터 이를 지켜내려는 노력의 토대가 되었다.

제2장에서는 1885년부터 1894년까지를 다루었다. 이 시기는 갑신정변의 여파로 청이 조선의 내정과 외교를 간섭하면서 조선의 각종 이권을 장악하던 때였다. 전신 사업의 주도권 역시 청이 강점함으로써 조선 주도하의 전신 사업이 지속될 수 없었고 이전 시기의 모든 노력이 대부분 수포로 돌아갔다. 이 시기 청은 조선에서 전신 사업을 전개하기 시작했는데 이 장에서는 그 과정을 중심으로 살폈다. 즉 청이 설치한 전보사 및 총괄기구, 가설한 전신 선로, 도입한 전신 기술 및 전신 기술 인력의 특징 및 전신의 이용 현황을 다루었다. 비록 이 시기 전신 사업에 대한 청의 영향력이 압도적이기는 했지만 이런 속에서도 조선 정부가 전신 사업을 전개하려는 움직임을 보였는데, 이는 제국 팽창의 도구와 국가 권력 강화의 도구인 전신의 양면적 성격이 직접 충돌하며 견제하고 타협을 모색하는 과정이라고 할 수 있다. 이런 조선의 움직임 역시 이 장에서 다루었다.

제3장에서는 1894년 이후 1896년까지 청을 대신해 전신 사업의 주도자로 등장한 일본과 이를 저지하려는 조선 정부와의 관계 속에서 전신 사업의 양상을 살펴보았다. 일본은 조선의 전신 사업 및 가설권을 점유하기 위해 압력과 회유, 임의 가설과 같은 다양한 전술을 구사하며 조선 정부를 압박했고, 조선 정부는 이런 일본의 공격들로부터 전신 사업을 보호하기 위해 노력했다. 이 시기 조선 정부와 일본이 조선 전신 사업권을 둘러싸고 벌인 각축이 이 장의 주요 내용으로 구성되었다.

제4장에서는 1896년부터 1904년까지 전신 사업권을 환수받은 후 변화된 양상을 살펴보았다. 이 시기 가장 특징적인 점은 조선 정부가 전신 사업 주도권을 회복하면서 조선의 전신 체계의 구성요소가 큰 변화를

보였다는 것이다. 특히 전신 사업을 포함한 근대통신망을 총괄하는 중앙 정부 기구인 통신원이 창설되어 전신 사업을 주도하면서 조선의 전신 사업 경영 상태, 전보사 관리 및 민간에서의 이용 실태 등이 현저하게 변했다. 이 장에서는 그 변화양상을 중심내용으로 다루었다.

제5장은 1904년 러일전쟁 이후 일본이 조선의 전신 사업권을 강점한 후 이루어진 전신 체계의 급격한 전환을 다루었다. 이 시기에 사업주도권자의 교체는 전신 체계를 이루는 모든 요소들의 내용을 변화시켰으며 이는 조선이 20여 년 동안 공들여 형성했던 근대적 국가 통신망을 일본 팽창의 도구로 전환시켰음을 의미했다.

4.

조선시대 전신망 구축의 전 과정을 검토하기 위해 많은 사료들을 찾아보아야 했다. 그 가운데에는 『電案』, 『조선왕조실록』, 『고종실록』, 『승정원일기』와 같은 관찬 사료와 일본, 독일, 러시아, 청과의 외교문서, 그리고 당시 한반도를 방문했던 외국인들이 남긴 견문기, 전신 사업이 전개되었던 시대에 발간된 『漢城旬報』, 『漢城周報』, 『독립신문』, 『황성신문』, 『제국신문』 등의 신문들과 외국 사절로 파견된 사신들이 남긴 각종 문서들이 포함되었다. 외국 사신들이 남긴 문헌들 역시 초기의 전신에 대한 인식을 살피는 데에 중요한데, 이는 許東賢이 편집한 『조사시찰단관계 자료집』과 김기수와 김홍집이 남긴 『수신사일기』를 중심으로 살펴보았다.[15] 특히 『조사시찰단관계 자료집』은 1881년 일본의 정황과 근대

15) 허동현 편, 『朝士視察團關係資料集』(國學資料院 영인, 2000) ; 金綺秀, 「日東記游」, 「修信使日記 卷1」, 國史編纂委員會 편, 『韓國史料叢書 9, 修信使記錄』(1971) ; 金弘集,

문물 도입 상황을 파악하기 위해 파견된 조사들이 남긴 문헌들뿐만 아니라 수행원들이 남긴 문헌들을 모두 모아 놓은 것으로, 조사시찰단 일행들의 전신에 대한 생각을 살펴보는 데에 큰 도움이 되었다. 그리고 청이 전신 사업을 주도하던 시기의 중요한 문서집인 『電案』은 화전국과 조선 정부 外部와 조선전보총국간에 오고간 문서들을 모아 놓은 것으로, 화전국의 전신 운영 상황과 조선전보총국의 관계뿐만 아니라 한반도 전신 사업에 대한 청 정부와 청의 전신 기술자들의 태도를 알려주는 자료이다.[16] 외교문서 가운데 아세아문제연구소에서 영인한 『舊韓國外交文書』 일안 1권부터 7권까지 일본과 조선 정부 사이에 오고간 문서들과 『日本外交文書』, 『日本公使館記錄』, 『朝鮮電信誌』에 수록된 문서들은 일본이 조선의 전신 사업에 부여했던 의미와 전신 사업권을 점유하기 위해 행했던 다양한 작업들과 특성을 알려 준다.[17] 또 『舊韓國外交文書』의 『德案』, 『美案』, 『俄案』에서는 조선 정부가 전신 사업을 독자적으로 전개하기 위해 벌였던 외교적 접촉을 알려주는 문서들을 찾아볼 수 있었다.

우정100년사편찬실에서 편찬한 『우정부사료 제5집』 역시 많은 도움을 받은 사료모음집이다. 이는 규장각, 우정박물관 등에 산재되어 있는 조선 정부의 전신 사업과 관련한 방대한 양의 사료를 법규, 훈령, 재정물품, 인사, 업무, 其他로 분류해 제1집부터 6집까지 모두 8권의 책으로 구성한 것이다.[18] 이 모음집에 포함되지 않은 자료들도 우정박물관에서

「修信使日記 卷2」, 國史編纂委員會 편, 『韓國史料叢書 9, 修信使記錄』(1971).

16) 統理交涉通商事務衙門 편, 『電案』. 이 책에서는 다음의 자료를 이용했다. http://www.history.go.kr/front/dirservice/dirFrameSet.jsp?pUrl=/front/dirservice/kaksamodern/viewDocumentGaksa.jsp&pItemID=mk&pLevel=2&pDatabaseID=mk_061&pRecordID=mk_061.

17) 아세아문제연구소, 『舊韓國外交文書』, 일안 1권~7권(고려대학교 아세아문제연구소 영인, 1965) ; 일본외무성, 『日本外交文書』 15~18卷(1882~1885) ; 『日本公使館記錄』(국사편찬위원회) ; 遞信省 通信局, 『朝鮮電信誌』(1895).

찾을 수 있었는데, 그 가운데 특히 『學徒處辨案』을 통해 전보학당의 재정비와 학도들의 기술훈련 상황 및 운영 체계를 알 수 있었고, 『電報處辨案』을 통해서는 전신 사업을 운영하면서 발생한 문제들의 처리 방식의 일면을 볼 수 있었다.[19] 또 電氣通信事業八十年史編纂委員會에서 편찬한 『電氣通信八十年史』는 짧지 않은 조선의 전기통신 도입과 운영의 과정을 정리함으로써 조선시대 행해진 20년간의 전신 역사를 한 눈에 볼 수 있게 했다는 점에서 중요한 가치를 지닌 책이다.

이런 문헌들을 통해 조선 정부의 전신도입 사업 20년 동안의 변화를 조망하며 특성을 살펴보는 일은 가능했지만 조선에 도입된 전신 기술의 세부를 추적하는 일은 매우 어려웠다. 이들 문헌들에는 전신 기술에 관한 한 창고에 보관된 물품 목록 이외에는 남아있지 않았기 때문이다. 그뿐만 아니라 전신 기술자 양성을 위해 사용했을 법한 교과서는커녕 수입된 전신기를 조립하는 방법이나 그 부품들을 설명하는 제품 소개서 같은 것도 남아있지 않았다. 따라서 당시 중국에서 발행된 한역 과학기술 서적들과 『한성순보』의 기사 및 미국에서 발간된 전신 기술자들의 매뉴얼, 그리고 『80년사』와 『100년사』에 나온 사진 몇 장, 창고 보관 물품들 목록을 토대로 조선의 전신 기술수준을 가늠할 수밖에 없었음을 밝혀두고자 한다.

18) 우정100년사편찬실 편, 『우정부사료 제5집 : 고문서5권』(이하 『고문서』로 줄임)(1982,정보통신부 행정자료실 소장).

19) 『學徒處辨案』(우정박물관 소장 B00001-060-01) ; 『電報處辨案』(우정박물관 소장 B0000-097-01).

5.

이 책은 1902년 도입되어 운영했던 또 다른 전기통신기술인 전화는 다루지 않았다. 그것은 조선에 도입된 전화 사업은 한성, 인천, 평양과 같이 매우 한정된 지역에서만 행해졌고 전신 체계 내에서 함께 운영되어 기술 인력 양성, 투자경비 및 수입 등이 모두 전신 사업 내에서 처리되었기 때문이다. 비록 일본에 의해 통신권이 강점당한 이후, 전화 사업의 비중이 커져 분화의 단초가 마련되기는 했지만 의병 항쟁과 같은 항일 움직임을 사전에 차단하기 위해 전신선을 전화선으로 이용하거나 전신 사업비를 전화선 가설비로 전용된 상황도 전화 사업을 따로 다루지 않겠다는 판단에 영향을 미쳤다. 그리고 이 시기, 일본 체신성은 전신 사업과 우체 사업을 통합하는 작업을 추진했던 만큼 전화 사업을 전체 통신 사업에서 따로 분리해 분석하는 일은 결코 쉽지 않은 일이기도 했다. 또 이 책에서 다루는 1905년 이후는 이전 시대에 형성된 전신 체계의 요소들이 어떤 변화과정을 겪었는가를 살펴보는 것이 중심 과제이어서 1905년 이후의 일본에 의한 전화 사업 추진 상황을 분석해야 할 필요성을 느끼지 않았다. 이 책의 주요 관심은 아니지만 전화 사업을 둘러싸고 1902~1903년 일본과 갈등이 존재했으므로 일본의 통신권 전횡이라는 측면에서는 전화 사업만을 따로 분석할 필요가 있으므로 이는 다음 연구과제로 삼을 계획이다.

제1장 전신 기술 도입 시도 : 1876~1884년

서구 여러 나라보다 늦기는 했지만 조선에서도 1880년대부터 전신을 도입하기 위한 여러 작업들이 추진되었다. 전신 도입 시도는 고종의 부국강병 정책의 일환이기도 했다. 고종은 재위에 오른 뒤 신미양요와 병인양요를 겪었고, 개항 역시 일본의 포함외교에 의해 이루어졌으므로 국방력 강화야말로 무엇보다 시급하다고 판단했다. 1880년대 초반부터 조선 정부는 군대의 개혁에 총력을 기울였던 것이다. 군제를 개편해 별기군을 창설해 군사훈련을 시작했고, 근대 무기를 제작하고 병법을 익히기 위해 유학생을 청이나 일본에 파견하기도 했다.[1] 새로운 근대식 군사제도를 도입해 국방력을 강화하기 위해서는 무엇보다 풍부한 재정이 뒷받침되어야 했다. 이는 부국책을 통해 마련될 수밖에 없었다. 조선 정부는 증기선을 세곡 운반에 도입하려 했고, 서양 근대기술을 도입해

1) 권석봉, "영선사행고", 『清末 大朝鮮政策史研究』(一潮閣, 1997), 147~188쪽 ; 김정기, "1880年代 機器局, 機器廠의 設置", 『한국학보』 1(1987), 91~118쪽 ; 許東賢, 『近代韓日關係史研究』(國學資料院, 2000), 81~256쪽 ; 김연희, "영선사행 군계학조단의 재평가", 『한국사연구』 137(2007), 227~267쪽.

양잠, 목축, 농업의 생산량을 높이려 했다.[2] 근대 세법 도입을 위해 세무학교로 유학생을 파견했고, 광산, 造幣, 제철, 제혁에 필요한 기계를 구입하고 또 외국인을 고빙해 기술을 이전받으려 하기도 했다.[3] 이처럼 개항을 전후해 제기된 가장 중요한 사업은 강병과 이를 뒷받침하기 위한 부국책이었다.[4]

1881~1882년 일본의 전신 사업을 시찰하는 작업이 조사시찰단에 의해 수행되었고, 1882년 전신 기술을 포함한 군사기기 제조 습득을 위한 유학생이 청으로 파견되었다. 또 1884년에는 해저전선이 일본에서 부산으로 연접되었고, 근대통신망을 형성하기 위한 우정총국이 신설되어 근대통신 제도 수립의 기반 구축 작업을 지휘했다. 개항 이후 불과 7, 8년 만에 이루어진 조선의 전신 도입을 위한 작업의 전개는 서구 국가가 전기통신방식을 모스 방식으로 채택함으로써 국내뿐만 아니라 국가간 상호 의사소통을 신속하고 원활하게 하기 위해 전 세계로 전신망을 확장한 결과이기도, 조선에 근대 통신망을 확보하려는 조선 정부의 의지의 결과이기도 했다.[5]

---

2) 증기선 도입을 통한 세곡 운반 논의와 진행에 대해서는 羅愛子, 『韓國 近代海運業史 硏究』(국학자료원, 1998)를 참조 ; 잠업, 목축, 농업 기술 도입에 대해서는 김원모, "朝鮮報聘使의 美國使行(1883) 硏究(下)", 『東方學誌』 50집(1986), 338~381쪽 ; 이광린, "농무목축시험장의 설치에 대하여", 『한국개화사연구』(일조각, 1993), 203~218쪽 ; 묄렌도르프 부부 지음, 신복룡, 김운경 옮김, 『묄렌도르프文書』(평민당, 1987), 60~61쪽을 참조.

3) 국사편찬위원회 편, 『한국사 38 : 개화와 수구의 갈등』(1999), 82~94쪽 ; 147~196쪽 참조.

4) 이와 관련한 종합적 논의는 김연희, 『한국근대과학형성사』(들녘, 2016) 참조.

5) 모스 전신의 워싱턴과 볼티모어 사이의 전신 가설 및 미국에서의 채택 과정에서 대해서는 Morus, Iwan R., "Telegraphy and the Technology of Display : the Electricians and Samuel Morse", *History of Technology*, vol. 13(1991), 20~40쪽을 참조할 것. 그리고 해저선 가설과 관련해서는 톰 스탠디지, 앞의 책, 71~84쪽을 참조할 것.

이 장에서는 조선 정부가 전신 체계를 도입해 제대로 작동되지 않는 봉수와 역원 같은 전래의 통신망을 대체하려 한 과정을 살피고자 한다. 전신을 도입하려는 조선 정부의 의도는 무엇이며, 이 도입 과정에서 전신에 대한 인식은 어떤 변화를 겪었는지에 대해 살펴보고 또 도입을 위해 수행한 구체적인 작업과정을 검토하려 한다.

1. 전신 기술 도입을 위한 모색

1) 전래 군사 정보망 대체 도구로서의 전신 기술

1876년 조선 정부가 개항을 단행한 것은 더 이상 국제 사회와 교류를 하지 않고 지내는 일이 어려워졌다고 판단한 결과였다. 개항은 개항장을 통해 단순히 외국인이 왕래하고 외국 상품이 수입되고 우리나라 산물이 수출되는 것만을 의미하지 않았다. 조선의 위정자들은 책이나 청나라에 보낸 사신들을 통해 전해 들었던 서양 문물 가운데 통치력을 강화하거나 부국강병을 도모하는 데에 필요한 도구들을 도입하는 일도 개항을 통해 이루려 했다. 당시 전신은 세계 각국을 전신 선로로 연결하고 있었을 뿐만 아니라 전신 기술의 문제들을 해결함으로써 개량을 거듭하고 있었다. 이런 전신의 발전상은 청으로부터 수입된 서적을 통해 조선의 위정자들과 지식인들에게도 전해졌다. 전신은 무기, 교통, 증기기관과 같이 부국강병의 도구로 알려진 다른 근대 문물들과 더불어 고종과 정부 관료들의 주요 관심사 가운데 하나로 등장했다.

조선 위정자들은 특히 전신의 신속성 및 편의성에 주목했다. 조선이 중앙집권적 통치 국가였던 만큼 통신 제도는 중요한 통치 도구였기 때문이다. 조선 정부가 통신 제도를 운영하지 않은 것은 아니었다. 중앙과 지방을 잇는 중요한 통치 도구였으므로 조선시대 통치의 근간인 『經國大典』에 명시될 만큼 잘 정비된 제도를 가지고 있었고, 관리 역시 중앙 정부에서 담당하고 있었다.[6] 이 전통적 통신수단 가운데 하나인 역원은 조선 정부 차원에서 관리 유지, 운용되었으며 주로 중앙 관청의 공문을 지방 관청에 전달하고, 官物, 稅貢 수송에 필요한 운송수단을 제공했다. 그리고 외국사신이 왕래하거나 관원의 지방 부임 및 출장과 여행에 필요한 말과 숙식을 공급하기도 했다. 또 중요한 군사 통신수단인 파발 역시 역원을 토대로 했다. 이 파발이 군사 통신만을 전담하게 된 것은 1583년(선조 16)의 일로 步撥과 騎撥로 분리해 운영했다. 전국의 파발망은 서울에서 황해를 거쳐 의주에 이르는 西撥, 서울에서 강원을 거쳐 鏡興에 이르는 북발, 서울에서 충청을 지나 東萊에 이르는 남발 등 세 경로로 나뉘어 있었다. 이 경로 가운데 중국과의 연락 관계가 중시되던 서발만 기발이었고, 북발과 남발은 보발이었다.[7] 봉화 역시 조선 정부가 중요하게 관리, 운영했던 군사 통신망이었다. 전통 사회에서 봉화는 외국의 침략이나 반란과 같은 위급한 상황을 신속하게 중앙 정부에 알리는 매우 중요한 군사 정보 통신로였다. 봉수는 이미 삼국시대에 시작되어

---

6) 『經國大典』 卷4, 「兵典」, 驛馬 ; 烽燧.

7) 선조 대에 시작된 擺撥 제도가 완전히 체제를 갖추게 된 것은 인조, 효종조에 이르러서였는데, 이는 청의 침략을 대비하기 위해서였다. 『增補文獻備考』 兵考18 驛馬站 ; 『宣祖實錄』 卷88, 30년 5월 己未. 파발은 말을 이용하는 기발과 速步로 달려서 소식을 전하는 보발로 구성되었다. 기발은 말을 이용하기는 했지만 밤에 움직이지 못했고 보발은 밤에도 진행할 수 있었기 때문에 기발과 보발의 차이는 빠르면 하루, 늦으면 이틀 정도밖에 차이가 나지 않았다. 기발은 25리마다, 보발은 30리마다 站을 설치해 말을 바꾸거나 보발군을 대체했다. 기발의 참에는 撥將·軍丁, 色吏를 각 1명씩 두었고, 파발군 5명, 말 5필을 배치, 교대했다. 한편 보발의 참에는 발장 1명과 군정 2명을 두어 운영했다.

고려 의종 대에 제도화되었으며 조선 세종 대에 이르러 재정비되었다. 변방과 각 지방에서 간단한 신호를 올려 중앙 정부가 이에 대처하도록 한 이 통신망은 세종 대에 이르면 낮에는 토끼 똥을 태워 그 연기로 신호를 보내고, 비가 오거나 바람이 불어 봉화를 사용할 수 없을 때에는 봉화군이 직접 달려와서 보고하도록 정했다.[8] 전국 650여 개에 달하는 봉수대는 경흥·동래·강계·의주·순천 등 국경 지역의 5개 봉수대를 기점으로 하여 각각 서울 남산의 제1대에서 제5대의 봉수대로 집결되도록 설계되었다.[9]

통신망의 체계는 군사 체계와 맞물렸으므로 병조가 관리 감독했다.[10]

---

8) 봉화는 戰況에 따라 5번까지 올리는 5구분법으로 정해져 평상시에는 초저녁에 한 자루, 적이 보이면 두 자루, 적이 국경에 접근하면 세 자루, 적이 국경을 침범하면 네 자루, 접전하면 다섯 자루를 올리도록 했고, 그 보고체계는 지방에서는 伍長이 진영 장수에게 보고하도록 했으며, 수도에서는 五員이 병조에 보고하도록 했고 병조에서는 매일 새벽 승정원에 알려 임금에게 보고하도록 했다. 『經國大典』 卷4, 「兵典」, 烽燧.

9) 각각의 경로는 다음과 같다. 제1대는 함경·강원도에서 오는 봉수를 양주 아차산의 봉화를 받고, 제2대는 경상도에서 오는 광주 천림산 봉수대로부터의 봉화를 전달받았으며, 제3대는 평안도의 육로로 오는 모악산 동쪽 봉우리의 봉수대의 봉화를 받았다. 또 제4대는 평안·황해도의 해안에서 오는 봉수를 모악산 서쪽 봉우리의 봉수를 전달받았고 제5대는 전라·충청도에서 오는 봉수를 양천 개화산 봉수대로부터 받았다. 한편, 각 봉수대에 배속된 인원은 각 봉수대마다 달랐다. 서울 남산 봉수대에는 매 봉수대마다 군사 4명과 오장 2명을 배치했고 바다와 변경 연서의 봉수대에는 군사 10명, 오장 2명을, 내륙지방의 봉수대에는 군사 6명과 오장 2명을 배속했다. 군사와 오장은 모두 봉수대 근처에 거주하는 사람으로 지정했으며 각 봉수대의 정원을 上下兩番으로 갈라서 교대 근무하도록 했다. 또 구름이 끼어 캄캄하거나 바람이 많이 불어 연기나 불길로 신호가 통하지 않을 때에는 봉화군이 차례로 달려와서 보고하는 것으로 되어 있었다. 같은 글.

10) 이존희, "봉수제 운영의 실태와 문제점", 『한국문화사학회』 11·12·13호(1999), 771~784쪽 ; 김용욱, "조선조 후기의 봉수제도", 『법학연구』 44권 1호(2003), 136~139쪽 ; 조선시대 통신 제도였던 봉수와 역원이 제대로 작동되지 않는 상황에 대해서는 김연희, "고종시대 서양 기술 도입 : 철도와 전신 분야를 중심으로", 『한국과학사학회지』 25-1(2003), 5~7쪽을 참조.

예를 들어 봉수대가 설치된 곳은 군사 요새로 외적이 침입할 때 이를 중앙 정부와 인근 주민들에게 알려야 할 뿐만 아니라 외적 침입을 방어해야 했으므로 봉수대에는 화포가 지급되었고, 각 봉수대에 8~10명의 봉수군이 2교대 배치되었던 것이다.

역원과 봉수는 조선의 국방과 긴밀한 관련이 있는 군사 정보 통신제도였기 때문에 병조가 관리를 담당했다. 병조는 이를 관리하고 운영하는 데에 천여 명이 넘는 방대한 인력을 투입했다. 하지만 이 통신망들은 정상적으로 운영되지 못했다. 역원제도는 운영의 기반인 역토가 대부분 사유지가 되어 버렸고 역마는 종종 유용되었으며, 역마 구입과 역마 먹이 구입에는 대부분 비리가 개입되어 역원 재정이 점점 피폐해졌다.[11] 또 역원의 노동력을 유용하는 일도 점점 늘어 역로 보수와 유지마저 어려워져 도로가 유실되는 일이 잦아졌다. 이런 일들은 암행어사의 서계와 여러 상소들에서 지적되어 개혁의 우선 항목으로 설정되었음에도 고쳐지지 못해 고종시대에 이르러서 역원은 명색만을 유지하는 실정이었다.[12] 파발 역시 역원과 뿌리를 같이 했으므로 역원의 문란은 곧 파발제도가 제대로 운영되지 않음을 의미한다. 파발은 남쪽 끝이나 서쪽 끝에서 하루 이틀, 늦어도 사흘이면 한성에 도달하고 북쪽 끝에서는 엿새가 걸리게 설계되어 있었지만 이 시간이 지켜지는 일은 거의 없었다.[13] 보통 보름을 넘기기 일쑤였다. 봉수제도 역시 상황이 역원과 다르지

---

11) 『朝鮮王朝實錄』, 정조 10년 8월 22일 기사 ; 역토의 중층적 소유구조 및 점유 상황에 대해서는 金容燮, "韓末에 있어서의 中畓主와 驛屯土 地主制", 『東方學志』 20-0(1978), 35~84쪽 ; 裵英淳, "韓末 驛屯土에서 所有權 紛爭", 『韓國史研究』 25(1979), 361~404쪽 ; 박찬승, "한말 驛土 屯土에서의 지주경영 강화와 抗租", 『韓國史論』 9(1983), 255~338쪽 등을 참조할 것.

12) 『朝鮮王朝實錄』, 정조 5년 9월 25일 ; 정조 10년 12월 27일 ; 정조 19년 5월 22일 ; 정조 20년 3월 24일.

13) 南都泳, "朝鮮時代 軍事通信組織의 發達", 『韓國史論』(국사편찬위원회, 1981).

않았다. 봉수는 매일 규칙적으로 수행되어야 했는데, 봉수의 일을 태만히 하여 매일 봉수를 보내지 않거나 전달되는 봉수를 제때에 제대로 받지 못하기도 했다. 또 봉수대 관원은 봉수대 보급 물품이 제대로 전달되지 않아 추위와 배고픔으로 고생해야 했지만 봉수에 따른 책임이 크고 책임 불이행시 처벌이 가혹했기 때문에 "良人의 신분으로 賤民의 役을 담당하는 것"으로 인식되어 도망하는 봉군이 점점 늘어나 이들을 보충하는 일이 큰 문제가 되었다.[14] 그렇다고 해서 도망가지 않은 봉군들이 임무를 제대로 이행한 것도 아니었다. 대개 날씨를 핑계대고 봉수를 올리지 않는 경우도 있었고, 대부분은 평화로운 상황을 알리는 봉수 한 자루만을 올렸다. 이는 평상시에는 문제가 없을지 모르나 봉수제도 운영의 목적인 국경 지역의 위급한 상황이나 민란의 발생에 대해 중앙 정부가 대처를 조속하게 취하게 할 수 없었고, 이는 통신망 운영 목적에 위배되는 일이었다.

이런 문제들을 시정하기 위해 조선 정부는 문제와 비리가 발생할 때마다 담당 관원을 엄벌했음에도 이 통신 제도는 제대로 작동하지 않았으며 국가 재정만 낭비했다. 이는 중앙 정부가 지방 행정을 총괄할 수 없게 되었음을 의미하는 일이었지만 더 중요하게는 변경의 군란이나 지방의 민요에 중앙 정부가 신속하게 대처할 수 없음을 의미한다.

이런 상황에서 전해진 전신 관련 소식은 군사통신망을 정비해야 할 필요성을 절감했던 조선 위정자들의 주목을 끌기에 충분했다. 조선에서 가장 빠른 통신 방법인 파발이 정상적으로 운영된다고 하더라도 속도에서 전신을 능가할 수 없다는 점 역시 조선의 위정자들로서는 관심을 가질 만했다. 파발로 서울에서 부산까지 소식을 전하는 데는 하루 이상이

---

14) 『朝鮮王朝實錄』, 중종 9년 10월 壬寅.

걸렸지만 전신을 이용하면 말 그대로 순식간에 도달할 수 있었던 것이다. 전신이 전래의 군사전신망을 대체해 신속하게 변방의 상황을 보고할 수 있는 체계임은 너무나 분명했다. 더 나아가 전신관련 정보를 수집하는 과정에서 전신이 단순히 군사 정보 체계라는 기능만을 가진 것이 아님을 알게 되었다. 전신을 행정 통신망으로 이용하면 중앙과 지방의 연락체계는 강고해질 것이고 이는 중앙의 명령이 지방에 신속하게 전달되고 그 이행 여부 역시 곧 보고받을 수 있으며 또 지방에서의 요구 사항 역시 중앙에서 신속하게 처리할 수 있음을 의미했다. 그뿐만이 아니었다. 전신은 민간인이 이용할 경우에 그에 따른 수익을 올릴 수 있는 체계였다. 부국과 강병이라는 두 가지 목적을 한꺼번에 이룰 수 있는 기술이었다.

고종은 개화교서에서 전신을 포함한 서양 기술이 부국강병의 이기임을 지적하고 도입을 추진할 것을 천명했다. 즉 "(서양의) 기계는 정교하니 그것으로 利用厚生이 가능하다면 농기구나 의약품, 무기, 운송수단을 만드는 데 무엇을 꺼려서 하지 않겠는가"며 서양기술 도입을 언명했다. 이 교서에서 전신을 포함한 기기는 이용후생의 수단이라고 지칭된 것이다. 고종은 전국의 사대부들이 서양의 기계 문물에 대해 학습할 수 있도록 관련 서적을 전국에 배포하기도 했다. 이는 사대부들이 전신을 포함한 서양 문물과 관련된 책을 읽음으로써 정부가 추진하는 도입 정책의 의미를 인식하고 동의할 것을 기대한 조치였다. 1882년 지속적으로 제출된 개화 상소들은 그의 기대가 헛되지 않았음을 보여주었다.[15] 교서 반포 후 이어졌던 개화 상소들에서 "전기선은 순식간에 천리 밖에 떨어진

---

15) 『승정원일기』, 고종 19년 8월 5일 ; 개화 상소에 대한 내용에 대해서는 柳承宙, "開化期의 近代化 過程", 『近代化와 政治的 求心力』(한국정신문화연구원, 1986)을 참조할 것. 『易言』이 개화 상소 및 개화에 미친 영향에 대해서는 李光麟, "「易言」과 韓國의 開化思想", 『개정판, 韓國開化史研究』(일조각, 1993), 19~30쪽을 참조.

사람과 통신할 수 있어 천하 각국이 많이 가진" 것으로 이의 도입의 시급함을 지적하는 주장으로 이어지며 고종의 의지를 지지했다.16)

개화파의 중심인물이었던 金玉均(1851~1894)은 '治道略論'에서 "만국의 교통은 대양을 통하여 윤선이 내왕하고 전선줄은 지구면을 통하고 실오리로 짜듯 덮여" 있다고 하면서 전신을 근대 서양세계를 이루는 기본적인 도구로 설정해 그 중요성을 설파했으며, 兪吉濬(1856~1914) 역시 이를 인지하고 있었다. 그는 "[전신으로] 새롭고 신기한 이야기를 서로 알리고 긴요한 소식을 서로 주고받아 公私간에 편리하기가 한량없다. … [이를 통해] 온 세상이 문 안의 뜰과 같아져"라고 하며 효용성을 강조하기도 했다.17)

이처럼 전신의 중요성과 도입 필요성을 강조하는 주장이 제시되긴 했지만 조선의 위정자들은 이런 수준의 정보만으로 전신을 도입할 수 없었다. 그들 역시 1860~1870년대에 수입된 『博物新編』을 비롯한 서구 근대 문물과 과학기술 관련 서적들을 통해서 전신을 접했는데, 이 책들은 전신을 신속하게 정보를 전달하는 통신 체계라고 소개하고는 있었지만 전신의 운영 방식이나 전신 체계를 제시하지는 않았다.18) 따라서 조선의

16) 『승정원일기』, 고종 19년 8월 5일 ; 고종 19년 10월 7일 ; 그밖에 개화 상소에 대해서는 『승정원일기』 고종 19년 9월 5일 ; 11월 19일 ; 12월 22일 ; 고종의 개화교서의 의의와 개화 상소들에 대해서는 柳承宙, "개화기의 근대화과정", 81쪽을 참조.

17) "치도약론", 『한성순보』, 1884년 윤5월 11일 ; 유길준, 김태준 역, 『서유견문』(박영사, 1982), 217쪽.

18) 『博物新編』은 영국인 의사 Benjamin Hobson(중국 이름 合信)이 쓴 책으로 발간과 거의 동시에 조선에 전래된 것으로 보이는데, 이는 이 책의 많은 내용이 崔漢綺(1803~1879)의 「神機踐驗」에 그대로 전재되어 있기 때문이다. 고종이 내하한 서적 목록에도 이 책이 포함되어 있음으로 미루어 고종 역시 이 책을 읽었던 것으로 보인다. 이 책 이외에 고종이 내하한 책 서목에는 서양 과학기술 관련 서적이 모두 120종에 이르며 그 중 1880년대 초반 이전 수입한 서적은 98종에 이르고 있다. 이에 대해서는 延甲洙, "『內閣藏書彙編』 影印", 『奎章閣』 16(1993),

위정자들이 전신을 도입해 군사통신망을 대체하기 위해서는 전신에 대해 더 많이 알아야 했다. 마침 일본에 수신사를 파견하게 된 것을 계기로 조선 정부는 전신을 비롯한 각종 근대 문물의 운영 정황의 파악을 수신사들의 임무 가운데 하나로 제시했다.

2) 수신사들이 접한 전신 기술

개항 이후 조선 정부는 일본으로 수신사를 세 차례 파견했다. 1876년 4월에 파견된 제1차 수신사 金綺秀(1832~1894)는 일본이 근대 기술을 통해 많은 발전을 이루었음을 보고 근대 기술을 채용한 부문들의 운영 상황을 자세하게 기록했다.[19] 그는 工部省에서 많은 기기들이 다루어지는 것을 보았으며 전신도 유심히 살폈다.[20] 그는 일찍이 "전신으로 먼 거리에까지 소식을 전할 수 있다"는 이야기를 들은 일이 있다고 하면서 전신의 빠른 속도를 믿을 수 없었다고 했다. 그가 들었던 전신에 대한 이야기는 指針式 전신이었는데 이 지침식 전신에 대해서는 合信의 『博物新編』의 '전기편'이나 이를 全載한 崔漢綺(1803~1879)의 『神機踐驗』과 같은 책이 소개하고 있었다.[21] 지침식 전신은 각각의 철선 끝에 둘레에 26자(영문 알파벳)가 새겨진 원판을 설치한 전신기를 두어 송신국에서 한 쪽에서 바늘 끝으로 글자를 가리키도록 작동시키면 수신국의 전신기에도 바늘이 글자를

228~250쪽을 참조 ; 한편 『博物新編』에 실린 전신에 대한 기사는 合信, 『博物新編』(江蘇上海墨海書館藏板, 咸豊5년(1855, 규중 4922), 初集 49~59쪽을 참조.

19) 金綺秀, 「日東記游」, 國史編纂委員會 편, 『韓國史料叢書 9, 修信使記錄』(1971), 103쪽.

20) 같은 책, 30쪽.

21) 合信, 『博物新編』, 初集 49~59쪽. 이 글은 崔漢綺의 「神機踐驗」에 그대로 전재되어 있다. 崔漢綺, "電氣論", 「神機踐驗 下」, 『韓國科學技術史資料 20』(여강출판사 영인, 1988), 338~357쪽.

가리키게 함으로써 소식을 전하는 방식이었다. 그는 지침이 일일이 글자를 가리켜 소식을 전하는 방법으로는 책에서 주장하는 것처럼 그렇게 빨리 소식을 전하는 것은 불가능할 것이라고 생각했다.

> 전선이 만 리 밖에까지 소식을 전하는 것은 이쪽과 저쪽에 있는 하나의 받침대에 의지한다. 받침대 가운데에 한 개의 바늘이 있고 사방 둘레에 글자가 새겨 있어 이 바늘이 돌아가면서 글자를 가리키고 그 가리키는 곳을 따라 기록하여 드디어 한 장의 글이 된다. 이를테면 바늘이 元자, 亨자, 利자, 貞자를 가리키는 것이 마치 元, 亨, 利, 貞류의 글자를 아는 것 같다. 이쪽에서 이 바늘이 돌아갈 때에 저쪽에도 이 시각에 바늘이 또한 돌아간다고 한다. … 이는 믿을 수 없으니 대개 바늘이 아무리 빠르다고 하여도 한 번에 한 글자를 가리키니 열 자, 백 자의 많은 글자에 이르면 시각이 또한 오래 걸릴 것이다.[22]

이런 지침식 전신의 설명만으로는 전신의 속도를 의심할 수밖에 없었던 그는 일본 공부성에서 모스 전신기를 보고 자신의 생각을 바꾸게 되었다. 물론 『박물신편』에서도 모스 전신이 소개되어 있었지만 단지 '전기가 점획을 만드니 이 역시 전보가 된다'고 되어 있고 작동 원리를 짤막하게 소개하는 정도였으므로 글만으로 동양의 知的, 文化的 傳統에 있던 그가 전기와 모스 전신의 작동 방식을 쉽게 이해할 수 없었다.[23] 하지만 그는 일본의 工部省을 방문해 모스 전신기를 보고 작동 방식을 이해할 수

22) 김기수, 앞의 글, 30~31쪽. "電線之萬里傳信, 彼此只憑一盤, 盤中有針, 四圍有字, 針旋指字, 隨指隨錄, 遂爲一幅書, 如指元指亨指利貞, 以知元亨利貞類也. 此邊此針旋時, 彼邊此時針亦旋也…不可信 盖針體雖疾 一旋一字 以至百十字之多 而時刻亦己多也".

23) 合信, 『博物新編』, 53쪽. "電氣作點劃 亦爲電報".

있었으며 이 방식이라면 "만 리 거리에 전신하여도 다만 같은 시간에 끝날 것"이라고 판단할 수 있었다.[24] 그가 공부성에서 본 모스 전신기는 전선과 電鍵, 계전기와 인자수신기로 구성되었던 것으로 보이는데, 그가 전신기의 부품들을 器, 櫃 등으로 지칭하고, 설렁줄, 먹줄통, 막대와 같이 우리나라에서 흔히 사용하는 물건들에 비유하며 생김새와 작동하는 모습을 묘사한 것을 보면 전신기 부품에 대한 설명을 부품명과 함께 설명 받지는 않았던 것으로 보인다.[25]

> 工部省에서 [이것을 보니] 전신선의 끝이 덮개로 가린 곳에 들어가 마치 우리나라의 설렁줄이 집 안에 들어간 것과 같았다. 전신선을 平床까지 드리우고 평상 위에는 기계를 설치했으며, 기계 옆에는 상자[櫃] 같은 그릇[器]을 두었는데 이 상자 안에 電이 있다. 손으로 기계를 건드리니 전기가 상자 안에서 생겨 번쩍번쩍했다. 전선 바로 위 옆에 또 한 器가 있는데 마치 우리나라 목수의 먹줄통과 같다. 그 통 안에 막대가 움직이고 또 편지원 뭉치가 있으며, 막대 한 끝이 바로 위로 올라가 그것을 에워싸니, 종이 위에 글자가 있다.[26]

전신기 구조에 덧붙여 그는 전신주의 높이, 전기 硝子 설치 방법과 같이 전신선을 가설하는 방법에 대해서도 설명했다. 그는 육지뿐만 아니

24) 김기수, 앞의 글, 31쪽.

25) 설렁줄[舌鈴索]은 전통 양반 가옥 안에서 바깥의 하인들을 부르기 위해 종을 매달아 늘어뜨려 놓은 줄을 말한다. 편지원은 종이두루마리를 의미한다.

26) 김기수, 앞의 글, 31쪽, "余於工部省見之, 電信之線, 其端入于屋中, 如我國舌鈴索之入屋者, 下垂于床, 床上設機, 機傍有器如櫃, 櫃中有電, 手敲其機, 電生于櫃, 閃閃爍爍, 直上于線, 傍于一機, 如我國功木者墨繩之桶, 筒中有杠, 杠轉而傍, 又有片紙圓堆者, 一端直上于杠而圍之, 紙上有字".

라 바다에도 전선이 가설되는 것을 매우 신기해했으나 해저선을 직접 볼 기회가 없었으므로 "[바다를 만나면] 곧 [電線을] 물밑으로 바로 가라앉혀 지나게 한다고 하더라"는 정도로 자신이 들은 바를 소개하는 데에 그쳤다.[27)]

김기수는 일본에서 전신을 직접 이용할 기회를 가지기도 했다. 일본 접대 담당 관리는 김기수가 동경에 도착했을 때 조선의 사신들이 잘 도착했음을 전신으로 나가사키에 전보를 쳐서 알렸고 그곳에서 사람을 시켜 동래에 전하게 했다고 하면서 "혹시 貴國에 급히 알리고자 하는 일이 있으면 한글로 글을 써서 가져오면 전선으로 빠르게 알리도록 하겠다"고 전신 이용을 권하기도 했다. 하지만 일본 관리의 전신 이용 권유 태도가 일본이 가진 기술을 자랑하고자 하는 태도에서 비롯된 것임을 감지한 탓인지 김기수는 후의에 감사한다고 하면서도 그렇게 급하게 알릴 일이 없다고 전신 이용을 사양했다.[28)]

김기수는 귀국 후 고종에게 전신을 포함해 일본에 도입된 근대 문물에 대해 보고했다. 그러나 전신에 관한 그의 보고는 전신 기기의 구조나 작동 모습의 묘사에 집중되어 있고 일본 전신 선로 가설 현황, 개설 전보사의 수 또는 전신 선로 가설에 필요한 자금의 규모와 같은 구체적인 전신 사업에 대한 설명은 제시되어 있지 않았다. 책에서 볼 수 있는 것보다 전신에 대해 더 자세한 설명을 듣고 싶었던 고종은 "電線, 화륜과 더불어 농기에 대해 들은 바 없는가?"고 물었다.[29)] 김기수는 이 질문에 "訓導와 別差가 이미 가까운 草梁館에 있으니 초량관에서 배우는 것이

---

27) 같은 글, 31쪽.

28) 같은 글, 114쪽.

29) 『內閣藏書彙篇』 '新內下冊子'에 『박물신편』이 있는 점으로 미루어 고종 역시 이 책을 읽었던 것으로 보인다. 고종의 질문은 같은 글, 132쪽 참조.

좋을 듯하다"고 했을 뿐 자세하게 답변하지 못했다.[30] 초량관은 당시 대일무역항으로, 대마도 사신인 별차나 훈도가 이곳에서 무역 사무를 본 곳이었으므로 여기에 조선 관원들을 파견하면 이들 사신을 통해 필요한 정보를 구할 수 있으리라는 생각이었지만 그들로부터 고종이 원하는 수준의 전신 관련 정보를 구하기는 쉽지 않았을 것으로 보인다. 결국 고종은 자신이 알고자 하는 정보를 얻기 위해 다른 통로를 만들어야 했다.

3) 『易言』에 소개된 전신

김기수의 보고 후 4년이 지난 1880년, 고종은 제2차 수신사 파견을 통해 전신 체계에 대한 구체적인 정보를 접할 수 있었다. 수신사 金弘集(1842~1896)은 고종으로부터 일본의 전신을 포함한 근대문물 운영 상황을 정확하고 상세하게 탐문해 보고하라는 명을 받았다. 그는 귀국 후 고종에게 "전선은 병자년에 본 바로는 불과 14行에 지나지 않는다고 했으나 이제는 24行에 이른다"고 가설 전신선의 증가 상황을 보고했다.[31] 그는 자신이 직접 자세하게 전신에 대해 보고하는 대신 일본에서 구한 청나라 사람 鄭觀應(1842~1922)이 쓴 『易言』을 고종에게 전했다. 『이언』은 鄭觀應이 서양을 유람하면서 본 다양한 근대 문물과 기술들을 자세하게 서술한 책으로, 이 책에는 전신의 유용함 역시 상세하게 기록되어 있다.

鄭觀應의 『이언』에 설명되어 있는 전신에 관한 글의 내용은 크게 셋으로 나눌 수 있다. 먼저 꼽을 수 있는 것이 전신의 원리에 관한 내용이다. 鄭觀應은 전신이 "번개(전기)를 이용하여 소식을 전하는 것"이라고 하면서

---

30) 같은 글, 132쪽.

31) 김홍집, 「修信使日記 卷2」, 국사편찬위원회 편, 앞의 책, 154~155쪽.

인류가 이전 시대와는 전혀 다른 통신 방법을 가지게 되었음을 의미한다고 설명했다.

> 이제 태서 각국에서 다 전기선을 베풀어 산이 가렸던지 바다가 막혔던지 물론하고 서로 간에 소식을 통하니 진실로 고금에 없는 기이함을 열어 측량치 못할 비밀을 누설함이라.[32]

두 번째 내용은 전신 부설 효과에 관한 것이다. 그는 평상시와 戰時로 나누어 전신의 효용성을 설명했는데 먼저 전신을 이용하면 평상시에는 빠른 정보 교환으로 무역에서 큰 이익을 얻을 수 있다고 주장했다.

> 商賈들이 물화를 무역할 제 전기선을 빙자하여 시세를 서로 통한즉 전기선 없는 자는 항상 부족하고 있는 자는 항상 넉넉하니 부강하게 하는 공이 여기 말미암았다.[33]

전신은 戰時에는 더욱 더 유용성이 발현되는 근대적 이기였다. 전신망 확보 유무가 전쟁의 승패를 결정하기 때문이다. 그는 프로이센이 프랑스

---

32) 鄭觀應, 『易言』(연세대학교 소장, 국역본, 역자 미상), 39~40쪽. 이 글에서 이용한 『易言』은 모두 4권 36편으로 구성된 한글 번역본이다. 한글 번역을 누가 언제 한 것인지는 정확히 알 수 없으며 최초의 민간 출판사인 廣印社(1884년 3월 개업)에서 발행한 것이다. 1권은 공법, 세무, 아편, 상무, 개광, 화거, 전보, 개간, 治旱에 관한 글로 구성되어 있다. 2권은 기기, 선정, 鑄銀, 우정, 鹽務, 遊歷, 의정, 考試(부론 양학), 理致의 글로, 3권은 변방, 교섭, 전교, 출사, 수수, 화기, 연병의 글로, 4권은 民團, 治河, 虛費, 廉俸, 書吏, 招工, 醫道, 범인, 棲流, 차관, 裹足, 발, 珊溪生注 등의 글로 구성되어 있다. 이 책의 판본에 대한 소개 및 비교, 그리고 해제에 대해서는 김용구, "『易言』에 관하여", 『세계관 충돌과 한말 외교서, 1866~1882』(문학과지성사, 2001), 325~335쪽 참조.

33) 같은 책, 42쪽.

와의 전쟁에서 승리할 수 있었던 가장 큰 요인으로 프로이센이 전장에서 전신망을 확보했음을 들었다. 그는 전신 없이는 戰線 배치와 戰術 운용을 원활하게 할 수 없고, 아군 사이의 상호 소통이 어려워져 전선 자체가 와해되기 때문에 전쟁에서 패할 수밖에 없다고 판단한 것이다.

> 해변 요긴한 곳의 포대(돈대를 모으고 대포를 버려둔[설치한] 곳이라)를 두고 또 전선이 없은 즉 포대도 또한 외로와 구원이 없는 것이요, 전선만 있고 전기선이 없은 즉 전선이 또한 구원하기를 미처 못 할 것이니, 만일 적병이 나의 전선 둔 곳을 알고 군사를 합하여 에워싸고 칠 제 전기선을 통기함이 없으면 각처에서 어찌 능히 빨리 나와 구원하리오.[34]

세 번째 『이언』에서 제시된 내용은 전신선 가설 비용과 관련한 문제였다. 그는 이 글에서 적지 않게 드는 전신선 가설 비용을 마련할 방법을 제안했다. 그것은 정부가 주관하여 먼저 전신을 부설한 다음 민간이 활발하게 쓸 수 있도록 장려하는 방안이었다. 그는 민의 사용이 활발해져 전신 수입이 증가하면 정부가 가설 비용을 빠른 시간 안에 회수할 수 있으므로 전신 가설에 따른 재정 부담을 줄일 수 있다고 생각했다. 그에 의하면 영국이 이 방안을 이용했다.

> 영국으로 의론할지라도 전기선을 나라에서 가설하였더니 商賈하는 백성이 전기선을 사용하여 모든 공비를 거두어 도로 바치니 매년 所入에 전선국(전기선을 관리 운영하는 곳이라)에 드는 잡비를 제하고 그 나머지

34) 같은 책, 44쪽.

는 국용에 채우므로 … 수입을 참작하야 收稅하니 일이 년 안에 반드시 처음에 가설할 때 든 경비를 거둘 수 있을 것이오.[35]

『이언』에 소개된 전신의 유용성은 제 기능을 상실한 역원과 봉수를 개혁하여 군사 통신망을 강화하려는 고종의 의도에 부합했다. 그리고 가설 자금 회수에 대한 鄭觀應의 전망은 "[일본 정부의] 일 년 수입은 약 오천만 금으로 地租와 關稅가 크며 철도, 전신과 各局 제조 및 배와 수레 등이 모두 수입이 있으니 백방으로 버릴 것이 없다"는 김홍집의 보고와 함께 고종으로 하여금 전신 도입을 낙관적으로 검토할 수 있게 했던 것으로 보인다.[36]

4) 일본과 미국의 전신 운영 상황 시찰

전신을 도입하기 위해서는 전신이 유용하다는 인식 이외에 전신 시설 운영 실태, 수익 구조와 같이 구체적인 상황을 파악하는 작업이 필요했다. 이 작업을 수행한 것은 1881년 고종이 일본의 근대 문물 도입상황을 상세하게 탐문하도록 파견한 조사시찰단이었다.[37] 고종의 친위 정예 관료들로 개화 정책의 중추적 역할을 담당할 인사들로 구성된 이 조사시찰단은 일본 정세 탐문과 더불어 근대 문물 도입 상황과 도입으로 인한 일본의 득실을 파악해야 했고, 근대 문물을 도입하기 위해 설치한 조선 중앙관서의 운영 방안을 모색해야 했으며, 이들 관서에서 실무자로 활동

---

35) 같은 책, 42, 45쪽.

36) 김홍집, 앞의 글, 154~155쪽.

37) 조사시찰단 파견 배경에 대해서는 許東賢, 『近代韓日關係史硏究』(국학자료원, 2000), 37쪽을 참조.

할 유학생 파견을 위한 통로도 마련해야 했다.

고종은 조사시찰단이 원활하게 시찰활동을 전개할 수 있도록 일본 정부의 각 부서를 朝士 한두 명에게 배당했다.[38] 근대 통신 제도를 비롯해 등대, 철도와 같은 근대 기간 시설들을 설치, 관리, 운영하는 공부성은 姜文馨(1831~?)이 담당했다. 그는 전신국을 철저히 조사했고 이를 바탕으로 세밀한 보고서를 작성했는데, 이 보고서에서 그는 일본이 전신을 도입하기 시작한 지 불과 10년 만에 중앙 도성과 일본 지방 곳곳을 연결할 수준의 전신망을 확보했다고 기록했다.[39]

> 일본이 불과 십 년 전에는 전보를 알지 못해 이것이 무슨 물건인지 어떻게 작용하는지 알지 못했으나 이제 기기의 교묘함과 효력을 보아 그것을 만들었다. 都城으로부터 각처와 지방을 두루 통하니 통계하면 종횡으로 대략 3,000여 리이다.[40]

1869년부터 가설을 시작해 1876년에 준공한 일본의 기간전신 선로가 지나는 지역들을 소개하면서 그는 일본 전역이 기간선로로부터 확장된 지선들로 마치 그물망처럼 연결되어 있다고 보고했다. 또 그는 전신선이 일본 국내만을 연결한 것이 아니라는 점을 강조했다. 일본의 전신 선로는 長崎에서 上海, 그리고 인도를 거쳐 유럽으로 이어져 있고, 유럽으로부터 다시 북아메리카와 남아메리카로 연결되어 세계 각국과 소통할 수 있다고 기록했던 것이다.[41]

---

38) 조사시찰단의 일본 부서 배당에 대해서는 같은 책, 61~70쪽을 참조.

39) 姜文馨, 『工部省』, 허동현 편, 『朝士視察團關係資料集 12』(國學資料院 영인, 2000), 451쪽.

40) 같은 책, 497쪽.

41) 같은 책, 475~476쪽.

이 보고에서도 알 수 있지만 일본은 1868년 메이지 유신 이듬해부터 전신 도입을 위해 많은 노력을 기울였다. 첫 가설 지역은 도쿄-요코하마였으며 이후 일본 전역을 전신망으로 연결하는 작업이 이어졌다. 또 국제사회로 진출하기 시작한 1872년에는 대북부전신회사와 계약을 체결해 블라디보스토크와 상해를 잇는 해저선의 경유지로 나가사키를 제공해 그해부터 유럽과 일본 사이에 전신 업무가 시작될 수 있었다. 특히 1877년 사쓰마와 조슈의 반란이 성공할 수 있었던 하나의 원인으로 전신이 거론됨에 따라 전신에 대한 관심은 더 증폭되어 일본에서의 전신망은 급격하게 증가하게 되었다.[42]

강문형은 전신국 조직에 대해서도 상세하게 보고했다. 그가 전신국을 방문했을 때는 일본의 전신 사업이 빠른 속도로 확장되는 과정에 있었고, 이를 관리하고 운영하는 전신국 역시 거대 조직으로 성장하고 있었다. 일본의 전신국은 중앙전신국 인원만 하더라도 직원 98명, 技手 411명, 교습생 148명이었으며, 지국의 관리 인원을 포함하면 전체 직원이 모두 1,542명에 달하는 거대한 부서였다. 약 4,200리에 달하는 전신망을 관리 운영하는 전신분국이 191개소였고, 이들 분국은 3개 상위 기구인 電信中央區, 南區, 北區의 관리를 받도록 소속되어 있었다. 중앙구는 분국 60개에 전신 선로 약 348리, 南區는 분국 76개에 전신 선로 약 2,380리, 北區는 55개 분국과 전신 선로 1,460리를 관리했다. 일본 전신국은 정부 업무용 전신을 담당하는 전신분국을 따로 설치해 정부 업무를 신속하게 처리하게 했는데, 이는 단지 정부 업무를 신속하게 하는 일만이 아니라 민간에서 전신을 이용할 때 정부 업무 때문에 지연되는 불편함을 겪지 않도록 하기 위해서였다. 그는 동경부 소재 8개 분국과 도쿄-요코하마 구간의

42) Daniel R. Headrick, 앞의 책, 44쪽.

7개 분국의 15개 분국을 제외한 중앙구의 소속 분국 45개가 정부 부처와 경시청에서 사용하는 지선을 관리·운영하고, 남구 소속의 16개, 북구 소속의 9개 분국 역시 정부가 사용하는 전신선을 관리하고 있다고 보고했다.[43)]

강문형은 일본 전신국의 경영 상태도 탐문했다. 그는 일본 정부가 당시까지 약 4,144리의 전신망 구축을 위해 투자한 비용이 4,159,830엔이고 1년 수입금은 433,804엔이라고 기록했다.[44)] 그에 따르면 10년 이내에 전신 가설 투자비용 회수는 물론 수익 창출도 가능할 것이었다.

강문형에 따르면 관과 민 모두가 "동경부터 橫濱까지 20자 和文은 賃金이 7錢이며 橫文은 賃金이 25錢"의 전신망을 이용하기 위한 글자 수와 거리를 동시에 기준으로 삼는 요금체계를 따랐다. 일본 전신국은 전신 배달 요금을 따로 산정해 받고 있었는데, 이 전보 배달 요금은 "東京府 내 사방 五町은 賃金이 없으나 그밖의 매 5정마다 2錢씩이 더해지며, 橫濱 사방 十町은 賃金이 없으나 그밖의 매 5정마다 2錢씩"이 늘어났다.[45)]

그리고 일본에서는 특수한 목적에 따라 전신 부호를 다르게 제정해 운영하고 있었다. "[군사용 전신 부호로] 단지 48자의 秘語가 쓰이는데 다른 사람들이 대개 그 뜻을 해석하지 못하며 이 전신 부호는 戰時에 사용"되었으며, 특수한 목적을 지녔던 만큼 군사용 전신은 공부성이 아니라 육군성에서 관리했다. 이 군사용 통신 방법이 일본에서 어떻게 운영되는지에 대해서도 조선 정부가 특별하게 관심을 기울였으나 그

---

43) 姜文馨, 앞의 글, 476~478쪽.

44) 같은 글, 478, 481쪽 ; 일본은 1891년에 이르면 435개의 전신국과 11,610km의 육로전선, 387km의 해저선을 보유한 국가가 되었다. 이에 대해서는 Daniel R. Headrick, 앞의 책, 44쪽을 참조.

45) 姜文馨, 앞의 글, 479쪽. 1町은 약 109.1m로 5町은 0.5km 정도이며, 10町은 약 1km이다.

관리는 육군성에서 따로 수행했기 때문에 자세하게 조사되지는 못했다.

전신의 기본 원리인 전기와 전신기 구조, 그리고 전신기의 작동 원리도 관찰 대상이었다. 강문형은 "대개 기계를 만드는 법은 먼저 전기를 발생하는 법을 안 연후에야 시작할 수 있고 말할 수 있다"고 인식했는데, 이 전기 발생법은 마찰전기로부터 라이덴 병, 축전병, 화학전지, 자석 등으로 전기를 만들어낼 수 있었고 대규모로 전기를 발생시키는 發電 방법도 있었다. 그리고 전신기 안의 자성을 띤 철침, 즉 계전기가 움직이는 원리와 축전병의 전신기와의 연결, 電鑰과 같이 전신기를 구성하는 각각의 부품들이 작동하는 원리와 신호를 만드는 이유들도 중요한 보고 내용이었다. 전신기가 약속된 방식으로 신호를 보내고 받으므로 "얼굴을 보지 않고 있을 뿐 추호도 속임이 없"으므로 전신은 전폭적으로 신뢰할 수 있을 것으로 평가하기도 했다.[46]

또한 전신 선로는 땅 위에만 가설된 것이 아니었다. 땅 속에 매설되어 있거나 바다 속에도 포설되어 있었다. 가설 방식은 땅 위, 땅 속, 바다 속과 같이 가설되는 곳의 자연적 조건에 따라 달라졌다. 즉 전선 굵기와 전선 피막의 종류, 전선의 구조가 달라지며 종류와 두께에 따라 피해 방지 방법 역시 달라졌다.[47] 특히 그의 관심을 끈 것은 이런 가설 방법에 따라 전신선이 프랑스와 미국, 영국, 인도, 싱가포르, 홍콩, 상해, 일본 등 국가와 국가, 대륙과 대륙을 잇고 있다는 사실이었고 그 가설 거리 역시 마찬가지로 큰 관심거리였다.

강문형과 함께 일본에 간 조사들 가운데 몇몇은 전신에 주목했다. 閔種默(1836~1916), 朴定陽(1841~1904), 趙準永(1833~1896), 李𨯶永(1835~1907)이 그들인데, 그 가운데 이헌영은 그의 견문기에서 전신 도입으로 일본

46) 같은 글, 481~490쪽.
47) 같은 글, 478~481쪽.

국내뿐 아니라 국제간의 통신 속도가 놀라울 정도로 빨라졌고, 이 빠른 전신을 관과 민이 함께 사용하고 있다고 기록했다.[48)]

> 먼저 도쿄와 나가사키에서 유럽 여러 나라들에 이르기까지 [전신이] 종횡으로 몇 십 줄이 연결되어 있어 각 나라의 일을 지척에서 듣는 것처럼 들을 수 있고 만 리 간의 서신도 빠른 시각 안에 통신할 수 있는데, 이를 公私가 함께 이용하고 있다.[49)]

박정양의 기록은 전신의 신속함에 대한 놀라움에 그치지 않는다. 그는 "서법을 배워 얻은 이후로 공부성에 특별히 전신학 일과를 두고 또 本局과 分局을 두어 전선 사무를 관장하게" 한 일본의 전선 도입 상황과 "관이나 商社가 서로 편하게 연락하고 있을 뿐만 아니라 큰 항구나 대도시, 사람들이 많이 모이는 곳 가운데 설치되지 않은 곳이 없"는 전선 부설 현황에 대해서도 설명했다.[50)] 또한 그는 전신선이 "중국 상해 등지와 구미 각국 곳곳에 서로 연결"되어 있다고 기록했다.[51)] 문부성을 중점적으로 조사했던 조준영은 다른 조사들과는 달리 전신의 신호 발생 기제를 알아보았고, 지국이나 분국을 설치하는 이유와 전신 운영 방법을 살폈으며, 일본 정부가 민간 전신 사용을 장려하는 방안을 조사하여 기록하기도 했다.

---

48) 이들 조사들의 전신에 대한 기록은 趙準永, 「聞見事件」, 허동현 편, 앞의 책, 605~606쪽 ; 朴定陽, 「日本國見聞條件」, 허동현 편, 같은 책, 190쪽 ; 閔種默, 「聞見事件」, 허동현 편, 같은 책, 116~117쪽 ; 李鑓永, 「日槎集略」, 허동현 편, 『조사시찰단관계자료집 14』(국학자료원 영인, 2000), 5쪽에서 찾아볼 수 있다.

49) 李鑓永, 앞의 글, 5쪽. 이헌영은 「일사집략』과 「日本聞見事件草」 두 편의 견문기를 남겼다. 이 두 견문기의 내용은 거의 같으며 이 글은 「일사집략」을 인용한 것이다.

50) 박정양, 앞의 글, 190쪽.

51) 같은 글, 190쪽.

구리로 만든 선을 땅에다 설치하고 물 속에도 연결하여 널리 펼쳐 놓고 양쪽 끝에 기기를 두어 서양 글자 24자로 음성 신호를 정해 천만 리라도 아주 짧은 시간에 전달한다. 글자의 많고 적음에 따라 요금을 받는다. 중요한 곳을 택하여 분국을 설치했는데 이 분국의 수가 80여 개소이다. 민간에서 사적으로 전신국을 설치해 관에서 설치한 선을 접속하고자 하면 정부가 허용해준다.[52]

이렇듯 일본의 전신 부설 상황과 관련된 다양한 정보를 견문기에 기록한 조사들 가운데 민종묵을 제외하고는 모두 전신 도입에 긍정적인 태도를 보였다. 민종묵은 전신 부설 비용과 1년 수입에 대해 "11년간 전신 경비 금액은 355여 만 원이지만 입금 금액은 99만 원에 불과"하여 전신 가설에 많은 비용이 투자되지만 수입은 투자 비용의 1/4 정도에 지나지 않았다고 지적하면서 도입에 회의적이었다.[53] 그러나 다른 조사들은 생각이 달랐다. 조준영은 민종묵이 지적한 대로 당시 수입이 적다는 것은 인정했지만 그 수입이 해마다 증가하고 있음을 간과해서는 안 된다고 보았다. 더 나아가 조준영은 "대체로 전선, 철로를 만들고 설치한 것은 반드시 통신 수송을 편하고 빨리 하기 위해서만은 아니다. 세입이 해가 지날수록 늘어나니 이익이 적지 않다"고 평가해 전신이 통신수단으로서 뿐만 아니라 재정 수입원으로도 쓰일 수 있다고 주장했다.[54] 박정양

52) 조준영, 앞의 글, 605~606쪽. 조준영과 강문형의 기록에는 전신분국 수에서 차이가 나는데, 강문형의 기록이 전신국 탐문 후, 일본의 자료를 인용한 것으로 더 정확하다. 조준영 등 기타 조사들의 견문기는 공식방문과 자료 조사에 따른 기록이라기보다는 개인적인 질문을 중심으로 서술되어 조사들마다 수치 등에서 차이를 보인다.

53) 민종묵, 앞의 글, 116, 117쪽.

54) 조준영, 앞의 글, 605~606쪽.

도 조준영과 같은 입장이었다. 그는 전신이 간편하고 이것으로 외국과도 쉽게 교신할 수 있음에 주목하고 "[가설]비용은 철로보다 적고 수입은 우편과 비교하여 적지 않다"는 견해를 피력했다.[55] 이처럼 조사들 대부분은 전신 가설비를 조기에 회수할 수 있을 뿐만 아니라 재정 수입원 역할까지 담당할 수 있을 것이라고 보면서 전신 도입에 긍정적이었다.

조사들 대부분이 전신 도입을 긍정적으로 평가하기는 했지만 도입에 문제점이 전혀 없을 것이라고 낙관하지는 않았다. 이는 일본 정부가 근대 기술을 도입하기 시작한 지 10년이 지났음에도 아직도 대부분의 근대 시설물들이 외국인 기술자들에 의해 관리·유지되고 있는 상황을 목도한 것에서 비롯되었다. 외국인 기술자들의 고용 비용은 일본 정부 재정에 적지 않은 부담이 될 것으로 조사들은 생각했다. 특히 박정양은 10년이 지나도 기술을 다 배우지 못해 외국인에게 의존해야 하는 상황을 심각하게 받아들였다.

> 10여 년 사이에 일본 사람들이 일찍이 그 기술을 상세하게 다 얻지 못해 매번 서양인으로 스승을 삼았다. 설치한 기계의 비용과 西人을 고용하는 잡비를 계산한 즉 혹 이익이 없지는 않지만 보충하기에는 부족하다. … 서인이 교묘하고 신기한 기예로써 대다수 공작소나 기선과 화차 위에서 기계를 움직이는 기술을 가르치니 이들이 아니면 제대로 기계를 움직일 수 없다. 일본인이 아무리 열심히 배워도 그 기예를 다 할 수 없다.[56]

강문형이 보기에도 근대 기술을 가르치는 서양인 한 명에게 지급하는

---

55) 박정양, 앞의 글, 192쪽.

56) 같은 글, 187~188쪽.

월급 100圓 또는 150圓이란 액수는 재정상 큰 부담이었다. 그러나 박정양과 달리 강문형은 이 외국인 기술자 고용 부담을 부정적으로만 생각하지는 않았다. 그의 이런 생각의 근거에는 일본에서 하고 있는 기술 훈련 교육 정책에 대한 전망이 있었다. 그는 공부성에서 대학을 설립해 수년 동안 학생들에게 각종 기계 제조에 관련된 기술들과 그 토대가 되는 과학 이론을 가르치고 실험과 실습을 하게 하며 엄격한 학사 관리를 통해 학생들을 지도할 뿐만 아니라 박물관과 도서관을 두어 연구와 학습에 부족함이 없도록 지원하고 있음을 보았고 이 학교를 졸업한 사람들은 공부성에 취업이 보장되어 학생들이 학업에 전념하고 있다고 여겼다.[57] 그는 이런 기술 훈련 정책으로 근대 기술을 익힌 일본인들이 늘어나 외국인 기술자들을 대체할 것이므로 수년 내로 외국인 기술자 고용에 따른 정부의 재정적 부담도 덜 수 있을 것으로 판단했다. 기술 습득 방안에 대한 그의 보고는 조선 정부 내에서 논의되었고, 청나라에 간 영선사행과 전신 기술 습득을 위한 일본 유학생 파견은 그 논의의 결과라고 할 수 있다.

강문형을 포함한 조사들은 4개월 동안 전신을 포함한 일본의 근대 기술 도입 현황을 시찰한 후 귀국했다. 그들은 8월부터 고종에게 자신이 담당했던 부서 및 분야를 중심으로 일본의 정황을 자세하게 보고했다. 전신과 관련한 조사시찰단의 보고에는 조선 정부의 현안인 武備自强을 위해 전신이 중요한 역할을 담당할 것이며 전신 도입의 가장 큰 장애로 여겨졌던 가설 비용이 철도와 같은 다른 근대적 시설의 도입에 비해 크지 않고, 투자된 비용도 빠른 시간 안에 회수될 수 있으리라는 전망이 포함되어 있었다. 일본에서의 전신에 대한 시찰 결과는 고종과 개화

57) 강문형, 앞의 글, 586쪽.

지향 세력이 전신 도입을 위해 여러 작업을 전개할 수 있게 한 중요한 근거가 되었다.

고종은 일본 시찰 경험을 국정에 반영할 수 있도록 조사들을 통리기무아문에 중용했다. 조사들이 귀국한 해 12월, 12司 체제의 통리기무아문이 7사 체제로 재편됨에 따라 이들은 대부분 각 사의 책임자가 되었다. 강문형은 근대 문물의 도입을 관장하는 監工司의 협판이 되었고, 조사들 가운데 전신에 관심을 보였던 박정양, 조준영, 이헌영과 민종묵도 각각 이용사, 전선사, 통상사의 책임자가 되어 국정에 참여하면서 전신 도입 추진에 중요한 역할을 했다.

조선 정부는 미국에서도 전신 시설을 시찰할 수 있는 기회를 가졌다. 1883년 미국에 遣美使節團(이 사절단을 보빙사라 부르기도 한다)을 파견했을 때, 조선 정부는 이들을 통해 미국 전신 운영 상황을 파악할 수 있었던 것이다.[58] 미국 전신 시설 시찰은 이 사절단의 부전권대사였던 洪英植(1855~1884)이 주축이 되어 수행한 것으로 보인다. 미국에 가기 전 이미 郵政司 협판으로 중용되었던 그는 미국 국무장관의 눈에 띌 정도로 열심히 서부연합전신회사(Western Union Telegraph Company)와 뉴욕 우체국 같은 통신 시설을 시찰했다.[59] 서부연합전신회사는 미국을 가로지르는 대륙 횡단 전신 선로를 가설하고 운영한 대규모 전신 회사였다. 이 회사는 1879년 벨전화회사와의 특허 분쟁에서 패배한 이래로 전신 사업에만 전념했으며 전신환과 같이 전신을 이용한 금융서비스로 사업의 지평을 넓혀 미국에서 독보적인 전신 회사로 성장했다. 홍영식은 이 전신 회사를

58) 견미사절단에 대한 자세한 소개와 논의는 김원모, 『한미수교사』(철학과 현실사, 1999)와 한철호, 『親美開化派硏究』(국학자료원, 1998)를 참조. 그리고 이 사절단의 미국에서의 활동에 대해서는 김원모, 앞의 글(1986), 338~381쪽을 참조.

59) 文一平, 『韓美五十年史』(朝光社, 1945), 106쪽.

방문했고 전신기기 및 관리, 전신 송수신 업무와 전보 전달 체계, 회사의 조직 및 인력 관리 체계, 그리고 전신을 이용한 송금, 수금을 포함한 다양한 사업 등을 관찰하고 설명을 들을 수 있었다. 통신 제도에 큰 관심을 보인 그에게 미국 정부는 귀국하면 미국의 우편 제도를 모방하여 조선에도 통신 제도를 수립할 것을 권고하기도 했다.[60)]

홍영식이 갑신정변 주모자였기 때문인지 그의 미국 탐문 기록은 남아 있지 않고 단지 복명기만 남아 있을 뿐이다. 복명기에서 그는 미국의 문물 수준은 일본과 비교도 할 수 없을 정도로 발달해 있음을 지적했다. 그는 "일본 같은 나라는 서양법을 채용한 지 아직 일천하며 비록 일본이 서양법을 약간 모방했다손 치더라도 진실로 미국의 예에 견주어 논할 수 없다"고 지적했다. 그리고 "機器의 제조 및 배, 차, 우편, 전보 등속은 어느 나라를 막론하고 급선무가 아닐 수 없다"고 하면서 근대 통신 제도를 포함한 근대 문물의 신속한 도입을 주장하는 한편 "우리가 가장 중요시한 것은 교육에 관한 것인데 만약 미국의 교육 방법을 본받아 이를 도입, 인재를 양성해서 백방으로 대응한다면 아마도 어려움이 없을 것"이라고 하면서 미국 교육 제도를 수용할 것을 주장하기도 했다.[61)]

그러나 이런 내용은 개화를 추구했던 관료로서 할 수 있는 일반적인 보고 수준에 불과해 남겨진 문헌만으로는 미국 근대 통신 시설 시찰의 구체적인 사항과 그 탐문 결과가 근대 통신 체계 도입에 미친 영향을 정확히 알 수 없다. 다만 1893년 우정총국이 개설되었을 때 우체교사로 미국인이 고용된 일과 미국에서 전신기를 도입하려 했던 움직임을 홍영식의 미국 방문이 미친 영향 정도로 생각해 볼 수 있을 뿐이다.

---

60) "Corean Preparing to Go Home", *New York Times*, November 8, 1883 ; 김원모, "견미사절 홍영식 연구", 『사학지』 제28집(1995. 4), 298쪽.

61) 김원모, 앞의 글(1986), 370~373쪽.

조선 정부는 일본과 미국에서 전신과 관련한 정보를 수집하는 과정에서 전신에 대한 생각이 많이 바뀌었다. 전신을 군사 통신망으로서만이 아니라 행정망으로서, 그리고 정부가 주도하는 수익 사업으로 인식할 수 있었던 것이다. 하지만 가장 기본적인 생각은 변하지 않았다. 그것은 전신을 포함한 전신망은 일차적으로 군부의 업무라는 점이었다. 이는 일본뿐만 아니라 미국에도 파견되었던 홍영식에게 부여된 가장 중요한 임무가 두 나라에서 근대식 군대 체제를 관찰하고 탐문하는 일이었음에서도 볼 수 있다. 그는 병조의 고위 관원이었던 것이다.[62] 그가 군사 분야뿐만 아니라 이처럼 통신 체계에까지 관심을 가졌던 것은 조선 정부 내에서 통신망을 관할하는 부서가 병조였던 전통과 깊은 관련이 있으며, 조선 정부가 전신에 행정망의 역할과 수익 사업으로서의 기능을 첨가하기는 했지만 여전히 군사적 목적에 더 큰 의미를 부여했음을 보여준 일이었다.

2. 전신 기술의 도입

1) 전신 기술 인력 양성과 중앙 관리기구의 설립

조선 정부는 전신 시설을 시찰하고 돌아온 사신들의 견해를 토대로 전신 도입의 가능성과 타당성을 검토하기 시작했는데, 사업 검토 도중에 전신 도입을 고무하는 긍정적인 소식이 들려왔다. 上海-天津 간 2,800리에

62) 홍영식은 조사로서 일본에 파견되었을 때 일본의 육군을 시찰했고 귀국 후 統理機務衙門의 軍務司副經理事가 되었으며, 부호군으로서 임오군란을 수습했을 뿐만 아니라 함경북도병마수군절도사 겸 안무사, 협판군국사무, 병조참판에 임명된 인물이었다.

달하는 청나라의 전신선 가설 소식이 그것이었다. 1881년 5월에 시작되어 10월에 완공된 전신선은 청나라 전신학교 출신의 기술자들에 의해 외국 차관 도입 없이 청 정부의 재정만으로 불과 5개월이라는 빠른 기간에 완공된 것이었다. 청 정부가 이렇게 빨리 전신선을 가설한 것은 전신선이 없어 일본의 대만 침공에 신속히 대응하지 못해 대만을 침탈당했고, 러시아와의 이리분쟁 때에도 러시아와 달리 중앙 정부와 빠르게 협의하지 못해 협상에서 열세를 면치 못했다는 자각 때문이었다.[63] 이런 점을 배경으로 했던 청의 전신선이 외국 회사에 청부해 가설된 것이 아니었다는 점은 조선 정부에게 전신 기술의 도입에 자신감을 제공했다. 즉 청 정부는 이미 중국에서 전신 선로를 운영하고 있던 大北部電信會社(The Great Northern Telegraph Company Ltd.)에 전신 사업 전체를 請負해 전신선을 가설한 것이 아니라 청 정부의 주도로 전신학당을 세우고 학도들을 양성해 불과 5개월 만에 전신선을 가설했던 것이었다. 이 소식에 자극받아 조선 정부는 전신 도입을 앞당기려 했다. 이는 조선 정부 역시 청나라 못지않게 1860년대 이래 외세의 군사적 위협을 받아 왔으며 전신을 군사적으로 매우 긴요한 근대 시설물로 인식했기 때문이었다.

전신 도입 작업의 책임자로 떠오른 인물은 홍영식이었다. 그는 이미 1880년을 전후해서 武備自强을 위한 군사제도 개혁과 그 일환인 정보 전달 체계 구축작업을 시작하고 있었다. 1880년 수신사 김홍집의 隨員으로 일본에 갔던 그는 농상공부 驛遞寮의 寮頭 前島密(1835~1919)을 만나 근대 통신 사업 전반에 대한 설명을 듣고 우체국 창설에 관한 자료들을 받은 일이 있었다.[64] 또한 조사시찰단의 일원으로 일본을 방문했을 때에는

63) 청의 上海-天津 간 전신 가설에 대해서는 辛太甲, "洋務運動 時期의 電信 事業 經營", 『釜山史學』 23집(1992), 132~141쪽을 참조.

64) 체신부, 『郵政事業史』(체신부, 1964), 110쪽.

육군성 탐문의 임무를 부여받아 서양 군대체제의 수용이 가져온 일본 군사력 변화와 운영 체계를 관찰하면서, 그와 더불어 육군성의 군사 정보 소통을 위한 전신제도 운용 상황에도 접근할 수 있었다.

이어 1883년 보빙사 부전권대신으로 미국에 파견되기도 했음은 앞에서 보았다. 당시 조선 정부가 통리교섭통상사무아문의 협판으로 특히 우정 업무에 큰 관심을 보였던 그를 미국으로 파견한 것은 선진 통신 시설과 관리 운영 방식을 시찰하게 함으로써 일본에서 쌓을 수 없었던, 근대 통신 체계를 전반적으로 이해하고 도입을 지휘할 수 있는 능력을 키우게 하기 위해서였다.

홍영식의 근대 통신 체계 관리 능력은 구체적인 실무 과정에서도 배양되었다. 그는 일본에서 조사로서의 활동을 마치고 귀국한 해인 12월, 군사제도 개혁의 실무를 관장하는 통리기무아문 군무사의 부경리사와 더불어 전보, 驛傳, 철로 및 陸海通路를 관장하는 부서인 우정사의 참판을 겸직했고, 곧 고종의 특명에 의해 우정사 협판으로 승진했다. 그가 수행한 일은 당시 일본과 '釜山口設海底電線條款' 협정 체결이었다. 이 조관은 1882년 제기된 이래 일본의 과도한 조선 전신 사업권 선점 의도 때문에 지지부진 상태였으나 국제 전신망이 조선에 연결되는 일에 관심을 가졌던 고종은 이 조약이 신속하게 마무리되기를 원했다. 이를 배경으로 홍영식이 협판으로 승진되어 협상에 주도적으로 임하게 되었다. 이를 통해 그는 국내외적으로 전신의 중요성을 다시 한번 자각했다.

조선의 문화적, 지적 전통과는 전혀 다른 환경에서 발명되고 발전한 전신 체계를 조선 정부가 자력으로 도입하기 위해서는 이에 익숙한 외국 기술 인력을 확보하는 일이 사업 전개의 중요한 관건이었다. 이 외국 인력은 전신학도를 양성하고, 전신선 가설 공사를 총지휘하며, 전신기기를 조립하는 일을 감독할 수 있을 정도의 숙련자여야 했다.

이 작업은 홍영식이 일본에서 추진했다. 그는 1883년 8월 미국에서 보빙사 절단 임무를 마치고 귀국하는 도중에 도쿄에 들러 일본 정부와 통신 기술자를 고빙하기 위한 교섭을 전개했던 것이다.[65] 그들 가운데 몇 명이 조선에 입국해 실제 작업을 전개했는지에 대해 알려진 것이 없는 것으로 보아 일본과의 기술자 고빙 교섭은 실패했던 것으로 보인다.

조선 정부는 홍영식이 통신 사업 개혁을 위해 외국의 상황을 시찰하는 동안 전신 기술 실무를 담당할 기술자를 양성하기 위한 작업을 진행했는데 1881년 말 청나라 天津에 파견한 軍械學造를 위한 영선사행은 전신 관련 기술자 양성을 위한 중요한 통로 가운데 하나였다. 조선 정부는 영선사행을 통해 1882년 전신 및 전기 관련 기술자 세 명을 확보할 수 있었던 것이다. 영선사행은 1880년 9월 청 정부가 제안한 것을 조선 정부가 수용함으로써 파견이 결정되었다. 청 정부는 조선 정부에 영선사행이 수행해야 할 조목으로 '練兵, 製器, 購器'를 제시했으나 조선 정부는 그 가운데 가장 필요하다고 판단한 製器 습득을 주목적으로 삼았고, 이에 더해 통리기무아문과 같이 근대 문물 도입을 위한 정부조직에서 실무를 담당할 전문 인력 양성도 영선사 파견 목적에 포함시켰다.[66]

---

65) 『東京橫濱每日新聞』, 1883년 8월 8일 ; 김원모, 앞의 글(1995), 298쪽.

66) 최초의 기술유학생단인 영선사행은 그간 여러 학자들에 의해 실패했다는 평가를 받아 왔다. 실패의 이유로 중도 귀국자의 속출, 끼니를 걱정해야 할 정도의 재정적인 궁핍, 그리고 본국의 기기창 設廠 계획 추진 변경과 함께 가장 직접적인 원인으로 임오군란을 들었다. 여기에 험난한 여행과 유학생 선발 기준의 부재를 덧붙여 실패했음을 주장하기도 했다. 임오군란 같은 변란을 제외하면 위에 제시된 실패 원인들은 유학 준비 자체가 제대로 이루어지지 않았기 때문에 발생한 것이라고 할 수 있다. 유학 준비에 차질을 빚게 된 것은 조선 정부 내에서 영선사 파견을 통해 어떤 군사 기술을 어느 수준으로 배워올 것인지에 대한 의견이 일치하지 않았기 때문이었다. 보수 유림들도 청나라로부터 군사 및 무기 기술을 배워오는 일 자체를 거부해야 한다고 반대했다. 이런 분분한 의견들로 인해 출발일은 해를 넘겨 이듬해 4월로 정해지게 되었다. 그러나 그 후로도 출발일이 다섯 차례나 변경되었고 심지어 영선사 趙龍鎬가 갑작스럽게

영선사행 기술자 가운데 세 명은 전신 기술을 습득해 조선 전신 도입에 중요한 역할을 담당했다. 조선 최초의 전신 기술자인 이 세 명은 東局 電氣廠에 배정된 學徒 趙漢根과 南局 전기창에 배정된 학도 安浚과 尙澐이었다. 상운과 안준은 기술을 익히기 시작한 지 얼마 되지 않은 2월에 남국 총판 王德均으로부터 "상운은 매우 재능이 있고, 안준은 공부에 매우 열심"이라는 평을 받았다. 그리고 불과 한 달 뒤인 3월 중순, 王德均은

사망하기도 해 출발은 점점 늦어졌다. 최종적으로 출발일이 10월 초로 정해졌던 9월, 결정된 유학생 수는 청나라가 제의한 38명의 30%에 불과한 11명 정도였다. 이들 유학생들 중에는 無才로 조기 귀국조치되거나(4명이 해당됨), 청나라 교육 담당자로부터 "자질도 恒心도 없다"는 냉혹한 평가를 받은 사람들이 생겨날 수밖에 없었다. 출발 지연으로 여행 경로를 바꿀 수밖에 없었는데 이 역시 영선사행의 임무 완수에 부정적인 영향을 미쳤다. 영선사행은 원래 해로를 이용해 天津으로 가기로 되어 있었다. 그러나 출발이 늦어짐에 따라 바다가 얼어 육로를 이용할 수밖에 없었고, 겨울에 요동반도를 지나는 험난한 여행으로 天津 도착 후 유학생 반 이상이 병이 났고 그들 중에는 학업을 시작조차 할 수 없을 정도로 건강이 나빠지거나 사망한 사람까지 생겼다. 유학생 가운데 6명은 도착한 지 얼마 되지 않은 1881년 12월 말과 1월 초 귀국해야 했다. 이후에도 유학생들의 건강이 전반적으로 회복되지 않은 것으로 보이며 환경에 적응하지 못해 풍토병에 걸린 사람들이 생겼고, 6월 초까지 건강상의 이유로 학업을 중도에 포기한 사람이 5명에 이르렀다. 병에 시달리며 끼니마저 걱정해야 했던 상황에서 기술을 습득했던 영선사행 38명 가운데에는 일찍 기술을 습득해 조기 귀국한 尙澐같은 사람도 있었으나 19명의 유학생이 무재, 신병, 사고, 親故, 사망과 같은 이유로 귀국 조치되었다. 남은 17명조차 6월 초 발생한 임오군란 소식으로 불안해했으며 영선사 金允植(1835~1922)은 임오군란 수습의 미명으로 파병된 청군과 함께 귀국했다. 이에 대해서는 權錫奉, "領選使行考", 164~168, 171, 178쪽 ; 宋炳基, 『近代韓中關係史硏究』(단대출판부, 1985), 14~23쪽 ; 朴星來, "開化期의 科學受容", 『韓國史學』 1(1980), 255~258쪽 ; 金允植, "陰晴史", 어윤중, 김윤식 지음, 『從政年表, 陰晴史』(국사편찬위원회 영인, 1958), 60, 62, 67, 70, 83, 100, 114, 128, 143, 188쪽. 한편 영선사행이 실패했다는 평가에도 불구하고 이를 통해 조선 정부가 최초로 근대 기술을 습득한 기술진을 보유하게 되었다는 점을 간과해서는 안 된다고 본다. 영선사행 가운데 기술 학습에 적응한 18명은 동국과 남국의 책임자로부터 우수하다는 평을 받으면서 汽機, 銅冒, 礖水, 화약, 製圖, 電機, 화학과 같이 무기제작과 관련된 지식 및 기술을 습득해 조선 최초의 근대기술자로서 조선 정부의 근대기술 도입에 중요한 역할을 담당했던 것이다. 이에 대해서는 김연희, 앞의 글(2007)을 참고할 것.

상운이 "항상 마음을 바르게 쓰고 쫓아다니며 묻고 기록하여 전기의 이치에 점점 통하여 스스로 水雷와 電引을 만들어 시험해도 약간의 차이도 없을 정도로 실력이 향상되었다"고 칭찬했다.[67] 상운이 익힌 기술은 단지 무기 제조에만 국한된 것이 아니어서 그는 전신 기술을 익혔으며 중국에서 기술을 익힌 지 석 달이 채 안 된 3월 22일, 필요한 기술을 모두 습득하고 조기 귀국했다.[68] 또 한 명의 유학생인 조한근은 상운과 안준처럼 유학 초기부터 전신 기술을 익힌 것은 아니었다. 그는 처음에는 수사학당에 서양어를 배우도록 배치되었으나 곧 김윤식에게 서양 언어를 익히는 것이 매우 힘들다고 호소하여 水雷局으로 옮겨 그곳에서 水雷와 관련된 전기기술을 익혔다. 그는 실제 군에서 병사들이 수뢰를 다루는 것을 보기 원해 8일 간 大沽에 가서 병사들의 수뢰 조작 훈련 상황을 참관하기도 했다.[69] 이처럼 무기 제작에 큰 관심을 가졌던 그였으나 수뢰 제조와 관련된 기술을 익히고 난 다음 그는 더 이상 무기 제조 기술을 습득하지 않았다. 김윤식의 명에 의해 전보방에 배치되었기 때문이었다.[70]

김윤식은 중국 체류 중 전신에 대해 특별한 관심을 가지게 되었다. 영선사행으로 출국하기 전 조사시찰단의 전신 관련 보고를 접하기는 했으나 중국에 간 후 전신을 직접 접할 기회를 가졌고 도입 필요성을 절감하게 되었던 것이다. 그는 중국에 도착한 지 얼마 되지 않아 전기국에서 전신기가 작동하는 것을 보았으며 전신주들이 전신을 연결하기 위해 길 위에 늘어서 있는 것을 보았다.

67) 김윤식, 앞의 책, 92, 122쪽.
68) 같은 책, 125쪽.
69) 같은 책, 153, 164쪽.
70) 같은 책, 168쪽.

電機로 소식을 전하니 다다르지 않는 말이 있을 수 없고, 한순간에 얼굴을 보며 이야기하듯 수만 리에 이르게 한다. … 天津에서 상해에 이르는 4천여 리에 수십 보마다 기둥을 하나씩 세우고 양쪽에 전선을 걸쳐 길에서 서로 연결했는데 行人이 그 아래를 지나도 감히 손상치 아니 하니 세우는 법의 엄격함을 볼 수 있다.[71]

그는 당시 중국이 조선과 미국의 국교 체결 협상을 중재하면서, 교섭안을 전신으로 미국에 보내고 답신이 오는 데에 불과 며칠밖에 걸리지 않아 협상이 매우 신속하게 이루어질 수 있음을 알았을 뿐만 아니라 그 자신이 전신을 이용해 소식을 접하기도 했고, 전화기도 보았다.[72] 그는 이런 경험들을 바탕으로 전신 도입을 앞당기기 위해 전신 기술자를 한 명이라도 더 확보하려 했고 수뢰 기술을 익힌 조한근을 귀국시키지 않고 전보방에 보냈던 것이다. 조한근은 그의 기대를 저버리지 않고 열심히 전신 기술을 익혔다.[73]

김윤식의 전신 기술자 확보 의지는 임오군란 소식 이후 더욱 절실해졌다. 그는 이 소식을 일본으로부터의 전보를 통해 접했다. 직접 소식을 접할 수 없었던 그는 "중국과 한국이 바다를 사이에 두고 있는데 전선 한 줄 없어 속히 소식을 들을 수 없음이 한탄스럽다"고 통탄하면서 무엇보다도 전신 가설의 필요성을 절감했다.[74] 그는 영선사행의 철환을 결정한 후 전신 기술자 양성 방안을 모색했으며 그 일환으로 조선 정부의 외부 협판으로 고빙되는 묄렌도르프(Moellendorff, 1848~1901)를 찾아가 전신 기술

71) 같은 책, 67, 128쪽.
72) 같은 책, 67, 95, 99~100쪽.
73) 같은 책, 173쪽.
74) 같은 책, 178쪽.

자를 조선에서 양성할 수 있는 방법을 마련해 줄 것을 요청했다. 묄렌도르프는 그에게 "내가 여섯 명의 서양기술을 배운 학생들을 대동하고 조선으로 가 조선 학생들에게 서양어와 서양글자를 배우게 할 것인데 … 그 가운데 중국 전보학당 학생 梁敦彦이 따르기로" 되어 있으므로 梁敦彦으로부터 전신 기술을 배울 수 있을 것이라고 했다.[75] 그러나 묄렌도르프는 방한할 때 梁敦彦과 동행하지 않았던 것으로 보인다.

영선사행과 함께 조선 정부는 일본 유학생을 파견해 전신 사업에 필요한 실무 기술자 양성을 시도했다. 1882년부터 조선 정부와 개화 지향 세력은 본격적으로 일본으로 유학생을 파견하기 시작해 1884년 중반에 이르면 일본 유학생 수는 모두 70명 정도에 이르렀으며 유학생들 대부분은 慶應義塾에서 일본어를 학습하면서 새로운 학문을 익힐 준비를 하고 있었다. 유학생들이 이 학교에서 일본어를 이해할 수준에 이르면 대개 陸軍戶山학교, 세관, 체신성과 같은 곳에서 실무 연수를 받았다.[76] 유학생의 실무 연수기관 선택은 조선 정부의 지시가 아니라 유학생 개개인의 판단이나 개화 지향 핵심세력과의 교감에 의한 것으로, 특히 유학생들이 체신성에서 실무를 익힌 것은 조선 정부의 근대 통신 체계에 대한 의지가 이들에게 반영된 결과라고 할 수 있다.

조선 정부는 慶應義塾을 거치지 않고 직접 일본 전신국으로 유학생을 파견하기도 했다. 그 유학생은 金鶴羽(1862~1894)와 白喆鏞(?~?) 두 사람으로 그들은 전신국에 파견되기 전에 이미 일본에 머물며 일본어를 익힌

75) 같은 책, 210쪽.

76) 宋炳基, "開化期 日本留學生 派遣과 實態(1881~1903)", 『東洋學』 18-1(1988. 10), 255~256쪽 ; 李光麟, "開化 初期 韓國人의 日本留學", 『韓國開化史의 諸問題』(일조각, 1990), 43~57쪽 ; 阿部 洋, "舊韓末の日本留學", 『韓』 3권 제5호(1974), 한국연구원, 69~70쪽. 그러나 구체적으로 누가 어느 정도의 기간 동안 체신성에서 기술을 습득했는지에 대해서는 알려져 있지 않다.

경험이 있었다. 김학우는 러시아령 연해주 지방 출신으로 15세 되던 해 일본에 가서 1년 6개월 간 內村直義라는 사람의 語學 교사로 활동하며 일본어를 익혔다.[77] 1880년 무렵 張博(張錫周, 1848~1921)의 추천으로 조선 정부의 관원이 된 그는 기기국 위원이던 1884년 초, 고종에게 제물포와 한성을 잇는 전신선 가설을 건의했다. 이 건의는 전신을 포함한 근대 통신 체계를 도입하고자 했던 고종에게 받아들여졌고, 고종은 그를 일본 전신국에 파견해 필요한 기술을 습득하게 했다. 김학우는 이때 한글 모스부호를 완성해 조선의 전신 가설에 대비하는 한편 전보학당을 세워 본격적으로 전신 기술자를 양성할 계획을 세우기도 했다.[78] 그러나 그의 인천-한성 전신선 가설 계획과 더불어 전보학당 설립 계획은 갑신정변으로 무산되었다.[79] 백철용은 김학우가 일본 전신국에 갔을 때 함께 갔던 인물이다. 이미 1883년 일본에서 유학한 경험이 있는 그는 귀국한 후 김학우와 함께 다시 일본에 가서 전신국에서 전신 실무 훈련을 받았다. 그는 1904년 조선 전신 사업권이 일본에 의해 강점될 때까지 조선 정부의 전신선 가설과 전신 시설 관리에 중요한 역할을 담당했다.

조선 정부는 근대 통신 제도의 근간을 확립하는 사업을 전담할 근대 부서를 신설하기도 했다. 그것이 1882년 11월 설치된 통리교섭통상사무아문 산하의 郵政司였다. 우정사는 驛傳, 전보, 철로에 관한 업무를 담당하는 부서로 일본과의 '釜山口設海底電線條款' 체결을 담당하기도 했다.[80] 이 부서는 1884년 3월 국왕의 전교에 의해 우정총국이 설치되면서 폐지되었다. 우정총국이 제일 먼저 착수한 사업은 개항장인 제물포와 한성까지

---

77) 李光麟, "舊韓末 露領 移住民의 韓國政界 進出에 대하여", 『歷史學報』 108(1985), 55쪽.

78) 같은 글, 68쪽.

79) 이에 대해서는 다음 장에서 살펴볼 예정이다.

80) 다음 절에서 자세히 살펴볼 예정이다.

의 우편 사무였다. 우편 사업을 먼저 시작한 것은 우편 업무가 전신 업무보다 투자 비용이나 기술 숙련도, 그리고 설치기기 면에서 훨씬 수월한 편이었고 전통적으로 운영해왔던 역원을 우체사로 전환하여 이용하는 일이 크게 어렵지 않을 것으로 판단되었기 때문이었다. 그러므로 우편 사무를 먼저 실시함으로써 공문의 원활한 소통을 도모하고 일반인들의 이용을 통해 수익을 올릴 수 있으리라는 계산이 뒷받침되었다. 무엇보다도 전신 업무를 우정총국의 설립과 동시에 시작하기에는 전신 기술 인력이 절대적으로 부족한 형편이었다. 따라서 우정총국은 제물포와 한성 사이의 우정 사무를 시작으로 우편 제도를 먼저 수립하는 동시에 전신 기술 인력의 양성, 전신기기의 도입, 전신 가설과 같이 전신 사업에 필요한 준비 작업을 병행하려 했던 것으로 보인다.

하지만 우정총국은 우편업무를 시작한 지 불과 19일 만에 폐지되었다. 심지어 우정총국 개국 축하연에서 갑신정변이 발생했다는 좋지 않은 인상으로 조선 정부는 우편 사업을 기피했다. 따라서 조선 정부의 우편 사업은 전신 사업보다 훨씬 지연되었다. 이는 갑신정변의 영향으로 우편 사업이 더 늦어졌다는 것이지 전신 사업의 진행이 정상적으로 회복되었다는 의미는 아니었다. 특히 근대적 정부 개혁을 위해 양성한 인력의 대부분이 이 우정총국에서 활동했기에 우정총국의 혁파는 곧 근대적 제도 개혁 작업에도 차질이 생겼음을 뜻했다.

2) 해저 전신선 가설을 통한 세계와의 연결

1883년 3월 조선 정부는 일본과 해저 전신선 부설을 둘러싼 조약인 '釜山口設海底電線條款'을 체결했다. 이 조약에 의해 일본의 나가사키와 조선의 부산이 해저 전선으로 연결되었으며 이 해저 전선으로 조선은 일본과 중국, 러시아는 물론 유럽과도 직접 통신할 수 있게 되었다. 이 조약 체결 역시 조선 정부가 갑신정변 이전 전신 도입을 위해 전개한 작업의 하나였다.

부산에 연접하는 해저 전선 부설은 이미 유럽과 동양을 잇는 전신망을 장악했던 大北部電信會社가 동양에 해저선을 한 조 더 가설하려는 작업의 일환이었다. 대북부전신회사는 영국과 러시아, 그리고 덴마크 세 국가의 자본으로 설립된 회사로 중국-일본-블라디보스토크를 잇는 해저선과 이를 가설 예정인 시베리아를 횡단하는 전신망으로 연결할 계획을 수립했다. 이 회사는 비록 전 세계 전신망의 5~6% 정도만을 장악하는 데에 그쳤지만 시베리아 횡단 전신 부설권을 획득함으로써 육로와 해저선을 이용해 청과 일본의 주요 도시를 연결해 아시아권에서 영향력을 발휘하고 있었다.[81]

당시 덴마크는 조선 정부와 미수교 상태였으므로 대북부전신회사가 조선 정부와 해저선 가설과 관련한 계약을 맺기 위해서는 일본이나 청의 중재가 필요했다. 이 회사는 1882년 8월 해저 전선의 가설에 대한 조선 정부 측의 동의를 얻어내는 일까지를 포함한 해저 전선의 면허권을 일본 정부에 청원했다. 일본은 해저선을 가설하는 대신 이 전선의 독점권을 20년 동안 보장하라는 대북부전신회사의 요구가 부당하다고 항의했지만 일본 정부는 이 청구권 협상이 지연되면 대북부전신회사가 상해로 연결된 전신 선로를 나가사키를 경유하지 않고 조선에 직접 연접시키는 것으로 계획을 바꾸고 청 정부로 하여금 조선 정부와의 교섭을 담당하게

---

81) 대북부전신회사는 1870년과 1871년에 블라디보스토크-나가사키-상해-홍콩 사이에 해저선을 포설하고 아시아로의 전신 사업을 시작했으며, 1883년에 이 구간의 해저선을 한 조 더 가설할 계획을 세웠다. Daniel R. Headrick, 앞의 책, 43~44, 94쪽 ; 대북부전신회사에 대해서는 최덕규, "글로벌네트워크와 서로전선의 가설", 『서양사학연구』 45(2017), 99~105쪽 참조.

하는 차선책을 선택할지도 모른다고 생각했다.[82] 또 이 차선책에 의하면 조선 전신 사업권을 선점할 기회를 청이 가지게 될 수도 있었다. 그 때문에 일본 정부는 대북부전신회사에 20년간의 해저전선 독점 특권을 부여하는 대신 조선 정부로부터 그에 상응하는 보상을 받기로 결정했다.[83] 이 결정은 일본 정부가 추진한 조선 정부와의 해저 전선 가설 조약에 그대로 반영되었다. 일본 정부는 조선 정부와의 해저선 가설 조약에 나가사키－부산 사이의 해저선과 이익을 다투는 전선(對抗爭利 전선)을 부설하지 않으며, 이 전신선의 이익을 저해하는 외국과의 전신선을 연결하지 않고, 30년 간 그 기득권을 인정한다는 조항을 넣을 것을 강요했다.[84] 일본의 무리한 요구에 조선 정부 관료들은 반발했고 조약 체결 협상은 지지부진하게 진행되었다. 소위 '대항쟁리'하는 전선의 범위에 대해 협상의 최고담당자였던 趙寧夏(1845~1884)는 일본 측 담당자였던 공사 竹添進一郎(1842~1917)에게 "인천에서 淸의 烟台, 상해와 같이 商務에 긴요한 곳에 해저 전선을 가설하는 일에 만약 일본이 對抗爭利라는 말로 (이들 전선을) 가설할 수 없다고 한다면 이 조약은 이루어질 수 없다"고 강하게 항의했다. 이에 竹添進一郎은 그것은 대항쟁리의 조항에 해당되지 않으며 서로 방해하는 바가 없다고 확약하기도 했다.

이 조약의 독소 조항에 대해서 우려하기는 했지만 고종은 해저 전선으로 조선이 국제 사회와 연결될 수 있다는 점에 더 큰 의미를 부여했다. 그는 앞에서 언급한 대로 일본과의 협상을 원활하게 진행하기 위해 실무와 책임을 담당하는 관료들의 인사 조치를 단행했고 홍영식이 우정사

82) 대북부전신회사는 같은 조건으로 1882년 9월 청 정부에 특허권을 청구했으나 거절당했다. 電信總局 편, 앞의 책, 10쪽.

83) 체신부, 『100년사』(1985), 60쪽.

84) 「日案 1」, 『舊韓國外交文書』(고려대학교 아세아문제연구소 영인, 1965), 280쪽, 문서번호 581.

협판으로 승진하여 협상의 주도자가 되었다. 홍영식은 조약 체결 당시 독판이었던 민영목과 함께 다시 한번 竹添進一郎에게 대항쟁리의 범주를 확약할 것을 요구했다.[85] 즉 그들은 일본으로 하여금 대항쟁리 전신선 가설 불가 조항의 정확한 경계와 의미를 명확하게 재확약하게 하고, 30년의 기한을 25년으로 줄여 조약을 체결했던 것이다.

이 '부산구설해저전선조관'에는 조선 정부의 전신 사업권을 제한하는 또 하나의 독소 조항이 있었다. 이 조항 역시 조선 정부의 반발을 낳았는데, 그것은 '조선 우정사에서 관선을 가설할 경우, 그것이 해외 전보선이면 부산에 있는 일본 전신국과 通聯하게 하여야 한다'는 제3조항이었다. 이는 국내선의 경우에는 부산 전신선과 대항쟁리하지 않으면 크게 문제될 것은 없으나 해외 전보선이면 부산의 전신선에 반드시 연결되어야 한다는 의미였다. 이는 오히려 대항쟁리의 제2조보다 훨씬 많은 간섭과 속박이 가능한 조항이었고 이후 청과 러시아의 조선 연접을 막거나 상응하는 보상을 요구하는 일본의 중요한 도구가 되었다. 조선 정부 역시 이 문제를 인식하고 있었음에도 국제 사회와의 연결이라는 목적을 달성하기 위해 이 조약을 1883년 1월에 체결했다.[86] 이 조약으로 1883년 9월 일본

85) 같은 책, 문서번호 555 ; 문서번호 581.

86) "釜山口設海底電線條款", 『朝鮮電信誌』, 29~32쪽 ; 한편 김윤식은 이 조약이 체결된 것이 청의 관료로 조선 정부의 외교고문으로 파견되었던 馬健常이 일본공사의 咆哮威壓에 겁을 먹고 아무런 정견없이 경솔하게 동의했기 때문이라고 하면서 馬健常을 비난했다. 이는 그가 '의주전선합동' 체결 이후 일본의 남로전선 가설 압박을 외교 최전선에서 겪었던 외부 독판으로서 자신이 일본의 압박을 받아야 하는 이유를 추적하는 맥락에서 나온 말이었다. 그는 일기에서 일본과의 접촉이 많은 시련과 괴로움을 안겨주었다고 토로하면서 그 일의 가장 근본 원인으로 馬健常의 무정견을 꼽았지만 이 회상만으로는 조선 정부의 인사조치가 해명되지 않는다. 김윤식, "追補陰晴史"(국사편찬위원회 간, 1972), 564쪽. 김윤식이 이런 괴로움을 겪게 된 데에는 당시 협상자들이 일본측으로부터 확약내용을 문서화시키지 않은 것에 있었고 일본은 이점을 오히려 이용했던 것으로 보인다.

나가사키에서 부산까지 해저 전선 가설 공사가 시작되어 1883년 12월 완료되었으며 1884년 4월에 개통되었다. 이에 따라 조선은 국제사회에 연결될 수 있었으나 이로 인해 조선의 전신 사업은 초기부터 치명적인 한계를 내포하게 되었다.

3) 청과 미국을 통한 전신기 구입

갑신정변 이전 조선 정부는 전신 도입을 위해 전신기기를 구입하는 작업도 수행했다. 최초의 전신기기 수입은 영선사행에 의해 이루어졌다. 1882년 3월 기술 습득을 마치고 다른 유학생들보다 일찍 귀국한 상운은 김윤식이 天津 기기창 남국에 요청해서 구입한 21종의 전신 관련 물품을 가져왔다. 이들 물품 가운데에는 전지, 電錀, 磁鐵, 信機로 구성된 電箱 4대뿐만 아니라 전화기도 있었으며, 축전지를 만들 때 필요한 아연과 탄소 조각들, 질산, 황산, 염산과 같은 强酸類, 알콜, 전선과 전신주의 방수제와 방부제로 쓰이는 피마자유와 같은 약품들, 그리고 20마일마다 설치하여 전기 신호를 강화시켜주는 副電도 들어 있었다.[87] 하지만 함께 가져온 전선 길이가 40丈(약 140m) 정도에 지나지 않은 것으로 미루어 보면 그가 가지고 온 전신 기기들은 본격적인 전신선 가설을 위한 것이라기보다는 조정에서의 시연과 전신 기술자 양성을 위한 교육용 기기였을 것으로 보인다.

영선사 일행도 전상 10대와 전기선 등 전신 관련 기구를 추가로 구입하여 귀국했다.[88] 이는 3월 상운이 가져온 전신 기기들이 임오군란으로 파괴되어 이를 대체하기 위한 것으로 알려져 왔지만 전상 10대는 이전에

---

87) 김윤식, 앞의 책(1958), 125, 135쪽.
88) 같은 책, 213쪽.

가져왔던 4대보다 훨씬 많은 것으로 단순히 파괴된 기기를 대체하겠다는 목적을 넘어선 것이었다.[89] 전신 기술 도입에 남다른 열의를 가졌던 김윤식은 영선사행이 철수하면서 전신 기술자 양성을 위해 청으로 또 다시 유학생을 파견하는 일이 어려울 것으로 판단해 국내에서라도 전신 기술자를 양성하기 위해 전신기기를 대량으로 구입했던 것으로 보인다.

1882년 청나라로부터 두 차례에 걸쳐 전신기기를 구매한 조선 정부는 1884년 미국에서 8대의 전신기기를 구매하려 했다. 이 전신기들과 조선 정부가 보유한 10대의 전신기를 합치면 전국을 망라하지는 못하더라도 김학우가 제안했던 제물포-한성 사이의 전신선을 가설하기에는 충분한 규모였다. 그리고 전신 기술자 양성소 설립도 가능했다. 그러나 미국에서 전신기기를 구매하려던 계획은 취소되었다. 기기 취소의 표면적인 이유로 당시 외부독판이었던 김윤식은 "[전신기기 구매 요청서는] 전임독판 민영목이 보낸 것으로 되어 있으나 실제 김옥균이 보낸 것"으로 "김옥균의 손을 거친 일을 정부가 책임질 수 없으니 전신기 역시 구매할 수 없"다는 이유를 제시했다.[90] 이런 전신기기 구매 철회는 전신기기를 수입해 이루려던 사업 진행에 차질을 빚는 것을 의미했고 가장 직접적으로 전신 기술자 양성소 설립을 지연시켰다.

청나라에서 전신기기를 10대나 구입해 온 김윤식이나 근대 통신 제도 확립을 위해 노력하던 조선 정부가 전신기 도입을 취소한 일이 전신 체계 도입 자체를 포기했음을 의미하지는 않았다. 전신기 구입 중지는 단지 김옥균이 주도한 정변으로 상황이 달라져 미국으로부터 수입하기로 되어 있는 모든 기기 도입을 취소하는 차원에서 전신기기 구매도 취소한

89) 체신부, 『100년사』, 73쪽.

90) 『舊韓國外交文書 美案 1』(고려대학교 아세아문제연구소 영인, 1962), 문서번호 163.

것일 뿐이었다. 그러나 미국으로부터 전신기기를 구입한다는 것은 당시 미국이 전신 기술에서 가장 앞서 있었음을 감안하면 최신의 전신기를 구입할 수 있는 기회가 될 수 있었다. 따라서 미국으로부터의 전신기 구입 중지는 조선의 기술력 향상의 측면에서 보면 기회 상실을 의미했다.[91]

4) 『漢城旬報』를 이용한 전신 기술 소개 및 홍보

조선 정부가 전래의 통신 제도를 개혁하기 위해 수행한 작업들 중에는 새로운 사업에 대해 백성들에게 홍보하는 작업도 포함되어 있었다. 이 작업은 전국에 배포된 『漢城旬報』를 통해 이루어졌다.[92]

1883년 창간된 『한성순보』는 국내 기사뿐만 아니라 주로 청나라에서 외국인들이 발행한 신문이나 잡지, 그리고 서적의 내용들을 폭넓게 실어 세계 여러 나라의 사정과 서양 과학기술의 면모를 독자들이 이해할 수 있도록 기획되어 계몽적 성격이 강했다.[93] 그럼에도 기사들 대부분이 외국 서적의 내용들을 전재한 경우가 많아서 조선의 실정에는 맞지 않았으며, 국내기사는 그 양이 많지도 않았을 뿐만 아니라 취재 기사가 아니라 朝報를 인용하거나 항간의 소문을 옮겨 적은 것이 대부분으로 기사의 정확성이나 신속성은 매우 떨어졌다.[94] 또 사설을 싣지 않아

---

91) 갑신정변이 조선의 전신도입에 미친 영향은 2장에서 살펴볼 예정이다.

92) 『漢城旬報』의 발간 경위에 대해서는 이광린, "한성순보와 한성주보에 대한 일고찰", 『역사학보』 제38집(1968), 1~45쪽 ; 鄭晋錫, "한성순보 주보에 관한 연구", 『언론학보』 16집(1983), 11~21쪽 ; 朴正圭, "한성순보와 조보에 관한 연구", 『신문학보』 16호(1983), 23~31쪽을 참조.

93) 박성래, "한성순보와 한성주보의 근대과학 수용노력", 『언론학보』 16집(1983), 39~73쪽 ; 김연희, "『한성순보』 및 『한성주보』의 과학기술 기사로 본 고종시대 서구 문물 수용 노력", 『한국과학사학회지』 33-1(2011), 1~39쪽 참조.

이 신문이 주장과 견해를 피력하는 일은 거의 없었다.[95)]

하지만 『한성순보』에 게재된 전신 관련 기사들은 다른 기사들과 달랐다. 추진 중인 작업을 신속하게 보도했을 뿐만 아니라 기사 게재 회수도 다른 근대 문물을 소재로 한 기사보다 많았으며 전신 체계 도입의 중요성을 강조하며 그 추진을 고무하기도 했다. 부산 해저선 완공과 개통을 전후한 1883년 11월부터 이듬해 우정총국 개국 즈음인 4월까지 14회 발간된 신문에 단신을 포함해 근대 통신 관련 기사가 17건이나 게재되었으며, 다른 기사들과 다르게 신문 편집자의 전신 도입을 촉구하는 주장을 싣기도 했던 것이다.

『한성순보』에 실린 전신 관련 기사들에 의하면 전신은 근대 기술들 가운데에서도 가장 발달한 기술이었다. 전신은 "아무리 멀어도 갈 수 있는" 전기의 원리를 이용한 것으로, "사람이 귀신의 비밀을 빼앗은 것과 같은 기술이며, 천지 또한 조화의 묘를 누설한 기술"이었고 "마치 번개를 가져다가 그릇 가운데 담고 글자로 말을 전하되 엄연히 대화하는 것과 같아 멀고 험한 길도 문제가 되지 않고 산과 강도 장애가 되지 않으며 큰 바다로도 간격이 생기지" 않게 하는 기술이었다. 그러므로 전보를 이용하면 "소식이 막힐 염려가 없게 되고 견문에 거짓이 없게 되고 각종 羽書, 徵兵, 露布, 奏牒 등이 더욱 신속하게" 전달되어 중앙정부가 지방 관아나 백성에게 명령이나 소식들을 빨리 정확하게 전할 수 있었다.[96)] 더 나아가 신문 편집진은 이 전신이 근대 과학 기술의

94) 崔俊, "「漢城旬報」의 뉴우스源에 對하여", 『신문학보』 2호(한국신문학회, 1969년), 12~16쪽.

95) 같은 글, 19쪽.

96) "富國說 下", 『漢城旬報』, 1884년 5월 11일. 이 기사에서 열거된 여러 소식을 전하는 형태 가운데 露布란 봉함하지 않은 조서나 서간, 또는 승첩을 알리는 문서 등 널리 대중에게 알리기 위해 베에 사실을 적어 장대에 꽂아 들고 다니는

특징 가운데 하나인 公共性을 가장 잘 드러낸 기술이라고 보았다. 즉 수십 년을 두고 여러 나라의 많은 사람들이 기술 개발에 참여한 만큼 한 개인, 한 국가가 전신 기술을 독점할 수 없고 세계의 많은 국가에서 많은 사람들이 함께 이용하여 부강과 편리를 도모해야 한다고 여겼던 것이다.[97] 그들은 세계의 많은 나라들이 전신을 통해 부강의 기틀을 마련하고 있음을 보여주기 위해 '각국의 육지 전신표'와 '해저 전신표'를 실었다. '육지 전신표'에는 세계 각 나라에 가설된 전선의 길이와 전신을 관리하는 電信局의 수가 기록되어 있으며, '해저 전신표'에는 바다를 사이에 둔 나라들이 해저 전신으로 연결된 현황이 나타나 있다. 이런 기사들을 통해 신문 독자들은 전신이 한 국가 안에서만이 아니라 전 세계로의 소통 통로 역할을 하고 있음을 알 수 있었다. 『한성순보』는 이같은 전신을 받아들임으로써 "格物君子가 남의 장점을 취하여 우리의 장점을 만든다면 公私의 이용에 크게 이롭지 않겠는가" 하면서 전신 도입을 주장하기도 했다.[98]

『한성순보』 편집진은 신문에 전신뿐만 아니라 전기에 대해서도 상세한 해설 기사를 게재했다. '論電氣'라는 제목의 기사에 따르면 전기는 "森羅의 기술로써 天工을 대신할 수 있어 이루 말할 수 없이 편리하고 신묘하게 되는" 기술로 "음양 두 기운 합하여 하나가 되는" 것이었다.[99] 그리고 마찰 전기를 처음 기록한 탈레스 시대로부터 전기학의 급격한 발전을

것을 말하며 羽書는 아주 급한 뜻을 표시하기 위해 새의 깃을 꽂은 격문이며, 徵兵은 전쟁을 포함한 병란에 말을 가진 군사를 모집했던 행위, 그리고 奏牒은 천자에게 올리는 상소를 말한다. 이 기사에서 露布, 羽書, 徵兵, 奏牒을 거론한 것은 당시 사회에 존재했던 上意下達과 下意上達의 소통 방식 예를 든 것이다.

97) "論電氣", 『漢城旬報』, 1883년 11월 1일.

98) "東來府使 狀啓", 『漢城旬報』, 1883년 11월 21일.

99) "論電氣", 『漢城旬報』, 1883년 11월 1일.

이룬 19세기 말에 이르기까지 전기학 발전사를 간략하게 서술했고 이를 이용한 病을 치료하는 기구나 전등, 전신과 같은 실생활에 유용한 기구들을 다양하게 소개했다.[100] 그리고 이듬해 3월에는 '1882년 전기사'를 실어 당시 4, 5년 사이에 개선된 어뢰와 같은 무기 등을 소개해 전기 이용의 지속적인 발전상을 보여주기도 했다.[101] 신문 편집자들은 전신을 인류 생활을 편리하게 하고 강력한 국방력을 이룩하게 하는 전기를 이용한 통신기술로 조선의 부국강병을 위해 꼭 필요한 근대 기술이라고 평가했다.

이처럼 부국강병을 위해 꼭 필요한 전신을 도입하기 위해서는 이를 정당화하여 지지 세력을 확보해야 했다. 이를 위해서는 무엇보다 '부국'의 중요성을 강조할 필요가 있었고 『한성순보』 편집자들은 富를 추구하는 일을 천하게 여기는 전통적 인식을 반박했다. "『周禮』는 태평을 이룩하는 책이지만 거기에 말한 것들은 모두 나라를 풍족히 하는 道이며, 공자도 '백성이 부해진 후에 가르친다'고 했고 맹자도 '백성을 부하게 해야 한다'고 했다"고 주장했다.[102] 공자, 맹자 같은 성현도 백성을 부하게 만드는 일로 국가 경영의 근본을 삼았음을 들어 부를 추구하는 일이 유교의 가르침에 어긋나지 않음을 강조했던 것이다.

고전에서의 가르침에 덧붙여 신문 편집자들은 "강하고서 부하지 않은 나라가 없고 부하고서 강하지 않은 나라가 없으니 나라를 강하게 하려면 반드시 먼저 富로부터 시작해야" 한다고 했다. 또 富하기 위해서는 사람의 才力으로 만물을 취하여 유통해야 하며 사람의 재력으로 가능하지 않을 때에는 바람, 물, 불, 전력 등을 활용해야 한다고 지적했다. 특히 상업을

100) 같은 글.

101) "一千八百八十二年 電氣史", 『漢城旬報』, 1884년 3월 18일.

102) "富國說 上", 『漢城旬報』, 1884년 5월 1일.

“壟斷하여 末利를 취하는 일”이라고 비판하는 생각을 반박하여 상품을 유통하는 일이 나라 경제에서 가장 기본이 되는 것이라고 옹호했다. 이 상업을 발전시키는 일에 전신은 철도보다도 더 중요했다. 신문 편집자들은 전신이 없다면 철도를 가설해도 상품을 제때에 운송할 수 없어 상품 판매시기를 놓친다고 판단했기 때문이었다.[103)]

『한성순보』는 국가 통치를 위해서도 전신이 매우 중요하다고 지적했다. 한 국가의 통치자인 왕은 왕-관리, 왕-백성, 중앙 정부-지방 행정조직 사이의 소통 통로를 마련하고 원활하게 운영함으로써 백성의 원망이 없는 덕치를 행해야 했다.[104)] 그러나 신문 편집진이 보기에 봉수나 역원과 같은 전래의 통신 제도는 그런 역할을 담당하기에는 문제가 많았다.

> 국가를 창건한 지가 오래 되었지만 郵務가 제대로 펴지지 못하여 순졸을 두고 봉화를 피워서 겨우 경보를 알 뿐 통화가 되지 못하고 역졸을 설치하고 역마를 轉遞하여 비록 말은 서로 통하게 되었으나 길이 험하면 통하지 못하고 비와 바람에 지체되고 산과 강에 의해 막히고 바다에 의해 간격이 생기어 오랜 시일을 지체하다가 이따금 일의 때를 놓치기도 한다.[105)]

신문 편집진은 이런 문제를 해결하기 위해서는 전신을 포함한 근대 통신 제도로 전래의 통신 제도를 대체해야 한다고 주장했다. 그들은 근대의 통신 제도가 전래의 것과는 달리 백성의 소식 왕래도 취급해 주기 때문에 이를 도입하면 백성이 소식이 막혀 안타까운 일이 일어나는

---

103) 같은 글.

104) “泰西郵制”, 『漢城旬報』, 1884년 2월 21일 기사.

105) “電報說”, 『漢城旬報』, 1883년 12월 21일 기사.

것을 막을 수 있고, 많은 돈을 들여야만 소식을 전할 수 있었던 문제도 해결할 수 있다고 주장했다. 따라서 근대 통신 체계는 公私에 모두 유익할 뿐만 아니라 "소식이 막히지 않고, 저 먼 하늘 끝이 마치 이웃처럼" 되게 하는 제도이므로, "이 제도가 비록 서양에서 나왔다 해서 외면해서는 안 된다"고 결론지었다.[106]

『한성순보』 편집진들이 전신 도입을 정당화하는 과정에서 지적한 또 한 가지는 근대 통신 체계가 재정 수입원의 역할을 한다는 것이었다. 그들이 보기에 개인의 소식을 전하는 일에 요금을 받아 "비용을 충당하고 나머지 목돈은 모두 국용에 쓰니 나라에 이익이 되고 백성에게 편리한 방법 치고 이보다 좋은 것"이 없었다.[107]

이처럼 전신이 부국과 유교 국가 이념의 실현을 위한 소통 통로로서 중요한 기능을 담당할 것이라는 점을 역설하기는 했으나 『한성순보』 편집진이 당시 조선의 산업이나 상업이 서구와 비교하여 "[전신을 이용해] 무역에서 큰 이익을 취할 수" 있을 정도로 발전한 것도, 백성들이 전신을 통해 소식 왕래를 빈번하게 해야 할 정도로 사회가 복잡한 것도 아니라는 점을 몰랐던 것은 아니다.[108] 따라서 이런 점을 보완할 수 있는 또 다른 정당화 논리가 필요했고, 신문 편집진은 그것을 국가 방위에서 찾았다. 그들은 나라를 곤경에 빠트린 외세 침입을 막기 위해 전신이 중요하다고 주장하면서 전신이 어떤 근대 무기보다 더 우선하는 兵器라는 점을 강조했다.

> 만일 전신이 없다면 군함으로도 전쟁을 할 수 없고 포대로도 지킬

---

106) "泰西郵制", 『漢城旬報』, 1884년 2월 21일 기사.
107) 같은 글.
108) "電報說", 『漢城旬報』, 1884년 12월 21일 기사.

수 없다. … 군함이란 온 천하의 동정을 정탐한 다음에야 그 군대가 전쟁을 할 수 있게 하는 것인데 電線이 없으면 군기가 마음대로 뒤바뀌고 동서 洲洋의 輕重이 겹치게 된다. 또 포대는 군함과 마치 팔뚝과 손가락 같이 서로 돕는 형세인데 포대만 있고 군함이 없으면 포대는 반드시 고립되고 군함만 있고 전신이 없으면 군함도 역시 응원이 미치지 못하여 장차 종묘사직이 폐허가 되어도 계책을 쓰지 못하고 온 생령이 수화에 빠져도 구하지 못하는 지경에 이르게 된다.[109]

『한성순보』가 군사 기기로써 전신을 강조하는 태도는 鄭官應의 『이언』과 비슷하다. 이런 유사함은 『한성순보』가 청나라의 서적과 신문을 전재하는 경우가 많아 나타난 현상이라고 할 수도 있지만, 그보다는 오히려 청과 마찬가지로 조선의 당면 과제가 서양 세력의 침략과 일본의 도발에 대응하기 위한 군사력 강화였기 때문에 나타난 현상이라고 할 수 있다. 이처럼 전신은 청나라나 조선을 막론하고 외세의 침입을 막기 위한 군사력 강화를 위해 가장 먼저 도입해야 할 중요한 利器로 간주되었다.

---

109) 같은 글.

제2장 청에 의한 전신 사업 주도권 강점과 조선의 회복 노력 : 1885~1894년

조선 정부의 전신 사업에 큰 영향을 미친 갑신정변은 3일 천하로 끝났다. 김옥균, 홍영식, 서광범 등 이른바 신진 개화 세력이 정변을 일으킨 가장 큰 원인 가운데 하나는 청의 조선에 대한 태도의 변화라고 할 수 있다. 청은 서양 제국과 일본의 팽창에 대한 대응으로 조선을 자신의 세력 아래로 확실하게 편입시키기 위해 조선의 내치와 외교를 간섭하기 시작했고 이는 1882년부터 조선 정부에 내정과 외교 고문을 파견하는 정책으로 표면화되었다. 비록 조공국이지만 내치와 외교를 자유롭게 전개했던 과거와 달리 조선 정부의 업무들을 일일이 감시하고 간섭하려는 청 정부의 대조선 정책에 신진 개화 세력들은 반발했고, 이들의 반청 의식은 임오군란의 책임을 물어 대원군을 청국으로 압송하자 정변으로 결집되어 표출되었다. 이 사건이 갑신정변이었다. 하지만 갑신정변은 실패로 끝났고 그 결과 청의 간섭은 더욱 더 강화되었다. 청의 간섭은 행정과 외교, 군사 분야를 망라하는 전 분야에 걸쳐 나타났고 이런 간섭은 갑오농민전쟁 즈음까지 지속되었다.

갑신정변의 실패로 조선 정부가 추진했던 많은 개화 및 근대기술 도입 정책은 중지되거나 변질되었다. 전신 사업 역시 큰 타격을 받았다. 청이 전신 사업의 주도권을 장악함으로써 조선의 전신 사업은 많은 차질을 빚게 되었다. 중국이 조선에서 전신 사업을 전개한 것은 조선에 근대 문물을 전수해주기 위해서가 아니라 조선에서 세력을 더 강하게 행사하기 위해서였으며, 이는 전신이 청의 팽창의 도구가 되었음을 의미하는 일이었다. 조선 정부는 청의 압력에 의해 전신 사업권을 독점하고 서로전선을 부설하려는 청에 동의할 수밖에 없었으므로 전신은 더 이상 부국강병이나 통치권 강화 같은 목적을 가질 수 없었다.

하지만 청의 전신 사업권 점유를 인정할 수밖에 없었던 열악한 상황 속에서도 조선 정부는 전신 사업권 환수를 위한 조치를 취했다. 즉 전신 선로를 자력으로 가설하려 하기도 하고 전신 기술 인력을 양성하는 기회로 삼기도 했던 것이다. 이는 제국 확장의 도구로서 조선에서 운영되기 시작한 전신 체계를 부국강병과 통치권 강화의 도구로 전환시키기 위한 조선 정부의 노력이 끊이지 않았음을 의미했다. 이런 노력의 결과 부국강병을 위한 도구로서의 전신의 의미가 사장되지 않았다. 이 장에서는 1894년 이전까지 전신 사업권을 둘러싼 청과 조선의 움직임을 전신 체계를 구성하는 전신 선로, 전신 인력, 지방 전보사, 전신 기술, 전신 관리 중앙기구의 형성과 성장 및 발전 과정을 통해 살펴보겠다.

1. 청에 의한 전신 체계의 형성

1) 서로전선 가설 배경

1884년 말 일어난 갑신정변은 조선의 많은 상황을 변화시켰다. 특히 조선 정부에 대한 청나라의 압박을 강화시켰다. 청은 이미 임오군란부터 조선을 强迫하기 위한 작업을 추진했으나 이 정책이 강화된 것은 갑신정변에 의해서였다. 청 정부는 이때부터 조선 내정과 외교를 직접 관장하려 했고 심지어 조선을 屬邦化하려는 정책을 노골적으로 표명하기 시작했다.[1] 이보다 더 큰 문제는 청의 이런 움직임에 맞설 만한 세력이 조선 정부 내에 거의 남지 않게 되었다는 점이었다. 고종조차 반청적인 갑신정변과 관련되었으리라는 의심을 받았으므로 운신의 폭이 좁았고, 따라서 고종은 청의 압박에 대응할 세력을 규합할 수 없었다.[2] 같은 맥락에서 조선 정부의 정치적 입지는 자주적으로 근대 기술을 도입하기 어려울 정도로 축소되었다. 갑신정변 이후 조선 정부 내에서 일본의 영향력을 제거한 청나라는 조선 정부에 駐箚大臣 袁世凱(1859~1916)를 파견해 조선 내정을 적극적으로 간섭하기 시작했다. 袁世凱는 조선 정부의 개화 정책을 간섭했고, 긴축재정에 해당하는 '節材用'을 강권하면서 막대한 재정 투자가 필요한 근대 기술 도입 정책에 제동을 걸었다. 그의 간섭에 따라 조선 정부는 이미 투자하기 시작했던 분야들의 작업을 중지시키거나 규모를 축소하지 않을 수 없었다. 또 갑신정변 실패의 결과 가운데 하나로 반드시 지적해야 할 점은 조선 정부가 그동안 부국강병, 무비자강을 위한 개혁 정책을 추진하기 위해 양성한 인물들이 대부분 제거되었다는 점이다. 그들은 고종 親政 이후 고종과 개화지향 세력들에 의해 양성된 인물들로 사신 수행, 유학 등 다양한 경로로 외유를 경험한 청년층으로 이들 대부분은 갑신정변에 연루되거나 연루되었다는 의심을 받아 활동하기가 어렵게 되었다. 이는 앞으로 조선 정부가 개화 정책을 추진하는

---

1) 陳偉芳 著, 權赫秀 譯, 『淸日甲午戰爭과 朝鮮』(백산자료원, 1999), 80~121쪽.

2) 은정태, "高宗親政 이후 政治體制 改革과 政治勢力의 動向"(서울대학교 국사학과 석사학위논문, 1998), 52쪽.

일이 상당히 어려워질 것을 예고하는 일이었다.

무엇보다 갑신정변 실패 이후 변화된 정국에서 근대 통신 체계 수립 사업이 입은 타격은 컸다. 이를 두 가지로 정리할 수 있다. 하나는 우정총국의 혁파이며 또 하나는 홍영식의 상실이었다. 이는 근대 통신 도입을 위한 중앙 기구의 철폐와 함께 인적 자원의 손실을 뜻했다. 우정총국의 철폐로 전신 사업뿐만 아니라 우편 사업은 중지되었고, 특히 우편 사업은 전신 사업보다 도입이 더 늦어지게 되었다. 그것은 갑신정변이 우정총국 개국연에서 비롯되었기 때문이었다. 또 4, 5년이라는 짧지 않은 기간, 근대 통신 도입에 골몰했던 홍영식이 제거된 것은 일본과 맺은 '부산구설해저전선조관'의 제2, 3조와 같은 독소 조항을 두고 일본과 맞설 수 있는 전문가를 잃어버렸음을 뜻했다. 그뿐만 아니라 홍영식이 '일세의 英俊'이라고 일컬으며 우정총국으로 불러 모아 근대 통신 체계 수립 업무를 담당하게 했던 이상재, 남궁억을 포함한 20명의 開化人物群이 정변의 소용돌이에서 축출되어 근대 통신 체계 수립의 실무 경험을 쌓은 인적 토대 역시 와해되었다.[3] 이는 1880년 이래 꾸준히 구축한 조선 정부의 근대 통신 체계 도입을 위한 토대가 무너졌음을 의미했다.

갑신정변 이후 통신 체계 구축을 위한 손실은 인적 자원에만 국한되지 않았다. 전신제도를 안정적으로 운용하기 위해 필요한 전신 기술에 대한 사전 조사 준비기간을 상실했고, 인력 양성 계획도 방향을 잃었으며 미국으로부터의 전신기기류 도입도 취소되었다. 조선 정부가 미국이나 청에서 직접 전신기기를 구매하는 일은 조선 정부가 주체적으로 매우 많은 것을 결정한다는 것을 의미했다. 전신 체계를 도입하기 위해서는 기술 수준을 설정해야 했다. 이는 수신방식을 인자기로 할 것인지, 또는

3) 김원모, 앞의 글(1995), 299쪽.

음향기로 할 것인지, 송신방식은 자동 송신 기능을 채택할 것인지, 선로는 단일선으로 할 것인지 또는 배속기를 달 것인지, 심지어 전신주의 절연체는 유리를 채택할 것인지 또는 금속부도체를 쓸 것인지와 같은 전신 기술과 관련한 수많은 항목들을 점검하고 결정하는 일을 포함하는 일이었다. 조선 정부는 이 작업을 주도적, 자주적으로 진행할 수 있는 기회를 잃음으로써 전신 기술은 말 그대로 청에 의해 이식되어지는 것을 그대로 받아들일 수밖에 없는 상황에 놓이게 되었다.

이런 크고 작은 손실로 전신을 포함한 근대 통신 체계 도입 사업에서 조선 정부의 동력이 실종되었지만, 조선 정부에는 전신 기술을 공부하기 위해 일본에 파견했던 김학우와 백철용, 영선사행으로 전신 기술을 익힌 세 명의 기술자가 남아 있었다. 이들은 조선 정부 전신 사업의 마지막 희망이기도 했다. 특히 갑신정변 후에 귀국한 김학우는 고종의 명으로 학도를 모집해 전신 기술 교습을 시도하기도 했기 때문이다.[4] 이 일은 여러 여건이 극도로 악화된 상황에서조차 고종이 전신 도입을 위한 새로운 전기를 마련하기 위해 노력했음을 보여주는 예라 할 수 있다. 그러나 이러한 움직임 역시 청나라에 의한 전신 사업 주도권 장악 압박이 강화되면서 점차 사라지게 되었다.

이런 조선 정부의 상황과는 반대로 청 정부는 갑신정변으로 조선 정부 안에서 정치적으로 우세한 입지를 확보하자 영향력을 강화시켰다. 청 정부는 '義州電線合同'의 체결을 조선 정부에 강제하고 이를 통해 조선 전신 사업을 주도하기 시작했다.[5] 이 사업은 조선에 체류 중이던 袁世凱를

4) 이광린, 앞의 글(1985), 67쪽.

5) 이 조약의 이름은 『고종실록』에는 中朝電線條約으로 명기되어 있지만 '의주전선합동'으로 불리는 일이 많았으므로 이 책에서는 의주전선합동으로 통일하기로 한다. "中朝電線條約", 『고종실록』, 고종 22년(1885) 6월 6일.

朝鮮駐在總理交涉通商事宜로 임명해 조선의 내정을 간섭하며 여러 이권을 장악하기 시작한 청 정부의 조선 압박 계획 가운데 하나였다. 1881년 上海와 天津 사이에 전신선을 가설함으로써 본격적인 전신 사업을 추진 중이었던 청은 조선과의 밀접한 군사 정보 취합과 연락 통로를 구축하기 위해서 무엇보다 전신선 가설이 중요하다고 생각했다.[6)]

청 정부는 갑신정변 이전부터 조선 전신 연접을 논의했지만 구체적으로 진행된 것은 갑신정변 직후였다. 청의 북양대신 李鴻章(1823~1901)은 임오군란이 발발했을 때 天津-上海 간의 전신선을 登州까지 연장하여 해저선으로 인천에 연접시키려는 계획을 세웠다.[7)] 이 계획은 임오군란 사태 수습 후 폐기되었지만 그 후에도 청 내부에서 조선과의 전신선 연접 논의가 끊이지 않았다. 『津信』을 인용한 『漢城旬報』의 기사에 따르면 軍門 丁禹廷이 李鴻章에게 "嚥臺에서 漢陽까지의 구간에 전선을 가설하여 긴요한 소식 전달에 편리를 도모하자"고 건의했으며 이에 대해 李鴻章은 조정에서 이를 논의할 것임을 시사했다.[8)] 이 논의들은 조선을 청의 군사적 영향권 안으로 편입시키는 것에 주안점을 두었고 이는 조선 정부를 청 정부에 강하게 연결시키려는 정책과 맥이 닿아 있었다. 청 정부는 임오군란뿐만 아니라 갑신정변의 소식을 사건 발발일보다 각각 9일, 3일 늦게, 그것도 일본을 통해 듣게 된 정보 지체 문제를 매우 심각하게 받아들였다.[9)] 이 문제를 해결하는 방안으로 육로 전신선 연접이 제안되었고, 갑신정변 사후 수습을 위해 조선에 파견되었던 吳大澂

---

6) 電信總局 편, 앞의 책, 8~10쪽. 청나라는 1881년 上海-天津선을 시작으로 上海-香港, 蘇州-廣州-梧州, 天津-通州-四川 등의 전신선을 1883년까지 가설했고, 이후로도 전신선 가설을 지속해 주요 군사거점을 잇는 전신 선로를 확보했다.

7) 체신부, 『100년사』, 78쪽.

8) "丁軍門擬設電線於我國京都", 『漢城旬報』, 1883년 11월 30일.

9) 김정기, 앞의 글(1993), 801쪽.

(1835~1902)은 조선을 군사적으로 통제할 방안 가운데 하나로 旅順에서 鳳凰城(지금의 安東) 邊門을 거쳐 한성에 이르는 전신선을 가설할 것을 주청했다.[10] 청의 입장에서는 조선 전신선 가설이 "조선을 제어하고 완급에 대비하는 상책"이었다. 吳大澂의 제안은 청·일 양국 군대가 동시에 철수한다는 내용을 골자로 하는 1885년 4월 '天津조약'의 체결을 계기로 본격적으로 논의되기 시작해서 전신선 가설을 위한 '義州電線合同'의 형태로 완결되었다. 1885년 6월 맺은 이 조약은 이 시기 청과 체결한 일방적이고 부당한 조약 가운데 하나였다.[11] 이 조약에 의해 부설되는 서로전신은 전적으로 청의 필요에 의한 군사전신선임에도 조선에 근대 문물을 이식시켜준다는 시혜성을 강조해 청은 가설 경비를 조선 정부가 부담하도록 했다. 또 청 정부는 차관과 기술력을 제공하는 일의 대가도 요구했다. 청 정부는 청의 電報總局에 서로전선 관리와 운영을 총괄할 권한, 즉 서로전선의 모든 권한을 위임할 것을 요구했던 것이다.[12] 그뿐만이 아니

10) 『高宗時代史』(국사편찬위원회, 1967), 고종 22년(1885) 6월 6일 기사.

11) 김정기, 『1876~1894 청의 조선정책 연구』(서울대학교 박사학위논문, 1994), 136~139쪽 ; 이 조약 체결 배후에 관한 국제적 움직임과 청의 입장에 대한 상세한 설명과 해석은 최덕규, 앞의 글을 참조할 것. 그는 서로전선 가설을 영국의 거문도 불법 점령을 해결하기 위한 고종의 국제 공론화 정책의 일환으로 보고 있다. 그 근거로 서로전선 가설자금을 청 정부에 요청했음을 제시했다. 하지만 조선 정부의 행위로 의주전선합동 체결을 조선 정부가 자발적, 주도적으로 청원했다고 보기 어렵다.

12) '中朝電線條約 1조'. 이 조약의 전문은 『고종실록』, 고종 22년(1885) 6월 6일 ; 『朝鮮電信誌』, 179쪽. 그밖에 이 조약의 불평등한 내용으로는 다음과 같은 것이 있다. 이 육로전선 가설에 필요한 자금 關平銀 10만 냥을 中國 電報總局에서 차관으로 지급하고 5년 거치 20년 기한으로 매년 5천 냥씩 무이자 상환하도록 했다(2조). 이 자금은 오직 전선 가설에 필요한 기기와 재료 구입비, 그리고 기술자들의 인건비에만 지출하도록 제한되었는데 여기에는 전간목과 전간목 운반비 및 설립 비용이 제외되었고, 이는 조선 정부가 전담하도록 규정했다(4조). 또 조선 정부는 차관을 償還할 때까지 서로전선을 관할하는 중국 電報總局의 조선지국인 華電局의 경상유지비를 제공해야 했다(5조). 또 조선 정부는 이 전신망을 보호하

었다. '의주전선합동'에는 청 정부가 군사 전신선을 확보한 이외에도 많은 이득을 취할 수 있는 장치가 마련되어 있었다. 그 가운데 하나가 청 정부가 공사비 관리를 전담함으로 생기는 경제적 이익이었다. 조선의 전신선 가설 공사와 관리를 총괄하기로 한 전보총국은 공사 경비는 물론이고 이를 제외한 잔금을 온전히 전신망 수리에만 이용한다는 조건을 달아 조선의 잔금 사용 권한을 배제시켰다. 달리 말해 자금을 빌린 주체인 조선 정부는 이 공사 경비의 용도와 사용 규모 및 공사 잔금의 운용과 관련해 관리는커녕 보고받을 권한조차 가지지 못했다. 반면에 청 정부는 스스로 조선 정부에 제공하기로 한 차관을 아무런 제한이나 허가 없이 사용할 수 있었다. 또 청 정부가 얻은 이득은 서로전선 가설을 위해 조선 정부에 대여하는 차관 10만 원에 대한 연 6%의 이자와 중국 관보를 무료로 이용하는 특권에서 뿐만 아니라 이런 특권을 누리기 위해 설치한 화전국의 운영과 관리 비용을 조선 정부에게 모두 부담시킨 데에서도 취할 수 있었다. 그에 비해 조선 정부는 겨우 서로전선을 통한 관보를 무료로 이용할 수 있었을 뿐이었다.[13]

'의주전선합동' 체결은 단지 경제적 이해관계에만 국한되지 않았다. 전신 사업 주체의 권한이라는 더 심각한 차원의 침해를 내포했다. 청 정부는 조선 정부에 베푸는 시혜의 일환으로 기술진을 파견해 전신선을 가설한 것으로 간주하면서 전신 사업 자체에서 조선 정부를 배제하려 했다. 이 조약에 의하면 청 정부는 전신 개통일로부터 25년 간 해로와 육로의 전신 부설권을 다른 나라나 각국 공사에게 허여하지 못하며, 조선 정부가 전선을 확충하거나 증설할 경우에도 반드시 청 전보총국 산하의 조선주재 華電局의 허가를 얻어야 한다고 주장했던 것이다.[14]

고 관리할 의무도 부담해야 했다(7조).

13) "中朝電線條約 5조", 『고종실록』, 고종 22년(1885) 6월 6일 ; 『朝鮮電信誌』, 179쪽.

이처럼 전신 가설 및 사업권 허여 규제와 인허권 설정으로 청 정부는 조선의 서로전선뿐만 아니라 육해로를 망라한 전선 가설권 전체에 대한 권리를 가지게 되었다. 청 정부는 조선의 근대 통신 체계 도입 사업에 무소불위의 권한을 획득했고, 반면 조선 정부는 전신선 가설 사업과 관련해 일일이 청 정부의 허락을 받아야 하는 처지로 전락하게 되었다. 이런 서로전선 가설을 조선 정부가 환영할 수는 없었지만 청 정부가 조선 정부 내에서 압도적으로 영향력을 행사하고 있던 당시 상황이었던 만큼 반대할 수도 없었다.[15]

조선 정부가 환영했건 꺼려했건 서로전선은 가설되었다. 서로전선은 1894년까지 철저히 청의 이익에 봉사하며 청 정부의 군사적, 경제적, 정치적 목적 달성에 봉사하는 제국 팽창의 도구로서 기능했다. 반면에 조선 정부가 염원했던 전신이 국내에 가설되었음에도 불구하고 조선 정부가 전신에 부여했던 부국강병의 利器이자 군사 및 행정 통신망으로서의 의미는 사장되었다.

2) 서로전선 가설과 청의 華電局 설치

'의주전선합동'이 체결되자마자 청 정부는 서로전선 가설 공사에 착수했다. 청은 이미 1881년 上海－天津선을 시작으로 上海－香港, 蘇州－廣州－梧州, 天津－通州－四川 등을 잇는 전신선을 1883년까지 가설했고 이후로도 전신선 가설을 지속해 주요 군사 거점을 잇는 전신 선로를 확보했다. 또 기착점을 중심으로 관리 거점을 두고 전보학당을 설립해 인력을 양성하는 방식으로 전신 기술자를 충원했다. 이들 전보학당 출신자들은

14) "中朝電線條約 3조", 『고종실록』, 고종 22년(1885) 6월 6일.

15) Horace N. Allen, 김원모 역, 『알렌의 日記』(단국대학교 출판부, 1991), 103쪽.

주로 현업에서 기술을 훈련받았던 것으로 보이는데, 1881년 천진에 전보 학당이 설립되자마자 곧 상해－천진선 가설 공사에 착수했고 이들이 동원되었기 때문이다.[16)]

이런 청 기술진에 의해 제시된 서로전선의 경로는 인천에서 시작해 한성, 평양, 의주를 지나 중국의 鳳凰城으로 이어졌는데 이는 청으로 가는 사절단과 청에서 오는 사신들이 오갔던 서로대로를 좇은 것이었다. 서로대로는 청과의 사신 왕래가 빈번했던 길로 조선에서는 드물게 정비가 잘 되어 있었다. 이 노선을 좇아가다보면 한성의 한강, 파주의 임진강, 평양의 대동강, 安州의 청천강, 博川의 大定江, 의주의 石橋江, 압록강과 같이 큰 하천을 지나게 되었다.(〈그림 2-1〉 참조) 서로전선의 총길이는 1,053리였고, 필요한 전신주는 모두 6,300주였다.[17)] 서로전선의 주도권은 청 정부가 장악했으므로 조선 정부는 가설 자금인 차관을 갚아야 하는 의무만 진 채 전신 경로와 분국 설치에 대해 아무런 의견도 제시할 수 없었다. 서로전선은 봉황에 있는 청나라 군사 주둔기지로의 최단 거리 확보와 최단 시간 가설 완료를 목적으로 했던 청 전보총국의 의도대로 설계된 셈이었다.

서로전선 경로가 확정되자 청의 전보총국은 120명의 기술진을 조선에 파견했다.[18)] 이때 입국한 기술자 가운데에는 教師 7명, 洋文電報學生 12명, 통역을 맡은 司事 4명 등이 포함되었으며, 또 대북부전신회사 출신의 뮐렌스테스(H. J. Müllensteth, 1855~1915), 謝爾恩(C. S. Chiren)과 같은 서양인 기술자 2명도 포함되었다. 이들 120명의 기술진은 전선 및 副電 설치,

---

16) 『中國電信紀要』, 8~10쪽.

17) "電務大員 謄錄", 『漢城周報』, 1886년 12월 21일.

18) 체신부, 『80년사』 및 『100년사』에는 이때 청 기술진이 150명이라고 했지만 이들 문헌에서 인용한 外務省 編纂, 『日本外交文書』 18卷(巖南堂書店, 平成 8년(1996)), 事項6, 明治 18년 9월 16일 기사를 검토해본 결과 120명이 맞다.

전신주에 硝子를 박아 전선 연결하기, 전신주 피뢰침 설치 그리고 분국 설치와 같은 작업을 수행했다.

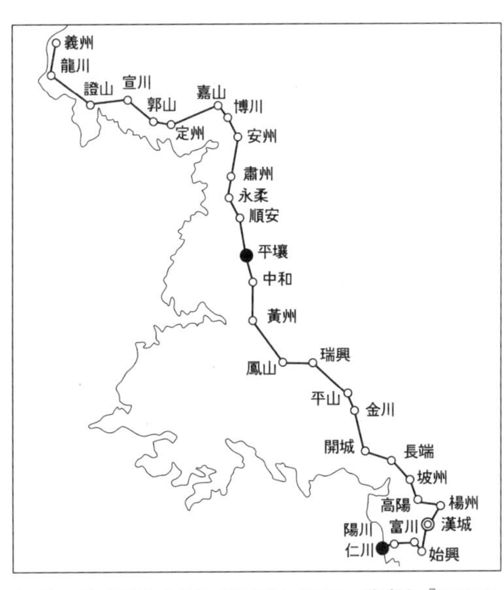

〈그림 2-1〉 화전국에 의한 서로전선 선로도 체신부, 『韓國電氣通信100년사』, 83쪽.

청이 전신 가설을 위해 파견한 120명이나 되는 기술진은 공사에 비해 매우 큰 규모였다. 전선 가설 공사에서 가장 많은 인원을 필요로 하는 전신주를 마련하고 세우는 일은 조선 정부의 몫으로, 조선 정부는 이를 위해 서로전선변 지방의 백성들을 동원했으므로 실제 전신선 가설을 위해 필요한 기술 인력은 이처럼 많을 필요가 없었다.[19] 많은 인원이 파견되었다고 공사 기간이 단축되지도 않았다. 이는 조선에서 행해진 다른 전신 가설 공사와 인원과 기간 면에서 비교해도 확연하다. 공사가 훨씬 험난했던 1887년 남로전선 가설의 경우, 공사에 투입된 기술진은 학생을 포함해 전부 40명이 되지 않았지만 공사 기간은 오히려 짧았다. 조선에서 뿐만 아니라 청에서 행해진 공사 기간과 비교해도 마찬가지였다. 약 3천 리에 달하는 청의 天津-上海 전신선 가설에 불과 5개월이 소요되었다.[20] 이런 점들을 감안하면 청 정부가 120명의 대규모 기술진을 파견한 데에는 다른 의도가 있다고 할 수 있다. 먼저 지적할

19) 김정기, 앞의 글(1993), 805~808쪽.
20) 辛太甲, 앞의 글(1992), 139~140쪽.

수 있는 것은 전선 부설 공사에 대규모 기술진이 필요하다는 인상을 줌으로써 청나라의 시혜성을 강조하려 했다는 점이다.[21] 또 청 정부의 근대 기술력을 과시하려는 의도도 있었다. 즉 전신 선로 가설은 많은 기술 인력을 확보해야만 가능한 작업으로, 그렇지 못한 조선 정부로서는 엄두도 내지 못할 사업이라는 점을 목도하게 하려는 것이었다. 더 중요한 것은 청 정부가 서로전선 가설 공사를 학도들의 훈련장으로 삼으려는 의도를 가지고 있었다는 점이다. 청 정부가 조선 서로전선 가설 현장에 파견한 120명의 기술진 가운데 서양 기술자를 포함한 고급 기술자는 불과 6명도 되지 않았으며, 이들을 보좌하는 통역을 포함한 중간급 기술자를 모두 합해도 20명 정도였다. 즉 나머지 약 100명은 모두 학생인 셈이었다. 이는 청의 전보총국이 경제적 부담이 전혀 없는 조선 서로전선 가설 현장을 학생 훈련 실습장으로 삼았음을 의미했다.

서로전선 부설 공사에서 시혜를 베푸는 듯한 태도를 취한 것은 청 정부만이 아니었다. 기술진들 역시 비슷했는데, 특히 총책임자인 佘昌宇의 태도는 마치 변방 지역에 출장 온 중앙 관리와 유사했다. 전신재료 준비를 마치고 조선에 온 그는 도착하자마자 조선 정부뿐만 아니라 고종에게까지 전신주 마련 등 전선 가설 준비를 재촉하는 공문을 발송했다.[22] 그는 공문에서 "8월 1일 인천에 도착해보니 마련된 전주는 하나도 없었고, … 삼 일째 2개의 전주를 우선 마련하여 개설 공사를 시작했다"고 지적함으로써 조선 정부가 전신주를 제대로 준비하지 않은 일을 질책하고

---

21) "의주전선합동" 제2조에 의하면 서로전선 가설은 중국의 인력 파견에 의한 조선국왕의 청에 의해 중국의 북양대신이 상주하여 진행된 것으로 되어 있다. 이에 대해서는 『朝鮮電信誌』, 174쪽 ; "中朝電線條約", 『고종실록』, 고종 22년(1885) 6월 6일.

22) 統理交涉通商事務衙門 편, 『電案』 卷1(규 17741)(이하 『電案』으로만 표기), 光緖 11년(고종 22, 1885) 8월 초8일.

전선 가설 공사 예정 지역의 선로 변에 전신주를 빨리 마련하라고 독촉했다.[23] 그의 독촉에 조선 정부는 장마로 인해 준비가 더뎌졌다고 해명하는 한편 공사 진행에 차질이 없도록 전신주를 조속히 마련할 것을 약속했다.[24] 그러나 전신주를 마련하는 일은 쉽지 않았다. 전신주는 檜木으로 표면에 아주까리 기름을 발라 防腐와 防水 처리를 한 상태로 준비되어야 했던 만큼 적정한 크기의 나무와 방부제인 아주까리 기름을 갑자기 마련하는 일도 쉽지 않았을 뿐만 아니라, 농번기의 백성을 동원하는 일 자체가 쉽지 않았다. 그럼에도 불구하고 조선 정부는 원활한 공사 진행을 위해 전신주의 운반을 지체했다고 고발된 양화진의 관리를 태형으로 처벌하고 귀양을 보내기까지 하며 전신주 준비에 전력을 다했다.[25] 그러나 정작 청나라 기술진의 전료 준비는 완벽하지 않았다. 심지어 청측이 준비해야 할 수저선은 공사 기간 안에 공급되지도 않았다. 가설 공사에 필요한 수저선은 모두 12,600尺이었지만 공사 초기에 준비된 것은 고작 1,300尺에 불과했고, 나머지 11,000尺이 넘는 대부분의 수저선은 마련되지 않았다. 결국 이듬해 해빙되기를 기다려 가설될 수밖에 없었다.[26] 그러므로 서로전선의 완공은 엄밀히 말하면 1886년 5월에 이루어진 셈이었다.

또 청 기술자 개개인은 공사 진행보다 조선 파견에서 생기는 경제적 이익에 대해 더 많은 관심을 가졌다. 공사 총책임자는 이런 부하 직원들의 요구를 수용해 조선 정부에 압력을 행사할 수 있는 우월한 지위를 이용, 경제적 이득을 확보해 주려고 했다. 즉 청 기술자들은 '의주전선합동'에

---

23) 『電案』 卷1, 光緖 11년 8월 초8일.
24) 같은 책, 光緖 11年(고종 22, 1885) 8월 11일.
25) 『고종실록』, 고종 22년(1885) 8월 9일.
26) "電務大員 謄錄", 『漢城周報』 1호, 1886년 12월 21일.

의해 전신기기 및 필요한 자재가 면세조치 되었음을 근거로 개인 물품에까지 면세 혜택을 줄 것을 요구했던 것이다.[27] 이런 특별한 권한은 외교관에게나 허용될 수 있는 혜택이었지만 청 정부의 영향력이 압도적이었던 당시 상황 속에서 이 요구는 결국 받아들여졌다. 따라서 그들은 원한다면 다양한 물건들을 조선 땅에 들여올 수 있었고 귀국할 때 조선에서 구입한 상품들을 자유롭게 반출할 수 있었다. 반입된 상품들은 조선 안에서 청인의 상행위를 가능하게 한 1882년의 '朝中商民水陸貿易章程'에 의해 자유롭게 거래될 수 있었으므로, 대부분의 청 기술자들은 서로전선의 가설보다 자신들이 가지고 온 물건의 판매에 더 힘을 쏟았고, 중국에서 비싼 값으로 팔리는 인삼, 홍삼을 포함한 귀중품 구입에 많은 시간을 들였다.[28] 그들은 대개 귀국할 때 40, 50개의 개인 보따리를 가지고 갔다. 즉 이들은 전신선 가설보다는 조선 파견에서 얻을 수 있는 경제적 이득에 더 많은 관심을 가졌던 것이다.

조선 정부는 서로전선 건설 현장에 공사 지원을 위한 조선인 기술자를 파견해 청 기술진에 의해 진행되는 공사 과정을 모두 볼 수 있었다.[29] 그 결과 중국 電報總局에서 120명의 기술진을 보내온 것이 전보총국의

27) "의주전선합동, 4조", 『고종실록』, 고종 22년(1885) 6월 6일.

28) "中國代辦朝鮮陸路電線續款合同, 제3조", 『고종실록』, 고종 23년(1886) 2월 19일 ; 청기술자의 인천세관에 대한 항의에 대해서는 『電案』 卷2, 光緖 12年(고종 23, 1886) 5월 29일 ; 6월 1일. 서로전선 가설 때 싹튼 이런 관행은 남로전선 가설에서 기술자들의 휴대품 검사 자체를 면하게 해달라는 요구로까지 이어졌고, 이들의 무리한 물품 반입으로 인천해관에서 휴대품 검사 및 과세를 시도하자 청기술자들이 완강하게 항의하는 일도 생겨 중국 측은 1886년에 맺은 "중국대판조선육로전선속관합동"에 면세조항 명시를 강요했다. ; 청기술자들의 휴대물품에 대해서는 『電案』 卷3, 光緖 12년(1886) 11월 25일 ; 光緖 13년(1887) 12월 祀索일 ; 12월 27일 ; 卷4, 戊子(1888) 11월 18일.

29) 당시 파견된 조선 정부측 전무대원은 李容稙이었고 전무위원은 李應相, 姜泰喜, 尙澐, 朴熙鎭 등 4명이었다. "電務大員 謄錄", 『漢城周報』 1호, 1886년 12월 21일.

과시적인 행위에 지나지 않는다는 사실을 알 수 있었고, 투입되는 가설 공사비는 청 정부가 주장하는 것보다 적으며, 공사가 생각보다 어려운 작업도 아니라는 점을 알 수 있었다. 이처럼 가설 공사 현장을 직접 목도할 수 있었던 점은 조선 정부로 하여금 전신 기술 인력을 좀 더 양성해 확보한다면 자체 힘으로도 전신선 가설 공사를 충분히 감당할 수 있으리라고 생각할 수 있게 했다. 이 생각은 조선 정부가 일본의 강력한 남로전선 부설 요청을 받아들여 단독으로 공사를 감행하기로 결정하는 중요한 배경이 되었다.

그렇다면 청 정부는 서로전선을 가설하는 데에 얼마의 비용을 사용했을까? 청과 체결한 의주전선합동에 따르면 조선 정부는 서로전선 부설에 사용된 경비의 명세는커녕 대략의 규모조차 보고받을 권리가 없으므로 이때의 가설 경비와 관련해서는 단지 1909년 일본과의 차관 상환 교섭 시 청이 제공한 명목서 만을 통해 추정할 수 있을 뿐인데, 이에 의하면 총가설비는 36,000원이 들었다고 한다. 즉 대철선 및 細鐵線, 자통, 수선과 같이 전신선 가설에 필요한 전료 구입으로 27,000원이 소요되었고, 통신기 10대와 부속 부품으로 4,000원, 고용 임금으로 5,000원을 사용했다는 것이다.[30] 그러나 이 보고는 단지 총가설비로 설정한 36,000원에 맞추기 위해 각 항목들의 금액을 짜맞춘 것에 불과했다. 〈표 2-1〉에서 볼 수 있듯이 1909년 청측이 제시한 계산서의 단가가 1885년의 것이라고 하기에는 1904년 통신원의 단가와 너무 비슷했다. 20여 년 간의 물가 인상이나 환율 차이를 전혀 반영하지 못하고 있을 뿐만 아니라 오히려 통신기의 값은 더 높게 설정해 이미 결정된 비용에 총합을 맞추려 한 흔적이 역력하다. 청 정부가 1909년 사용했다고 제출한 서로전선의 가설 비용은

30) "乙酉年淸國人自仁川由,漢城至義州電線架設時電料費及雇軍役費支用表"(遞圖 兵流), 체신부, 『100년사』, 91쪽. 주46에서 재인용.

36,000원, 즉 24,000냥으로 이는 청에서 빌린 차관 10만 냥의 25%에도 미치지 못하는 금액이었다.

〈표 2-1〉 서로전선 가설 공사 비용 계산서의 단가와 1904년 통신원 단가 비교

	청측의 계산서	1904년 통신원 단가
8호 철사	8원(7호 사용)	9원50전
16호 철사	9원	9원50전
통신기	400원	320원
자통	25전	35전

* 출처 : 청이 제시한 단가는 체신부, 『100년사』, 91쪽, 1904년 통신원의 단가는 『80년사』, 부록 350쪽.

비록 조선 정부가 차관의 사용에서 철저히 소외되었지만 그렇다고 조선 정부가 서로전선 가설 비용 규모를 예상조차 하지 못하는 수준은 아니었다. 먼저 1882년 『한성순보』에 실린 吳大徵에 관한 기사는 조선 정부에 큰 도움이 되는 정보였다. 그는 旅順에서 鳳凰城 邊門을 거쳐 한성에 이르는 전선의 가설에 5만 냥 정도가 소요될 것이라고 예상했다. 그의 예상을 근거로 한성과 의주까지는 그 절반 정도의 비용을 가지고 가설이 가능하다는 계산이 나오는데, 吳大徵의 비용에는 전신주 구입과 운반 및 방수 방부 도포비와 같은 전신주와 관련한 것까지 모두 포함되어 있었으므로 훨씬 적은 금액으로 전신 가설 공사가 가능하다는 결론이 나온다. 또 일본에 파견되었던 조사들이나 유학생의 진술들을 토대로 하면 좀 더 정확한 계산이 가능했다. 먼저 일본에서 전신을 배운 김학우는 갑신정변 이전에 이미 조선의 전신망 가설 규모를 산출한 일이 있었다. 그의 의견에 의하면 조선의 간선, 즉 한성을 중심으로 서쪽으로는 의주까지, 북쪽으로는 경흥까지, 그리고 남쪽으로는 부산에 이르는 기간 선로는 일본 거리 단위로 400리 정도일 것으로 추정했다.[31] 이 추정치에 일본 공부성을 탐문했던 조사 강문형의 보고를 이용하면 공사 경비 규모를

산출할 수 있다. 강문형에 의하면 일본 전신국이 전선 1리를 가설하는 데에 125원이 소요되었는데, 이는 조선을 망라하는 규모의 간선을 부설하는 데에 약 50,000원 정도가 필요하며, 한성에서 의주 사이의 서로전선은 15,000원도 채 들지 않는다는 것을 의미했다.[32] 심지어 서로전선 가설 공사는 전신주 준비 및 전신주의 운반, 설치에 필요한 노동력을 조선 정부가 부담했으므로 실제 공사는 이보다 훨씬 적은 비용으로 진행될 수 있음을 조선 정부가 알고 있었다. 그럼에도 불구하고 조선 정부는 청 정부에 경제적 의존을 심화시키는 일에 대해 항의할 수 없었다. 당시는 정치적으로 청 정부의 강한 간섭과 제재를 받고 있었고, 또 갑신정변에 고종이 연루되었을 것으로 의심받는 상황이었기 때문이다. 따라서 조선 정부로서는 청 정부에 서로전선 가설 비용에 대해 문제를 제기하거나, 혹은 문제제기를 한다고 해도 이후 전개될 협상을 진행하기에 역부족이었다.

3) 조선에 도입된 전신 기술 수준

서로전선 가설을 청이 주도했기 때문에 기술 수준 역시 청에 의존할 수밖에 없었다. 청은 전신 기술을 대북부전신회사로부터 받아들였는데, 이 회사는 이미 1870년대 청나라에서 전신선 가설권을 획득해 전신선을 가설하고 운영하기 시작해 청의 전신 기술 도입에 많은 일을 수행했다. 청이 처음으로 가설한 전신선 역시 이 회사의 기술 지도로 완공되었다.[33]

---

31) 이광린, 앞의 글(1985), 66~67쪽.

32) 강문형의 조사에 의하면 약 4,144리의 전신망 구축을 위해 투자한 비용이 4,159,830원이므로 1리 가설에는 약 일천 엔이 소요된다. 일본의 1리는 우리나라 약 8리에 해당하므로 우리나라 1리 가설에는 125원 정도가 필요한 셈이다.

33) 辛太甲, 앞의 글, 135~139쪽 ; 電信總局 편, 앞의 책, 10쪽.

청은 1881년 天津－上海의 전신 선로를 가설하기 위해 전보학교를 설립했는데 이 전보학교 교사로 활동한 사람들도 이 회사의 기술자들이었다.[34)]

당시 청나라가 받아들인 전신 기술은 모스 전신기 중심으로 전선 설비는 간단했고, 전신선은 전신주를 이용한 가설 방식을 채용했으며 이 역시 가설이 쉬운 단일선의 표준 방식이었다.[35)] 전보학당에서 학생들이 배웠던 것도 이 기술이었다.

통역 교사로 활동하던 덴마크 인 傚爾賜는 『電報節略』을 출간하기도 했는데, 이 책은 청의 전보학교 교재였을 가능성이 있다.[36)] 이 『電報節略』은 26장 분량의 짧은 책으로, 이 책에는 전무 학도들이 익혀야 할 기본적인 전기학 관련 지식들이 실려 있는데 예를 들면 전지, 계전기, 電鑰(key, 전신 관련 문헌들 가운데에는 이를 電鍵이라고 명명한 것도 있다)과 같은 부품들에 관한 것이었다.[37)] 그리고 라이덴 병, 볼타 전지 등과 같은 전지의 역사와 전도체와 부도체, 그리고 전지를 구성하는 방식, 전지 구성 물질들의

---

34) 청은 1881년과 1882년에 각각 天津과 上海에 전보학당을 세워 전신 기술 인력을 양성했으며 천진의 전보학당에서는 덴마크 인을 고빙해 교사로 삼아 인력 훈련을 담당하게 했다. 이들 양성된 전신 인력은 전신망 가설 공사와 전신 업무를 담당했다. 이후 청 정부는 전신선을 가설하는 곳마다 전보학당을 세워 필요한 인력을 충원했다. 같은 글.

35) 電信總局 편, 앞의 책, 11쪽.

36) 양무운동의 일환으로 설립된 청의 江南製造局에서는 서양 과학기술서들을 번역 발간했다. 그 책들 가운데는 전리학 관련 서적도 없지 않았으므로 청의 전보학교에서는 이 책들과 함께 『電報節略』을 학도들의 훈련과 학습에 병용했을 것으로 보인다. 그 책들 가운데에는 4장에서 자세히 살펴볼 『電學』도 포함되어 있다. 이 책은 1879년에 발간된 책으로, 이 책 역시 전보학교에서 사용되었을 가능성이 있지만 전기학을 전반적으로 다룰 뿐만 아니라 내용이 매우 자세하고 분량 역시 방대해 속성으로 학생을 양성하는 전보학당에서 다루기에는 무리였을 것으로 보인다. 瑙挨德(英) 著, 傅蘭雅 口譯, 徐建寅 筆述, 『電學』(규중 2994) ; 傚爾賜 역, 『電報節略』(同治12(1873), 규중 5312).

37) 傚爾賜 역, 같은 책.

38) 『電報節略』에는 전지의 직렬연결만이 전리도로 간략하게 묘사되어 있어서 비슷

특성을 소개해 전신기의 중요한 구성 요소인 전지의 원리를 학도들이 이해하기 쉽게 설명했다. 이 책에 소개된 전지는 음극과 양극을 아연과 백금(목탄으로 대용)으로 구성하고 바깥 면을 수은으로 칠해 보호하는 1866년 르클랑쉬(Gorges Leclanche, 1839~1882)가 고안한 카본 전지였다.(〈그림 2-2〉 참조) 또 전신기의 중요한 부품인 계전기를 설명하기 위해 자석의 원리와 자석 제조법, 그리고 전기와 자석과의 관계를 간략하게 설명했다. 이 책에 의하면 계전기는 철침 주위에 가는 銅線을 여러 층으로 촘촘히 감아 만드는 전신기 부품이었다.[39] 또 이 책은 동선을 서로 반대 방향으로 감은 두 개의 철침으로 만드는 극성 계전기를 소개했는데, 이 방식으로 만든 계전기는 전기를 감지하면 두 바늘이 동시에 움직인다고 덧붙였다.

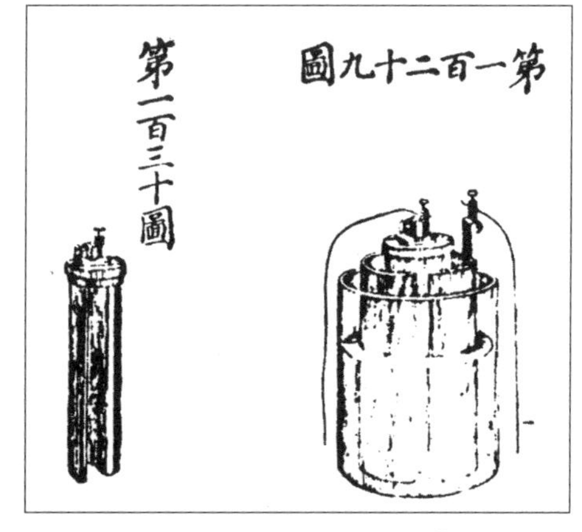

〈그림 2-2〉 르클랑쉬 카본 전지[38] 출처 : 『電學』, 15면.

이처럼 이 책은 전지의 원리와 더불어 계전기를 만드는 법, 부품들의 연결 방법을 설명해 이 책을 공부한 전무 학도들은 계전기를 만들고 전지의 음극과 양극의 선에 연결해 전신기를 조립할 수 있었을 것으로 보인다. 마지막으로 인쇄기와 전약을 함께 설명하면서 수신 부분인 인자기와 송신용인 키가 동시에 작동하는 것을 방지하기 위해 장치한 말굽형

한 시기의 서적인 『電學』 15면에서 전지 그림을 인용했다. 그림 안의 제130圖는 음극을 구성하는 아연판이다.

39) 傚爾賜 역, 앞의 책, 16쪽.

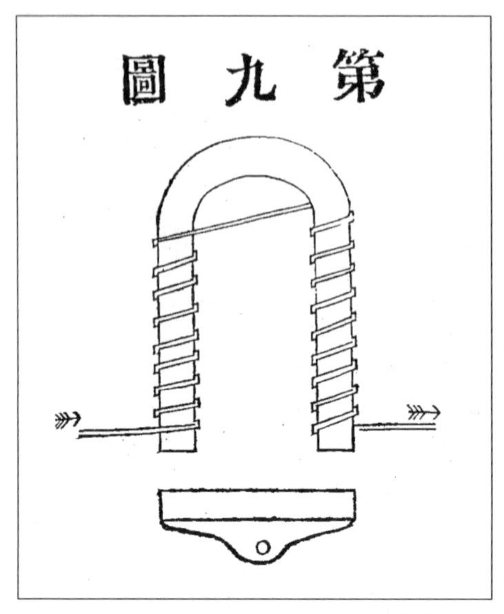

〈그림 2-3〉 말굽자석을 이용한 계전기[40]　출처 : 『電報節略』, 圖 3면.

전자석도 덧붙여 설명했다. (〈그림 2-3〉 참조)

조선에 들어온 전신 기술의 면모는 어땠을까? 우선 청의 전보학교 출신 전신 기술자들이 인천－한성－의주의 서로전선 가설을 담당했으므로 청나라의 기술 수준이 그대로 이전되었을 것으로 보인다. 이들이 가져온 전신기기들에 대한 사료가 없으므로 이는 『전보절략』이나 청에서 한역한 책들, 청의 잡지와 책을 많이 전재한 『한성순보』 기사를 통해 추정할 수 있을 뿐이다. 1880년대 초반 중국의 전보학당에서 다루었음직한 내용으로 구성된 『한성순보』 기사는 『전보절략』보다 더 자세하게 전신 기술을 보도했다. 1884년 1월 18일자 『한성순보』에는 전신기를 구성하는 부품들을 설명한 기사가 실려 있다. 이 글은 전신기를 이루는 중요한 부품으로 電池, 電鑰, 磁鐵, 信機, 電線을 들었고 각각에 대해 설명을 제시했는데 『전보절략』보다 상세했다. 전지에 대해서는 "전지는 본래 여러 가지 式이 있으나 지금 電信局에서 常用하는 것은 곧 葛氏(갈바니)의 전지"라고 했지만, 전지 설명은 카본 전지에 대한 것이었다.[41] 이 기사는 음극과

40) 이 그림은 『電報節略』에서 소개한 계전기로 『한성순보』의 기사에서 설명한 말굽형 계전기도 이와 비슷하다. 같은 책, 圖 3면.

41) "電報說", 『한성순보』, 1884년 1월 18일. 이 기사에 소개된 전지는 전력이 약해질

양극을 이루는 두 금속으로 아연과 백금(혹은 목탄)을 이용한다는 『전보절략』의 전지에 대한 설명보다 훨씬 구체적으로 전지를 소개했다. 즉 『전보절략』에서는 볼 수 없었던 전지에 사용되는 전해질에 대해 설명을 제시했다. 이 기사에 의하면 전지에 사용되는 약품은 증류수와 황산을 1/10 : 1/100의 비율로 묽게 한 황산과 硝强水(질산)였다. 그리고 이 전지에 사용되는 전도체는 아연과 백금으로 아연은 황산용액을 담은 유리통에

경우 두 구리선을 백금조각과 아연통에 각각 넣고 끝을 연결하면 백금과 아연이 다시 저절로 양극과 음극으로 나타나 지속적으로 전원으로 이용할 수 있다고 설명했는데, 이는 갈바니 전지가 아니라 카본 전지 설명이었다.(아래 그림 참조) 또한 갈바니 전지가 한 산성 용액에 두 개 금속을 두어 전기의 흐름을 유도한 것과 달리 카본 전지는 기사의 설명대로 두 금속에 각각 다른 용액을 유리나 초벌구이 도자기로 격막을 삼은 하나의 통에 두었다. 따라서 이 역시 이 기사가 갈바니 전지에 대한 설명이 아니라 카본 전지 설명임을 보여준다. 물론 카본 전지도 직류 전기를 화학의 원리로 얻는다는 측면에서는 갈바니 전지라 할 수 있지만 카본 전지는 갈바니 전지에 비해 훨씬 더 안정적인 전류를 얻어내는 개량된 전지였다. 모스가 전신기를 개발할 즈음인 1836년, 다니엘(J. F. Daniell, 1790~1845)이 비교적 안정된 전압의 전류를 장시간 공급할 수 있는 화학전지를 고안했는데, 이 전지는 전신 기술자 및 과학자들이 전신기를 개량하는 발판이 되었다. 다니엘 전지는 기본적으로 두세 달을 쓸 수 있었고 음극의 아연판과 양극의 구리판의 불순물을 제거하고 전해질인 묽은 황산을 제대로 갈아주거나 걸러주는 세척을 두세 달에 한 번씩 정기적으로 하면 더 오랫동안 사용할 수 있었다. 이 다니엘 전지는 이후로도 끊임없이 개량되어 1842년에는 훨씬 더 오래 사용할 수 있도록 여러 개의 전지를 연결한 전지가 개발되었다.

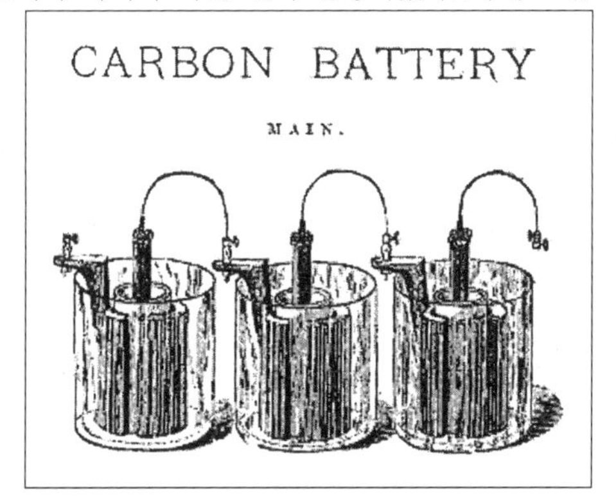

출처 : Smith, J. E, Manual of telegraphy designed for beginners (14th ed. 1876, [electronic resource : http://www.hti.umich.edu.myaccess.library.utoronto.ca/cache/ajr4251]), 83쪽.

두어 음극으로 하고, 부도체인 백금(목탄)은 질산용액에 담가 양극으로 하는데 전지 하나만으로는 전력 공급이 불안해 12개의 전지를 병렬로 연결해 이용했다. 그리고 전신 선로와 전신기에 부착된 전지를 설명했는데, 전신기의 전지를 正電池라 부르고 전신 선로 20마일마다 설치한 전지를 副電池라 칭하면서 이 부전지는 전신국 사이가 멀수록 전류가 약해져 이를 강화하기 위한 전기 보충 장치라고 설명했다. 그러나 선로에 설치되는 부전지만으로는 전류의 흐름을 수신국으로 전달할 수 없으므로 약해진 전기 신호에 민감하게 반응하여 전달하는 계전기가 함께 설치되어 있어야 했다.

『전보절략』에서 만드는 방법을 간단하게 소개하는 데 그친 계전기에 대한 설명 역시 『한성순보』에서 꽤 자세하게 거론되어 있다. 계전기는 매우 약한 전류도 감지하는 장치로 모스가 전신기를 개발할 때에도 중요한 부품이었고, 특히 전신 선로가 세계 곳곳으로 뻗어 나가자 더 큰 역할을 부여받았다. 전신 선로가 대륙을 횡단하고 대양을 건너면서 전보사 사이의 거리가 길어지면서 전신 기술자들은 전기 신호 왜곡으로 수신이 불가능해지는 현상을 해결해야 했다. 이런 현상은 주로 전선의 저항, 적절하지 못한 부도체 선택, 전선 외부 또는 통신기 내부에서 섞여 들어온 전류로 인해 발생했다. 이 현상을 해결하기 위해 제시된 하나의 방안인 전지 강화는 오히려 상황을 악화시켰으므로 이 현상을 해결하는 부품을 개량해야 했는데 이에 해당하는 것이 바로 계전기였다. 계전기의 가장 기본적인 형태는 영구자석에 나선으로 銅線을 감은 것으로, 외르스테드(Hans Christian Oerstead, 1777~1851)가 전류가 자기를 발생시키는 현상을 발견한 이래 만들어졌으며 그 개발은 다양하게 전개되었다. 전신기 성능을 향상시키는 데에 중요한 역할을 담당하는 계전기의 성능은 자석을 감은 코일의 밀도에 의해 결정된다. 모스 전신기에는 전자석

두 개에 서로 다른 방향으로 동선을 감아 감도를 높인 극성 계전기가 채택되었는데 『한성순보』에서는 이 계전기를 磁鐵이라고 부르며 설명을 시도했다.[42] 이 기사에서 순수한 철로 만드는 자철에 대해 〈그림 2-3〉처럼 말굽 모양으로 여기에 가는 동선을 감았고 여기에 전류를 통하면 자성을 띠는 전신 부속품이라고 설명한 것은 『전보절략』과 같았으나, 『한성순보』는 더 나아가 자철이 설치되는 곳에 대해 설명을 덧붙였다.[43] 자철은 전신기와 부전지에 설치되는데, 부전지에 딸린 것을 副磁鐵, 전신기에 장치된 것을 正磁鐵로 구분하면서 정자철이 인자기에 신호를 전하는 방식을 설명했다. 이에 따르면 정자철이 전류를 감지하면 정자철의 접극자가 자성을 띠게 되고 鈀鐵이라 불리는 금속 조각이 접극자의 자력을 받아 붙었다 떨어졌다 하면서 움직임을 信機에 전달한다. 이처럼 이 기사는 자철의 전기 신호 전달기제를 상세하게 제시했다.

송신국에서 보낸 전기 신호는 전신선을 타고 수신국에 도달해 계전기에 의해 감지되어 계전기에 연결된 파철과 접극자를 통해 印字機의 종이테이프에 표현되었다. 이 종이에 남겨진 전기 신호의 흔적을 전신 기술자가 해독함으로써 수신이 완결되었다. 이 부분을 수신기라 하며 송신기는 전지, 電鍵(또는 전약)과 계전기, 그리고 접극자로 구성되어 있다. 송신국의 전신 기술자가 약속된 점과 선으로 이루어진 전기 신호를 접극자에

---

42) W. H. Preece & J. Sivewright, *TELEGRAPH* (1876, electronic resource http://www.hti.umich.edu.myaccess.library.utoronto.ca/cache/ajr4251]), 58~59쪽. 이 극성계전기의 최초 개발은 독일 지멘스 할스케 사(Siemens & Halske Workshop)에 의해 이루어졌는데, 이 회사는 Ernst Werner von Siemens(1816~1892)가 그의 사촌과 함께 설립한 회사로 전기기기 발전에 매우 중요한 기기들을 발명했다. 이 계전기 역시 이 회사의 주요 발명 및 개발품목으로 이후에도 계전기의 지속적인 개량에 크게 기여했다.

43) 자철의 모양을 말굽 모양으로 본 것은 『電報節略』과 같고 기능도 같지만 계전기는 두 개의 원주로 묘사되기 시작했다.

전건을 두드려 닿게 함으로써 구성해 보내면 이 전기 신호가 전신선을 타고 수신국의 계전기를 자극해 인자기에 흔적을 남기게 된다는 것이 『한성순보』의 전신 송수신 방식이었다.

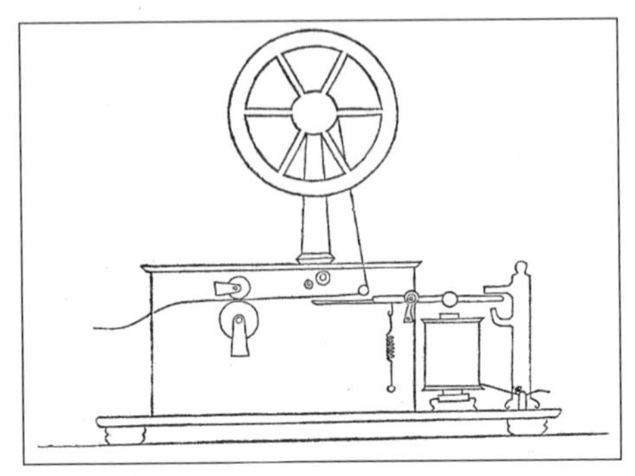

〈그림 2-4〉 인자식 모스 전신기 개략도 출처 : 『電報節略』, 圖 3면.

『한성순보』에 실린 전신기 기사는 파철의 움직임에 따른 전기 신호를 종이에 나타내는 장치인 印字機도 설명했다. 인자기에는 종이테이프를 감은 바퀴가 달려 있는데 이 부품은 파철이 움직이기 시작하면 바퀴가 돌아가면서 종이를 풀어 점과 선으로 구성된 전기 신호가 종이에 기록될 수 있게 하는 장치였다.(〈그림 2-4〉 참조) 이처럼 전지, 계전기, 파철, 인자기와 같은 부품들로 이루어진 부분은 전신기 가운데 수신기였고, 송신을 담당하는 부분은 전건과 접극자, 그리고 전지로 구성되었다.[44] 이 기사는 송신자가 정해진 약속대로 전략을 길고 짧게 두들김으로써 보내야 할 정보를 신호로 구성해서 전한다고 설명했다.(〈그림 2-5〉 참조)

> 송신국의 사람이 전기를 저 국(수신국)에 통하려면 손가락으로 横軒 좌단을 누르며 누르는 시간의 길고 짧음을 헤아리고 전기의 장단을 계산한다. 그러므로 손가락으로 누르면 전지와 전선이 항상 서로 합하여 信이 전달되고 손가락을 떼면 전선과 전지가 항상 서로 분리되어 信이

44) 송신기에도 계전기가 부착되어 있어 전기 신호를 극대화시키는데, 이 기사에서는 이에 대한 설명이 제공되어 있지 않다.

막히게 된다.[45)]

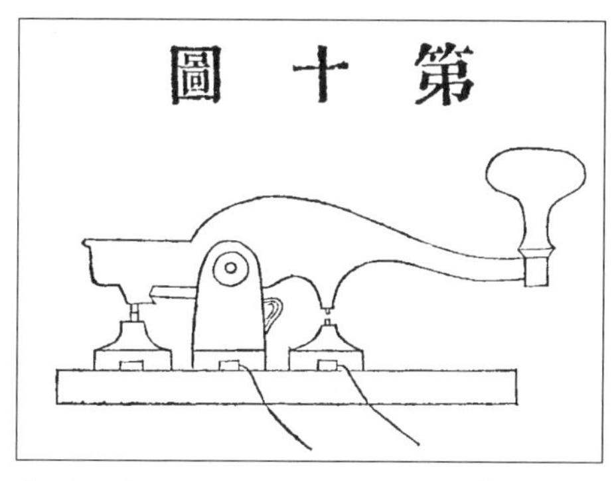

〈그림 2-5〉 모스 전신기의 전약[46)] 출처 :『電報節略』, 圖 3면.

이들 전신 부품들 이외에 전신 소통에서 중요한 것은 바로 전선이었다. 가장 좋은 전선 재료는 銅이지만 값이 비싸고 약했기 때문에 전 세계적으로 철사를 대용했다. 이 기사는 전신선을 가설하는 방법도 상세하게 보도했다. 이 기사에 의하면 전신주는 전신선을 받치기 위해 수백 보마다 세워야 하며 나무기둥 둘레에 전신선을 3分 정도 두고, 전신선과 나무 사이에 부도체를 두어 전선이 나무에 직접 닿는 것을 방지해야 했다. 또 전주에는 반드시 피뢰침을 두어야 하고 피뢰침이 녹스는 것을 방지하기 위해서는 칠을 해야 한다고 설명했다. 또 이 기사는 전신국 내의 전신선에 대한 설명도 제공했다. 즉 "전신 선로에 이용되는 전선을 철사로 하는 것과 달리 전신국 내로 들어오는 전신선은 동선을 사용해야 하는데, 이때 철선과 동선의 접합 부분은 밀랍으로 싸거나 실로 감아 전기가 방전되거나 (전신선이 공기 중에서) 녹슬어 바스러지는 일이 없도록 해야 한다"는 것이었다.[47)]

신기에 대한 이 기사가 당시 조선에 이식된 전신 기술 수준을 그대로 보여주는 것은 아닐 수 있지만, 이 기사나 『전보절략』에는 1870~80년대

45)"전보설", 『漢城旬報』, 1883년 12월 21일·기사. "以司局之人若欲通電氣於彼局 則以指按槓軒左端計指按時刻之久暫算還 電氣之長短 故一以指按則電池與電線常相合信傳 一以指移 則電線與電池常相離而信阻."

46) 俶爾賜 역, 앞의 책, 圖 3면.

47) "전보설", 『한성순보』, 1884년 1월 18일.

이루어진 서구의 전신 발전상이 전혀 반영되어 있지 않은 것만은 확실하다. 1870~80년대 서양에서는 전기를 이용한 통신 방식이 계속 발전하고 있었다. 물론 당시에도 모스 전신기는 전지, 전약, 전자석, 접극자 그리고 수신부로 구성되던 것이 변한 것은 아니지만, 이는 초창기 개발 사양에 불과했다.(〈그림 2-6〉 참조) 다섯 가지의 주요 부품으로 만들어진 모스의 인자 전신기는 전 세계를 전신망으로 연결하는 데 큰 영향을 미쳤다.[48) 이 모스의 전신 체계를 몇몇 미국의 민간기업들이 채용하면서 더 넓은 관할 구역을 쟁취하기 위한 경쟁이 진행되었고, 그 가운데에 기기 자체의 발전도 병행되었다. 이런 발전의 결과물들은 오히려 모스의 단순한 전신기를 위협하기 시작했다.

그 가운데 하나가 영국의 휘트스톤(Charles Wheatstone)과 협력해서 전신 체계를 창안했던 베인(Alexander Bain, 1811~1877)에 의한 개량이었다.[50) 금속 드럼 위로 천공된 종이를 통과시키는 베인의 자동 전신 체계는 모스

---

48) 임경순, 앞의 글, 3쪽. 임경순은 모스가 기계에 대해서는 문외한이었으므로 전신기의 설계와 제조에서 그의 동업자였던 기계공 출신의 알프레드 베일(Alfred Vail)의 도움이 절대적이었다고 평가했다. 그는 모스의 발명품이라고 하는 전신은 사실 상당히 많은 부분을 베일이 개량한 것이라고 했는데, 베일은 1844년까지 수신기를 다양한 시계 기술을 이용해서 단순화시켰을 뿐만 아니라 송신 장치도 놀랄 만큼 간단하게 개량시켜 놓았다고 했다. 심지어 오늘날 '모스 부호'라고 부르는 기본적인 통신 코드도 실제적으로는 대부분 베일에 의해서 만들어진 것으로 보았다.

49) 이 그림은 『電學』에 나온 인자 모스 전신기이다. 『한성순보』의 전신 구성 부품 설명에서 계전기 부분이 차이가 나지만 인자기를 수신부로 채택하고 있는 전신기의 대표적인 모습이다. 瑙挨德(英) 著, 傅蘭雅 口譯, 徐建寅 筆述, 앞의 책, 27면.

50) 베인(A. Bain)이 발명한 자동송신기는 전송 타수가 기존 방식보다 10배나 빠른 1분 400타로 늘어났다. 이 자동송신기는 송신 이전에 미리 여러 전신 기술자들이 전신문을 나누어서 여유를 가지고 작업할 수 있게 해주었을 뿐만 아니라 덜 숙련된 전신 기술자가 다루어도 시간적 여유로 인해 크게 문제가 되지 않게 한 발명품이었다. 베인의 자동송신기는 뉴스와 같이 긴 송신문을 전송하는 일에 탁월했다. 임경순, 앞의 글, 3쪽 ; 톰 스탠디지, 앞의 책, 167쪽.

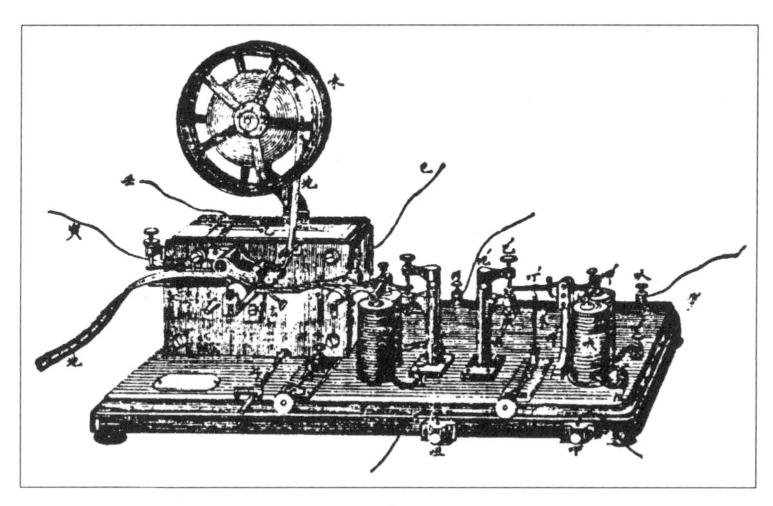

〈그림 2-6〉 인자식 모스 전신기[49] 출처 : 『電學』, 27면.

체계와 특허 침해 문제를 놓고 법정 공방까지 벌였지만, 1853년 모스의 사업자들이 베인 체계 사업자들을 통합하면서 모스 체계로 흡수되었다. 또 하나의 도전은 뉴욕의 발명가 하우스(Royal E. House)가 특허를 출원한 인쇄형 전신 체계였다. 하우스의 인쇄형 전신은 속도는 빨랐지만 장치가 복잡해서 원거리 통신에서는 모스 장치에 비해 오류가 많이 발생해 신뢰도가 떨어졌다. 특히 1850년대 중반을 거치면서 모스 체계는 종이테이프로 수신하던 인자 방식을 음향기(Sounder)로 대체해 통신 속도가 놀랍게 향상되었고 착오 비율도 감소했으므로 하우스의 인쇄형 전신은 경쟁력이 떨어졌다. 이 음향기는 신호를 듣고 전신 기술자가 그대로 해독하게 하는 기기로 모스 전신기에서 이 기기를 채택함으로써 인자기 관리의 번잡함과 신호가 종이테이프에 옮겨질 때 생기는 진동에 의한 오류를 해소할 수 있었다.[51]

51) 임경순, 앞의 글, 3쪽.

이처럼 다른 전신 방식과의 경쟁에서 승리했으나 모스 전신 체계는 기본적인 문제점을 안고 있었다. 즉 모스 부호에 숙달된 전문적으로 훈련된 인력이 독점적으로 정보 송수신을 취급한다는 점이었다. 그들은 신호 코드를 능수능란하게 다루어 1분에 30, 40타 정도를 처리할 수 있었고, 송신된 전신 메시지를 완벽하게 보통 사람들이 알아볼 수 있는 언어로 변환시킬 수 있었으며, 전신기의 원리를 이해하고 있었으므로 전신기의 고장 대부분은 그들이 직접 수리했고 전신기의 개량도 이들에 의해 이루어지기도 했다.[52] 전신 기술자들은 전신기에 관한 한 다른 사람들의 접근을 허용하지 않는 배타적 전문가들이어서 전신기를 통한 정보교류는 이들 없이는 불가능했던 것이다. 사람들은 전신기가 훈련된 전문가에 의해 다루어질 수밖에 없는 상황, 즉 일반인들이 자동 전송기기에 접근할 없는 상황에 주목했다. 전신 이용자들은 공개하고 싶지 않은 정보가 어쩔 수 없이 전신 기술자들에게는 공개되어야 하는 상황이 그렇게 흔쾌하지 않았다. 이런 상황을 개선하기 위해 타이프라이터의 역할을 전신 시스템 내로 끌어들이려는 노력이나 전신문 자체를 송신하기 위한 노력이 경주되었다. 타이프라이터의 형식은 숙련된 전신 기술자 없이도 송신하고자 하는 내용을 두 개의 회전형 다이얼을 이용해 두 개의 바늘이 알파벳을 가리키게 하거나 또는 피아노 건반과 같은 건반 각각에 알파벳을 배정해 내용에 따라 순서대로 건반을 치는 방식을 채용한 것이었다.[53] 그리고 전화기도 발명되었다. 또 모스 전신 체계를

52) 유명한 발명가인 에디슨도 그들 가운데 하나였다. 수신부의 안정화를 위한 각종 제어장치와 극성계전기의 개량, 전신선 자체의 능력을 배가시키는 배속기의 발명 등이 잇따랐다. 이들 전송기의 개발이나 보급에 대해서는 톰 스탠디지, 앞의 책, 166~173쪽을 참조. 이런 기기들의 개발과 채택, 그리고 끊임없는 개량으로 전신 회사들의 이익은 급격히 증가했으나 전신 기술자들은 독점적 지위를 잃게 됨으로써 경제적 지위의 하락을 겪어야 했다.

이용한 사업에서 가장 비용이 많이 드는 전신선 가설과 관리와 관련된 문제들도 해결 방안이 모색되었다. 전신선을 한 조만 가설하고도 두 배, 네 배, 심지어 여섯 배로 전신선을 이용할 수 있게 하는 다중 전신 체계가 개발되어 전신선 가설 비용 절감과 전신선 이용의 극대화를 도모하기도 했다.[54)]

1870, 1880년대에 전신 기술상 많은 발전이 이루어졌지만 조선에는 서구 수준의 전신기가 도입된 것으로 보이지는 않는다. 조선에는 전신기 구성 수준이 『전보절략』이나 『한성순보』 기사를 크게 뛰어넘지 않는 수준의 인자식 모스 전신기가 도입되었으며, 송수신 선로 설계 방식은 송신은 전신주에 전선을 부설하고 返送은 大地歸路方式, 즉 전선을 땅에 묻는 방식이 채택되었고 전신선 한 조에 송수신 전신기를 한 대를 배치하는 단일선 방식으로 전신 선로가 가설되었다. 이런 기술 설계는 조선의 전신 선로가 사용량이 많은 행정 통신망이나 상업 정보망이 아니라 청으로의 군사 정보 통로로 규정된 데서 기인한다. 청은 전신 선로 기본 설계에서 조선 정부나 민간인의 사용을 고려하지 않았으므로 대량 사용과 높은 사용 빈도를 전제로 발전한 서양의 전신 기술을 반영할 필요가 없었던 것이다. 이런 기술 수준은 또한 조선 정부가 전신 선로의 설계나

---

53) 앞의 다이얼 식 텔레그래프를 흔히 ABC 텔레그래프라고 하며 이는 1858년 휘트스톤이 특허를 획득한 것이며, 뒤의 건반식은 1855년 David Hughes가 발명한 방식이다. 같은 책, 167~168쪽.

54) 이 전신선과 관련한 기술 개발의 백미는 마르코니(G. Marconi, 1874~1937)에 의한 무선전신이라고 할 수 있다. 1899년에 전신선 자체가 필요 없는 전파를 이용한 무선전신 방법이 성공을 거두자 4, 50년 된 전신선을 끊임없이 관리하고 대체하며 새롭게 전신선을 가설하기 위해 지속적으로 투자해야 했던 전신 사업자들은 중계 기지국만을 세워도 되는 이 방식에 큰 관심을 갖게 되었다. 이는 전신 사업자들만의 관심은 아니었다. 전신관리를 부담스러워 한 많은 국가의 정부기관 역시 이 방식을 채택함으로써 기지국이 전신선을 급격하게 대체했다. 임경순, 앞의 글, 5쪽.

전신기기 선택 과정에서 완전히 배제된 상황이 반영된 결과이기도 했다. 이와 같은 청의 전신 기술 이식으로 조선은 발전된 전신 기술의 유입 경로에서 벗어날 수밖에 없었다.

4) 華電局 구성과 경영

서로전선을 관리하는 화전국은 중국 전보총국의 朝鮮支部로 총국과 세 개의 분국, 즉 한성전보총국과 인천분국, 평양분국, 의주분국으로 구성되었다. 그 가운데 가장 먼저 개설, 운영된 곳은 인천-한성 구간의 전신을 관리 운영하는 한성총국과 인천분국으로, 이 두 개 전보국은 한성-의주간 전신 선로의 완공을 기다리지 않고 인천-한성 간 전신 선로가 가설된 직후인 1885년 8월 20일 개국했다. 그리고 평양분국이 같은 해 9월 22일, 의주분국은 10월 15일 개국함으로써 서로전선 전 구간에서 전신 업무가 시작되었다.

화전국은 한성전보총국에는 총판, 분국에는 위원을 두어 업무를 총괄하게 했다. 그리고 중앙과 분국은 인력이 다르게 구성되었다. 중앙인 한성총국에는 총판의 관리 아래 支應 위원, 文案 위원, 洞報 위원이 각각 1명, 領班 학생 1명과 按報 학생 2명 등 학생 3명과 通事 2명, 工頭 1명과 잡일을 하는 局役 10명이 있었고, 洋匠, 즉 서양인 기술자를 두어 기술적 지도와 자문을 받을 수 있도록 했다. 한성보다 규모가 작은 인천, 평양, 의주 분국에는 1명의 위원이 司事 2명의 보좌를 받아 분국 업무를 총괄했으며 영반 학생, 안보 학생이 있었다. 공두의 수는 한성총국과 같으나 통사는 각 분국마다 1명이 근무했고, 국역은 총사보다 적은 4명 안팎 정도를 두었다.[55] 이들이 모두 청나라 기술자들은 아니었다. 학생과 局役은 조선 정부가 파견했으므로 화전국 전체에 청나라에서 파견 나온 기술자들은 총판과 위원, 사사 그리고 통사 정도로 이들의 수는 채 20명이 안 되었다.[56] 화전국 직원들의 職名이 문안, 통보로 나누어져 있지만 실제 업무는 직명에 따라 분리해 수행한 것으로 보이지는 않는다. 이런 화전국 직원의 종합적인 업무 수행은 파견 학생들의 훈련에도 영향을 미쳐 학도들이 전보사 안에서 전신 업무에 필요한 모든 기술을 배우게 되는 배경이 되었다. 즉 이런 업무 분장의 불명확함 때문에 전보사 직원이 전보사의 모든 일을 관장하는 능력을 배양할 수 있었고, 이는 이후 조선 정부의 독자적 전신 운영시기에도 그대로 이어져 인원부족의 문제를 극복하는 데 도움이 되었다.

화전국 인력은 전선 관리에 집중되었다. 이들은 '의주전선합동'에 따라 조선인으로 구성된 장교급 순변과 병졸급 순병이었다. '의주전선합동'에 의하면, 20리마다 순병 1명, 100리마다 순변 1명을 두도록 되어 있었지만 실제 순병은 이보다 더 많아 10리에 1명꼴로 배치되었다. 이 인원수는 지방 사정에 따라 조정되었는데, 예를 들어 파주 지역은 순변 1명, 순병 10명, 金川은 순변 1명, 순병 4명, 평산은 순변 1명, 순병 18명이 전신관리를 위해 배치된 것이다.[57] 1886년 9월 화전국은 서로전선을 관리하는 순변의 수가 모두 16명, 순병은 모두 49명이라고 기록했다.[58] 이들은 전선 감시뿐만 아니라 단선과 같은 간단한 고장을 수리해야 했으므로 관련 기술을 익혀야 했다.[59] 화전국에서는 서로전선 개설 초기인 1885년 9월, 순변 한두 명이 순병과 함께 한성의 전보총국으로 와서 전선 수리법을 배운

55) 『電案』 卷1, 光緖 11년(고종 22, 1885) 10월 17일.
56) 같은 글.
57) 『電案』 卷1, 光緖 11년(고종 22, 1885) 12월 27일.
58) 같은 책, 卷2, 光緖 12년(고종 23, 1886) 9월 12일.
59) 같은 책, 卷2, 光緖 12년(1886) 6월 초3일. 순변은 장교급이고 순병은 포졸과 직위가 같다.

다음 임지로 돌아가 배운 기술을 다른 순병에게 전수하도록 했다. 화전국은 전선관리의 책임 소재를 명확하게 하기 위해 순변과 순병의 이름, 주소, 본관, 官階, 연령 및 담당 선로의 里數, 전신주의 수와 각각 담당하는 전신주의 번호를 상세하게 기록한 장부를 지방 관아와 해당 전보국에 비치했다.[60] 순변과 순병이 간단한 기술을 배웠다고는 하지만 전선에 나타나는 모든 고장을 해결할 수는 없었으므로, 화전국에서는 전선에 이상이 생겨 전신이 통하지 않을 때마다 직원을 파견하여 고장을 수리해야 했다. 특히 1887년 이후 斷線사고가 잦아져 수리를 위해 화전국에서는 여러 차례 기술자를 파견해야 했는데, 이때마다 화전국은 조선 정부에 숙소와 교통편 및 출장비 제공을 요구했다.[61]

전신 선로를 관리하는 순변과 순병은 소속이 불분명했다. 이들은 지방 관아에서 선발해 화전국에 파견했지만 업무는 화전국에서 배정받았고, 급여마저 화전국에서 받았다. 이처럼 이들의 소속이 분명하지 않아 인사권과 관련한 문제들이 발생할 때마다 화전국과 지방 관아 사이 관계가 불편해졌다.[62] 화전국은 비록 간단한 기술이기는 하지만 이들을 훈련시키는 데 시간과 경비를 투자해야 함을 강조하여 이들의 임기 동안에는 범법 행위가 있어도 이들을 처벌하거나 교체하지 말 것을 요구했다.[63] 이 요구로 인해 순병과 순변들 가운데에는 마치 자신들에게 치외법권이 주어진 양 말썽을 일으키는 사람들이 생겼고, 지방관은 이를 처벌해야 한다고 주장했다. 중앙 정부는 이 문제를 해결하기 위해 전보총국과

60) 같은 책, 卷2, 光緒 12년(1886) 6월 19일(이 문서의 年記가 光緒 19년으로 되어 있으나 이는 12년의 誤記이다).

61) 같은 책, 卷4, 光緒 14년(고종 25, 1888) 2월 초10일 ; 2월 15일 ; 2월 25일 ; 2월 24일 ; 5월 초6일 ; 5월 19일 ; 6월 24일 ; 8월 초8일 ; 10월 7일.

62) 같은 책, 卷3, 光緒 13년(고종 24, 1887) 윤4월 초10일.

63) 같은 책, 卷2, 光緒 12년(고종 23, 1886) 6월 초3일.

협의하기 시작했다. 조선 정부는 순변, 순병들의 횡포와 범죄에 대한 지방관의 처벌권을 옹호하며 순변과 순병의 인사에 지방관이 개입하지 않을 수 없음을 강조했다.[64] 이에 대해 오히려 화전국은 이들의 임기를 2년으로 확정해 그동안 지방관으로부터 보호받을 수 있는 특권을 순변과 순병에게 부여하라고 요구했다.[65] '의주전선합동'에 의해 화전국이 이미 이들의 인사 권한을 장악했으므로 지방 관아와 화전국의 분쟁은 화전국의 승리로 끝날 수밖에 없었고, 순변과 순병은 화전국에 더 강하게 밀착되었다.[66]

화전국 구성 인원 가운데 전신 배달일을 담당하는 직원이 없었던 점은 서로전신선의 성격을 잘 보여준다. 국역이나 사역, 잡일을 맡은 조선 사람이 이 일을 임시로 담당할 수 있었고, 화전국이 필요하다면 사람을 고용해 전보를 전달하고 그 삯을 수신인이 부담하게 하기도 했지만, 이는 電傳夫를 일상적으로 고용할 만큼 전신을 배달할 일이 드물었음을 의미했다. 즉 민간의 전신 이용을 상징하는 존재인 電傳夫라는 직능 자체가 없었던 것은 서로전신선이 조선 정부 내 정보를 수집하고 대처 방안을 지시하기 위한 통로로, 그리고 부수적으로 중계를 통해

64) 같은 책, 卷2, 光緒 12년(고종 23, 1886) 6월 초6일.

65) 같은 책, 卷3, 光緒 13년(고종 24, 1887) 4월 초2일.

66) '의주전선합동 제8조', 『고종실록』, 고종 22년(1885). 한편 1896년 조선 정부는 순변, 순병제를 폐지하여 이 업무를 공두에게 일임하기로 하고 공두를 모집했다. 화전국 전담 시기와 마찬가지로 1896년 이후의 시기에도 전신선 관리자들은 모두 身役이었고, 전보사에서 급여를 받았지만 1896년 이후 전신관리자들은 장교와 병졸 직급과 같은 직위 차이가 없었고, 이들의 범법 행위에 대해 전보사장이 훈련이나 업무의 특수성을 핑계로 보호할 수 있는 위치에 있지 않았다. 또 전신선 관리자들의 훈련 방식이 각 전보사마다 자리를 잡았기 때문에 이들을 범죄처벌로부터 보호할 이유도 없었다. 이런 변화는 조선 정부의 화전국 시절의 경험을 중요한 토대로 삼아 그들의 인사권을 전보사로 확실히 귀속시켰지만 처벌권은 관아 소관으로 이관한 데에 기인했다. 공두에 대해서는 이 책 4장 참조.

약간의 수입을 올리려는 것 이외에는 다른 어떤 목적도 부여되지 않은 청의 군사 정보 통신망임을 드러냈다. 또 그만큼 화전국이 조선 정부와 민간인이 서로전신선 이용에서 배제되었다고 해석할 수 있다.

화전국의 전보비는 이용 거리와 글자 수로 계산했는데, 官報와 商報를 구분해 요금을 산정했다. 개설 초기인 1886년 2월에 정해진 요금은 『萬國電報通例(이하 통례로 줄임)』를 따라 한문 1자, 歐文 1자(보통 구문은 10개 알파벳을 1글자로 취급했다)마다 값을 매겼고, 여러 문장 부호들 역시 『통례』를 근거로 요금을 산정했다. 화전국 개설 초기 한문 商報의 경우, 인천부터 한성까지 6푼, 평양까지는 1각1푼5리, 의주까지는 1각3푼이었고, 서양어를 의미하는 歐文은 그 두 배였다.(〈표 2-2〉 참조)[67]

〈표 2-2〉 화전국의 각 분국간 전보비[68]

		인천	한성	평양
한성	1886.2	6푼		
	1888.6	8푼		
	1889.4	6푼		
평양	1886.2	1각 1푼 5리	1각	
	1888.6	9푼	8푼	
	1889.4	1각 3푼	1각	
의주	1886.2	1각 3푼 5리	1각 1푼	
	1888.6	1각	9푼	
	1889.4	1각 7푼	1각 1푼	1전

* 출처 : 체신부, 『100년사』, 89쪽.

이 전신 요금은 1885년부터 1889년 불과 4년 동안 세 번이나 바뀌었다. 즉 〈표 2-2〉에서처럼 1886년 2월의 요금체계는 1888년 6월 남로전선의 개통으로 변화를 겪었고, 1889년 4월 일본의 요구를 반영하면서 다시

67) 『漢城周報』 3호, 병술(1886) 1월 12일. 1각은 0.5프랑에 해당한다.

68) 당시 환율 1원 : 7전2푼9리를 적용해보면 1각은 7푼 3리 정도였다.

한번 변화를 겪었던 것이다.[69] 그러나 영어를 포함한 歐文의 요금이 한문의 2배인 점은 변함이 없었다. 화전국이 조선의 전신 가설 및 사업권을 장악한 이 시기의 전신 요금은 청과 일본에 의해 결정된 셈이었다.

전보비가 비쌌음에도 불구하고 화전국의 경영 상태는 매우 좋지 않았다. 화전국은 개설 이래 한 달 평균 500냥 정도의 수입을 유지했으나, 이 가운데 약 30%를 대북부전신회사에 전선 중계료로 납입해야 했으므로 한 달 실제 수입은 350냥 정도였다.(〈표 2-3〉 참조) 그러나 지출은 수입보다 훨씬 많았다. 지출에서 가장 큰 비중을 차지하는 부분이 인건비였다. 급료가 가장 많은 사람은 화전국에서 고용한 서양인 기술자로 160냥이었고, 총판의 월급도 106냥에 이르렀다. 이를 포함해 화전국이 기술자로부터 잡역에 이르기까지 급료로 지출하는 금액이 연 13,300냥 정도였고, 이는 화전국이 계산한 경상유지비 약 16,800냥에서 80% 정도나 차지하는 수준이었다.[70]

〈표 2-3〉 화전국 수입 총계[71]

		1885.8-12	1886	1887	1888.1-3
전보통수	발신	1,417통 (한성총국 776통 중 관보552, 상보224 포함)	4,333통	5,354통	1,441통
	중계		4,308통	5,798통	1,564통
총계	총수입	2,996원	7,438원	7,212원	2,266원
	중계료	382원	2,500원	1,487원	약 566원

* 출처 : 체신부, 『80년사』, 58~61쪽을 재정리.

화전국의 수입이 경상유지비의 25% 정도에 그치는 상황에서도 화전국

69) 1886년 2월의 전신 요금 전신 사업 개시 시점인 1885년 8월의 요금체계와 같았을 것으로 보인다. 일본의 전신 요금 인하 요구에 대해서는 『統記』 卷19, 己丑(1889), 2월 21일 ; 25일 ; 3월 15일 ; 24일 참조.

70) 『電案』 卷1, 光緖 11년(고종 22, 1885) 10월 17일.

은 전신 요금을 인상하거나 인건비를 줄이거나 또는 전신 이용을 증가시켜 경영 상태를 개선하려고 노력하지 않았다. 서로전신이 주로 청과의 전신을 취급했으므로 전보비를 올리는 일이 서로전선을 이용하는 청국인을 고려했을 때 바람직한 일이 아니었기 때문이다.[72] 또 전보국의 업무가 최소한의 기술자에 의해 유지되고 있었으므로 이들의 인건비를 줄이기 위해 조선인 기술자로 대체하는 일은 생각조차 할 수 없었고, 싼 임금을 지불해도 되는 청전보총국의 직원을 파견하는 일도 쉽지 않았다.

이처럼 요금 인상이나 인건비 감소가 어려운 상황에서는 전신 이용 증가만이 화전국의 수입을 증가시킬 수 있는 방법이었다. 그러나 가장 큰 고객인 청 정부의 전신은 화전국에서 관보로 취급되므로 기본적으로 면제거나 반액이었으므로 수입 증가에 도움이 되지 않았다. 조선 정부 역시 청인이 관리하는 이 전선을 행정 통신망으로 이용하기가 흔쾌하거나 쉽지 않았다. 이런 여건에서 수입 증가를 도모할 수 있는 방법은 상보 이용을 장려하는 길뿐이었다. 그러나 1886년 화전국의 모든 분국들이 정상적으로 운영되는 상황에서도 '상보'로 지칭되는 전보 이용이 가능한 사람들은 극히 한정되어 있었다. 가장 큰 원인은 서로전신 선로에 설치된

---

71) 본문의 〈표 2-3〉에서 1888년 4월 이후의 수입이 나타나지 않은 것은 남로전선 개통으로 중계료가 크게 감소함과 더불어 서로전선의 선로 훼손으로 상당 부분 기능을 상실했기 때문인 것으로 보인다. 1888년경부터 서로전선의 전주가 점차 넘어지고 애자가 파손되고 전선이 자주 끊어져 이를 수리하기 위해 화전국은 서로전선 선로가 지나는 지방 관아에 20리마다 사다리를 비치할 것과 철산, 파주의 목사와 봉산 군수를 전무 위원으로 임명해 전선 보호와 감시를 요구하기도 했다. 그럼에도 불구하고 1888년 말에 이르면 서로전선의 훼손이 심각한 상황에 이르러 예비 전주 마련을 조선 정부에 독촉하기도 했다. 또 외국으로 보내는 국제 전신은 대부분 남로전선을 통해 보내졌으므로 이런 상황을 고려해 보면 1888년 4월 이후에는 전신수입이 거의 없었다고 할 수 있다. 이에 대해서는 『電案』 卷4, 光緖 14년(1888) 2월 초10일 ; 2월 15일 ; 5월 초6일 ; 5월 26일 ; 8월 초8일 ; 권5, 기축 5月朔 : 6월 초1일 ; 12월 12일.

72) 일본전신전화공사, 『外地海外電氣通信史資料 韓國之部 1』(체신부, 1966), 135쪽.

전보국이 오로지 4개밖에 없었던 점과 고가의 전신 요금에 있었다. 예를 들어 장교급인 순변의 한 달 월급은 1냥 5전으로 그가 인천에서 전신을 이용해 '父親危篤急歸鄕'이라는 일곱 글자를 평양까지 보내려면 8각5리의 돈이 필요했고, 이는 월급의 반이 조금 안 되는 금액이었다. 그보다 훨씬 적은 월급인 6전을 받는 순병의 경우, 앞의 전신을 보내는 데 한 달 월급으로도 부족했다. 그렇다고 일곱 자보다 적게 전신문을 쓸 수도 없었다. 모든 전신문은 7자를 최소 단위로 채택했기 때문에 4자로 전보문을 끝내도 7자의 요금을 지불해야 했다.[73] 이처럼 화전국의 전보 규정은 이익 보전만이 가장 중요한 목적이었다.

또 다른 이유에서 전신은 민간인이 사용하기에는 어려운 통신 수단이었다.[74] 그것은 전신 언어를 민간인이 사용하기 어렵다는 데에 원인이 있었다. 화전국에서는 한글 전신 부호를 사용하지 않았고, 한자를 숫자로 바꾼 번호판인 號碼를 사용했는데 이 호마의 사용은 매우 복잡했다. 전신을 보내고자 하는 사람은 내용을 한문으로 쓴 후에 한 글자에 숫자 4개로 조합된 호마로 바꾸어 발신을 요청해야 했고, 수신자는 호마로 된 전신문을 받아 『電篇』을 이용해 한문으로 바꾸고 다시 우리말로 바꾸어야 했다. 호마의 한문 변환 일을 전보국에서 대신 해주기도 했지만 이때에는 별도의 요금을 지불해야 했을 뿐만 아니라 기본적으로 수발신 내용의 국문 변환은 여전히 사용자의 몫이었다. 그러므로 한문을 모르고 돈도 많지 않았던 일반 백성들이 불가피하게 다른 지방에 소식을 전해야 하는 일이 생겨도 전신을 이용하기란 쉽지 않았다. 따라서 그들은 여전히 국문으로 편지를 쓰고 수고비를 조금만 지불해도 되는 보부상에게 편지를 부탁하는 편을 택했다.

---

73) 조선전보총국 편, 「寄報章程」, 『電報章程』(한국통신 영인, 1994, 3면).
74) 『電案』 卷1, 光緖 11년(1885) 11월 17일.

무엇보다도 조선 정부가 조선에 청국의 군사전신선을 가설할 자금을 청으로부터 차관으로 빌려서 제공했을 뿐만 아니라 화전국의 경영 보존을 위한 자금원 역할까지 떠맡아야 했는데, 바로 이 점이 화전국이 수지 개선을 위한 방안을 모색하지 않는 가장 큰 원인이라고 할 수 있다. 그 근거가 '의주전선합동' 5조에 명기되어 있었다. 청 정부는 화전국의 경영 보전을 위해 조선 정부에 1천 냥을 요구했고, 조선 정부는 조정 끝에 500냥으로 타협을 보았지만 이 비용도 조선 정부에게는 매우 부담스러웠다.[75] 이런 조선 정부의 서로전선 운영비 부담으로 화전국은 전신 이용을 장려하지 않고도 경영을 유지할 수 있었다.

5) 서로전선 이용자

서로전선 가설 당시 조선의 민간인 가운데 전신을 이용할 수 있는 사람은 극히 한정되어 있었다. 당시 조선에서 활동하던 외국계 상사가 상보의 주사용자였지만 1885, 1886년 이들의 이용 비중은 크지 않았다. 서로전신선이 개통된 이후, 약 4달 간 상보는 224통, 관보는 552통으로 총수입은 2천 원이었으나 실수입은 1천1백 원이 조금 넘었을 뿐이었다. 이후로 해가 거듭할수록 실수입은 오히려 줄어들어 1887년에는 6백 원 정도에 지나지 않게 되었다. 이는 외국계 회사가 서로전신선을 많이 이용하지 않았음을 의미했다.

외국 상사의 전신 이용이 적었음에도 발신 건수가 많은 것은 곧 청 정부의 전신 이용이 매우 많았음을 보여준다. 청 정부 관보가 많은 것은 전보 통신수를 보아도 알 수 있다. 〈표 2-4〉는 이런 전보 이용 상황을

75) 같은 책, 卷2, 光緖 12년(고종 23, 1886) 2월 초7일 ; 초8일.

〈표 2-4〉 화전국 처리 전신통수

		1885(8-12)	1886		1887		1888(1~3)	
			연합계	월평균	연합계	월평균	1-3월합계	월평균
한성총국	발신	776	2,137	178.1	2,292	191.0	676	224.3
	중계	(관보 : 552 상보 : 224)	2,480	206.7	1,792	149.3	910	303.3
인천	발신		1,645	122.1	1,919	159.9	446	148.7
	중계		1,058	88.2	1,321	110.1	324	108.0
평양	발신		345	28.9	422	35.2	144	48.0
	중계		546	45.5	798	66.5	140	46.7
의주	발신		206	17.2	721	60.1	175	58.3
	중계		224	18.7	887	73.9	190	63.3
총계	발신		4,333	361.1	5,354	446.2	1441	480.3
	중계		4,308	359.0	4,798	399.8	1564	521.3

* 출처 : 체신부, 『80년사』, 58~60쪽을 재정리.

잘 보여준다. 이 표는 각 전보분국의 발신과 중계 전보통수를 정리한 것으로, 이 표에 의하면 평양이나 의주에서 발신한 전보는 한 달에 30통 정도에 불과해 한성총국의 월평균은커녕 인천분국의 월평균 통수에도 미치지 못할 정도로 적다. 이 분국들에서 발신된 전보문이 대부분 조선정부의 행정 지시에 대한 보고임을 감안하면 조선 정부의 실제 전보 이용이 지극히 저조했음을 알 수 있다.

조선 정부가 청 정부보다 전신을 더 적게 이용했다는 사실은 청인이 전신 업무를 관장한다는 사실 자체가 조선 정부에게 그리 달갑지 않은 일이었다는 점 외에도 정보가 공개되어도 별 무리가 없는 공문의 경우에도 관보로 처리하기 위해 인정 절차를 받는 일이 쉽지 않았음을 의미했다. 조선 정부의 전신문은 外衙門과 인천감리, 평양감사, 의주부윤의 날인을 받아야만 관보로 인정받았기 때문에 모든 공문이 관보로 처리되기 어려웠고, 관보 인정 여부를 화전국 직원들이 결정했으므로 조선 정부가 관보로 인정한 경우에도 관보로 승인된다는 보장이 없었다. 특히 독판, 협판을 포함한 고급 관원이 공무로 전선을 이용할 경우에도 관보 승인을 받지 못하는 경우가 많아 公報로 처리되었다. 조선 정부의 公報는 화전국에 전보비를 지급해야 하는 것이었고 처리 순서에서도 관보보다 늦어져 감수해야 하는 불편과 불이익이 한두 가지가 아니었다.[76)]

또 조선 정부가 1886년 관보의 범주를 넓히기 위해 화전국에 지방 관청, 특히 인천해관의 총세무사가 이용하는 전신을 관보로 인정해줄 것을 요구했으나 거절당하기도 했다.[77)] 화전국은 거절 사유로 조선 정부의 관보가 너무 많기 때문이라고 했지만 이는 핑계에 불과했다.[78)] 화전국이 조선 정부의 요구를 거부한 것은 화전국의 수입과 관련이 있다. 화전국의 중계료를 뺀 한 달 평균 350냥이라는 수입은 대부분 조선 정부의 전보 이용으로 발생한 금액이라고 할 수 있다. 이런 상황에서 한성총국 다음으로 수입을 많이 올리는 인천분국의 주 고객인 인천세관 총세무사의 전신을 관보로 인정하게 되면 그만큼 수입이 감소될 것이라는 점은 쉽게 예상할 수 있었다. 비록 화전국의 경영을 조선 정부가 보전하기로 했으나 이는 한 달 일정액만을 지원하는 것이었다. 화전국 입장에서 업무를 번잡하게 하지 않고 수입을 늘리는 가장 손쉬운 방법은 조선 정부로부터 전신 요금을 받아내는 일이었으므로, 이를 유지하기 위해서는 조선 정부의 관보 범위 확장 요구를 수락할 수 없었던 것이다. 이는 조선 정부가 화전국의 자금원으로서 뿐만 아니라 주요 수입원 역할도 담당하지 않으면 안 되는 상황이었음을 의미한다.

---

76) 체신부, 『100년사』, 89쪽.

77) 『電案』 卷2, 光緖 12년(1886) 4월 초1일 ; 光緖 12년(1886) 4월 초2일 ; 光緖 12년(1886) 4월 21일 ; 光緖 12년(1886) 6월 초5일.

78) 같은 책, 卷2, 光緖 12년(1886) 4월 초5일.

2. 조선 정부의 기간 선로 구축과 중앙 관리기구의 설립

1) 일본의 남로전선 가설 요구

일본은 '의주전선합동'을 자신의 기득권에 대한 도전으로 받아들였다. 일본은 1882년 체결한 '부산구설해저전선조관'으로 25년 동안 조선 전신 가설 권한을 획득했다고 믿었으며, 전신권역을 확장할 기회를 지속적으로 엿보기는 했지만 구체적인 행동을 취하지는 않고 있었다.[79] 그러나 조선 정부가 1885년 청과 '의주전선합동'을 체결하자 일본은 이전의 태도를 바꾸었다. 일본은 이미 획득했다고 판단한 조선 전신 관련 권한마저 '의주전선합동'으로 청에게 빼앗길지도 모른다고 생각했다. 따라서 일본은 정치적, 외교적으로 열세에 처한 조선에서 전신 기득권을 보호하고 청의 독점을 저지하기 위해 조선 정부에 압력을 가하기 시작했다. 이 근거로 제시된 것이 1883년 1월에 체결한 '부산구설해저전선조관'의 제2조였다.[80] 일본은 이에 의거해 서로전선의 부당함을 주장하면서 조선 정부와 치열한 공방을 전개했다.[81] 조선 정부는 이 조항이 '의주전선합동'

79) 일본 전신국장인 石井은 1885년 工部卿이었던 佐佐木高行(1830~1910)에게 "부산으로부터 인천까지 해저선을 가설하여 한성의 상황을 빨리 취하여 대처해야 한다"고 하며 전신선 가설을 제의한 일이 있다. 그는 임오군란이나 갑신정변과 같은 한성에서의 정변에 한시라도 빨리 대처하는 것이 조선에서 기선을 장악하는 지름길이라고 주장했다. 이때 그가 제시한 전선은 육로가 아닌 해로였다. 육로전선은 조선 정부가 반대할지도 모른다는 염려가 있었고, 정변 등으로 전선이 절단될 가능성이 높아 실제 가장 긴요한 때에 무용지물이 되어 버릴 수 있기 때문이었다. 外務省 編纂, 『日本外交文書』 18卷, 明治 18년(1885), 事項 6, 문서번호 74의 부속서.

80) 『朝鮮電信誌』, 28쪽.

81) 이에 관한 자세한 내용은 체신부, 『100년사』, 126~129쪽 ; 아세아문제연구소 편, 『구한국외교문서 日案 1』, 문서번호 555 ; 문서번호 582 ; 문서번호581 ; 문서번호 550을 참조할 것.

의 반대 근거가 되지 못한다고 주장하며 협정 체결 협의 시 오고간 질의와 응답을 근거로 일본 정부의 주장에 완강하게 반발했다. 이런 반발에 부딪히자 일본은 '의주전선합동' 자체를 폐기시키거나 서로전선 가설을 막는 것이 당시 일본의 입지로는 불가능하다고 판단, 좀더 현실적인 대안을 제시했다. 즉 일본 정부는 한성의 정황을 청과 같은 시각에, 아무런 재정적 부담 없이 확보하는 것을 목적으로 삼고 서로전선 가설과 동시에 한성-부산간 남로선로를 가설할 것을 주장했던 것이다. 이의 근거는 '부산구설해저전선조관 3조'였다. 3조에 의하면 官線이 해외로 연접하게 되면 반드시 부산 해저선과도 연결해야 했다.[82] 이 조항을 근거로 일본은 '擬爲遵行釜山海底電線條約要求條款(이하 요구조관으로 줄임)' 체결을 강요했다. 일본이 제시한 이 조약에는 서로전선이 가설되어도 해외전보는 한성-부산 전선만을 통해야 하고, 이를 어겼을 때 서로전선을 통해 발신한 報費만큼 부산의 일본 전신국에 배상하라는 무리한 내용이 담겨 있었다.[83]

조선 정부로서는 이 조약 자체가 부당하기 이를 데 없기도 했지만 당시 열악한 정부 재정과 전신 기술 및 인력의 부족을 고려할 때 서로전선과 동시에 남로전선을 가설하는 일은 불가능했으므로 협정 체결을 거부했다. 그러나 일본은 집요하게 이를 강요했다. 물론 일본 정부 역시 조선 정부의 당시 재정 상태로는 남로전선 가설을 위한 경비를 마련하는 일이 쉽지 않다는 점을 알고 있었다. 실제로 일본 정부는 만약 조선 정부가 경비를 빌려줄 것을 요구하면 어떻게 할 것인지에 대해 대책을 논의했고, 그 결과 조선 정부가 부채를 갚을 능력이 없기 때문에 일본 정부는 물론 일본 정부가 보증을 서서 일본 회사가 부설하게 하는 방안도

82) 『朝鮮電信誌』, 30쪽.

83) 같은 책, 42쪽.

거부해야 한다고 결정했다.[84]

이처럼 육상에 가설되는 남로전선은 일본 정부가 조선에서의 전신과 관련한 일본의 권리를 확인하고 조선 정부를 압박해 부설하게 해야 하는 것이지 결코 일본이 직접 투자할 대상은 아니라고 판단했다. 대일 감정이 극도로 악화된 조선에서 전신선을 가설한다고 하더라도 그 보호와 관리가 거의 불가능했고, 이런 상황에서 조선 전신선 가설을 위한 투자는 지극히 어리석은 행위라고 인식하고 있었다. 일본이 투자해 가설할 가치가 있다고 생각한 전신 선로는 부산–인천간의 해저선이었으므로 한성에서 부산으로 이어지는 육로전선은 일본의 정당한 권리로서 조선 정부로부터 확보하려 시도했다.

그러므로 일본 정부의 목적은 '부산구설해저전선조관'을 토대로 조선 정부로 하여금 남로전선을 가설하게 하는 것이지 그들이 제시한 '요구조관'의 기득권 강화를 관철시키는 것은 아니었다. 따라서 조선 정부가 완강하게 반발하자, 일본은 협상 타결을 위해 '요구조관'보다 완화된 '釜山口設海底電線條款續約(이하 부산속약으로 줄임)'을 제시했으며 이 '부산속약'은 청의 중재로 타결되었다.[85] 중재에 나선 청의 대리인은 袁世凱와 淸國商務總辦代行 譚療堯 같은 청국 관원들로 그들은 남로전선을 청 정부가 대신 가설해줄 수도 있음을 시사했고, 이를 조건으로 조선 정부가 '부산속약'을 수용한 것이다. 청 정부로서는 이미 서로전선 가설을 위해 제공한 10만 냥의 차관 가운데 5만 냥 미만으로 서로전선 가설이 가능함을 알고 있었으므로 남로전선 가설 공사를 위해 경비를 더 마련하지 않아도 되었고, 기술진 역시 조선에 와 있는 서로전선 가설 기술자들을 그대로 활용하면 될 것이라고 계산했다. 이런 실제적인 계산 이외에도 청은

84) 外務省 編纂, 앞의 책, 事項 6, 제83과 제85.

85) "中國代辦朝鮮陸路電線續款合同", 『朝鮮電信誌』, 182~183쪽.

다른 의도를 가지고 있었다. 즉 청은 남로전선을 둘러싼 분쟁에 개입해 이를 해결함으로써 일본을 완전히 배제한 뒤 조선의 전신 사업권을 확보하려 했던 것이다. 이런 기대는 청이 조선 정부와 남로전선 대설을 중심 내용으로 1886년 1월 체결한 '中國代辦朝鮮陸路電線續款合同'에 그대로 반영되었다. 이 조약에 따르면 비록 남로전선을 새로 조직된 조선전보총국에서 관리하도록 하지만 이 전신선의 사업권은 화전국이 장악하겠다는 것이었다.[86]

청의 대설 제안은 남로전선에 어떤 투자도 하지 않겠다고 결정한 일본에게는 하나의 해결책이 될 수 있었다. 일본으로서는 청의 중재로 인한 남로전선의 가설 결정이 비록 조선의 전신 사업권을 일정 정도 포기하는 일을 의미하기는 했지만 조선에서 열세에 몰린 상황에서 이를 받아들여 현실적 이득을 취하는 편이 유리하다고 판단했다. 즉 일본은 남로전선 가설에 경제적으로나 기술적으로 지원할 부담이 전혀 없는 상태에서 조선 정부의 정황을 청과 거의 같은 시각에 알 수 있을 뿐만 아니라 전신 이용료를 반값으로 줄일 수 있는 경제적 실리를 확보했던 것이다.

하지만 청의 대설 제안으로 일본과의 협상은 마무리되었으나 청의 남로전선 대설이 오랫동안 지연되었고, 일본의 항의도 지속되었다. 남로전선 가설에 관한 일본과의 조약에 의하면 전신선 가설 공사는 조약체결 6개월 이내에 착공해야 했고, 착공한 날로부터 6개월 이내에 준공해야 했다. 따라서 조약대로라면 1886년 5월에 착공해 11월에 준공되어야 했다. 그러나 대설하기로 한 청 정부의 입장은 달랐다. 청 정부는 일본 정부와 직접 조약을 체결하지 않은 만큼 공사 기간을 지켜야 하는 의무가

---

86) 같은 문서, 제2조, 제3조, 제4조'. 같은 책, 182~183쪽.

있는 것도 아니었고, 또 조선 정부와 공사 기한을 정한 것도 아니어서 공사를 서두를 이유가 없었다. 더 나아가 남로전선이 완공되면 한성이나 인천에서 송신하는 해외 전신들이 서로전선을 통하기보다는 남로전선을 통할 것이므로 경제적으로 타격을 입을 것이라는 전망도 있었고, 또 한성의 정황을 같은 시각에 일본과 공유하는 일도 별로 내키지 않는 일이었다. 그리고 남로전선 1천 리를 가설하는 데에 2~3개월이면 충분할 것이라는 계산도 작용했기 때문에 착공을 계속 미루었다. 청은 1886년 9월, 남로전선을 측량하기는 했지만 공사 책임자인 화전국 洋匠 펄렌스테스가 병이 났고, 필요한 전신기기들이 도착하지 않았다는 이유로 공사를 연기하면서 겨울이 되도록 기공조차 하지 않았다. 조선 정부로서도 대설하겠다고 나선 청측에 압력을 행사할 수 있는 처지가 아니었으므로 일본의 조약 이행 촉구 압박을 버티는 수밖에 없었다.

2) 남로전선 자설 결정 배경과 선로 완성

1887년에 들어서서도 계속 착공이 지연되자 조선 정부는 남로전선 자설을 도모했다. 이는 일본의 압력을 해소할 하나의 방안인 동시에 남로전선 자설로 전신 사업을 주체적으로 운영할 수 있으리라는 조선 정부의 기대에도 부합했다. 즉 남로전선을 조선 정부가 가설하면 서로전선과는 달리 남로전선 상의 중요한 행정 지역에 분국을 설치해 남쪽으로의 행정 통신망을 갖출 수 있으리라 기대했던 것이다. 이런 기대를 바탕으로 조선 정부는 청 정부와 남로전선 자설 교섭을 추진했고, 그 결과 '中國允讓朝鮮自設釜山至漢城陸路電線議定合同(이하 自設議定合同으로 줄임)'을 체결할 수 있었다.[87] '自設議定合同'에 따르면 청은 서로전선 가설 이후 남은 공사비를 남로전선에 투자하지 않고, 또 기술진을 파견하지 않아도 되었다. 그럼에도 불구하고 이 조약에서 청은 남로전선을 화전국의 관할로 두도록 했고 지선 설치 허가권을 장악했으며 전보비를 면제받는 등의 권리를 획득했다.[88] 지금까지 전신 가설 및 사업권 교섭에서 수동적이던 조선 정부는 태도를 적극적인 자세로 전환해 청과의 교섭에 응했지만 '自設議定合同'에서 기대한 만큼의 성과를 모두 거두지는 못했다. 하지만 조선 정부는 조선 전신 사업권 탈환의 첫걸음이라고 할 수 있는 전신 운영권 일부와 전신국 직원 임면권은 확보할 수 있었다.

자력으로 남로전선을 가설하기로 한 조선 정부는 전신 노선 설계를 자주적으로 하기로 결정했다. 이 노선 설계는 조선 정부의 영어교사였던 핼리팩스(T. E. Halifax : 중국 이름 奚來百士)를 기용해 남로전선을 재측량, 재설계하도록 했다. 핼리팩스의 선로는 뮐렌스테스의 선로와 달랐다. 화전국 소속의 뮐렌스테스는 최소 경비만을 염두에 두고 한성-광주-충주-연풍-문경-대구-밀양-부산을 잇는 노선을 설계했는데, 이는 한성에서 부산에 이르는 4개의 기존 大路 가운데 하나를 좇는 것으로 충주-대구 구간을 제외하고는 험한 곳은 없었다.[89] 이 선로의 거리는 총 1천5십 리였으며 필요 전신주는 1만5백 주였다. 반면 핼리팩스는 4백 리가 더

---

87) '中國允讓朝鮮自設釜山至漢城陸路電線議定合同, 제3, 4조, 7조', 『朝鮮電信誌』, 185~186쪽.

88) 같은 문서, 제2조. 같은 책, 186쪽.

89) 한성에서 한반도 남단으로 이르는 대로는 네 개가 있다. 첫 번째 대로는 한성-양근-청풍-단양-풍기-영천-안동-의성-신령-경주-울산-기장-부산의 경로를 따르며 두 번째 대로는 한성-광주-이천-음죽-음성-괴산-연풍-문경-함창-상주-대구-경산-청도-밀양-양산에 이르러 첫 번째 대로를 만나 부산으로 이어졌다. 세 번째 대로는 한성-시흥-과천-용인-양지-죽산-진천-천안-충주-문의-회덕-옥천-영동-황간-금산-성주-김해-동래에 닿아 앞의 두 도로와 합쳐졌다. 마지막 대로는 서해안 연해도로라고 할 수 있는데 한성-시흥-안산-남양에 닿아 해안선을 따르거나 해변에서 조금 떨어진 곳에 위치한 도로를 따른다. 러시아 대장성 편, 『국역 한국지』(한국정신문화연구원, 1984), 263~264쪽.

길고, 3천 주 정도의 전신주가 더 필요한 설계를 제시했다. 핼리팩스는 묄렌스테스의 경기-충청-경상도를 지나는 설계와는 달리 광주와 수원 그리고 천안, 공주, 전주, 대구와 같이 중, 남부지방을 두루 거쳐 부산에 이르는 설계를 제시했다.(〈그림 2-7〉 참조) 그의 노선은 묄렌스테스가 했던 기존의 남로대로를 좇는 설계가 아니었다.

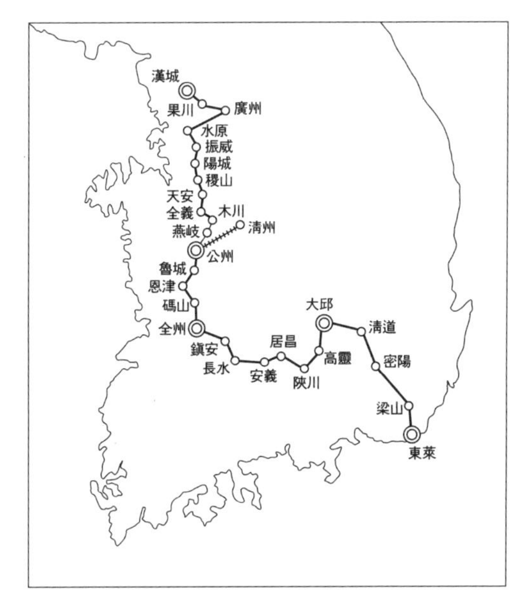

〈그림 2-7〉 조선 정부 설계에 의한 남로전선 선로도
출처 : 체신부, 『100년사』, 103쪽.

충청도와 전라도, 경상도의 감영 소재지인 공주, 전주, 대구를 두루 거치게 되어 있었고, 특히 영남과 호남이 갈라지는 교통의 요지인 천안을 지났다.

이처럼 달라진 노선 설계는 조선 정부의 전신에 대한 생각의 변화를 반영한 것이었다. 즉 단순히 군사 정보 통신선으로서가 아니라 행정 통신망으로서의 전신을 조망하기 시작한 것이다. 이 노선에 따르면, 남로전선은 남로대로를 좇아 전신 선로를 부산에 도달하는 최단 거리를 추구한 것이 아니라 충청, 경상, 전라 지방의 주요 행정지를 두루 거치도록 설계되었다. 이는 남로전선이 삼남 지방의 기간선로 역할을 담당할 수 있게 하는 것으로 이에 따라 이후 전신 사업권을 돌려받았을 때 삼남 지방의 전신 선로 가설을 위한 경비와 시간을 절약할 수 있었다. 이처럼 청측은 가설했다는 명분만을 세우는 데에 급급한 설계를 제시한 데 반해 조선 정부는 남로전선을 주요 지방 행정도시를 중앙과 연결해주는 실질적인 행정 소통망으로 계획했던 것이다.

조선 정부는 청으로부터 서로전선을 가설하고 남은 차관을 남로전선 가설 대금으로 받을 수 없음을 인지하고 있었으므로 다른 방식으로 자금을 구할 수밖에 없었다. 독일계 商社 세창양행에서 3만4천여 원을 빌려 각종 전선 도구와 공구, 기자재와 전신주를 구입해야 했다.[90] 이 차관액수는 세창양행의 배가 침몰함으로써 약 만원이 늘어났는데 이 차관의 이자는 월 0.8%로 싸지 않은 조건이었다.

남로전선의 선로를 변경한 조선 정부는 세창양행에 전료를 추가로 주문하는 한편 전신주를 마련하고 전신 실무 담당자인 주사와 위원을 선임하고 전보규칙을 마련하는 등 전신 운영을 위한 작업에 착수했다. 하지만 전신 선로 공사가 순탄하게 진행된 것은 아니었다. 7월 말 전신 선로를 완공할 예정이었으나 전료 운반선이 침몰하는 바람에 그해에는 착공조차 하지 못했다.[91] 이듬해 해빙과 더불어 공사를 시작하면서 조선

---

90) 세창양행에서 남로전선 가설을 위한 차관 도입한 경위에 대해서는 金正起, "朝鮮政府의 獨逸借款導入(1883~1894)", 『韓國史硏究』 39권(1982), 108~110쪽을 참조 ; 이때 구입한 전료들은 전신 선로 가설, 전보사 설치, 전선도구상자 등 세 부분으로 나눌 수 있다. 전신 선로 가설 전료부분에는 아연 도금 철사 코일, 전신주뿐만 아니라 망치, 곡괭이, 사다리 등 가설공사에 필요한 공구들은 물론 호루라기, 작은 공구를 넣어 허리에 차는 가죽 백까지 포함되어 있으며, 전보사 설치 자재에는 전신기, 축전기 재료와 잉크, 연필도 포함되어 있다. 그리고 전선도구상자에는 각종 수지를 비롯해 가위, 풀무, 대못 등 전선수리에 필요한 필수품들이 기재되어 있다. 이에 대해서는 「德案 2」, 『舊韓國外交文書』 16(아세아문제연구소, 1965), 642~644쪽을 참조 ; 핼리팩스는 영국에서 전신학을 공부했고 평범한 선원 생활을 한 것으로 알려졌다. 그에 대해서는 G. W. 길모어, 신복룡 옮김, 『서울풍물지』(집문당, 1999), 177쪽 참조.

91) 김정기에 따르면 이때 세창양행으로부터 도입한 차관은 침몰 전의 금액보다 약 1만 원이 많은 4만4천490원(멕시코 달러)이었고 이자는 월 8厘라고 한다. 김정기, 같은 글(1982), 110쪽. 김정기는 월 이자를 8%로 해석했으나 월 8厘면 0.8%가 맞다.

정부는 한성과 부산에서 거의 동시에 기공하는 방식으로 공사 진행을 서둘렀다. 즉 한성에서는 1888년 3월 6일 착공하고, 부산에서는 3월 18일 공사에 착수해 4월에 한성 쪽에서는 전주까지, 부산에서는 대구까지의 공사를 마무리하기에 이르렀던 것이다. 그러나 험난한 대구—전주 간 공사 때문에 완공이 지연되었다. 이 구간은 전신주 한 주 세우는 데 반나절이 걸리기도 하고 하루 공사 구간이 10~20리밖에 되지 않을 정도로 험난해 이 구간 공사에만 거의 두 달이라는 기간이 필요했다.[92] 이 구간 공사가 5월 27일에 완전히 마무리되어 6월 1일 남로전선의 전신 업무가 비로소 시작될 수 있었다.

전신 선로 가설 공사에는 선로 설계를 담당했던 영국인 기사 핼리팩스, 화전국측의 기사 뮐렌스테스와 함께 전보국 주사 柳興烈, 玄昇運 등 36명의 기술자가 참여했다. 여기에는 서로전선 가설 공사 경험이 있었던 상운과 김철영도 포함되어 있었다. 남로전선 공사는 석 달이 채 걸리지 않았으며 심지어 대구—전주 간 공사 기간을 제외한다면 한 달 정도가 걸린 셈이었다. 평탄한 지세의 서로전선 공사가 두 달 넘게 걸린 일에 비한다면 공사 진척이 매우 빨랐다고 하지 않을 수 없다.

조선 정부는 남로전선 가설 공사를 통해 몇 가지 소득을 얻었다. 첫째는 조선 정부가 지닌 전신 기술력을 검증할 수 있었다. 조선 정부는 남로전신선 공사를 진행함으로써 정부의 장기적 목적에 맞추어 선로를 설계할 수 있었고, 공사를 신속하게 완료하기 위해 공사 일정에 맞추어 인력을 동원하는 기회를 가질 수 있었으며, 또 공사 기한에 맞추어 공사를 끝내는 경험도 가질 수 있었다. 둘째, 조선 정부는 전선 가설공사를 독자적으로 수행하기 위해 세창양행이라는 전료 수입선을 자체적으로 확보할 수

92) 체신부, 『100년사』, 104쪽.

있었다. 셋째, 그 무엇보다도 전신국을 직접 운영할 기회를 가지게 되었다. 남로전선을 계기로 조선 정부는 네 개에 지나지 않았지만 분국을 개설하고 이를 총괄할 정부기구인 조선전보총국을 창설할 수 있었던 것이다. 비록 화전국에 경영 상황을 보고할 의무가 있기는 했지만, 이 기구의 가치는 컸다. 조선 정부가 직접 전신망을 운영하는 경험을 쌓을 수 있었고, 더 나아가 자체적으로 인력을 양성할 수 있게 되었기 때문이다.

3) 북로전선 가설 배경과 공사 진행

남로전선을 자설로 마친 조선 정부는 남로전선의 운영 경험을 토대로 독자적으로 북로전선 가설 계획을 수립했다. 이는 갑신정변 이전에 이미 논의되다 중단된 것을 복원하는 의미를 지닌다. 갑신정변 이전에 김학우는 북로전선의 중요성을 강조하며 이 선로의 가설을 주장한 일이 있었다. 연해주 출신인 그는 조선의 전신망 가운데 하나로 경흥으로 이어지는 선로가 연해주, 즉 블라디보스토크까지 연결되면 경제적 이익을 얻을 수 있다고 전망했다.[93] 전신선을 가설하는 것만으로도 경제적인 이익을 올릴 수 있다는 그의 주장은 당시 고종과 개화지향 관료들에게 전신을 새로운 각도에서 조망할 수 있는 기회를 제시했다.

남로전선을 자력으로 완공한 후에 조선 정부는 이전에 거론되었던 북로전선에 대한 생각을 반추해볼 기회가 생겼다. 즉 1888년 외부 고문 데니(O. N. Denny)가 한성에서 함흥까지의 북로전선을 가설하자는 의견을

93) 이광린, 앞의 글(1985), 67쪽. 김학우가 설명한 경제적 이익은 이 전선이 개통되면 일본이나 상해 등지에서 구미 방면으로 발송되는 전신들이 중계료가 비싼 해저전선이나 인도 방면으로 우회하는 전신망을 이용하지 않고 이 북로전선을 이용할 것이므로 조선 정부가 전신 선로 이용료를 확보할 수 있다는 것이었다.

제안했던 것이다. 이 제안으로 조선 정부 내에는 갑신정변으로 사라졌던 근대 통신망에 대한 기대가 다시 고개를 들기 시작했고, 조선 정부는 데니 제안의 실현 가능성을 숙고하기 시작했다. 데니가 제안한 경로는 한성에서 춘천과 개항장인 원산, 함흥을 지나 러시아 블라디보스토크를 연결하는 것으로 김학우가 제시한 노선과 같았다. 데니는 김학우가 제시한 경제적 이익 이외에도 북로전선으로 얻을 수 있는 외교적 이점을 덧붙였다. 데니는 이 전신 선로가 가설되면 조선의 전신 사업권을 장악하고 있는 화전국이 유명무실하게 되고 청으로부터의 압력도 약해져 상대적으로 조선 정부가 자유로워질 수 있을 것이라고 전망했다.[94]

조선 정부로서는 북로전선의 가설로 생기는 경제적 이익보다는 러시아 연접으로 얻을 수 있는 외교적 이점에 더 주목했다. 당시 조선 정부는 청의 압박을 저지하기 위해 다각도의 외교 정책을 구사하고 있었고 러시아와의 연계가 그 정책들 가운데 하나일 수 있다고 전망하고 있었기 때문이다. 당시 조선 정부는 미국과 유럽 5개국으로의 독자적 공사 파견, 청 정부의 차관을 상환하기 위한 프랑스, 미국 등과의 차관 교섭, 이를 통해 청 정부에 담보로 설정되어 있는 해관의 자율권 확보 등을 위해 다양한 노력을 기울이고 있었으며 인접한 러시아와의 교류 확대를 도모하고 있었다.[95] 이런 상황에서 전신으로 연결되는 러시아가 조선에서 청의 세력을 약화시킬 수 있는 국가 가운데 하나라는 판단은 북로전선 가설 계획에 힘을 실어주었다. 특히 전신선을 독자적으로 가설했던 경험에서 나오는 자신감은 조선 정부로 하여금 북로전선 가설 계획을 과감하게

94) 체신부, 『100년사』, 104~105쪽.

95) 한철호, 『親美開化派硏究』(국학자료원, 1998), 35쪽. 고종의 반청자주외교를 위한 다양한 시도에 대해서는 宋炳基, "소위 '三端'에 대해서", 『史學志』 6(1972), 94~102쪽 ; 김원모, "朴定陽의 對美自主外交와 常駐公使館開設", 『藍史鄭在覺博士古稀紀念 東洋史論叢』(고려원, 1984), 362~368쪽을 참조.

추진할 수 있게 했다.[96]

하지만 북로전선 가설은 사실 자신감만으로 진행할 수는 없었다. 북로전선 가설 계획이 부닥친 어려움 가운데 하나는 가설 자금의 확보였다. 자금을 마련하기 위해 데니는 일본에 전신 사업권 제공을 조건으로 가설 자금 대여를 요청했다. 당시 주한 일본공사였던 近藤眞鋤는 일본 정부에 데니의 요청을 전하면서 북로전선을 일본이 관할해야 한다고 주장했다. 그는 북로전선 가설에 대한 조선 정부의 경제적, 외교적 의도를 일본 정부에 보고하고 이 전신선 가설의 영향을 설명했다. 그는 이 북로전선으로 화전국만 손실을 입는 것이 아니라 부산과 일본을 잇는 해저전선도 영향을 받을 것이라고 평가했다. 더 중요한 점은 조선이 러시아와 접촉하게 되는 사태가 발생할 소지가 커서 러시아가 이 계획을 알게 되면 자금을 대여할지도 모른다는 분석이었다. 이를 방지하기 위해 일본에서 먼저 자금을 빌려주고 기계와 기술을 지원함으로써 북로전선을 일본의 감독 아래에 두어야 한다고 보고했다.[97]

近藤공사가 처음 보고했을 당시 일본 정부는 러시아의 남하가 우려되기는 했지만 전신 선로 가설 계획 자체를 심각하게 받아들인 것으로 보이지는 않는다. 일본 정부로부터 아무런 대응책이 하달되지 않자 그는 7월에 다시 한번 일본 정부에 조선 정부의 북로전선 가설 논의 진척 상황을 보고했다. 이때 그는 "조선 정부는 북로가설에 대한 자금, 기타의 전망을 어느 정도 얻은 모양이고 … 내년에는 아마 원산까지 전선이 가설될 듯하다"고 하면서 대응을 재촉했다.[98] 그는 8월에 조선 정부에서 북로전

96) 『電案』 卷6, 光緖 16년(1890) 3월 18일 기사. 이 기사에서 조선 정부는 "조선전보총국으로 말미암아 기기 물료를 갖추어 급히 가설 공사를 일으킬 수 있으며 학생과 工頭 등이 전선 업무에 익숙하므로" 가설공사를 수행할 수 있다고 함으로써 북로전선 가설에 자신감을 피력했다.

97) 『日本外交文書』 22卷, 事項 7, 문서번호 73, 明治 21년(1888년) 2월 6일.

선을 원산까지 가설할 것을 내정하고 다음해 봄 전선 가설을 위한 선로 측정을 시도할 것이라고 조선 정부의 정황을 보고했다.[99] 이런 보고에 일본 정부는 그가 제안한 것과는 다른 방향의 지침을 제시했다. 즉 '부산구설해저전선조관' 제3조를 근거로 북로전선 가설을 반대하라는 내용이었다.[100] 이미 서로전선 가설 당시 이 조항을 근거로 조선 정부에 항의해 남로전선을 획득한 일본 정부로서는 아직 이 조항이 유효하다고 판단하고 있었다. 일본 정부는 표면적으로는 대북부전신회사의 이익을 대변해 북로전선이 아시아 해저 전신망의 이익을 훼손한다는 이유를 내세웠지만, 그보다는 러시아 세력의 조선 접근을 경계하는 것이 북로전선 가설 반대의 가장 큰 이유였다.

일본의 반대는 청의 반대에 비하면 큰 문제가 아니었다. 조선 정부는 북로전선 가설을 위해서 이를 반대하는 청 정부와 협상을 전개해야 했다. 청 정부의 반대 이유 역시 일본 정부와 다르지 않았고, 표면적으로 내세운 이유 역시 경제적인 이유였다. 북로전선을 가설하면 서로전선으로 상해를 경유하던 전신들의 중계료 수입이 급격히 줄어들 것이라고 반대 이유를 밝혔다. 이런 경제적 손실을 내세웠지만 러시아의 조선 진출도 청에게는 반가울 리 없었다. 이런 이유로 청 정부는 북로전선 가설을 반대했고, 그 근거로 조선 정부와 체결했던 전신 사업 관련 조약들을 들었다. 청의 거센 반발에 부딪치자 조선 정부는 애초 계획대로 1888년에 북로전선 가설 공사에 착수한다는 것이 불가능하다는 사실을 깨달았다.

하지만 조선 정부는 처음의 계획을 수정하여 부분적인 북로전선 가설을

98) 같은 책, 事項 7, 문서번호 76. 明治 22년(1888) 7월 16일.
99) 같은 책, 事項 7, 문서번호 79, 明治 22년(1888) 7월 10일.
100) 같은 책, 事項 7, 문서번호 78, 明治 22년(1888) 7월 7일.

관철했다. 러시아까지가 아니라 함흥까지만 연결한다는 것이 핵심 내용이었다. 이를 토대로 청과 협상을 시도하여, 1890년 봄, 다시 북로전선 가설 논의를 재개하며 청의 승인을 촉구했다. 특히 경유지인 원산은 개항한 지 10년이 넘은 무역항으로 꽤 많은 상선들이 드나들기 때문에 무역업자들의 편의를 도모하기 위해 전신선이 필요하다는 것이 청 정부를 설득하기 위해 조선 정부가 내놓은 이유였다.

> 원산 지방이 개항한 지 이미 10년이 지나 여러 나라의 상선이 많이 모이고 무역이 점차 왕성하여 내외의 商民이 전선 가설을 원하고 신속한 통신시설을 바란다. 이에 비추어 우리는 한성에서 춘천, 원산을 경유하여 함흥 총영에 이르는 모두 1천리의 전선을 가설하려 한다.[101]

조선 정부는 이 전신선 가설을 전적으로 조선전보총국이 전담할 것이므로 경제적으로나 기술적으로 화전국 부담이 없는 만큼 이를 승인해줄 것을 요구했다. 이 청원에 화전국은 경로가 경흥에서 함흥까지로 단축되어 외교상 문제나 경제적인 손실이 야기되지 않음에도 반대 입장을 바꾸지 않았다. 청 정부는 기본적으로 조선의 모든 전신선 가설은 '의주전선합동'에 근거해야 함을 지적하면서 남로전선의 경우는 특별한 경우였음을 강조했다. 또 이 전선을 가설하겠다는 조선 정부의 발상이 화전국의 利權을 침해하겠다는 의도에서 비롯된 것이므로 가설을 위해서는 별도의 조약을 맺어야 한다고 주장했다.[102]

북로전선을 가설하면 조선과 직접 연결이 가능해지는 러시아의 태도도 우호적이지 않았다. 당시 러시아는 북로전선 가설보다는 시베리아 횡단

101) 『電案』 卷6, 光緖 16년(1890) 3월 18일.
102) 같은 책, 光緖 16년(1890) 4월 13일.

철도 부설을 위해 청나라와 협상을 전개해야 했으므로 청이 주도하는 조선의 상황이 변하는 것을 원하지 않았다. 러시아는 시베리아 철도의 종착지와 관련해 청과의 교섭에 총력을 쏟게 되면서 조선에 관해서는 청 정부를 지원하는 태도를 취했다.[103)]

청의 반대로 북로전선 가설은 점점 지연되다가 해를 넘겨 1891년 2월에야 북로전선과 관련한 조약인 '원산합동'이 체결되었다. 이 조약으로 북로전선의 종점은 원산으로 정해졌고, 그 운영은 화전국의 감독 아래에 두어졌다. 이 조약을 체결한 이후에야 비로소 조선 정부는 북로전선 가설 공사를 시작할 수 있었다.

원산까지 가설하기로 했던 북로전선은 한성에서 경흥에 이르는 기존의 북로대로를 따라 가설되었다.(〈그림 2-8〉 참조) 험준한 산악지대 가운데 비교적 평탄한 곳만을 이어 만들었던 이 북로대로는 말이 대로였지 말을 이용하는 파발이 기본적으로 불가능했다. 따라서 대로를 좇는다고 하더라도 북로대로가 지나는 곳들을 지나는 전신선 가설 공사는 쉽지 않았다. 하지만 3월에 기공한 북로전선 공사가 3개월이 채 걸리지 않아 완공되어 6월부터 전신 업무를 시작할 수 있었던 것은 조선 정부가 청일과 협상을 전개하는 동시에 지속적으로 공사 준비를

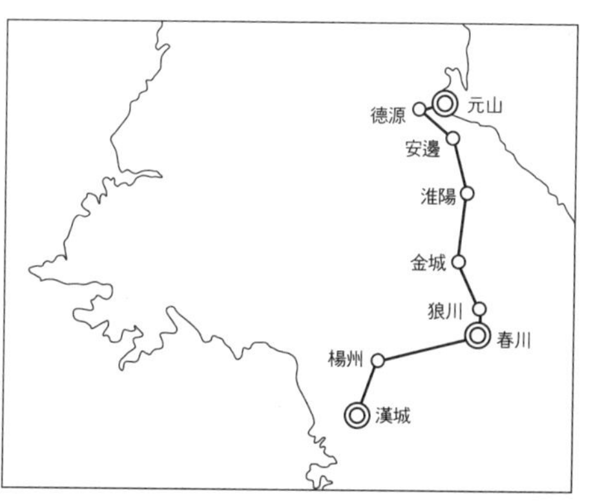

〈그림 2-8〉 북로전선 노선도[104)] 출처 : 체신부, 『100년사』, 109쪽.

---

103) 최문형, 『한국을 둘러싼 제국주의 열강의 각축』(지식산업사, 2001), 76~82쪽.
104) 체신부, 『100년사』, 109쪽.

했고, 또 서로와 남로전선 가설과 운영을 통해 조선의 기술력이 발전했던 결과이기도 했다.[105]

이처럼 북로전선 가설로 처음 의도했던 경제적, 외교적 실익을 획득하기는 어려웠지만 조선 정부가 가설을 끝내 고집했던 것은 북로전선의 군사상, 행정상 가치가 컸기 때문이었다. 조선의 남과 북을 서로전선과 남로전선으로 잇고 또 북로전선으로 서와 동을 연결해 조선의 주요 행정 및 군사 중심 지역을 잇는 기간선을 구축하는 것은 조선 정부가 추구해온 통신 체제 개혁 정책의 기본이었다.

특히 북방의 군사 정보가 원산에 이르는 원산 이북의 비교적 평탄한 북로대로를 좇아오다 험준한 지세인 원산-한성 구간을 전신을 이용하게 되면 시간을 매우 절약할 수 있었다. 이런 군사통신선의 확보를 위한 조선 정부의 고려로 북로전선 가설을 위해 조선 정부는 청·일본과 긴 시간 어려운 협상을 전개했고 그 과정에서 북로전선 가설의 목적들을 상당 부분 포기해야 했지만 끝내 북로전선을 가설할 수 있었다.

청의 화전국이 조선의 전신선 가설을 모두 반대하지는 않았다. 서로전선에 직접적인 영향을 미치지 않는 전신선의 경우는 큰 문제제기 없이 허용했다. 공주-청주 간 지선 가설이 대표적인 예로 조선 정부는 1889년 4월 교통상의 요지이며 충청병영 소재지로 중앙 정부와 신속한 통신 연락이 필요한 청주를 공주에 연결하는 지선 공사를 시도했다.(〈그림 2-9〉 참조) 조선 정부는 화전국에 이 청주선 가설을 승인할 것을 요구했고 화전국은 즉각 이 공사를 허가했다. 90리 정도의 청주지선 공사는 착공한 지 불과 8일 만에 완공되었다.[106] 이 청주선은 청의 전신 사업 독점권한에 아무런 영향을 미치지 않았고, 이로 인한 외교적인 위협도

105) 『電案』 卷6, 光緖 16년(1890) 4월 13일.
106) 같은 책, 110쪽.

전혀 없었다. 오히려 조선의 청주선 가설은 조선 전신의 운영권을 장악한 화전국으로서는 투자 없이 무료로 이용할 수 있는 전신선이 증가되는 것을 의미했다.

또 1892년 말에 조선 정부는 대구에서 창원에 이르는 지선을 설치할 것을 계획하기도 했다. 조선 정부는 창원이 중요 항구이고, 중앙 정부와 긴밀하고 신속한 연락 체계를 필요로 하는 지역이라는 명분으로 이곳에 지선 설치 계획을 세운 것이다. 이 계획에 대해 화전국은 사전에 통보하지 않았음만을 문제 삼았을 뿐, 얼마 지나지 않아 가설을 승인했다.[107] 그러나 당시 조선 남부는 민란이 잇달아 발생해 전선 가설과 같이 백성을 동원하는 공사가 불가능했으므로 이 창원선 전선공사는 실제로 추진되지 못했다. 이들 지선 공사를 허가해준 화전국의 의도는 명분이 확보된 지선들의 경우는 설치를 허가함으로써 조선 정부의 조선 전신망 확장을 방해하지 않음을 보여주자는 것이었다. 하지만 화전국의 전신선 가설

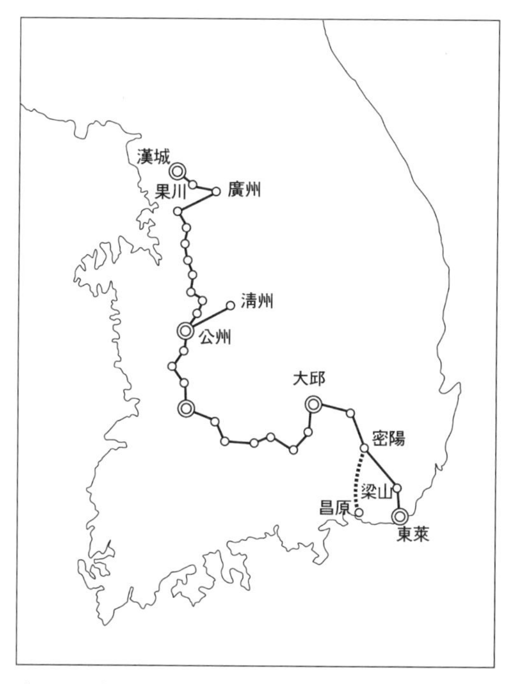

〈그림 2-9〉 조선전보총국의 지선 가설 지역 출처 : 체신부, 『100년사』, 103쪽을 토대로 재구성 : 대구-창원선은 가설되지 않아 점선으로 표시.

107) 『電案』 卷8, 光緖 18년(1892) 12월 23일 ; 『統理交涉通商事務衙門日記』(규 18736), 권35, 光緖 19년(1893) 3월 5일 ; 체신부, 『100년사』, 111~112쪽.

허가 기준은 철저히 본국의 이익이었으므로 조선 전신망 확산은 궁극적으로는 제한될 수밖에 없었다.

4) 조선전보총국의 설립과 운영

1887년 남로전선을 자력으로 가설하기로 결정한 조선 정부는 가설 공사 추진과 그 관리 및 운영을 전담할 정부 기구인 조선전보총국(이하 전보총국으로 줄임)을 설립했다.[108] 전보총국은 통리교섭통상사무아문에 편재되었다. 전보총국의 개설 초기 조직을 보면 중앙의 총국과 공주, 전주, 대구, 부산 등 4개 지역에 분국이 있었다. 총국은 幇判의 보좌를 받는 총판이 최고 관리로 전체 업무를 관할했고, 분국 업무는 주사와 위원이 담당했는데 주사는 종6품직 이상인 참상관이, 위원은 정7품 이하의 참하관이 담당했다. 초대 총판은 洪澈周(1834~1891)였으나 趙秉稷(1833~1901)이 총판직에 임명되었는데, 그는 함경도병마수군절도사 겸 안무사를 거친 관료로 이 인사 조치에는 조선의 정보 통신망에 대한 조선 정부의 인식이 그대로 투영되어 있었다. 전보총국의 분국의 수는 이듬해 청주지선 가설로 청주 분국이 개설되어 모두 5개가 되었으며 북로전선 가설로 관리전보국 수는 더 늘어나 9개가 되었다.

전보총국은 먼저 전보사 운영과 관리의 근간이 되는 전신 운영 규칙 및 전신 법규를 제정했다. 이것이 1888년에 제정된 『電報章程(이하 장정으로 줄임)』이었다. 『장정』은 전신 요금, 취급 언어, 전신 이용자의 권리와 의무, 전신 수발자의 권리와 의무와 같이 전신 운영을 위한 기본적인 규칙들로 구성되었다. 『장정』의 전신 요금은 서로전선 운영 이래 채택된

108) 『承政院日記』(규 12788), 光緖 13년(丁亥, 1887) 3월 1일.

거리와 자수 혼합 방식으로 계산되었으나 화전국에서 최대의 전보료를 확보하기 위해 실시한 '최소 글자 수 7글자' 규정을 없애고 글자 수만으로 전보료를 받음으로써 더 많은 사람들이 전신을 이용할 수 있도록 했다.[109]

사용언어는 한문과 歐文 이외에 한글을 포함했다.[110] 전보총국에서 한글 모스부호를 이용했다는 점은 전신 역사상 매우 큰 의미를 지닌다. 이 한글 모스부호는 1884년인 서로전선 가설 이전 조선 정부가 전신을 가설하고 주도적으로 운영하는 상황을 염두에 두고 만들어졌으나 서로전선의 사업 주도권을 화전국이 점유함으로써 사용되지 못했다. 그러므로 남로전선에서 이 한글 부호를 사용하게 되었다는 것은 조선 정부가 제한적으로나마 남로전선을 주도적으로 운영할 수 있게 되었음을 뜻했다.

이 한글 모스부호는 한글의 원리를 그대로 채용한 것으로 한글 음절이 자음과 모음으로 이루어지고, 음절과 음절이 한 단어를 이루는 점을 그대로 적용한 전신 부호 체계였다. 한글의 자음과 모음에 점과 선, 즉 길이 1:3 비율의 전기 신호를 배치했는데 각각에 해당하는 모스부호는 〈표 2-5〉와 같다. 한 음절의 모스부호는 각 음절을 이루는 초성, 중성, 종성의 신호를 순서대로 배열했으며 초, 중, 종성의 자음 혹은 모음 사이에 점 1개의 간격을 둠으로써 구분했다. 또 단어를 이루는 음절과 음절 사이는 점 7개의 간격을 두기로 약속했다. 예를 들어 '경성'의 모스부호는 'ㄱ ㅕ ㅇ ㅅ ㅓ ㅇ'에 해당하는 ・−・・(・) ・・・(・) −・−(・・・・・・・)−−・(・)−(・)−・・−가 된다. 이 전보총국에서 한글 모스부호를 채용한 일은 전신 운영에 관한 한 아무런 권리를 얻지 못했던 서로전선과 비교해보면 획기적인 일이었다.

---

109) 「寄報章程」, 조선전보총국 편, 앞의 책, 3면.

110) 조선전보총국 편, 『電報章程』(한국통신 영인, 1994), 23쪽.

〈표 2-5〉 한글모스부호

<table>
<tr><td rowspan="4">자음</td><td>ㄱ ·—··</td><td>ㄴ ··—·</td><td>ㄷ —···</td><td>ㄹ ···—</td></tr>
<tr><td>ㅁ ——</td><td>ㅂ ·——</td><td>ㅅ ——·</td><td>ㅇ —·—</td></tr>
<tr><td>ㅈ ·——·</td><td>ㅊ —·—·</td><td>ㅋ —··—</td><td>ㅌ ——··</td></tr>
<tr><td>ㅍ ———</td><td>ㅎ ·———</td><td></td><td></td></tr>
<tr><td rowspan="3">모음</td><td>ㅏ ·</td><td>ㅑ ··</td><td>ㅓ —</td><td>ㅕ ···</td></tr>
<tr><td>ㅗ ·—</td><td>ㅛ —·</td><td>ㅜ ····</td><td>ㅠ ·—·</td></tr>
<tr><td>ㅡ —··</td><td>ㅣ ··—</td><td>ㅔ —·——</td><td>ㅐ ——·—</td></tr>
</table>

* 출처 : "國文字母號碼打法", 『電報章程』 23쪽을 재정리.

이처럼 전보총국은 전신망 관리를 위해 조직 정비의 근간이 되는 법규들을 마련하고 실제 운영함으로써 명실공히 조선 전신망 관리의 주체로서의 지위를 확보했으나 경영 상태가 좋은 편은 아니었다. 화전국에서 차관 원금 상환을 재촉하기 시작하자 당시 전보총국 총판 趙秉稷이 "本局의 電務가 왕성하지 못해 대금을 갑자기 마련하기 어려워" 대금 상환이 불가능하다고 할 정도였다.[111] 이렇게 경영 상태가 좋지 않았던 이유는 첫째 전신 업무가 많지 않았음을 들 수 있다. 전신 업무의 대부분을 차지하는 조선 정부의 관보는 무료였으며, 다음으로 많은 일본 정부의 전신 요금은 반액만을 징수할 수 있었기 때문이었다. 둘째로 지적할 수 있는 이유는 외국으로 발신되는 전신이 주로 남로전선을 통해 해저선으로 나가사키를 지나게 된 만큼 일본 전신국에 지불해야 할 중계료가 상당했던 데에 있었다.[112] 이런 상황에서 경영 수지를 개선할 수 있는 방법은 정해진 요금을 모두 내는 商報 이용자를 늘리는 일이었지만, 상보를 이용하는 백성들의 전신 접근은 쉽지 않았다. 남로전선의 분국 수는 4, 5개소에 불과했고, 전신 요금은 여전히 비쌌다. 화전국의 서로전선보다 나은 점은 국문 전신 부호를 사용할 수 있어 한문 번호판으로부터

111) 체신부, 『100년사』, 117쪽.

112) "부산구설해저전선조관속약, 제4조", 『朝鮮電信誌』, 44쪽.

자유로울 수 있었고, 최소 7자 제한이 없어졌다는 점뿐이었다. 따라서 상보 이용 건수는 여전히 적을 수밖에 없어 전보총국 경영의 어려움은 개선될 여지가 없었다.

전보총국의 경영난을 타개하기 위해 조선 정부는 새로운 전신선 가설을 계획했다. 앞에서 살펴본 북로전선 가설이 그것이었으나, 원산에서 그쳤기에 전선은 가설되어서도 경제적 효과를 거의 얻을 수 없었다. 따라서 분국을 더 설치하고 요금을 인하하는 등 민간의 전신 접근성을 높이는 방안을 마련해야 했는데 이 역시 쉬운 일이 아니었다. 분국 설치와 요금 인하 결정권은 화전국이 가지고 있었고 화전국이 허가를 한다고 해도 전신 업무를 담당할 인력 양성이 외국인 고빙 금지로 쉽지 않았기 때문이었다.

이런 상황에서 조선 정부는 경영상의 어려움을 해결하기 위해 외부 보조금을 마련하는 방법을 모색하기도 했다. 이는 화전국의 경영에 조선 정부가 지원했듯이 전보총국의 운영을 위해 商民으로부터 지원을 받는 것이었다.[113] 조선 정부는 1889년 부산 船客主에게 口文에 세금을 부과함으로써 부산과 대구 분국의 운영비를 조달하려 했다. 이 외부 보조금 차입 방법은 상민들의 반발도 문제였지만 궁극적인 문제 해결 방안일 수 없었다. 이런 문제점에도 불구하고 조선전보총국은 조선 정부가 처음으로 설립한 근대 통신 관리기관이었으며, 고종을 비롯한 조선 정부의 전신 사업권 확보 의지가 투영된 근대기기 도입 및 관리 부서라는 의의를 지녔다. 전신 사업의 주도권을 상실한 상태에서도 이런 성과를 얻을 수 있었던 것은 조선 정부가 전신 사업을 독자적으로 전개하겠다는 의지가 여전히 살아 있었기 때문이었다. 즉 조선 정부는 전신 체계를

---

113) 체신부, 『100년사』, 117쪽.

도입해 행정 군사 통신망을 대체하려는 목표를 달성하기 위해 청의 절대적인 압력 아래에서도 자주적인 사업 전개를 위한 단초를 마련하기 위해 노력했고 그 결과가 바로 조선전보총국이었던 것이다.

경영 상태는 좋지 않았으나 전보총국은 새로 제정한 법규와 규칙들을 토대로 전신망을 운영하는 데에서 나타나는 다양한 시행착오를 줄이려 했고, 그 결과 점차 안정적으로 운영할 수 있었다. 이로써 근대 통신 체계 도입에 대해 자신감을 가진 조선 정부는 1893년 8월 근대 통신 체계를 운영하고 총괄하는 전우총국을 설립했다. 전우총국은 전신 사업뿐만 아니라 우체사업을 전개함으로써 전통적인 역원과 봉수제도를 완전히 대체하기 위해 설립한 기구였다.[114] 전우총국은 우편 사업 부분과 전신 사업 부분으로 나뉘었고 전보총국은 이 전신 사업 부분의 前身이었다.

이 기구의 설립 과정에서도 조선 정부는 청 정부의 반대에 직면해야 했다. 청 정부는 조선 정부가 우체사업을 위해 고용한 미국인 그레이트하우스(C. R. Greathouse)가 청 정부와 체결한 '自設議定合同'의 외국인 고용 금지 조항에 어긋난다고 주장했다. 그러나 이 주장은 표면적인 이유에 지나지 않았다. 당시 청 정부는 조선에서 해관우체 형식으로 벌이고 있던 우편 사업이 조선 정부에 의한 우편 사업 전개로 위축될 상황을 우려했지만 우편 사업과 관련해서 청 정부가 조선 정부를 압박할 근거가 없었으므로 전우총국이 전보총국을 흡수한 것을 빌미로 전우총국의 그레이트하우스 채용을 문제 삼았던 것이다. 이에 대해 조선 정부는 그가 전적으로 우체사업만을 담당할 것이라고 밝혔지만,[115] 그레이트하우스 임명건의 수습 과정은 전우총국의 전신 사업이 여전히 화전국

114) 『日省錄』 卷399, 고종 30년(1893) 8월 17일.
115) 『통기』 卷38, 癸巳 10월 1일.

감독 아래 있음을 확인하는 일이었다.

이 전우총국의 위상은 전보총국보다 높았다. 전우총국의 首長은 정1품인 독판으로 정1품아문과 동등한 부서로 격상되었다. 지위가 높은 만큼 근대 통신 체계를 구축하는 중요한 임무를 수행해야 했다. 물론 이 기구의 한 사업 부분이 된 전신 사업부가 화전국에 보고해야 할 의무가 없어지지는 않았지만 전우총국의 정부 내에서의 위상은 상승했고 한 국가의 통신망을 관리하는 부서로서의 면모를 갖출 수 있게 되었다.

5) 조선전보총국의 전신 인력 관리와 양성

전보총국이 제정한 『장정』이 전신 운영의 한 기본 규범이라면, 전신국의 인사 관리를 위해 전보총국은 「報房規則」을 제정해 전범으로 삼았다.[116] 이 규칙은 開閉報 시간과 같이 『장정』과 겹치는 조항도 있지만 대부분은 업무 규정을 중심으로 이루어졌다. 이에 따르면 전보사관원들의 일상 업무는 전신기의 이상 유무와 더불어 전신선 상태의 점검으로 시작했다.

> 매일 아침 7시 반드시 전선을 수시 試測하여 선로의 좋고 나쁨을 살피고 전력이 부족할 것 같으면 마땅히 電瓶기기를 더하여 사용하고 혹시 병폐가 있다면 마땅히 수리하고 정비할 일.[117]

---

116) 조선전보총국 편, 「報房規則」, 앞의 책, 23쪽. 이 규칙은 간행연대가 밝혀져 있지 않으나 책의 크기, 체제, 장정 등이 『전보장정』과 흡사한 점을 미루어 『전보장정』과 함께 제정된 것으로 보인다. 진기홍, "郵政博物館 所藏 古圖書解題", 『전기통신 고문서에 대한 번역 및 영인에 관한 연구』(한국통신학회, 1991), 12쪽.

117) 조선전보총국 편, 같은 글.

일상적 업무 및 점검 상황 이외에 전보사 관원이 전신수발 업무를 볼 때 반드시 지켜야 할 기초사항도 명시했다.

> 전신수발 업무를 볼 때 전신할 일이 있으면 먼저 상대 분국을 불러 전신 받을 준비가 완료된 후 보내야 하고 전보는 도착하는 대로 모두 처리해 지연시키지 말아야 하며 전신문을 받은 직원은 전체 전신자수가 몇 자인지 발신국과 확인하는 절차를 거쳐야 한다.[118]

이처럼 「보방규칙」은 전보사 직원의 업무 지침을 중심으로 구성되어 있었으며 업무 태도와 관련해서도 “보방에 있을 때에는 반드시 의관을 정숙하게 하고, 벗과 동료들과 담화를 나눌 수 없고, 담뱃대와 차그릇 등을 전신 탁상 위에 둘 수 없다”는 조항에서 볼 수 있듯이 세세하게 규제조항을 달아 놓았다.[119] 이런 규칙의 업무 관리 규정들은 1896년 전신 사업권 환수 이후 확장된 전보사 인력 관리의 근간이 되었다.

1892년 북로전선 완성으로 전보총국이 관리해야 할 관원 수가 증가했다. 전보총국 산하에는 남로전선의 5개 분국(공주, 전주, 대구, 부산, 청주)과 함께 북로전선 상의 2개(춘천, 원산)분국이 있었다. 이 분국들에는 주사와 위원 각 두 명의 직원이 전신 수발업무와 전신선 관리를 위해 상주했으며, 그 외에도 분국 관리를 위해 전신 기술 인력이 최소 12명이 있었다. 이를 京局이라 불렸던 한성전신국 관원과 합하면 약 30명 정도의 직원이 필요했다. 그러므로 전보총국은 직원 관리를 위한 체계를 재정립해야 했는데 이는 『節目』의 제정으로 이루어졌다. 『절목』의 ‘序’에는 “개국 초기에 인사 관리와 관련해 몇 가지 원칙을 세웠으나

118) 같은 글.
119) 같은 글.

북로전선 가설을 계기로 직원 관리를 위해 다시 인사이동과 관리를 위한 원칙을 수립"했다고 제정 이유를 밝히고 있다. 『절목』의 특징은 전보사 직원의 순환 근무 주기를 명시한 일이었다. 이에 따르면 한 분국에서 직원이 근무할 수 있는 기간은 20개월로 한정되었는데 이는 재주가 탁월하고 근면하게 업무를 수행하고 공로가 우수한 관원이나 맡은 임무를 완성하지 못한 관원이 임기 만료 후 몇 개월 유임할 수 있도록 한 예외 규정을 제외하고는 반드시 준수되어야 했다. 이처럼 순환 기간을 정한 가장 큰 이유는 한 분국에 오래 유임한 직원들의 전보비 횡령 문제가 불거졌기 때문으로 보인다. 전보사 직원의 전보비 횡령 문제는 총국 협판이 '전보비는 연체 없이 총국으로 上送하고 연체자를 임금에게 보고함으로써 교체하도록' 하겠다는 강경한 대응책을 제시해야 하는 지경에 이를 정도로 만연했다.[120] 이와 같은 엄포 이외에 실제로 시행 가능한 방안으로 제시한 것이 바로 이 20개월 순환 임기였다. 전보총국은 직원들을 20개월에 한 번씩 전보발령하면 직원들이 그동안 처리했던 전보비를 정산해야 하므로 이 작업을 통해 횡령을 사전에 방지할 수 있을 것으로 기대했다. 『절목』은 전보사 수입관리 차원에서 관원의 인사규정을 설정한 규칙인 셈이었다. 『절목』은 1892년에 고시된 이래 인사관리의 기본 원칙으로 자리를 잡았고 1896년 이후 전신 사업이 본격적으로 전개될 때에도 중요한 기준으로 작동했다.

조선 정부로서는 전신망 관리와 운영을 위한 인력들을 조직하고 정비하는 일뿐 아니라 인력을 지속적으로 공급할 수 있는 구조를 만드는 일 역시 중요한 과제였다. 서로전선이 가설되었던 초기, 조선 정부는 인력 공급 제도를 만들어내는 작업을 추진할 만큼 역량이 축적되어 있지

---

120) '節目', 체신부, 『80년사』 부록, 339~340쪽.

않았으므로 이를 대신할 방법을 모색했다. 그 방법으로 조선 정부는 청과의 조약 체결에서 주어진 기회를 활용했다. '의주전선합동'은 일방적으로 청에 유리한 조약이었으나 이 조약에는 청나라가 기술이전을 위해 조선인 전신학도를 양성해야 한다는 조항이 있었고, 조선 정부는 이를 기술자 양성의 기회로 삼기로 했던 것이다. 본래 조항에는 화전국이 조선인 학생을 각 분국마다 2명씩 뽑아 모두 8명에게 기술을 가르치게 되어 있었지만 조선 정부는 그보다 많은 12명을 파견해 전신 기술을 전수받도록 했다.[121] 화전국은 조선 정부의 이런 조치에 불평을 터트리기도 했지만 조선 정부는 학생 수를 줄이지 않았다.[122] 화전국에 파견된 학도들은 早 中 晩 3단계로 나뉘어 기술 훈련을 받았다.[123]

남로전선이 가설되고 이를 관리하기 위한 전보총국이 개국된 이후에는 그 안에 교육체계를 만들어 이전 시기보다 좀 더 많은 학도들에게 전신 기술 교육을 시킬 수 있었던 것으로 보인다. 전보총국의 기술 인력은 북로전선 가설공사 참여자로 고종으로부터 상을 받은 사람들은 33명이었는데 그 가운데 15명이 남로전선 가설 참가자였음을 감안하면 나머지 18명은 전보총국에서 새롭게 교육을 받아 배출된 인력이라 할 수 있다. 5장에서 자세히 살펴보겠지만 대한제국의 전신 기술자들 가운데 스스로를 전보학당 출신이라고 한 사람들 대부분은 이 전보총국 시절 학도로서 기술을 익혔던 사람들로 보인다.[124]

---

121) '中朝電線條約 제5조', 『고종실록』, 고종 22년(1885) ; 『電案』 卷1, 光緖 11년(1885) 9월 30일.

122) 체신부, 『80년사』, 67쪽.

123) 『통기』 卷7, 을유년 9월 30일 및 10월 1일 ; 『電案』 卷1, 光緖 11년(1885) 10월 초1일.

124) 이 책의 부록을 참조할 것('부록 : 대한제국 전신 기술 인력'은 국사편찬위원회, 『大韓帝國官員履歷書』(1972) ; 안용식, 『大韓帝國官僚史硏究』 1, 2(연세대학교 사회과학연구소, 1997, 1998) ; 정신문화연구원, 『朝鮮時代雜科入格者總覽－잡과

전보총국 내에서 학도를 선발하고 훈련시킬 수 있는 체계를 만들었음에도 학도의 수가 급격하게 늘어나지는 않았다. 이는 조선에서는 사설전보사를 개설하는 일이 불가능했고, 전보총국은 지선 확장이나 분국 개설을 쉽게 할 수 없었으므로 기술자 수요가 그리 많지 않았던 데에 기인했다. 전신 기술자들을 많이 배출할 수 있는 여건이 갖추어졌다고 해도 배출된 인력을 수용할 수 있는 전신 분국의 수가 제한된 상황에서 기술자의 대량 배출은 무의미했고 이를 전보총국도 알고 있었다. 당시 전보총국은 필요한 인력보다 약간 많은 수준으로 기술 인력을 양성하려 했으며 이 체제를 1894년의 청일전쟁 과정에서도 유지했다. 이와 같은 정부의 기술 인력 양성 정책을 통해 배출된 전신 기술자들은 조선 정부가 1896년 전신 사업을 주도적으로 전개할 수 있는 기회를 포착했을 때 전신 사업에 투입되어 사업 재개의 중요한 원동력으로 활약했다. 즉 그들은 정부가 환수받은 전신망을 복구하고 확장했으며 전신의 재개설, 신설 작업을 수행했고 전신수발 업무를 도맡았던 것이다. 약 40명 정도로 파악되는 이 전신 기술자들 중 남로전선과 북로전선 가설공사 모두에서 경험을 쌓은 자가 15명 정도에 지나지 않음을 고려하면 조선 정부가 1894년의 어려운 상황 속에서도 전신 기술 인력 양성에 많은 노력을 기울였음을 알 수 있다.[125]

전보총국 설립으로 본격화된 인력 양성 사업은 총국을 유지, 지속시키기 위해서도 필요했다. 총국의 인력 양성체계가 제도적으로 완전하게 구축하지 못해 전무 학도들을 전문적으로 양성할 수 있는 교수는커녕

방목의 전산화』(1990) ; 체신부, 『100년사』 ; 『황성신문』 ; 『독립신문』 ; 『제국신문』과 같은 1차 사료와 박은경, 『일제하 조선인 관료 연구』(학민글밭, 1999) ; 김현목, "한말 역학생도의 신분과 기술직 중인의 동향", 『한국근대 이행기 중인연구』(신서원, 1999)를 참고로 구성했다.).

125) "부록", 권재혁, 김봉남, 이기진 등의 항목 참조.

전무 학도들을 선발하는 규칙도 마련되지 못한 실정이었다. 조선 정부는 이 문제를 해결하기 위해 일단 능력을 갖춘 교사를 초빙하기로 하고 전 조선 정부의 영어교사인 핼리팩스를 전보교사로 임명했다. 그는 1883년 조선에 온 영국인으로 전신을 공부했던 만큼 조선 정부가 원하는 수준의 능력을 갖추었다고 볼 수 있는 기술자였다. 조선 정부는 지지부진했던 남로전선을 자설하기로 결정한 것을 기회로 그를 채용했음은 앞에서 살펴보았다.[126] 이런 조선 정부의 외국인 교사 채용을 전신 운영권을 독점적으로 장악하려 했던 청 정부가 문제 삼았고, 조선 정부는 청과 이 문제를 두고 협상을 벌이지 않을 수 없었다. 그 결과 그의 임기는 1년으로 한정되었다.[127] 하지만 핼리팩스가 아무리 뛰어난 기술자라고 하더라도 1년 동안 남로전선 가설을 총지휘하고 또 이를 관리할 전무 학도를 양성한다는 것은 어려운 일이었다. 그러므로 조선 정부는 청에 파견되어 전기 및 전신 기술을 배웠던 영선사행, 화전국에 파견되어 1, 2년 훈련을 받았던 기술자들로 하여금 그를 보좌해 훈련을 담당하게 했을 것으로 보인다.

전무 학도들은 조선시대 잡과 생도의 훈련 방식으로 교육받았을 것으로 보인다. 조선의 교육 제도 속에서 잡과 교육 방식은 잡과 생도들을 필요 인원보다 약 50%를 더 선발해 각 과에서 요구되는 과목을 집중적으로 공부시켜 시험에 통과한 자만을 임용하는 방식이었다.[128] 훈련 기간 동안 전무 학도들은 집중적으로 전신 부호뿐만 아니라 전신기와 축전지를 다룰 수 있을 정도로 전리학과 화학, 선로 설계를 위한 수학을 공부했을 것으로 보인다. 또 화전국에서 실행했던 실무 중심의 교육에서 이루어지

126) 李元淳, "韓末 雇聘歐美人 綜鑑", 『한국문화』 10(1989), 280쪽, 298쪽.

127) 체신부, 『80년사』, 105쪽 ; 李元淳, 같은 글, 280쪽.

128) 李萬珪, 『朝鮮敎育史 上』(한국학진흥원 영인, 1987), 264~272쪽.

는 전신수발 업무의 기본 受發信 규칙을 숙지하고, 한문을 숫자로 전환해 전신 부호화한 호마, 영문 부호, 숫자와 각종 구두점을 능숙하게 다루어야 했다. 또 남로전선 가설로 조선 정부는 국문 전신 부호를 취급하기로 결정했으므로 전무 학도들은 국문 모스부호를 익히는 데에도 힘을 쏟아야 했다. 이들은 조선 정부의 전신 사업의 중요한 자산으로서 본격적으로 전신 사업이 전개되었을 때 전신 가설 설계, 전신기기의 조립과 수리 및 관리, 전보사의 운영 등 실무에서 수행해야 하는 모든 작업을 전담했으며 나아가 전신인력 양성에서 중요한 역할을 담당했다.

제3장 일본의 전신 사업 주도권 점유 시도와 대응 : 1894~1896년

1894년은 갑오농민전쟁, 청일전쟁, 갑오개혁 등과 같이 한국 근대사에서 중요한 사건들이 일어났던 해이다. 이 일련의 정치 외교적 사건은 조선 정부의 전신 사업에도 큰 영향을 미쳤다. 일본 정부는 한반도에서 청의 세력을 몰아냈고 청 정부를 대신해 압도적인 영향력을 행사하기 시작하면서 전신 사업의 주도권 역시 장악하려 했다. 일본은 각종 명분을 내세워 조선 정부의 전신 사업권을 점유하려 했고 조선 정부는 이를 수호하기 위해 노력해야 했다. 하지만 일본의 세력 팽창은 다른 서양 제국들의 주의를 환기시켰고 그 결과 일어났던 삼국간섭, 아관파천은 일본의 전신 사업권 점유 기도를 지연시키는 데에 큰 영향을 미쳤다. 여기에 조선 정부가 철도와 더불어 전신 사업권을 수호하기 위해 일본과의 협상을 지연시켰던 일 역시 이에 영향을 미쳤다고 평가할 수 있다.

조선 정부가 전신 사업 점유를 위한 일본의 협상 요구를 지연시키려 노력한 데에는 조선의 전신 체계가 조선 정부에게도 매우 중요했기 때문이었다. 조선의 전신 선로는 중앙 정부와 지방행정 단위를 잇는 명령 전달, 보고의 통로였으므로 이를 상실하는 것은 중앙집권 국가로서 지방에 대한 통제력을 잃는다는 것을 뜻했으며 또 군사력 통제 및 지휘 능력을 상실하는 것을 의미했다. 반면 일본이 전신 사업권을 획득하기 위해 집요하게 조약 체결을 시도한 것은 전신 체계가 조선을 장악하는 데에 매우 중요했기 때문이었다. 조선에서 이루어지는 모든 정보를 장악하고 일본 본국과의 소통을 원활히 하기 위해서는 전신 선로는 매우 필수적인 도구였다. 또한 삼국간섭으로 저지당하기는 했지만 만주를 포함한 중국 대륙으로 진출하기 위해 조선 전신 사업권은 교두보로서의 가치를 지니고 있었다. 그뿐만 아니라 조선을 가로지르는 전신 선로는 바다를 지나는 해저선보다 경제적으로도 가치가 높았다. 이런 가치를 지닌 조선 전신선이었기에 일본 정부는 이를 확보하기 위해 압박과 회유라는 수단을 동원했고 조선 정부는 이를 저지하기 위해 지연책을 구사하며 견딜 수밖에 없었다. 즉 1894년 이후 조선의 전신 선로에는 조선 정부에 필수적인 국가 통치의 도구라는 가치와 일본 정부에게 긴요한 제국 팽창의 도구라는 근대 기술의 양면적 가치가 동시에 표출되어 이를 둘러싼 긴장 상황이 조성되었던 것이다. 이 장에서는 조선 정부의 전신 사업권을 둘러싼 일본의 점유 기도와 이를 저지하기 위한 조선 정부의 노력을 중심으로 살펴보고자 한다.

1. 청일전쟁 전후 조선 전신 사업권을 둘러싼 한일 갈등

1) 일본에 의한 조선 전신 사업 주도권 침탈 시도와 대응

일본 정부는 1880년대 초반부터 '부산구설해저전선조관'과 같은 국제 전신조약을 통해 조선 정부의 전신 가설 및 사업권을 확보하기 위해 노력했다. 그 결과 청일전쟁 이전 일본이 확보했던 조선 정부 전신과 관련한 권한은 두 가지였다. 하나는 나가사키–부산 사이에 가설된 해저 전선과 이익을 다투는 다른 국제 전신의 연결을 금지하는 배타적 해외 연접권이었고, 또 하나는 조선 전신망을 요금의 반값에 이용할 수 있는 권한이었다. 특히 해외 연접권의 보호를 내세워 일본이 조선 정부의 전신 사업을 방해했음은 이미 제2장에서 살펴보았다. 조선을 보호국화하거나 식민지화하려는 일본으로서는 조선의 전신 사업권은 다른 나라와, 심지어 조선 정부와도 나누어 가질 수 없을 만큼 중요했다. 일본은 청일전쟁을 전후해 전신 사업권을 독점하기 위한 본격적인 작업을 추진했으며, 전쟁 수행을 위해 강요한 군사동맹국으로서 일본군에게 군용 전신선을 제공하라는 요구가 그 시작점이 되었다.

먼저 일본은 청일전쟁 직전인 1894년 6월과 7월, 전쟁수행을 명분으로 일본으로 연결되는 남로전선을 장악하려 했다. 당시 남로전선은 갑오농민전쟁의 여파와 장마 등으로 전신 선로가 대부분 훼손된 상태였고, 이를 구실로 삼아 일본은 조선 정부에 1885년 맺은 '부산구설해저전선속약(이하 속약으로 줄임)'에 제시된 전신선의 보호 의무를 준수할 것을 요구하는 한편 조선 정부의 기술이 부족해 전신선을 제대로 보호할 수 없으면 일본이 대신 임시선을 가설하겠다고 나섰다.

> 해저전선속약을 살펴보면 귀 정부가 설치할 책임이 있으나, 설치 기술이 정밀하지 못해 비바람에 쓰러지고 고장이 빈번하여 전신을 통하는 데에 진실로 부족하다. … 전선이 막히는 고장을 없애는 것이 속약에 의한 귀 정부의 책임이다. … 귀 정부가 속약을 준수하여 견실한 전선을 가설하기를 원하지 않으면 우리 정부가 대신 가설하고자 하니 ….[1)]

이런 일본의 요구를 받고 조선 정부는 독자적으로 남로전선을 수리하겠다고 밝혔다. 이에 일본은 수리 완료 일자를 명시할 것과 수리 공사를 견고하게 할 것을 요구하며 이에 대한 조선 정부의 능력을 폄훼하며 재차 일본이 가설할 수 있음을 표명했다.[2] 조선 정부로서는 남로전선 수리를 핑계로 주도권을 장악하려는 일본을 견제하기 위해 "[일본이] 경부 간 전신을 가설하겠다는 것은 우리 정부의 권리를 침해하는 일"이라고 주장하면서 남로전선이 조선 정부의 소유임을 명백히 밝히고 전신선 장애로 인한 불통은 담당자들이 해결 가능한 일이므로 일본이 간섭할 문제가 아니라고 일축했다. 그리고 조선 정부가 전신선을 수리하고 앞으로도 지속적으로 전신선을 관리하고 보호할 것이라고 덧붙였다.

> 남로전선이 불통되고 있는 것은 풍우와 선로가 오래 됨에 기인한 일로서 단절되고 끊어졌다고 하더라도 잠시의 일이었고 현재는 기존선에 의지해 다시 통하였다. 혹시 끊어지는 일이 있더라도 해당 電局의 공두 등이 수리를 담당해 잘못됨을 연장하지 않을 테니 다시 재촉하지 말라.[3]

조선 정부의 강경한 입장 표명과 조속한 수리에도 불구하고 일본은 전신선 수리가 완벽하게 이루어지지 않았다고 주장하면서 조선 정부가 속히 재수리를 진행할 의사가 없다면 부산과 인천에 내한해 있는 기술자 수백 명을 동원해 새로운 전신선 한 조를 가설하겠다고 밝혔다.[4] 일본은

---

1) 아세아문제연구소 편, 『구한국외교문서, 日案 2』(이하 『일안 2』로 줄임), 문서번호 2868 ; 문서번호 2915 ; 문서번호 2917 ; 문서번호 2923.
2) 같은 책, 문서번호 2883, 문서번호 2917 ; 문서번호 2884.
3) 같은 책, 문서번호 2918.
4) 같은 책, 문서번호 2883 ; 문서번호 2915 ; 문서번호 2971.

이미 “전신선을 새로 가설하면 전신 소통에 훨씬 덜 방해를 받고 막히는 일이 적”기 때문에 수리를 하는 것보다 전신선을 새로 가설하는 것이 효율적이라고 하면서 조선 정부의 승인 여부와 상관없이 전신선 가설공사를 집행하기 위한 기술진을 이미 조선에 파견시켜 두었던 것이다. 조선 정부는 이런 일본의 행위에 강하게 반발했지만 일본은 이를 무시하고 7월 19일자로 경인 간, 경부 간 군용 전선 부설공사에 착수했으며, 이 사실을 조선 정부에 통보만 해왔다.[5] 이런 일본의 전신 사업권 도전에 조선 정부는 즉각 항의하고 중지할 것을 촉구했다.[6] 그러나 전쟁을 수행해야 했던 일본은 이 항의를 받아들이기는커녕 오히려 7월 21일과 26일, 서로전선과 북로전선을 점거하고 이 역시 조선 정부에 통지만 했다.[7] 이처럼 일본은 불과 열흘 만에 조선의 전신망을 임의로 가설하거나 점거해 8월 1일 청일전쟁을 선포하기 이전 조선의 전신망 확보에 성공했고 전쟁 승리를 위한 유리한 고지를 선점할 수 있었다.

청일전쟁과 갑오개혁의 와중에 수행된 일본의 대조선 전신 정책이 단지 조선의 전신 선로 점유에만 한정된 것이 아니었다. 정부의 통신부서 역시 큰 변동을 겪었다. 앞에서 살펴보았듯이 조선 정부의 통신부서는 1893년 전우총국으로 제도를 정비하고 전신 사업을 전개하기 시작했는데 불과 1년도 안 되어 기구가 해체되고, 공무아문 산하에 전신 관리 부서로 편입되고 만 것이다. 갑오개혁으로 새로 조직된 전신국은 전신 가설과 지국 설치 및 내외신의 遞受 등 업무를 담당하는 것으로 규정되었으나 참의 1명, 주사 2명만이 배정되어 이 업무를 모두 수행할 수는 없었다. 더 나아가 1895년 을미개혁의 일환으로 전신국의 상위 부서였던 공무아문

5) 같은 책, 문서번호 2926 ; 문서번호 2939.

6) 같은 책, 문서번호 2940.

7) 체신부, 『대한민국체신연혁』(체신부, 1971), 42쪽.

이 농상아문과 통폐합되어 농상공부가 됨에 따라 전신 관리 부서는 더 축소되었다. 이에 따라 전신을 관할했던 부서는 통신국에 편입되었는데 이 통신국은 이전의 전신, 역체와 같은 통신 업무뿐만 아니라 해운과 선박, 그리고 수운회사 관련 업무까지 관할하는 부서였다. 전신국은 이 통신국 산하의 科 단위의 조직으로 축소 재편성된 것이다. 통신국의 인력 역시 감소했다. 농상공부에 배정된 4명의 참사관, 전임기사 7명, 전임기수 12명이 통신 업무 이외에도 농무국, 상공국, 광산국, 회계국 등 농상공부에 편재된 부서의 업무를 모두 수행해야 했다.[8] 이와 같은 조직의 축소는 지방 분국에서도 일어났다. 전신 업무의 실무를 담당하는 한성전보총국이 1894년 6월 서로전선을 일본이 점유함에 따라 폐지되었고, 곧 북로전선 역시 전쟁 수행을 명분으로 대여했으므로 이 전신 선로들을 관리하고 송수신 업무를 보던 전보사들 역시 한성전보총국과 같은 운명에 처하거나 일본군 부대로 파견되는 상황을 맞게 되었다.[9]

1895년에 이르면 봉수제와 역원제가 모두 폐지되어 지방과의 원활한 행정소통을 위해서라도 근대 통신망의 운영이 시급한 상황이었다. 그러나 이처럼 통신을 포함한 담당 정부 기관이 축소된 것은 조선 정부가 굳이 전신 사업을 포함한 통신망을 관리할 필요가 없을 것이라는 일본의 판단에 의해서였다. 일본은 이미 조선의 전신 선로 가운데 서로전선과

8) 조선 정부에서 전신을 포함한 근대 통신 제도를 담당했던 중앙 기구에 배정된 인원은 업무의 양에 따라 증감은 있었지만 우정총국 시절 독판, 회판, 각각 1명, 협판과 참의, 주사가 18명이었고 조선전보총국 때에도 총판, 방판, 각각 1인, 참상주사 4명이 배정되었다. 그리고 전우총국 때에는 최고책임자 급으로 관리사무와 그 부문의 책임자급인 독판, 총판, 회판이 각각 1명씩이 배정되었으므로 이들이 감독하는 관원들이 적어도 서너 명이 배정되었다고 보면 9명~12명이 중앙 기구에서 통신 사업을 총괄했다고 볼 수 있다. 이에 대해서는 체신부, 『100년사』, 75, 113, 122쪽을 참조.

9) 체신부, 『80년사』, 131~136쪽.

북로전선을 점유했고, 전신 관련 조약 체결을 서두르고 있었으므로 조선의 전신 사업을 곧 흡수할 것으로 기대했다.

일본이 조선 정부를 가장 압박했던 조약으로 조선의 철도 부설권과 통신 사업권, 항구 개항과 같은 이권을 잠정적으로 일본에 양도하는 것을 중심 내용으로 한 '朝日暫定合同條款(이하 잠정조관으로 줄임)'과 청일전쟁에 필요한 군수물자 동원 징발 등을 위한 '朝日盟約(이하 맹약으로 줄임)'을 들 수 있다.[10] 특히 '잠정조관'이 체결되면 조선 정부는 전신 가설 및 사업권을 자유롭게 행사할 수 없게 되었을 뿐만 아니라 독자적인 전신 사업 전개가 불가능했다. 즉 이 '잠정조관'에는 일본이 임의로 임시 부설했던 경부, 경인 간 군용 전신선을 상설화시키고 관할하는 권한을 일본이 가진다는 내용을 포함하고 있었던 것이다.[11] 이 '잠정조관'을 체결한다면 조선 정부는 경인과 경부전신망에 대한 자유로운 사업 전개가 어려워질 수밖에 없었다. 따라서 이에 대해 당시 일본에 의해 집권한 조선 정부 관료들조차 "청의 속령이었을 때에도 이처럼 국권을 검속하는 일이 없었다"면서 반발했다.[12] 그러나 일본 정부는 절대적으로 우세한 군사력을 앞세워 이 '잠정조관'을 제안한 지 한 달이 안 된 8월 20일에 조선 정부로 하여금 이를 수용하게 했으며, '잠정조관'에 조인한 지 사흘

10) 『고종실록』 32권, 고종 31년(1894) 7월 30일 기사. 이 조관은 경부, 경인 철도의 부설권 및 경부, 경인 간 군용 전신선의 관할권, 그리고 전라도 연안 항구의 개항 등의 이권을 일본에 양여할 것을 잠정적으로 보증하는 내용으로 구성되어 있었다.

11) 같은 책, 고종31년(1894) 7월 30일 기사. 이는 '조일잠정합동잠정조관'의 '제3항 京城과 釜山 사이, 경성과 인천 사이에 일본 정부에서 이미 설치한 軍用電線은 지금의 형편을 참작하여 조항을 협의하여 정하고 그대로 둘 것이다'라는 것으로 명시되어 있다.

12) 외무성 편찬, 『日本外交文書』 27卷 第1冊, 문서번호 229 ; 유영익, "淸日戰爭 및 三國干涉期 井上 馨 公使의 對韓政略", 최문형 외, 『明成皇后殺害事件』(민음사, 1992), 293쪽에서 재인용.

만인 8월 23일에는 전쟁 동맹국의 의무를 부담해야 하는 '맹약'을 체결하게 했다.[13)]

일본은 '잠정조관'이 체결되지도 않았던 7월 27일, 목포 개항의 예비조치로 군산－전주－강진을 잇는 군용 전신선을 가설하겠다는 의사를 조선 정부에 통보했을 만큼 이 조약 체결을 기정사실화하고 있었다. 또 조약을 자의적으로 해석하기도 했다. '맹약' 체결 나흘 뒤인 8월 28일에는 조선 정부에 전쟁수행에 무관한 이 전신 선로 가설을 위해 자재를 운반할 병사와 負役의 동원, 일본 기술자 및 가설공사 참여자가 사용할 숙소 제공, 전신 가설 기자재 및 물자를 훼손하는 자에 대한 처벌 법령 마련을 요구했던 것이다.[14)] 이 전신선 가설 계획은 목포 개항이 지연되자 철회되었지만, 이는 '잠정조관'과 '맹약' 체결을 전후해 일본 정부가 취한 조선 전신 사업권에 대한 태도를 매우 잘 보여주는 사건이었다.[15)] 이 전신 선로가 가설될 호남 지역은 청일전쟁 수행과 무관했지만, 일본은 여기에 개항장을 만들고 전신 선로를 가설해 조선의 곡창지대에 직접 진출하려는 계획을 세우고 있었다. 일본이 이처럼 아무런 거리낌없이 '조일맹약'에 부합하지도 않는 호남지역의 전신선 부설 공사에 조선 정부로부터 인적 물적 자원을 징발하려 한 것은 일본이 '조일맹약'과 '잠정조관'의 체결로 조선 전신부설의 전권을 장악했다고 판단했기 때문이었다.

또 일본은 '조관'과 '조일맹약'으로 획득한 특권을 현실화하기 위해 전신 사업권을 확보하려 했다. 일본은 평양과 서해에서 벌어진 청나라와의 전투에서 승리하자 서울과 인천, 부산 사이에 부설된 군용 전선을

13) "조일맹약"에서 조선은 일본 군대의 진퇴 및 식량 준비를 위하여 모든 편의를 제공해야 하는 의무를 지게 되었다. 유영익, 앞의 글, 274쪽에서 재인용.

14) 아세아문제연구소 편, 『구한국외교문서 일안 3』(이하 『일안 3』으로 줄임), 문서번호 3048 ; 문서번호 3167.

15) 같은 책, 문서번호 3175.

公衆이 사용할 수 있도록 轉用하겠다고 통지해왔다. 이는 전신 사업을 본격적으로 전개하겠다는 의미였다. 이에 대해 조선 정부는 "우리의 전선이 막혀서 내외 체신이 많이 불편하므로, 日軍의 전신을 공중체신을 위해 開辦함은 확실히 모두에게 편리를 제공하는 일"이라고 동의하기는 했지만 "[일본이] 남로 一線을 개설한 일은 군사 기밀을 통하기 위해 잠시 특설"한 것이므로 이의 公衆改辦 역시 일시적 방편임을 명확히 했다. 즉 "우리 전선이 있으니 속히 보수하는 일이 우선"임을 천명했던 것이다.[16] 그러나 조선 정부의 전선 수리와 보수는 계속 지연되었다. 이는 당시 상황이 전신 선로를 수리하고 보수하는 일을 기획할 전신담당 부서의 관원이 부족했고, 이 공사에 필요한 기술자와 자금을 동원하는 일이 쉽지 않았기 때문이었다. 이런 상황을 조성한 일본이 경인, 경부 전신 선로를 대민 일반 전신용으로 개방하겠다는 것은 곧 조선 전신 사업을 전담하겠다는 뜻이었다.[17]

전신 사업권을 확보한 일본은 관보 전신 수발을 무료로 이용할 수 있도록 조치했다고 밝혔다.[18] 그러나 일본은 관보 규정을 청의 화전국의 예와 같이 外部에서 대리 발생되는 것만으로 규정해 조선 정부는 다달이 5, 60원에 이르는 발송 전보비 납부를 재촉받아야 했다.[19] 조선 정부로서는 전보비를 납부해야 하는 일이나 일본군의 사정에 따라 전신수발 자체가 불가능해지는 일을 감수하는 일은 부차적인 문제일 수 있었다.[20]

16) 같은 책, 문서번호 3244 ; 문서번호 3382 ; 문서번호 3388.
17) 서로전선을 운영하던 화전국은 1894년 6월 21일자로 폐국되었다. 체신부, 앞의 책(1971), 31쪽.
18) 『일안 3』, 문서번호 3382.
19) 같은 책, 문서번호 3752 ; 문서번호 3358 등 전보비 상환을 재촉하는 외교문서는 그밖에도 1895년 말까지 계속 보인다.
20) 같은 책, 문서번호 3892.

가장 큰 문제는 일본군이 관리하는 전신 시설을 통해 국가 통치상 필요한 사안들을 소통해야 했으므로 정부 기밀을 전혀 유지할 수 없다는 점에 있었다.

그러나 일본은 조선 정부의 전신 이용 불편이나 애로 사항을 개선하는 일에는 관심이 없었다. 일본의 초미의 관심사는 조선에서의 전신 사업권 장악이었다. 조선의 전신 사업권은 일본에게 다양한 이득을 보장하는 寶庫였고, 그 가운데에서도 군사 전략적 가치는 다른 이득에 비할 바가 아니었다. 일본은 이미 모든 전신선을 점유했다고 생각해 "['잠정조관'에] 군용 전신을 앞으로도 계속 보존하여 두도록 규정되어 있고 다른 전신선까지 우리 정부에서 관리한다고 해서 외견상으로 그렇게 큰 차이가 없을 것"으로 여기긴 했지만 만일의 사태, 즉 조선 정부가 일본에 적대적인 국가와 연합해 전신 선로를 적대국에게 대여하게 될 경우를 고려해 '잠정조관'과 '동맹'에 규정된 일본의 전신 운영과 관리 권한을 영구화하고 싶어 했다.[21] 그러나 조선 정부는 '잠정조관'에 대해 다른 생각을 가지고 있었다. '잠정조관'은 말 그대로 각 조항에 담긴 권리를 일본에 완전히 양도하거나 일본의 권리를 독점적으로 인정한 것이 아니라 '잠정적'으로 동의한 것에 지나지 않는다고 해석하고 있었다. 특히 일본이 전쟁수행을 위해 가설한 "경인, 경부의 군용 전신선은 지금의 형편을 참작하여 용인"한 한정적이고 한시적인 것에 불과하다고 받아들이고 있었다.[22]

이와 같은 조일 두 정부의 인식 차이로 일본이 '電信處辨條款(가칭)'을 제시했을 때 첨예하게 대립하는 상황이 빚어졌다. '잠정조관'을 확정하기 위해 일본이 마련한 '전신처변조관'의 초안에 의하면, 서로전선은 일본이

21) 『駐韓日本公使館記錄』 5권(국사편찬위원회 영인, 1986), 문서번호 기밀송 제13호 (1895년 3월 1일).

22) 『고종실록』 32권, 고종 31년(1894), 7월 30일 기사.

청일전쟁에서 승리함으로써 획득한 전리품으로 조선 정부가 일본에 상당한 대가를 지불해야만 양도받을 수 있었다.[23] 심지어 대가를 지불해도 즉시 양도하지 않고 조선 정부가 반환받아 운영할 수 있는 능력이 마련될 때까지 일본이 관리하며, 경원선 역시 서로전선을 반환할 때까지 일본이 빌려 사용하고, 반환 전에 일본 군용 전선과 연결하고, 반환하더라도 일본인 전신 기술자들을 고용해야 한다는 조건들을 덧붙이고 있었다.[24] 이런 '전신처변조관'의 세부 항목들은 이미 조선의 전신 사업권을 일본 정부의 것으로 여기는 일본의 인식을 대변했다.

일본이 제시한 '전신처변조관'에 조선 정부의 관료들은 강력하게 반발했다. 그들은 "[전신 사업권을 전횡하던] 청나라를 꾸짖고서 이를 모방하는 꼴"이라고 비난하고, "[조선에서도 이미] 생도를 양성하여 전신을 취급하여 왔으므로 이후에도 취급이 가능"함을 들어 전신 사업권을 양도하지 못하겠다고 의사를 분명히 밝혔다.[25] 조선 정부는 일본이 이미 1885년에 체결한 '속약'에서 서로전선을 조선 정부가 가설했음을 인정했음을 지적하고 조선 정부가 서로전선 가설을 위해 빌린 청으로부터의 차관 10만 냥 가운데 일부인 36,500냥을 갚았음을 들어 일본이 서로전선을 청나라로부터의 전리품으로 인식하는 데에 강력히 항의했다.[26] 이 항의에 일본은 서로전신선에 대한 조선 정부의 소유권을 마지못해 인정하기는 했지만 여전히 '전신처변조관'에서 노린 권한을 원했고, 이는 새 군사조약의 부가 사항으로 바뀌어 제시되었다.

청일전쟁 당시 일본이 조선과 맺은 '조일동맹'은 종전 후에는 효력이

23) 『주한일본공사관기록』 5권, 문서번호 기밀송 제12호(1895년 3월 1일).
24) 같은 책, 문서번호 기밀송 제12, 13호(1895년 3월 1일).
25) 같은 책, 문서번호 기밀송 제16호(1895년 3월 1일).
26) 같은 책, 문서번호 기밀 제20(1895년 3월 9일).

소멸하는 것이므로 일본은 이를 대체할 조약을 체결해 조선 정부에 영향력을 지속적으로 행사할 수 있기를 원했다. 이런 의도로 마련된 것이 '일한조약(가칭)'이었고 전신 사업권에 대한 내용은 제6조에 명시되었다.[27] 이 조항의 핵심 내용은 일본이 군용 전신선을 영구적으로 관리할 권한을 유지한다는 것이었다. 일본이 이 조약을 제시한 것은 1895년 2월의 일이었고, 일본은 이 조약 체결을 거부하는 조선 정부에 5백만 엔 차관 공여를 빌미로 회유하기 시작했다. 그러나 이 조약은 국권을 내놓으라는 요구와 다름없었으므로 일본에 의해 집권한 박영효, 김홍집과 같은 친일 관료들마저도 용인할 수 없는 내용이었다. 특히 일본이 철도와 전신을 독점하겠다는 조항은 도저히 수용할 수 없었다. 일본공사 井上馨은 당시 조선 정부의 분위기를 일본 정부에 보고했다.

> 조선 정부 내에 국권과 국리를 주장하는 자가 많아서 철도, 전신 조약에 대한 저의 제안에 일치를 보지 못하고 있습니다. 그들과 이 조약을 체결하려면 강박수단을 사용하지 않을 수 없습니다.[28]

강박의 수위도 "어지간한 위압"이 아니면 "철도 전신 조약은 희망하는 대로 결말을 맺기가 지극히 곤란"할 것이라고 보고했다.[29] 이에 대한 대책이 일본 정부 안에서 협의되고 있을 즈음인 1895년 4월 말, 조선에서 일본의 세력 판도에 큰 영향을 미친 삼국간섭이 선언되었다.

---

27) 유영익, 앞의 글, 291쪽.

28) 『주한일본공사관기록』 5卷, 문서번호 기밀 제26(1895년 3월 24일).

29) 같은 책, 문서번호 기밀 제26(1895년 3월 24일). 井上 馨은 당시 조선 관료들을 "사리에 어둡고 의심이 많으며 뻔뻔스러운 세 가지 성격을 지니고 있다"고 비난하면서 협상 진전의 어려움을 토로하기도 했다.

2) 삼국간섭 이후 일본의 전신 사업권 점유를 위한 모색

프랑스와 러시아, 독일은 청일전쟁 이후 중국에서 지나치게 팽창하는 일본을 견제할 필요가 있다는 점에 동의했다. 중국 요동반도에 관심을 가지고 있던 이들 세 국가는 청일전쟁 결과로 일본이 단독으로 요동반도를 차지한 일이 부당하다고 주장하며 일본에게 이 지역을 다시 청나라에 돌려줄 것을 요구했다.[30] 세 국가 연합의 위협은 당시 일본으로서는 감당하기 어려웠으므로 일본은 이 요구를 수용할 수밖에 없었다. 삼국간섭의 영향은 단순히 요동반도의 반환에 그치지 않았다. 조선에서도 일본 세력은 위축되었다. 중국에서 일본견제에 성공한 유럽의 제국들은 조선에서도 일본을 견제하기 시작했다. 즉 조선과 최혜국 대우의 국가로 통상 및 수호조약을 체결했던 영국, 미국, 러시아, 독일, 프랑스와 같은 국가들은 철도를 포함한 특권을 일본 한 국가가 독점하려는 일에 대해 조선 정부에 항의하기 시작했고, 이런 서양 제국들의 태도는 조선에서 일본의 영향력을 축소하는 데 영향을 미쳤다.[31] 조선 정부는 일본을 비롯해 서양 국가들에 양여한 철도부설권과 광산개발권과 같은 특권을 모두 회수하는 한편, 앞으로도 이 특권들을 허여하지 않을 것이라고 선언하기에 이른 것이다.[32] 조선 정부가 환수할 특권에 전신 사업권도 포함되었다.

일본 정부는 이런 태도를 보인 조선 정부에 간섭하지 않겠다고 입장을 밝히기는 했지만, 조선 전신 사업권에 영향력을 행사할 수 있는 '전신처변

---

30) 삼국간섭에 대해서는 金相洙, "閔妃弑害事件의 國際的 背景", 최문형 외, 앞의 책(1992), 129~190쪽을 참조.

31) 『주한일본공사관기록』 5卷, 문서번호 기밀 제47(1895년 5월 8일).

32) 『고종실록』 34권, 33년(1896) 11월 15일. 철도 가설권 환수에 대해서는 鄭在貞, 『일제의 한국철도침략』(서울대학교 출판부, 1999), 44쪽 참조.

조관'을 체결하려는 시도는 지속했다.[33] 그러나 상황이 달라진 만큼 井上 馨 공사가 제시한 강박 수단은 좋은 방법이 아니어서 일본은 일면 유연해 보이는 방안을 제시하기도 했다.[34] 즉 일본의 가장 큰 권리인 경부 군용 전신 선로를 조선 정부에 양도하겠다는 것이었다. 그러나 이는 무상이나 무조건의 반환이 아니었다. 일본은 경부 군용 전신 선로를 10만 圓(일본 은화, 매년 5천 원씩 20년 간 상환)으로 조선 정부에 양도하는 대신 조선 정부는 조선의 각 전보사에 일인 기술자를 8년 연한으로 채용해야 하고, 조선 전신선을 부산에 있는 일본의 전신선에 연접해야 하며, 일본 정부의 관보 전신 요금을 양도대금 상환 만료 때까지 반액으로 인하 취급해야 하고, 일본이 필요로 하는 개항장에 해저선 한 條 이상을 새로 가설해야 할 뿐만 아니라 전신국 설치권과 전신 시설지의 지세 면제권을 제공해야 한다는 조건을 달았다.[35] 일본이 제시한 조건대로라면 단지 전신망을 관리하지 않는다는 것뿐 일본이 확보했다고 여기는 조선 전신 기득권을 그대로 유지하겠다는 것과 다를 바 없었다. 특히 일본이 요구한 한 조 이상의 새로운 해저선 가설 요구는 대북부전신회사와 체결한 해저선 특권 계약이 만료되는 1902년이 다가옴에 따른 대비책이기도 했다. 일본은 대북부전신회사의 독점권 인정 계약 기간이 끝나는 시점에 직통으로 한성에 닿을 수 있는 해저선을 단독으로 세워 대북부전신회사가 취했던 이익 이상을 차지하려 했다.

이런 일본의 전신 사업권 요청에 조선 정부는 10만 원으로 경부군용

33) 유영익, 앞의 글, 304쪽. 井上 馨은 강압적 방식으로 조선 정부의 동의를 얻어내지 못할 것이라고 주장하며 회유 방식을 주장하기도 했는데, 그가 이 건의서를 작성한 것은 삼국간섭 2주 전의 일이며 이 건의서는 일본의 대한 정책의 주요 참고자료로 쓰였을 것으로 유영익은 평가했다.

34) 같은 글, 302쪽.

35) 『주한일본공사관기록』 5卷, 문서번호 機密送 4(1896년 1월 16일).

전선을 사는 것보다 5만 원으로 남로전선을 수리하는 편이 낫다고 주장하면서 매입을 거부하고 전신선에 일본 전신기기를 연결하는 通聯을 완강히 반대했다. 일본 전신기기로의 통련은 곧 조선의 전신선이 일본 전신망으로 편입됨을 의미했기 때문이었다. 또 전신학도를 양성했던 경험을 내세워 일본 기술자들을 채용할 수 없다고 밝혔다.[36] 이런 조선 정부의 반발로 조약 체결 협상은 지연되고 난항을 겪었으며, 조선에서 일어난 정치지각의 큰 변동인 아관파천으로 더 이상 진전되지 않았다. 그 결과 1894, 5년 조선에서 절대적으로 강한 영향력을 행사했음에도 불구하고, 일본이 조선 정부로부터 얻어낸 전신관련 권리는 임시 경부 군용 전선 운영의 묵인을 제외하고는 1895년 5월 大阪郵便電信局長 출신 山田雪助를 농상공부 고문관으로 파견하는 정도에 머무르게 되었다.[37]

2. 아관파천과 일본의 전신 사업 유지 방안

1) 일본과 러시아의 전신 사업을 둘러싼 협상

조선 정부는 일본 세력이 약화된 틈을 이용해 일본에게 빼앗겼다고 판단되는 각종 이권들을 되돌려 받기 위해 노력했다.[38] 두드러진 움직임 가운데 하나가 전신망 환수였다. 조선 정부는 아관파천 후 1개월 안에 일본군의 철수와 서로전선과 북로전선 반환을 일본에게 강력하게 요구했다.[39] 이에 따라 조선 정부는 서로전선을 돌려받았지만 일본은 서로전선

36) 같은 책, 문서번호 기밀 제14(1896년 5월 30일).
37) 유영익, 앞의 글, 287쪽.
38) 『고종실록』, 建陽元年(1896), 11월 15일.

에서 가장 중요한 구간인 한성－개성 사이를 반환하지 않음으로써 서로전선을 여전히 통제하려 했고, 조선 정부는 이 조치에 강력하게 항의했다.[40] 조선 정부는 "조선개국 5백3년(1894) 6월 26일 駐京일본공사가 군용의 급함을 들어 잠시 이 선을 빌렸으나 지금 군대의 일을 다 마쳤는데도 아직 돌려주지 않으니 진실로 온당하지 않다"고 하면서 북로전선과 더불어 개성－한성 선의 반환을 촉구했다. 특히 일본이 서로전선을 청일전쟁의 전리품으로 여기고 있음을 염두에 두고 "개국 4백9십4년(1885)에 가설한 한성부터 의주에 이르는 전신선은 우리정부가 청국 정부에 차관을 빌려 이것을 다 갚기 전까지 청나라 사람들로 하여금 잠시 전신 업무를 관장하게 한 것"임을 분명히 하기도 했다.[41]

일본은 조선 정부와 협상중인 '전신처변조관' 체결이 늦어지는 상황에서 전신선을 반환하면 최소한의 기득권마저 방어할 수 없게 되리라고 판단해 미온적으로 대응했다. 반환을 촉구하던 조선 정부는 전신선을 돌려받는 즉시 전신 업무에 착수할 수 있도록 훼손되고 절단된 서로전선을 수리하기 시작했다.[42] 그렇게 함으로써 조선 정부는 4개월 후 개성－한성 구간과 북로전선을 돌려받자마자 서로전선은 정상적으로 사업을 재개할 수 있었고 중국에서 국제 전신선과 연결해 국제 정보 교류도 가능해졌다.[43] 또 이듬해인 1897년 5월 계약이 만료된 일본인 고문관과 재계약을 거부함으로써 조선 정부의 전신 사업은 일본의 감시를 완전히 벗어날

39) 이 철수는 일면 대한제국 정부의 요구를 수용하는 것처럼 보이기도 했지만 요동반도에서 일본 군대 철수의 일환이기도 했다. 이에 대해서는 李升熙, "일본에 의한 한국통신권 침탈", 『제48회 역사학대회(발표요지)』(2005), 234~240쪽을 참조.

40) 『일안 3』, 문서번호 3893.

41) 같은 책, 문서번호 3987.

42) 같은 책, 문서번호 4070.

43) 같은 책, 문서번호 4089.

수 있었다.[44)]

아관파천이라는 예상치 못한 정치적 난관에 봉착한 일본은 이 국면을 벗어나기 위해 러시아와 협상을 벌여 조선에서의 기득권을 가능한 한 인정받기 위해 러시아와 '서울각서'를 체결했으며, 이 내용을 재확인하고 이를 토대로 양국 외상이 조인한 '로마노프-야마가타 의정서(이하 의정서로 줄임)'가 1896년 6월 체결되었다.[45)] 이 '의정서' 가운데 제3조는 조선에서 일본의 전신 사업 권한을 인정하는 것으로 러시아는 "일본 정부가 한국과의 통신을 용이하도록 하기 위해 현재 그 수중에 있는 전신선을 계속 관리"하는 일본의 전신 기득권을 용인했으며 그 대가로 일본으로부터 "서울에서 그들의 국경까지의 전신선 가설권"을 보장받았다.[46)] 러시아와의 협약으로 일본은 아관파천으로 축소되었으나 여전히 일본의 수중에 남겨진 전신 기득권을 더 강화시킬 수 있었다. 일본은 러시아와의 협상으로 조선 정부로부터 철폐를 요구받은 경부 군용 전신선의 상설화, 전선 수비를 위한 헌병대 파견 권한 및 이를 이용한 전신 사업 운영권까지 인정받았던 것이다. 이런 권한을 인정받은 일본은 대한제국 정부로부터 경부 군용 전신 선로를 철거하라는 지속적인 요구를 거부하고 오히려 스스로 전신선을 보호할 것을 선언하기에 이르렀다.[47)]

---

44) 같은 책, 문서번호 4325.

45) '서울각서'는 아관파천으로 일본이 처해진 상황을 타결하기 위해 러시아와 타협을 모색한 결과로 小村 주한일본공사와 웨베르 주한러시아공사가 러시아와 일본이 조선에서 권리를 상호 인정하는 것을 핵심 내용으로 하고 있다. 이에 대해서는 최문형, 앞의 책(2001), 199~208쪽 참조. 이 '각서'와 '의정서'에 의하면 조선은 러시아와 일본의 공동보호령의 상태로 전락해버린 것과 같았다. 이에 관한 자세한 내용은 최문형, 『국제관계로 본 러일전쟁과 일본의 한국병합』(지식산업사, 2004), 79~98쪽을 참조할 것.

46) 최문형, 같은 책(2001), 210쪽에서 재인용.

47) 『일안 5』, 문서번호 5814.

'서울각서'와 '의정서'에서 일본이나 러시아가 구체적으로 언급한 조선의 이권은 오직 전신 사업권밖에 없었다.[48] 특히 '의정서'의 비밀조항에 명시된 군대 파견 및 주둔과 같은 군사적 행동의 판단 근거가 전신선이기도 했다. '의정서 비밀조항 1'에 두 국가는 조선에서 안녕과 질서가 심각한 위기에 봉착하게 되면 "러일 양국 정부가 그들 국민의 안전과 전신선 보호에 소요되는 수 이상의 군대를 파견"할 수 있도록 명시했던 것이다.[49] 비상 상황에 조선에 파견된 각국 군대의 임무가 자국민과 전신선의 보호라고 명기한 점은 두 국가, 특히 일본이 조선 전신선에 '자국민'과 동일한 가치를 부여했음을 보여주는 것이다.

일본이 이처럼 조선 전신 기득권을 유지하기 위해 집요하게 노력했던 데에는 국가적 차원에서 조선과 만주에 세력을 확장하기 위해 전신이 매우 중요하기 때문이기도 했지만, 당시 조선 전신선에 연관된 자국민의 경제적 이득 확보도 무시할 수 없었기 때문이기도 했다. 일본의 정치적 영향력이 대한제국 정부 내에서 현저히 감소했다고 하더라도 일본은 경제 부문에서 조선 무역에서 수입의 60~70% 정도와 수출의 80%를 차지했다. 조선 출입 무역선의 수 역시 다른 어떤 나라보다 일본 선박이 압도적으로 우세한 상황이었다.[50] 일본은 이를 유지할 뿐만 아니라 더 확장하기 위해 일본이 활용할 수 있는 통신망을 수중에 두는 일이 매우 중요했다. 조선의 전신선은 일본의 상인과 무역업자의 이익 보존과 세력 확장을 위해 중요한 도구였다.[51] 따라서 일본으로서는 러시아와의 협상에서 이 이권을 구체적으로 지목하지 않을 수 없었던 것으로 보인다.

---

48) 이 의정서는 공개조항과 비밀조항 두 부분으로 구성되었으며, 전신과 관련한 조항은 공개조항이었다. 이에 대해서는 최문형, 앞의 책(2001), 209~211쪽.

49) 같은 책(2001), 210쪽.

50) 같은 책(2001), 218쪽.

51) 최문형, 앞의 책(2004), 88쪽.

또 정치력 회복을 위해서도 서울에 주재하는 일본 공사와 일본 내각이 긴밀하게 소통해야 했으므로 전신선을 확보하는 일은 일본으로서는 매우 중요한 일이었다.

러시아와 일본이 체결한 이 두 협약 체결 과정에서 당사국인 조선 정부는 완전히 배제되었다. 특히 러시아와 일본이 조선에서 동등한 군사력을 유지하기로 협의한 비밀 협약의 존재는 양국이 가지는 조선에 대한 태도를 반영한 것이기도 했다. 이 비밀조항은 고종의 환궁을 재촉하고 대한제국 내의 대러 반감을 조장하려는 일본에 의해 알려지게 되었다.[52] 또 그 결과 조선 정부는 러시아가 전신선을 조선에 연접하는 일을 반대하게 되어 '각서'나 '의정서'의 결의와는 달리 러시아는 조선 전신선 연접이 불가능해졌으며, 반대로 일본은 조선 전신 사업권과 관련한 독점적 지위를 지켜낼 수 있었다.[53]

2) 군용 전신 선로 보호를 위한 일본의 헌병 파병

'서울각서'와 '의정서'로 일본이 획득한 전신과 관련한 중요한 특권 가운데 하나는 군용 전신선 관리를 위한 일본 헌병대 파견을 인정받은 일이었다. 일본은 러시아와의 협상에서 부산과 서울 사이의 일본 전신선 보호를 위해 일본 수비병의 주둔이 필요하다고 주장하며 수비를 담당할 헌병 부대는 전투 병력이 아닌 치안을 主務로 하는 비전투 병력임을 강조했다. 일본은 전투 병력인 기존의 3개 중대의 수비병을 철수하고

---

52) '의정서' 비밀조항의 폭로경위에 대해서는 같은 책(2004), 89~90쪽을 참조.
53) 당시에도 여전히 청나라로 서로전선이 연접되어 있었고 조선 정부는 국제 전신망 연결에 주로 서로전선을 이용했지만 청나라의 세력이 조선에서 매우 약화되어 있었으므로 전신선이 지니는 팽창의 도구라는 측면에서 볼 때 청과의 연접은 큰 의미가 없었다.

대신 헌병대 250명을 대구와 가흥에 50명, 부산과 서울 사이의 10개 중간 지점에 각 10명씩 배치하겠다고 했으며 러시아는 이를 용인했다.[54] 전신수비병력 주둔이 가능해졌다는 것은 일본이 전신과 관련한 적어도 세 가지의 권리를 확보했음을 의미했다. 첫 번째로 들 수 있는 것은 일본이 '임시' 가설한 경부 군용 전신선을 '상설'화한 데에 따른 권리였다. 조선 정부는 이 전신선이 청일전쟁 수행을 위해 일본이 임시로 가설한 것으로 청일전쟁 종전에 따라 기회가 있을 때마다 '임시가설'임을 강조하며 철폐를 주장했다. 이런 상황에서 러시아와의 협상으로 일본은 전신선에 대한 조선 정부의 주장을 무시할 수 있는 국제적 근거를 확보한 것이다. 또 하나는 전신선이 상설화됨에 따라 이 군용 전신선의 대민 사업권이 확보되었다는 점이다. 마지막으로 전신선을 보호한다는 이유로 일본 헌병 부대를 파병해 주둔시키며, 이들의 임무를 치안 유지, 항일운동의 차단에까지 확장시킬 수 있는 근거를 마련했다는 점이다.

사실 일본은 러시아와 각서를 교환하기 전에 이미 헌병대를 조선에 파견했었다. 일본은 1895년 9월 항일의병전쟁이 격렬해지고 그에 따른 전신 선로 훼손이 심해지자 이를 적극적으로 저지하기 위해 기동성이 뛰어난 정예 헌병 부대 파견을 검토하고 1896년 1월 헌병대를 주둔시켰다.[55] 이 헌병대에게는 전신선 수비 업무뿐만 아니라 전신 선로변 지역의 치안 유지 임무도 주어졌는데 이런 역할 설정에는 헌병대로 하여금 전신선 훼손의 근원인 항일 움직임 자체를 저지, 차단시키겠다는 의도가 스며들어 있었다.

---

54) 최문형, 앞의 책(2001), 207쪽에서 재인용. 헌병대 분견소가 설치된 가흥지역은 의병항쟁이 격렬했던 제천 근방으로 의병의 주무 부대가 있었던 곳이다. 이에 대해서는 구완희, 『한말 제천의병 연구』(선인, 2005), 89~114쪽 참조.

55) 李升熙, 앞의 글, 234쪽.

초기에 파병된 헌병대 규모는 130명 수준으로 처음 계획한 250명에는 미치지 못했다. 이는 당시 일본이 대만정벌을 마무리해야 했던 상황을 반영한 것이지 조선의 전신 수비가 소규모 병력으로 가능할 것이라고 판단했기 때문은 아니었다. 일본은 전신 수비대의 본부를 대구에 두었고, 가흥, 낙동, 대구에 각각 제1, 제2, 제3 區隊를 두었으며 각 구대에 3개소의 分遣所를 배치했다. 일본은 이처럼 헌병 부대 배치를 마치고 난 다음인 1896년 1월 31일, 비로소 이 사실을 조선 정부에 알렸으며, 1896년 5월 14일 '서울각서'로 러시아의 양해 절차를 밟았다.[56] 러시아와 각서를 교환한 후 일본 헌병 부대의 규모는 늘어나, 1896년 8월 이후 헌병 부대의 병력 규모를 사관, 하사 및 상등병을 제외하고 200명 선으로 유지했다.[57] 헌병대는 기동력이 뛰어난 기병 부대로서 완전무장을 해 위압감을 과시했으며, 경부군용 전선 구간을 9개 지역으로 나누어 전신선을 수비했다.

일본의 헌병 파병 및 주둔은 조선 내에서 군병력을 철수하지 않겠다는 의지를 관철시킨 것이었지만 실제로 군용 전신선을 관리하고 보호하는 일이 쉽지 않아서이기도 했다. 조선민은 항일운동의 일환으로 군용 전신선을 끊임없이 절단하고 전신주를 넘어뜨리며 전신 소통을 방해했다. 이를 방지하기 위해 일본군이 전신선을 수시로 순찰했지만 역부족이었다. 가장 피해가 심했던 곳은 일본이 임의로 개통시킨 경부 군용 전선이었다. 이 전신선은 "군용 전선으로 개통한 지 한 달 반도 되지 않은 상황에서 불통이 되는 일이 빈번"했는데, 그 횟수가 무려 아홉 차례에 이를 정도였다.[58] 더 나아가 일본이 전신망을 반환하지 않자 전신 소통 방해 작업은 전국으로 확산되어 서울 인근의 모화현, 서로전선 상의 개성–장단 구간

56) 『일안 3』, 문서번호 3936.
57) 이승희, 앞의 글, 239쪽.
58) 같은 글, 235쪽.

과 더불어 춘천 인근의 북로전선으로까지 번졌다.[59] 또 그 방식도 점점 더 대담해졌다. 몰래 전신선을 절단하거나 전신주를 넘어트리는 일에서 그치지 않고 전신공사 중인 電工을 공격하거나, 무장한 일본 전신 수비대를 습격하거나, 또는 경성 수비대의 병영에 잠입해 군용 전신 암호를 탈취하기까지 했다.[60] 이와 같은 조선 백성에 의한 일본 군용 전신 소통의 방해는 1896년 2월 극에 달해 일본 정부는 한때 조선 내륙의 전신 수비대를 한성과 부산의 주둔지로 철수해 전선을 포기할 것을 고려하기까지 했다.[61]

그러나 일본은 전신선을 포기하지 않고 강경책을 동원하기로 결정하는 한편 조선 정부에 전신선 훼손범 색출과 처벌을 요구했다.[62] 이런 요구에 당시 외부대신이었던 김윤식은 전선을 특별히 방어하고 보호할 것과 각 지방관에게 법을 세워 엄하고 세밀하게 전신선 관리를 명할 것이라고 약속하기도 했으나, 조선 정부는 전신선 절단과 전신주 훼손 사건의 가장 기본적인 원인이 일본의 전신권 전횡에 있다고 인식했으므로 일본이 범인을 잡아올 경우 징벌 요구를 받아들이기는 했지만 범인을 찾기 위해 자발적으로 나서지는 않았다.[63] 이와 같은 조선 정부의 소극적인 대응에 만족할 수 없었던 일본은 자체적으로 전선 훼손자 처벌 방안을 마련했다. 즉 일본 참모총장은 군용 전선 관리 및 가설 부대의 지휘관들에게 전선 파괴자, 공사 방해자를 포함해 군용 전선 가설을 방해하는 자를

59) 『일안 3』, 1895년 3월 7일(문서번호 3519, 222쪽) ; 1895년 3월 14일(문서번호 3529, 226~227쪽) ; 1895년 3월 15일(문서번호 3530, 227쪽).

60) 『주한일본공사관기록』 9卷, 문서번호 機密第 71(1896년 9월 12일) ; 이승희, "일본에 의한 한국통신권 침탈", 236쪽.

61) 『주한일본공사관기록』 12卷, 문서번호 機密第19(1898년 5월 19일).

62) 『일안 3』, 문서번호 3519 ; 문서번호 3527 ; 문서번호 3530.

63) 같은 책, 문서번호 3555 ; 문서번호 3987.

'적절한 방법'으로 배제하라고 훈령을 내렸던 것이다. 이 '적절한 방법'이란 곧 전선 파괴자에 대한 가혹한 처벌을 의미했다. 전선 파괴자를 색출해 해당 지역의 감영에 보낼 뿐만 아니라 심지어 전선 절단자들을 총살시키고 그들의 연고지나 전신선 관리를 할당받은 마을을 초토화시키는 것까지도 포함했다. 실제 전선 절단을 기도했다는 혐의만으로 조선민을 재판 없이 효수하기도 했다.[64] 일본군은 이런 강경한 처벌책을 쓰는 한편 항일의병장들을 금품으로 회유하는 방법도 함께 이용했다.[65] 헌병대 지휘관은 항일의병장들을 포섭하고 회유하기 위해 전선수비대 지휘관이 임의로 사용할 수 있는 기금 1000圓 정도를 일본 공사에게 요구했고, 일본 공사는 이를 공사관 기밀금에서 지급했다. 이때 일본 공사는 이 방식이 효과적이라고 판단되면 지속적으로 이 방법을 활용할 수 있도록 재원을 확보하고 지출 방법을 마련해줄 것을 일본 당국에 제안했다.[66]

이처럼 전신 선로 훼손자들에 대한 강경책과 회유책을 병용했음에도 불구하고 일본군은 조선민의 항일운동 일환으로 전개되는 군용 전신선 훼손을 완전히 근절하지 못했다. 일본 헌병대 지휘관은 1898년 5월 중순, 일본공사에게 보낸 보고서에서 "(대구-가흥 이 구간에서는) 전혀 전선에 방해를 놓는 자가 있다고 듣지 못했다"고 自評하기도 했지만 일본군 전신선에 대한 공격이 완전히 사라진 것은 아니었다.[67] 조선 정부 내에서의 세력 축소와 민간으로부터의 공격으로 전신선을 유지, 운영하기에는 상황에 지극히 불리했음에도 일본 정부는 전신선을 철수하기는커녕

64) 이승희, 앞의 글, 236쪽.

65) 『주한일본공사관기록』 9卷, 문서번호 기밀 제( )호(1896년 7월 25일) ; 문서번호 기밀 제71호(1896년 9월 12일).

66) 같은 책, 문서번호 기밀 제( )호(1896년 7월 25일) ; 문서번호 기밀 제71호(1896년 9월 12일).

67) 같은 책, 문서번호 機密 第67호(1896년 9월 6일).

오히려 일반인을 상대로 전신 사업을 확장하려 해 조선 정부와 마찰을 빚기도 했다. 이에 대해서는 다음 장에서 살펴볼 것이다.

제4장 대한제국에 의한 전신 사업 전개 : 1896~1904년

1897년 2월 환궁한 고종은 10월 황제로 즉위하고 국호를 대한으로 개정해 대한제국의 탄생을 선포했다. 이는 조선이 황제의 나라임을 대내외에 천명한 사건으로 事大朝貢國에서 탈피해 만국공법의 체제로 확고히 진입했음을 의미했고, 자주 독립한 전제군주 국가로서 위상을 회복하겠다는 의지를 표명했음을 뜻하기도 했다.[1] 이후 대한제국이 추진한 개혁 정책은 대내외적으로 표방한 자립과 황제 주도의 근대 주권국가의 형성을 모색하는 과정이었다.[2] 이른바 광무개혁으로 불린 이 개혁 정책의 가장 기본적인 흐름은 1880년대 이래 추진해왔던 부국강병이었다. 특히 1894, 5년의 외세의 침략과 횡포를 겪은 고종은 强兵을 달성하지 못하면 다시 외세의 침략을 허용할 것이라는 점을 통감하고 있었다. 따라서 그는 황제권을 강화시키고 이를 뒷받침하는 황실재정을 확보하기 위해 궁내부

1) 국사편찬위원회 편, 『한국사 42 : 대한제국』(국사편찬위원회, 2003), 13~14쪽.

2) 대한제국이나 광무개혁의 성격에 대해서는 고종의 재평가와 더불어 역사학계의 쟁점 가운데 하나이다. 이에 대해서는 이태진, 『고종시대의 재평가』(태학사, 2000) ; 교수신문 기획·엮음, 『고종황제 역사청문회』(푸른역사, 2005) 참조.

에 대부분의 이권을 귀속시키는 한편 군제를 재편성했으며 양전, 지계 사업과 더불어 각종 산업 진흥 사업을 전개했다.[3] 그 개혁 정책 가운데 하나가 근대통신망 구축이었다. 군사 통신망의 정비와 행정 통신망의 재구축이라는 목적이 투영된 이 근대통신망 형성 사업의 양대 축 가운데 하나는 갑신정변 이후 중단된 郵務 사업이었고 또 다른 한 축이 이미 이전부터 행해오던 전신 사업이었다.

전신 사업은 1896년 일본으로부터 전신 선로를 돌려받은 이래 적지 않은 성장을 이루었다. 하지만 그 성장속도는 서구와 비교해 빠르지 않았다. 『독립신문』은 이 점을 지적해 "… 독일 19,384처, 영국 9,270처, 이태리 전신국 5,036처, 헝가리·오스트리아 양국 전신국 7,415처 …"라며 당시 열강의 전신국 수를 나열하면서 "아무 나라이건 더욱 문명화되고 부강할수록 전신국을 확장한다고 한다. 대한국은 그동안 전신국을 얼마나 확장하였을까?"라고 비판을 제기하기도 했다.[4] 그러나 전신 가설 및 사업권을 돌려받은 이후 서구에 비해 속도는 매우 느렸지만 대한제국 정부는 전신 사업의 토대를 구축하기 위해 많은 작업을 전개했고 이 점이 간과되어서는 안 된다고 본다. 이런 작업을 전개한 결과 대한제국 정부는 전신 사업을 총괄하는 중앙기구를 설립했고 이를 주축으로 새로운 발전의 토대를 형성할 수 있었다.

이 장은 대한제국 정부가 전신 사업 주도권을 회복한 이후 재구축된 전신망, 새롭게 형성된 전보사 조직, 새롭게 등장하는 전신 이용자, 그리고 이를 총괄하는 정부기구인 통신원을 중심으로 대한제국의 전신 체계의 성장 및 상호 관계를 살펴볼 것이다.

---

3) 국사편찬위원회, 『한국사 42 : 대한제국』, 41~113, 132~161쪽.

4) "각국 전신국", 『독립신문』, 1899년 4월 22일.

1. 1896년 전신망 환수와 정비[5)]

1) 전신 사업 주도권 회복과 전신 선로 복구 및 확장

일본은 대한제국에서의 정치적 영향력이 현저하게 줄어들자 헌병대를 주둔시켜 일본의 군용 전신선을 감시할 수는 있었지만 다른 전신 선로는 계속 점유할 수는 없었다. 대한제국 정부가 전신 선로의 환수를 재촉하자 전신 선로를 계속 점유할 근거가 없었으므로 돌려주어야만 했던 것이다. 당시 대한제국 정부는 일본의 압력으로 1895년, 제대로 작동하지는 않았지만 국가 통신망으로서의 명맥을 유지하고 있던 역원과 봉수 제도를 폐지했고 따라서 지방과의 행정 통신망을 확보하지 못했으므로 한시라도 빨리 전신선을 돌려받아야 했다. 이 전통적 통신 제도의 폐지를 주도한 일본은 이를 대한제국 정부에 차관을 담보로 대한제국 통신망을 장악하기 위한 조약 협상에 박차를 가할 조건으로 행사할 계획이었으나 대한제국 정부는 오히려 일본으로부터 전신망을 돌려받을 것을 전제로 서로전선 복구를 포함한 전신망 구축과 전보사 개설 작업에 착수했고 전신 선로를 돌려받자마자 사업을 전개할 수 있도록 채비를 갖추는 계기로 받아들였다.

대한제국의 전신망 재정비 사업은 시행 초기에 큰 틀이 바뀌었다. 전신망 구축 공사의 기본설계는 1895년 을미개혁의 일환이었던 23부제를 중심으로 한 것으로, 전신 선로는 지방행정체제의 23부제 개편에 따라 관찰부 소재지뿐만 아니라 새롭게 행정 중심으로 지목된 지역들을 한성과 연결하는 것을 목적으로 설계되었다. 이 계획은 한성과 더불어 인천,

5) 이 이후부터는 조선에서의 전신 사업의 주체를 대한제국으로 지칭할 것이다.

원산, 부산, 의주, 경흥, 회령과 같이 이전부터 지방 행정의 중심이거나 국방에 중요했던 지역을 중심으로 1등 전보사를 설치하고, 또 충주, 홍주, 공주, 전주, 남원, 나주, 진주, 제주, 고성, 대구, 안동, 강릉, 춘천, 개성, 해주, 평양, 함흥, 갑산, 강계와 같이 새롭게 부상하거나 이전 시기보다 상대적으로 역할이 줄어든 지역에는 2등 전보사를 설치해 모두 26개의 전보사를 거점으로 하는 전신망을 확보하는 것이었다.(〈표 4-1〉 참조)[6]

〈표 4-1〉 대한제국의 전보국 개설 상황 및 업무 진행 상황

	전보국 가설계획 지역	전보국이 설치된 지역	전보국 업무가 진행된 지역
1896	한성, 인천, 원산, 부산, 의주, 경흥, 회령, 충주, 홍주, 공주, 전주, 남원, 나주, 진주, 제주, 고성, 대구, 안동, 강릉, 춘천, 개성, 해주, 평양, 함흥, 갑산, 강계(26개 지역)	한성, 개성, 평양, 의주	한성(1), 개성(2), 평양(2►1,1897), 의주(1)
1897	무안, 삼화	인천, 원산, 공주, 삼화, 전주, 무안, 대구	인천(1), 원산(1), 공주(2), 삼화(1), 전주(2►1,1899), 무안(1), 대구(2►1,1901)
1898	안주	부산, 안주	부산(1), 안주(2►1,1903)
1899	옥구, 창원, 성진, 금성, 박천, 운산	금성, 옥구, 창원, 운산, 함흥, 해주	금성(2), 옥구(1), 창원(1), 운산(2), 함흥(2), 해주(2)
1900	은산, 원주, 북청, 영변	은산, 성진, 북청, 경성	은산(2), 성진(1), 북청(2), 경성(2)
1901		영변, 충주, 진주, 광주	영변(2), 충주(2)
1902			진주(2), 광주(2)
1903	은진, 수원, 광주, 삭주, 창성, 벽동, 초산, 위원	은진, 수원, 시흥, 마포(지사), 도동(지사), 경교(지사)	은진(1), 수원(2), 시흥(2), 마포(지사), 도동(지사), 경교(지사)

6) 을미개혁의 지방 관제개혁과 관련해서는 『고종실록』, 고종 32년(1895) 5월 26일 ; 광무개혁에 따른 관제개혁에 대해서는 『고종실록』, 고종 33년(1896) 8월 4일 ; 당시 정치 변화에 따른 지방 관제개혁에 대한 역사적 의의에 대해서는 김동수, "갑오개혁기의 지방제도 개혁", 『전남사학』 15-0(2000)을 참조할 것.

1904	종성, 진위, 황간, 시흥, 천안, 노성, 성주, 밀양, 직산, 아산, 전의 연산, 진산, 금산, 영동, 금산, 칠곡, 청도(18개)	진위	진위(1)
합계	65	33	33(총사 및 1등사 : 16, 2등사 및 지사 : 17)

* 출처 : 체신부, 『100년사』, 178쪽, 181쪽을 재구성. 괄호 안은 등급의 변화 및 승급 연도임.

하지만 이 설계는 1896년 대한국제 반포에 따른 지방 행정 제도 재편성으로 폐기되었고, 전신 선로는 새로운 지방 행정 제도인 전래의 8도제를 강화한 13도제의 체제를 좇아 재설정되었다. 즉 13도의 감영 소재지에 전보사를 신설하고 이들을 연결하는 전신 기간선로를 구축하는 것으로 변경된 것이다. 이에 따라 1896년 가설 계획된 지방 전보사들 가운데 홍주, 남원, 나주, 고상, 안동, 강릉, 춘천, 강계 지역이 제외되었다.

이처럼 지방 행정 제도 변경에 따른 전신 선로의 재설계는 대한제국 정부가 전신에 부여한 역할을 상징했다. 기간선로를 구축하기는 했지만 운영하는 전보사가 각 선로마다 2~4개 정도밖에 되지 않았던 이전 시기의 전신망은 행정 통신망이라기보다는 국경의 상황을 보고하는 군사통신망으로서의 역할이 훨씬 클 수밖에 없었다. 하지만 행정 및 군사 요충지를 두루 거치며 선로를 확충하고 전보사를 신설하면서 행정 통신망으로서의 역할이 두드러지게 되었고, 따라서 대한제국의 전신 선로는 명실 공히 국가 행정 통신망의 기능을 수행할 수 있게 되었다. 대한제국 정부는 지방 행정의 중심이자 군사 요충지인 감영 소재지 이외 지역에도 전보사를 개설했는데 주로 개항장에 설치되었다. 이는 개항장에는 수출입 업무 처리를 위한 감리서와 개항장 재판소가 두어졌고, 이곳 사무는 많은 부분이 중앙 정부와 긴밀한 연락을 필요로 했기 때문이었다.

이처럼 행정 중심지들과 개항장을 잇는 전신망 가설 및 전보사 신설

공사를 신속하게 진행하기 위해 대한제국 정부는 재정 및 인력 투자를 아끼지 않았다.[7] 그 결과 전신 사업을 재개한 지 한 해가 지나지 않은 1897년, 기간선로인 남로전선의 일부와 북로전선, 그리고 서로전선이 완전히 복구되었다. 또 〈표 4-1〉에서 볼 수 있는 것처럼 한성, 인천, 개성, 평양, 의주, 원산과 같은 기존 전보사들은 1896년에 이미 운영을 재개했을 뿐만 아니라 지금의 진남포인 三和, 무안과 같은 개항장의 전보사도 1897년 신설되자마자 곧 업무를 시작했다. 그리고 창원, 성진, 지금의 목포인 옥구와 같은 개항장들에도 전보사가 속속 개설되어 1900년에 이르면 전신 업무를 보는 전보사는 20개가 넘었다.[8]

전신 선로를 환수받은 이후 대한제국에 개설된 전보사는 〈표 4-1〉에서처럼 지역에 따라 총사와 1등사 및 2등사로 구분, 조직되었다. 총사는 지방 전보사를 총괄해 기술적 지원뿐만 아니라 각종 전료와 소모품의 조달을 담당했다. 그리고 지방 전보사는 설치지역이 개항장일 경우 1등사, 개항장을 제외한 지역을 2등사로 구분했다. 개설 초기에 2등사였던 전보사 가운데 평양, 전주, 대구, 안주처럼 군사, 행정적으로 중요한 지역이나 해당 전보사의 업무가 많고 관할 전신망이 넓은 전보사는 1등사로 승급하기도 했다.

이들 전보사가 관리 운영하는 전신 선로 역시 정비되었지만 남로전선의 복구는 지연되었다. 일본은 서로전선의 핵심 구간인 한성-개성 사이의 전신선을 1896년 7월이 지나서야 반환했는데, 대한제국 정부는 이 구간을 돌려받자마자 서로전선 전 구간의 전신 업무를 시작했고 중국으로의 국제 전신선에 서로전선을 연결했다. 이는 국제 사회와의 전신 교류 통로로 부산 해저선을 쓰지 않겠다는 의지를 표현한 것이고 또 남로전선의

7) 러시아 대장성 편, 한국정신문화연구원 번역, 앞의 책, 632쪽.

8) 『고종실록』, 고종 33년(1896) 8월 7일.

복구가 지체될 수 있음을 의미하는 일이었다. 남로전선은 청일전쟁 중에도 일본에게 점유되지 않은 유일한 선로였지만 일본 정부가 가설하고 전신선 보호를 이유로 헌병대를 주둔시킨 전신선과 경로가 비슷했다. 대한제국 정부는 이 경로의 기존 선로를 복구하는 것보다 새로운 노선을 신설해 남부 지방을 연결할 계획을 세웠다. 1897년 11월 말에야 한성-공주 사이 구간이 복구 완료되었고, 공주에서 전주에 이르는 선이 12월에 복구되었지만 전주-부산 간의 복구 작업은 뒤로 미루어졌다. 이듬해 2월에 전주에서 광주에 이르는 전선이 놓였고 그 후 4개월이 지난 다음에야 비로소 전주-대구-부산 구간의 전선이 보수되어 전신 업무를 수행할 있게 된 것이다.(〈표 4-2〉와 〈그림 4-1〉 참조)

〈표 4-2〉 1896년 이후 보수, 신설된 대한제국 전신망

	서로	북로	남로
보수	한성-개성-평양-의주 : 1896.7.28	한성-원산 : 1897.5.31	한성-공주 : 1897.11.25 공주-전주 : 1897.12.7 전주-대구-부산 : 1899.7.31 : 기존 대구 부산선 연결(98.6.18)
간선 확장 및 지선 신설	개성-해주 : 1900.11.5 (착공 : 1898.12) 평양-삼화(진남포) : 1897.11.25 : 안주-박천-운산 : 1899.11.25 : 평양-은산 : 1900.7.4	원산-함흥 : 1899.12 함흥-북청 : 1900.11.5 북청-성진 : 1900.11.22 성진-경성 : 1900.12.24 경성-종성 : 1904	전주-무안(공고 : 1897.10.23, 98.2 개통) 한성-충주 : 1901.5.30 공주-은진 : 1903.4.10 무안-광주 : 1902.1.23 창원-진주 : 1902.1.7 은진-옥구 : 1903.9.9
별선 신설	한성-인천 : 1897.3.15		대구-창원 : 1899.8.29 창원-부산 : 1901.5.29 충주-대구 : 1901.6.19
중간 접속	안주-영변 : 1901.5.18 (안주-운산선)	원산-금성 : 1899.6.7 (한성-원산선)	한성-수원 : 1903.6.8 (한성-공주) 한성-진위 : 1904.11.12 (한성-공주)
지사	한성-마포 : 1903.6.3 한성-도동 : 1903.9.24		

	한성-시흥 : 1903.9.26 한성-경교 : 1903.12.22		

* 출처 : 체신부, 『100년사』, 180~186쪽 재정리.

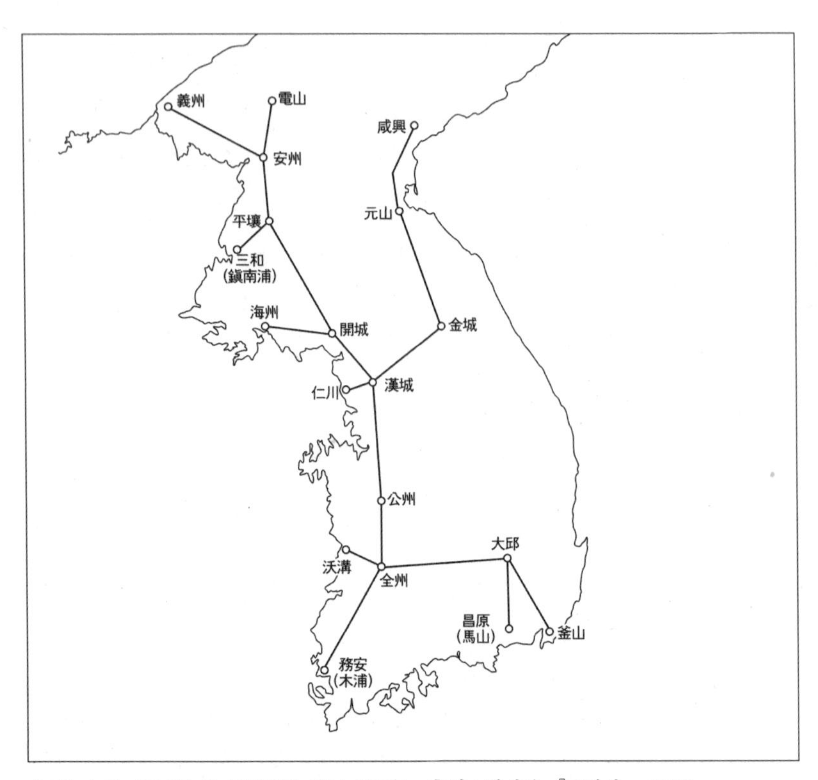

〈그림 4-1〉 1899년 말 대한제국 전신 선로도 출처 : 체신부, 『80년사』, 174쪽.

이처럼 남로전선은 복잡하게 얽히게 되었다. 먼저 1897년 말, 한성—공주를 거쳐 전주에 이르는 선이 먼저 복구되고 이듬해 2월에 전주에서 광주에 이르는 전선이 놓였다. 그 후 4개월이 지난 다음에야 비로소 전주—대구 구간의 전선이 보수되었으며 대구에서 부산으로 연결되는 전신 선로의 복구는 1901년까지 기다려야 했다.[9] 일본과의 마찰로 뒤늦게 복구되었지만 이 전신 선로는 중요한 기간선이었다. 이 선의 완공으로 영남 지방의 전신이 호남쪽으로 우회하여 일어났던 호남 전신 선로의 과부하가 분산될 수 있었던 것이다. 이런 분산 시도는 다른 지선의 설계에도 적용되었다. 따라서 남부 지방의 주요 개항장인 옥구 전신선은 공주-은진-옥구-전주-공주 전신망으로, 창원의 전신선은 대구-부산-창원-대구의 전신망으로, 중부 지방인 인천의 전신선은 한성-수원-인천-한성 전신망으로 연결되었다. 이 작업으로 전신이 한 지역으로 몰려 지체되었던 문제를 해결할 수 있었으며, 주요 개항장에서 발생한 사건 보고가 우회하지 않고 인근 주요 도시와 한성으로 즉시 전달될 수 있었다. 한성-원산의 북로전선은 1900년 말 종성까지 확장되었다. 이 확장으로 함흥, 북청, 성진이 연결되었다. 이들 지역은 주요 개항장일 뿐만 아니라 함경도 행정의 핵심 지역이기도 했다. 이처럼 간선과 지선이 확보된 1903년에 이르면 전신망은 한반도를 관통하고 동서를 이으며 주요 행정, 항구도시를 연결해 국가 행정 통신망으로서의 기능을 다할 수 있게 되었다.

운산이나 금성, 은산과 같이 대한제국 정부의 전신망 가설 계획과 크게 관련 없는 지역에 전신이 가설되기도 했다. 이들 지역의 전신선 가설은 대한제국 정부의 전신 사업에 대한 태도를 보여주는 대표적인 예이었다. 이곳들은 외국인들이 금광을 운영하던 곳으로 그들은 전신망을 간편하게 이용할 수 있도록 직접 전신을 가설할 수 있는 권리를 달라고 요구했다. 그러나 대한제국 정부는 이런 요구를 들어줄 수 없었다. 이 요구의 수용이 곧 전신 사업 주도권 상실의 계기가 될 수 있다고 판단했다. 즉 대한제국 정부는 경인철도 부설권을 미국인이 대한제국 정부와 협의도 거치지 않고 일본에 매도한 사건을 통해 대한제국의

---

9) 체신부, 『80년사』, 180~181쪽.

특권에 대한 외국인의 기본적인 태도를 파악했고, 일본이 지속적으로 전신기기의 通連을 요구하고 있는 상황에서 외국인들에게 전신 사업권을 허락하는 것 역시 이런 위험이 내재한 일이라고 생각했던 것이다. 따라서 대한제국 정부는 외국사업자들에게 전신 운영권을 일체 허여하지 않았다. 이는 대한제국 정부로서는 전신 사업에서 수익을 올릴 수 있는 중요한 권리를 포기한 일이었고, 전신 체계의 발달에 부정적인 영향을 미치는 일이기도 했다.[10] 그러나 이런 손해에도 불구하고 외국계 사업가에게 전신 사무소 개설을 허락할 수 없었고 대신 정부 감독 하에 이들의 사옥까지 전신을 가설해주고 사옥 내에 전보사를 설치해주는 대신 약정 금액으로 사용료를 납부할 것을 제시했다. 이 회사들은 대한제국 정부의 제안을 받아들여 한 해 두 번씩 전신료를 납부하며 전신을 사용했다.[11]

이와 같은 정책을 기조로 전신 선로 지선을 확보하는 사업은 1900년 통신원 창설 이후로도 지속되었다. 전주와 대구, 부산–창원–진주, 평양–삼화와 같이 중요 행정지역과 개항장을 연결하는 전신망이 가설되었고 또 전신 업무의 효율을 높이기 위해 남로전선 노선상의 중요 지역을 순환하며 연결하는 전신선이 신설되기도 했다.[12](〈그림 4-1〉, 〈그림 4-2〉 참조) 또 대한제국 정부는 전신 선로 공사를 진행하면서 이를 관리하고 운영할 전보사를 신설하고 기존 전보사의 등급을 조정하는 등 전보사 조직을 정비했다. 그 결과 1903년에 이르면 1등 전보사는 평양, 인천 등 15개, 2등 전보사는 개성, 공주, 금성 등 17개, 그리고 이를 총괄하는 한성총사와 한성에 설치된 3개의 지사를 합쳐 모두 36개의 전보사가

---

10) 조준영, 「문견사건」, 허동현 편, 앞의 책 12, 606쪽.

11) 『황성신문』, 1899년 9월 21일.

12) "通信院所管郵電業務叢目表(광무 7년 12월)", 우정100년사편찬실 편, 『고문서』 5권, 1~8쪽.

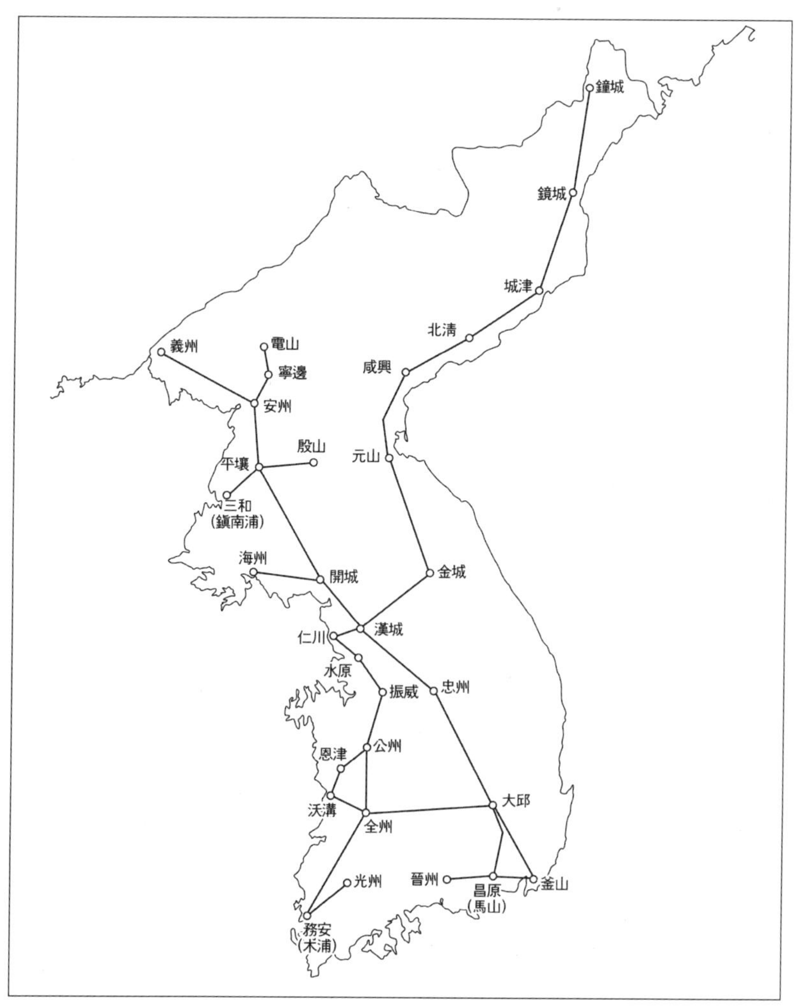

〈그림 4-2〉 1905년 대한제국 전신 선로도 출처 : 체신부, 『100년사』, 186쪽 지도를 재구성.

동쪽으로 1,020리, 서쪽으로는 1,520리, 남쪽으로는 2,200리, 그리고 북쪽으로는 1,605리로 모두 6,355리의 전신 선로를 관리 운영했다.(〈표 4-3〉 참조)

〈표 4-3〉 1903년 각 단위 전보사 등급 현황[13]

등급	지역 / 총36개
총사	한성
1등사	평양, 의주, 인천, 원산, 삼화, 무안, 대구, 부산, 안주, 옥구, 창원, 성진, 은진, 진위 / 15개
2등사	개성, 공주, 금성, 운산, 함흥, 해주, 은산, 북청, 경성, 영변, 충주, 진주, 광주, 수원, 시흥 / 17개
지사	마포, 도동, 京僑 / 3개

* 출처 : 체신부, 『100년사』, 178쪽과 181쪽을 재구성.

통신원의 1904년도 사업 계획에 의하면 18개의 전보사를 신설할 예정이었다. 통신원은 종성, 황윤, 천안, 노성, 성주, 밀양, 직산, 아산, 전의, 연산, 진산, 錦山, 영동, 金山, 칠곡, 청도 등지로 전신망을 확장하고 전보사를 신설하기로 했는데, 이들 지역 대부분은 호남으로의 전신기간선을 확장함으로써 연결되는 지역이었다. 통신원은 이를 통해 곡창 지대인 이 지역에 행정 통신망을 확보함으로써 이 지역에 대한 통제력을 강화하기를 원하는 정부 계획을 뒷받침하려 한 것으로 보인다. 하지만 이 계획은 러일전쟁으로 무산되었고 대한제국 정부가 공들여 복구하고 확장했던 전신망 역시 일본에 의해 강점되는 운명에 처하게 되었다.

2) 지방 전보사의 증설과 정비

전신 선로를 정비하고 지선을 확보한 대한제국 정부는 전보사를 전국의 요충지에 설치해 국가 행정 통신망의 거점 역할을 담당하게 했다. 이런 정책에 힘입어 지방 전보사들이 늘어났다. 이 전보사가 설치되는 위치는 전신 업무를 효율적으로 수행할 수 있는가가 기준이 되었다. 전보사

13) 체신부, 『100년사』, 178, 181쪽.

설치 장소는 대략 셋으로 구분되는데 개항장의 전보사는 항구 내의 적당한 건물을 매수하거나 빌렸고, 관찰부 소재의 전보사는 대부분 지방 관아에 자리 잡았으며 외국 회사와 계약한 지역의 전보사는 외국 회사 사옥에 설치했다.[14]

대부분의 전보사의 위치가 이 기준에 맞게 설정되었지만 모든 전보사를 이 기준에 맞출 수는 없었다. 업무 수행에서 문제가 심각하게 야기되는 전보사는 이전되기도 했다. 인천전보사의 경우, 1897년에 재개설된 인천전보사가 처음 자리 잡은 곳은 항구 안으로 외지고 좁고 더러워 이용하기 불편하다는 지적이 많았으며 이전 요구가 끊이지 않았다.[15] 특히 인천의 경우, 일본 우체사가 전신 업무를 병행하고 있어 경쟁이 심했던 곳이기도 했다.[16] 결국 1899년, 인천전보사는 민간인들이 접근하기 쉽고 이용이 편리한 넓은 공간을 확보하기 위해 항구 밖 지역으로 이설되었다.[17]

---

14) "電報司 舍居間數 及 物品成冊", 우정100년사편찬실 편, 『고문서』 3권, 289~338쪽. 이 문서는 1905년에 작성된 것으로 이에 의하면 개성, 평양, 안주, 의주, 함흥같이 군사적으로 중요한 지역의 전보사가 일본 전신대 군영 내에 설치되어 있는 것으로 나타나 있다. 이는 일본이 1904년 러일전쟁 준비를 위해 이 지역의 전신선을 강점했으며 평양, 개성 등 중요 지역의 전보사를 아예 일본군이 강제 접수한 결과이지 대한제국 정부의 전보사가 일본 군영에 설치되었던 것은 아니다. 그 후 대한제국 통신원 소속의 전보사 직원들은 이 전신대 군영에서 근무할 수밖에 없었다. 이런 사정에 대해서는 金澈榮, 『搖籃日記』(한국통신 영인, 1993) 2월 24일 ; 3월 4일 ; 3월 8일 ; 4월 11일 ; 5월 14일 등 참조.

15) 『황성신문』, 1899년 9월 26일.

16) 일본은 대한제국 정부의 강력한 전신망 철수 요구에도 불구하고 인천, 한성, 부산에서 영업을 계속하며 영업권을 넓히기 위해 노력했다. 그 일환으로 1899년 대한제국 내 전보료를 한 글자당 10전으로 내렸고 1900년 5월에는 한일 간의 요금을 일본 국내와 동일하게 적용해 한 글자당 30전으로 통일시켰다. 즉 일본에서 대한제국으로 보내는 전신 요금이 일본 내에서 주고받는 전신 요금과 같아진 것이다. 일본은 이처럼 공격적인 요금 정책을 시행해 대한제국 전신망을 그들의 전신망권 내로 편입시키려 했다. 일본의 대한제국 내에서의 전신권역 확장 기도와 대한제국 정부의 대응에 대해서는 다음 절에서 살펴볼 예정이다. 체신부, 『100년사』, 233쪽 참조.

이런 전보사 설치 위치에 대한 기준 설정과 기준의 유연한 적용은 대한제국 정부의 전신 사업 정책의 변화를 보여주는 일이었다. 지방 전보사는 행정 명령을 수신하고 지방 관아의 보고를 발신하는 기본적인 업무 이외에 전신 사업 수익 증가를 위해 전보사를 이용하는 사람들의 편의를 고려하는 방향으로 한 걸음 내딛기 시작했던 것이다.

가장 좁은 전보사인 성진전보사가 6칸 정도에 불과했던 것과 달리 대부분 전보사의 공간은 좁은 편이 아니었다. 가장 큰 전보사는 37칸 넓이의 평양전보사였으며 한성총사는 전국 전신망의 중추로서 중요한 역할을 담당했던 만큼 비교적 큰 30칸 규모였다.[18] 이들 전보사는 대부분

---

17) 『황성신문』, 1899년 9월 26일.

18) "電報司 舍居間數 及 物品成冊"(광무 9년 4월 30일), 우정100년사편찬실 편, 앞의 책, 289~338쪽 ; 한성총사 사장과 주사들이 서무와 같은 업무를 보고 업무회의를 하던 관방은 4칸이었고, 통신기를 두어 전신 업무를 수행하는 기계실은 6칸이었다. 그리고 中門을 두고 사람들이 전신문을 받고 전신 요금을 주고받는 영수처를 따로 두었다. 이 중문과 영수처의 배치로 다른 전보사에서 흔히 일어났던 일반인의 전신기계실이나 관방으로의 접근이 총사에서는 원천 봉쇄되었다. 그리고 총사의 청소를 비롯해 심부름, 잡일을 담당했던 청리들이 모인 두 칸짜리 방과 다리품을 많이 팔아 고단한 電傳夫들이 잠시 쉬는 세 칸짜리 방, 전전부들이 배달해야 하는 전보문을 받고 배달료를 전달하는 두 칸짜리 조그만 방이 있었다. 총사 건물 가운데 두 번째로 큰 다섯 칸짜리 공간은 창고가 차지했다. 평양전보사와 한성총사를 제외한 대부분의 전보사의 넓이는 대략 20칸 정도였다. 전보사는 官房, 軒廳, 기계실, 전전부, 공두, 청리 등의 방과 함께 전신 선로 공사와 소모품을 보관해두는 창고, 전보사에서 대부분의 시간을 보내야 하는 직원들의 끼니 해결을 위한 부엌과 같은 부속시설로 구성되었다. 전보사에서 가장 중요한 시설인 기계실이 대부분의 전보사에서 가장 큰 공간을 차지했다. 전보사 사장과 직원들이 사무를 보는 관방 역시 기계실과 비슷한 규모였다. 한성총사의 창고에는 전국 각지에서 요청되면 보내야 할 각종 소모품과 전신재료, 곡괭이, 망치, 도끼와 같이 가설 공사에 필요한 도구들, 전선 수리에 필요한 새 전신주 4주와 전선 수리 후 혹시 긴급할 때 사용할 생각으로 남겨 놓은 낡은 전신주가 70여 개가 있었다. 또 크고 작은 거중기 하나씩과 대나무로 만든 사다리 2개가 있어 전선 가설과 수리에 대비했다. 이런 가설 공사 수리에 필요한 토목 용구들을 구비한 것은 한성총사의 창고에서만 찾을 수 있는 특징은 아니지만 한성총사에 가장 다양한 도구들이

관방, 기계실, 잡일을 담당했던 청리들과 電傳夫들의 휴식 공간과 창고로 구성되었다. 전보사 공간 가운데 관방이나 기계실로 외부인의 접근을 막는 구조적 장치는 중문이었는데, 중문이 설치된 전보사는 한성총사와 공주전보사, 그리고 인천전보사 정도에 불과해 통신원의 정보 누설 방지 정책이 전보사 건물 구조에는 거의 반영되지 않았음을 볼 수 있다. 또 대민 봉사 공간이라고 할 수 있는 영수처가 따로 설정되어 있는 전보사도 총사와 인천전보사 정도에 지나지 않았다. 민간인을 위한 공간이 부족했던 것은 전신 선로가 민간 정보 소통 통로로서보다는 행정망으로서의 역할이 더 컸음을 반영하는 일이기도 하지만, 대민 봉사 공간을 확보하기 위한 전보사 개조 비용을 감당할 만큼 통신원의 재정적 여건이 좋지 않았기 때문이기도 했다. 그나마 고가의 전신기기를 들여놓은 전보방의 경우는 전신기의 중요성 때문에 보수가 진행될 수 있었지만, 관원들의 급료마저 제때 지급하지 못해 일본으로부터 차관을 빌려와야 할 만큼 재정 상태가 나빴던 당시 상황에서 낡지도 않은 전보사 건물에 구조 변경을 위해 비용을 투입한다는 일은 생각할 수 없는 일이었다.[19)]

전보사는 전신 선로를 관리하며 전신 송수신 업무를 전담하는 현업 부서였던 만큼 이에 필요한 기기를 관리하고 만약의 사태에 대비해야 했다. 가장 중요하게 관리되어야 하는 것은 통신기로 한 대당 320원 정도로 고가였다.[20)] 1905년 현재, 가장 많은 통신기를 보유한 전보사는 한성총사로 20대가 있었다. 이처럼 총사에서 많은 통신기를 보유한 것은

많이 있었던 것은 한성총사의 역할과 무관하지 않다. 이에 대해서는 같은 책, 253~254쪽 참조. 1칸의 길이는 6자, 즉 1.82m이며 1칸의 넓이는 1.82m×1.82m로 한 평 넓이이다.

19) 이윤상, 『1894년~1910년 재정 제도의 운영과 변화』(서울대학교 박사학위 논문, 1996), 156쪽.

20) 체신부, 『100년사』, 206쪽.

총사가 대한제국 전신망의 중심이었을 뿐만 아니라 전신 기술자 양성과 훈련의 책임을 부여받고 있었기 때문이었다. 1등 전보사 가운데 통신기가 가장 많은 전보사는 의주전보사로 12대가 있었지만 그 가운데 반이 고장난 것으로 보고되었다.[21] 그밖에 대부분의 전보사는 2, 3대의 통신기를 보유하고 있었다.[22]

이 통신기를 관리하는 일은 전보사 직원의 중요한 업무였다. 통신원에서는 전신망에 이상이 없는 한, 전신이 제대로 통하지 않는 일은 전보사 직원들의 업무소홀로 판단했다. 즉 통신원은 소통이 원활하지 않으면 "통신기에 病이 있으니 어찌 임무를 돌보는 일에 정성을 다하지 않는가"라며 전보사 직원에게 책임을 물었던 것이다.[23] 그러므로 전보사 직원들은 통신기가 항상 최상의 상태에서 작동할 수 있도록 관리해야 했는데, 가장 중요하게 점검해야 할 기기는 전병, 즉 전지였다. 전지는 묽은 황산용액에 아연과 탄소를 이용해 전기를 만드는 장치로 대당 24원으로 비쌌지만 관리만 제대로 한다면 오래 사용할 수 있었으므로 2~3달에 한 번씩 상태를 점검하고 탄소와 아연판을 닦아주거나 갈아 끼우고, 전해질로 사용되는 약품들을 바꾸어 주어야 했다. 따라서 전지 관련 소모품들은 전보사 직원이 필요할 때마다 쓸 수 있도록 구비되어 있어야 했고, 한성총사는 이런 물품들뿐만 아니라 전지의 대체를 요구하면 즉각 제공할 수 있도록 130개가 넘는 전지를 마련해두기도 했다.[24] 그밖에

---

21) 고장난 6대 가운데 5대가 1904, 1905년 러일전쟁 때 러시아에 의해 파괴된 것으로 기록되었다. 이에 대해서는 "통신원 見失物品成冊 : 서북 양로 각 전보사 소유 물품 俄兵 出沒 時 見燒 혹 奪去 명세표", 우정100년사편찬실 편, 같은 책(1982), 220~242쪽을 참조.

22) "電報司 舍居間數 及 物品成冊", 우정100년사편찬실 편, 『고문서』 3권, 253~357쪽.

23) "훈령 : 광무 2년 6월 18일", 우정100년사편찬실 편, 『고문서』 2권, 69쪽.

24) "電報司 舍居間數 及 物品成冊", 우정100년사편찬실 편, 『고문서』 3권, 253~254쪽.

각 전보사는 예비의 전신시험기, 分電匙와 電鐘 같은 전신기 부품들을 구비해야 했으며 또 번역판, 『전보장정』과 같이 업무의 기본적인 책자, 來電과 송신에 필요한 전보지 등등의 소모품과 각종 문방구들 역시 항상 마련하고 있어야 했다. 또 모든 전보사는 피뢰침을 세워 낙뢰에 의해 전신 흐름에 장애가 생기지 않도록 만반의 준비를 했다.

지방 전보사들은 전신망을 관리하는 데에 필요한 장비들도 갖추고 있어야 했다. 그 가운데에는 곡괭이, 도끼, 삽과 같이 전신주를 세우기 위한 토목 공사용 도구들도 있었고 전선 연결 작업을 도와주는 크고 작은 거중기, 고무로 피막을 입힌 전선과 다양한 굵기의 철사, 分線機, 鉗子, 각종 크기의 나사와 같이 전선을 연결할 때 필요한 각종 도구들과 전신주에 올라가기 위한 사다리, 올라갈 때 몸에 착용하는 작은 공구를 넣는 혁대도 있었다.[25]

대한제국 전신 선로 관리와 운영의 거점인 지방 전보사들은 기본적인 전신 부품 및 재료들을 구비하고 있었고 이런 물품들을 완비하는 일 역시 전보사 직원의 중요한 일과 가운데 하나였다. 이런 준비 작업을 통해 전신 기술자들은 전신선이 훼손되어도 전신이 불통되는 일이 없게 즉각적으로 수리할 수 있었고, 혹 천재지변으로 전신선에 문제가 생겨도 이를 해결할 수 있었다. 문제가 발생했을 때 구비한 물품이 없다는 이유로 전신이 통하지 않는 일이 없도록 대비했던 것이다. 이처럼 전신기 관련 물품을 구비하고 전신기와 전신선을 관리함으로써 전신 체계는 원활하게 운영되어 국가 행정 통신망의 중요한 역할을 무난히 수행할 수 있었고, 민간 이용자들은 신속하게 소식을 전달하는 근대 문명의 이기를 일상에서 사용할 수 있었다.

---

25) 같은 글, 253~357쪽.

3) 통신원 창설과 관리규칙의 재정비

1900년 순조롭게 전신 선로 재구축 작업과 전보사 신설 작업이 진행되자 이를 관리해야 할 독립부서의 창설이 요구되었다. 1894년 대한제국 정부의 부서를 통폐합하며 정리하는 작업의 일환으로 전우총국이 공무아문 산하 부서로 귀속되고 부서가 축소된 터라 전신관리와 운영을 제대로 진행할 수 없었다. 이런 상황은 1895년 공무아문을 농상아문과 통폐합하면서 전신 관리부서는 더 위축되어 전신선 관리는커녕 보수 작업마저 원활하게 할 수 없는 상황에 놓이게 되었다. 하지만 여러 정치적 사건의 결과 일본의 압박이 많이 제거되고 전신 선로 재구축 작업이 순조롭게 진행됨에 따라 1899년 말 농상공부 통신국 산하의 전신과는 관할 지방 전보사 20여 개, 산하 관원 50, 60명의 큰 부서로 성장했다. 이는 局 산하의 일개 부서로는 처리할 수 없는 수준으로 업무가 늘어났음을 의미했으며 이를 반영해 1900년 3월, 통신망을 총괄하는 통신국은 농상공부로부터 독립해 '院'급의 독립부서인 통신원으로 승급, 창설되기에 이르렀다. 물론 통신원이 체신만을 전담하는 것이 아니라 선박 관련 업무까지 총괄하기는 했지만 1894년 일본의 간섭으로 일개 부서로 전락했던 통신 관련 부서는 1893년의 전우총국의 위상을 회복할 수 있었다.[26)]

통신원 창설은 대한제국 반포와 더불어 진행된 정부 조직 재편의 일환이었지만 그 의의는 매우 컸다.[27)] 이는 통신 담당 부서의 정부 내 위상이 급부상했음을 의미하는 것이었기 때문이다. 1900년 3월 반포된

---

26) 통신원의 선박 관리 업무는 국제 우체 업무와 관련한 상선들과 관련한 것이 대부분이었다.

27) 당시 대한제국의 정부는 주로 황제의 권력을 강화시키고 그를 중심으로 재원을 확보하며 그가 주축이 되어 개혁 정책을 집행할 수 있도록 재편되었다. 이에 대해서는 이윤상, 앞의 글, 55~109쪽을 참조.

통신원 관제에 의하면 통신 담당 부서는 농상공부 관할이 아니라 독립 부서로 정부의 대신급인 칙임 1등, 혹은 2등이 총판을 담당하는 조직이 되었다.[28] 또 황제 직속의 부서가 되었다. 이는 통신원 사업의 중심에 최고 권력자가 위치했고 이는 통신원의 사업 추진이 힘을 가지게 되었음을 의미했다.

통신원의 정부 내 위상만 격상된 것이 아니라 통신원 총판 직위의 승급은 물론 권한 역시 커졌다. 통신원 총판의 직급은 칙임관 1등으로 승격했고, 칙임관 3등 이하의 회판을 신설해 총판을 보좌하게 했으며 농상공부협판의 겸직 가능성을 열어두었던 조항을 완전히 삭제함으로써 독립성이 보장되었다.[29] 통신원 총판은 통신과 관련한 중요한 법률이나 칙령의 제정과 폐지, 개정과 條約 사항에 대해서는 반드시 농상공부 대신에게 보고해야 했지만, 職權 혹은 특별 위임을 받아 법률, 칙령 범위 내에서 院令을 내릴 수 있는 권한을 가졌고, 각 경무청과 지방관에게 훈령과 지령을 발할 수 있는 법적 지위도 누렸다.[30] 통신원 총판이 통신원의 업무로 정부에 제의할 일이 있을 때에는 정부 회의에 직접 참석할 수도 있었다.[31] 또 통신원 총판은 통신원의 업무를 관장하는 奏任, 判任급

---

28) 광무 4년(1900) 7월 25일 勅命 제27조, 제28조에서 전우사가 통신원 관리임을 밝혔고 같은 해 9월 29일 칙령 제36호의 '농상공부관제'에 따라 우체, 전신 선박 등의 업무를 농상공부 사무에서 삭제했다. 또 통신원 관제 20조에서 농상공부 협판이 통신원 총판을 겸임하기도 했던 것을 사문화했으며 같은 해 12월 19일 칙명 제52호에서 총판의 직급을 칙임2등에서 칙임 1등, 혹은 2등으로 승격시켰다. 농상공부협판의 겸임과 관련한 사항은 광무 6년(1902) 10월 30일 칙령 제18조로 통신원 관제를 대폭 개정했을 때에 삭제되었다. 체신부, 『100년사』, 177쪽.

29) "통신원관제 개정 건", 『고종실록』, 광무 6년 10월 30일 기사. 1899년 대한국국제가 반포되면서 官秩과 관등이 변했다. 기존의 관등 품계가 폐지되고 칙임관, 주임관, 판임관으로 구분되는 관질, 그리고 각각의 관질에 대해 1등에서 4등, 6등, 8등으로 구분되는 관등 체계로 직급이 재조정되었다.

30) 통신원관제 제6조, 제7조 ; 『황성신문』, 1900년 3월 28일.

의 임명권을 가지게 되는 등 산하 관원들에 대한 총괄적인 임면권을 보장받았다.[32] 통신원 창설 이후에도 통신원 내에서 업무 조정과 부서 재편이 있었다. 창설 당시 전신 업무는 통신원 조직 가운데 서무국 통신과가 관장했는데, 이는 1902년 통신원 관제 개정으로 조정되어 서무국이 폐지되고 그에 소속된 통신과 官船의 두 과는 총판관방으로 이관되어 대한제국의 전신 사업을 총판이 직접 지휘하는 체제로 바뀌었다.[33]

이처럼 조직과 직제가 확장되고, 독립성이 확보된 일은 농상공부 산하의 일개 局 차원에서 통신 업무를 관리했던 1895년과 비교해보면 큰 변화였다. 이는 전신자주권의 회복으로 복구되고 확장된 전신망을 관리하고 운영하는 조직이 위계가 상승했다는 점뿐만 아니라 기능 및 업무가 재구성되었음을 의미했다. 이를 통해 내부 조직과 관할 지방 전보사의 정비 작업이 가능해져 대한제국의 전신 체계는 또 다른 도약을 기약할 수 있게 되었다.

전신망을 관리하고 운영하기 위해서는 중앙 관리기구의 재정비뿐 아니라 이를 관리하는 원칙인 법규의 정비도 중요했다. 전신망 운영을 위해 가장 기본적인 법규인 『국내전보규칙(이하 규칙으로 줄임)』은 사업 재개시점인 1896년에 제정되었고, 1903년에 개정되었다. 『규칙』은 업무의 기준이자 핵심 역할을 담당하는 규정으로 전보학당의 정식 교과로 채택되어 있을 만큼 중요한 업무 지침이었으며 전신망 가설과 관리, 보호를 위한 법령과 같이 전신 사업과 관련한 각종 법규 제정의 근거이기도 했다. 1903년 개정한 『규칙』은 1896년의 것보다 3조항이 더 늘어난 69항을 담고 있으나 내용에는 큰 차이가 없는 만큼 1896년에 만들어진

31) 『황성신문』, 1900년 5월 24일.
32) "통신원관제 제5조", 앞의 신문.
33) "통신원관제 개정 건", 앞의 책.

『규칙』은 전신 사업 규칙의 원형이라고 할 수 있다.[34)]

또 이 『규칙』은 1888년 조선전보총국에서 제정한 『전보장정(이하 장정으로 줄임)』을 토대로 하고 있다. 그러나 『규칙』은 총 66조항으로 구성되어 32항목의 『장정』보다 전신 업무를 좀 더 세밀하고 명확하게 규정했다. 『장정』 32항목의 대부분이 전신 부호 계산 방법을 설명하는 일에 치중했다면 『규칙』은 전신 업무의 원칙을 좀더 세분해 설명하고, 전신 업무가 복잡해짐에 따라 야기될 수 있는 혼란스러움을 정리하는 기준을 제시하는 데에 중심을 두었다. 『규칙』은 완급에 따른 전보의 종류, 종류에 따른 취급 방법, 전신 寄送 방식과 더불어 비용 산출의 기준을 설명했다. 즉 전보 사용 언어와 전신 부호 수의 계산 방식 및 그에 따르는 전보비, 그리고 전신 종류에 따른 처리 순서와 관련해 전보사 직원들이 반드시 알고 있어야 할 업무 원칙을 중심 내용으로 했던 것이다.(〈표 4-4〉 참조)

1903년의 『규칙』은 1896년의 것과 구성이나 내용은 앞에서도 언급했듯이 대부분 비슷했지만 전신 사용 요금의 변화를 고지한 것에서 차이가 난다. 1903년의 국문 전신 요금은 거의 100% 인상되었다. 서양어와 한문, 秘語의 전신 요금도 함께 인상했는데 이때 전신 부호 한 글자를 계산하는 기준을 변경함으로써 요금 인상폭을 줄이기는 했지만 이를 감안해도 50% 정도 이상의 인상 효과를 볼 수 있었다.[35)]

『규칙』은 일선 전보사 직원의 실무를 위한 중요한 업무 지침이었다.

---

34) 朴志泰 편저, 『대한제국 정책사자료집 Ⅷ』(선인문화사, 1999), 31~37쪽, 163~168쪽 참조.

35) 예를 들어 서양어의 경우 자모 10개 자 미만을 1글자로 취급했던 기준을 15개 자 미만을 1글자로 취급함으로써 결과적으로 인상폭을 50% 정도로 줄였다. 요금 인상에 이런 방법을 채택한 것은 외국인들의 반발을 우려했기 때문이기도 했지만, 또 한편으로는 일본의 공격적인 요금인하 정책 때문이기도 했다. 통신원의 요금 정책에 대해서는 이 책 4장 2절 2)를 참조할 것.

〈표 4-4〉『전보규칙』 개정에 따른 규정 변화

	1889년 전보장정	1896년 전보규칙	1903년 전보규칙
전보종류	관보, 국보, 사보를 완급에 따른 두 종류	관보, 局報, 사보를 완급에 따라 9종으로 구분	관보, 局報, 사보를 완급에 따라 10종으로 구분
전보기송 업무	전보 개정보 시간	전보 취급 시간과 전보 종류에 따른 순서, 국가 비상사태 대처, 별송 전신 비용 처리 방안	左同, 단, 1896년의 규칙 전보기송업무에서 별송 처리비용 처리 방안은 전송비 장으로 이월
전보비와 전송비	서로와 남로에 각각 다른 전보비 채택, 자수 계산의 기준 설정	기본적인 통상전신 요금과 이를 기준으로 하는 각종 전보비 책정방식과 언어 혼용시 전보비 책정 기준	左同, 1896년의 규칙 전보기송업무에서 별송 처리비용 처리방안이 옮겨옴
전보서법		국문 한문 구문과 수자의 전신 부호를 이용	左同
자수계산		자수계산의 기본 원칙 설정	左同-단 서양어 자모 1글자의 기준이 10자에서 15자로 변경, 숫자 혼용시 1글자 취급 전신부호가 3개에서 5개로, 秘辭 역시 3개에서 5개로 변경
전보전송		전보 전해지는 순서, 수취인의 의무사항, 전신 정보 기밀 보장을 위한 조치, 수취인불명 전신의 처리 기준 설정	左同

* 출처 : 박지태 편저, 『정책사자료집 8』, 34, 167쪽을 재구성.

업무의 시작과 종료의 기준이었으며, 전신 부호의 타수 계산과 복잡, 다양해진 업무에서 발생할 수 있는 문제를 해결하기 위한 원칙이었고, 인접 전보사 직원 사이의 시비를 가리고 전신 기탁자와 수취인으로부터 야기된 민원을 처리하는 토대로 모든 전보사 직원은 이를 숙지하고 있어야 했다.

『규칙』의 재정비에 따라 전신 사업의 기본적 지침이 제공되었지만 관리에 가장 많은 공이 들어가는 전신 선로의 관리와 보호를 위해 새로운 조치가 마련되었다. 전신 선로는 평화로울 때에는 행정 통신망이나 민간 정보 교류 통로의 역할을 수행하지만 전쟁이나 민란이 발발했을 때에는 군사 정보의 전달 통로가 된다. 따라서 1894년 즈음까지 전신망의 보호와 관리는 기본적으로 軍의 일원이었던 순변과 순병이 담당했는데, 이는 전통적 통신망인 봉수와 역원을 병부가 관할했던 것과 맥을 같이하는 일이었다. 이런 인식은 대한제국이 전신 사업을 주도적으로 전개했을 때에도 지속되었다. 1900년 3월 통신원이 발족하면서 통신관리부서가 독자적인 관리기구로 독립하긴 했지만 육군 參將이 통신원 총판직을 겸한 데에서도 그 인식의 일단을 찾아볼 수 있다.

그렇다고 군이 전보사 시설 보호에 주도적으로 개입한 것은 아니었다. 전쟁이나 민란이 없는 시기에 전신 선로를 관리하는 일에 병력을 동원할 필요가 없었고, 또 대부분의 전보사가 지방 관아와 같은 공간에 있었기 때문에 굳이 전보사 앞에 군인을 배치해 위압감을 조성할 이유도 없었다. 관아에서 떨어진 개항장 전보사의 경우에도 보호를 위한 병력이 배치되지 않았다. 1902년 2월 4일 성진전보사에 난민들이 들어와 불을 질렀을 때 전보사 사장의 보호 요청에 따라 元帥府가 비로소 병력을 파견해 전보사에 주둔시킨 것에서 볼 수 있듯이 보호 병력 배치는 사후 수습적 성격이 강했다.[36] 이런 일을 제외하고는 군이 전신 시설 보호나 관리에 개입하는 일은 거의 없었다.

전신 선로를 관리하고 보호하는 일은 전보사의 업무로 전신 사업을 재개했을 때 전보사 내의 하급 기술자였던 工頭로 하여금 이 업무를 담당하게 했다. 즉 이전 시절에 전보사의 소소한 고장을 담당했던 공두는 전신 선로를 전담 관리하는 업무를 새로이 부여받았던 것이다. 공두는 전신선 가설 공사 때에 전신주를 세우고 전선을 연결하는 일을 담당했으며 평소에는 전신선의 이상 여부를 순번을 정해 순회하며 이상유무를 살폈

36) 『電報處辦案』(우정박물관 고서목록 B0000-097-01), 광무 6년 2월 4일 ; 1902년(광무 6) 2월 10일.

고, 전보사 직원이 전신망 가설이나 관리를 위해 출장을 가게 되면 함께 떠나 주사를 보좌해 끊긴 전선을 연결하고 쓰러진 전신주를 다시 세우고 약해진 부분을 보강하는 일을 담당했다. 따라서 공두는 순변과 순병보다는 좀 더 복잡한 기술을 익혀야 했다.

이들 공두의 임면은 전보사 사장의 소관이었다. 이전 순변과 순병이 지방 관아와 화전국에 이중으로 소속되어 생겼던 혼란을 없애기 위한 조치였다.[37] 전보사 사장은 이들을 선발하고 훈련시키는 일을 책임지며 이들의 업무를 관리했고, 전보사 예산에서 공두의 월급을 지불했다. 이들에게 제공되는 월급은 초임이 2등 전보사 3급 주사의 반에도 못 미치는 7~9원에 불과했으나 3년이라는 신역 기간에 쌀 한 가마를 살 수 있는 월급을 정기적으로 받을 수 있었고, 또 해가 지남에 따라 1원씩 더 받았기 때문에 공두의 직을 원하는 사람이 많았다. 그러므로 전보사 사장은 선발 시험을 통과한 사람들 중에서도 신체가 건강하고, 나이가 적고, 또 기계를 잘 다루는 사람들로 선별해 뽑을 수 있었다.[38] 공두에 관한 지방 전보사 사장의 권한도 컸지만 책임 역시 컸다. 전보사 사장들은 이전 시대의 순병과 순변이 한성전보총국에 가서 훈련받았던 것과는 달리 필요한 기술을 직접 훈련시켜야 했는데, 이들의 기술 습득 정도는 전신선의 안전 유무와 직결되므로 이들을 훈련시키는 일은 지방 전보사의 중요한 업무 가운데 하나가 되었다.[39] 또 이들을 관리하는 일 역시 지방 전보사 소관으로 전보사의 직원들은 공두의 근무 성실성, 기술력에 대한

---

37) 순변과 순병은 지방관이 선발했고 이들의 인사관리는 화전국에서 담당했으며 월급도 화전국에서 지불했다. 이에 대해서는 이 책 2장을 참조할 것.

38) 『황성신문』, 1904년 5월 16일. 이 기사의 제목은 광무 8년(1904) 3월 31일 제정해 4월 1일부터 시행된 "工頭執務 및 料資支給 規程"이다.

39) 공두의 훈련 책임을 총괄하는 사람은 한성총사의 기사이지만 개개 전보사의 공두 훈련은 전보사 사장이 담당했다.

보고서를 작성해 통신원에 매달 보고해야 했다.[40]

전신망 관리를 위해 새롭게 출현한 하급 전신 기술자인 공두의 수는 해마다 늘어났다. 1900년 73명에서 5년이 지난 1905년에는 두 배인 148명으로 증가한 것이다. 공두의 인력 규모는 전보사의 고급 기술 인력들을 모두 합한 정도와 비슷했다. 공두는 각 지방 전보사마다 평균 3, 4명 정도가 근무했으며 특히 전국의 전신망을 총괄하는 한성총사에는 15명, 지형이 험난하고 홍수 등 자연재해가 잦은 지역인 대구전보사에는 13명, 그밖에 개성전보사와 북청전보사에 각각 7명, 5명이 배정되었다. 이 직능의 출현으로 대한제국의 전신망은 수시로 점검받고 보호받았으며, 이들의 활약으로 전신망이 작동되지 않는 일은 점점 더 줄어들게 되었다.

전신 선로는 전신 사업의 중요한 혈관인 만큼 하급 기술자인 공두에게만 맡겨둘 수 없어 정기적으로 전보사 직원이 관리해야 했다. 전신망의 한 부분이라도 손상되면 전기 신호는 더 이상 흐르지 못하기 때문이다. 이 전신망을 관리하고 보호하는 일은 전보사 직원의 주요 업무 가운데 하나였다. 전신 선로 관리는 정기 점검과 수시 점검 방식으로 이루어졌다. 정기 점검은 일 년에 한두 번씩 전보사 직원을 파견함으로써 수행되었는데 이때 전신선 기·종점의 전보사에서 같은 날 주사들을 출발시키거나 인력 사정이 허락하는 한 쪽 전보사에서 전담하기도 했다.[41] 출장 기간은 대부분 20일 안팎으로 이때 전보사 직원은 전선의 이상유무뿐만 아니라 전신목과 전선의 연결 상태 및 연결 전료의 상황들을 꼼꼼하게 점검해 이듬해 전보사의 연간 사업 계획 수립에 반영했다.[42] 수시 점검은 공두에 의해 수행되었다. 공두는 전신망을 일상적으로 점검함으로써 전신이

---

40) "工頭執務 및 料資支給 規程", 제7조, 체신부, 『80년사』 부록 344쪽에서 재인용.

41) 우정100년사편찬실 편, 『고문서』 6권-1, 160, 190쪽.

42) 『電報處辦案』, 광무 6년 4월 22일 ; 광무 6년 9월 1일.

통하지 않는 일이 발생하지 않도록 해야 했는데 그럼에도 불구하고 전선이 끊기거나 낡아서 전신이 통하지 않으면 즉각 고장 원인을 파악해 수리해야 했다.[43)]

짧은 구간의 전신 선로에 문제가 있는 경우 이처럼 관련 전보사에서 보수를 담당했지만 구간이 길거나 큰 강을 가로지르는 선로에 문제가 생기는 경우도 없지 않았다. 이 경우에는 통신원이 주관하여 수리 작업을 진행했는데 통신원은 남로전선 공주-전주 구간의 전신주 자체를 모두 교체하는 공사를 벌이기도 했고 서북부 지역의 전신망 보수 작업을 수행하기도 했다.[44)] 이런 대대적인 공사를 시행할 경우 통신원은 기술적 지원과 공사 책임자 배치 및 교체를 포함한 인력 동원계획을 세워 공사 현장과 해당 단위 전보사의 인력에 무리가 없도록 조정하는 등 공사를 총괄했다.

통신원은 거의 해마다 전신 선로를 원활하게 운영하기 위해 개보수 공사들을 주관하면서 전신선 관리에 만전을 기했다. 상급 부서에서의 이런 움직임은 지방 전보사의 전신 선로 관리에 영향을 미쳤다. 지방 전보사는 전선과 전신주가 낡아 발생하는 훼손에 의한 불통을 물론이고 천재지변에 의한 고장 역시 즉각 복구했다.[45)] 하지만 호우에 의해 수저선이 끊기는 사고가 일어나면 강물이 빠지기를 기다려 보수 작업을 수행할 수밖에 없었고, 또 강에 세우는 전신주 자체가 육로의 것과 다르므로 전신주 마련이 늦어지면 보수가 지연될 수밖에 없었다. 이런 경우 해당 전보국에서는 발신해야 할 전신들을 우체망을 통해 다음 전보사로 보냄으

---

43) "工頭執務 及 料資支給規程", 앞의 책, 부록 344쪽에서 재인용.

44) 『황성신문』, 1900년 6월 12일 ; 『電報處辦案』, 광무 6년 6월 4일 ; 8월 27일 ; 9월 19일.

45) 『황성신문』, 1903년 7월 22일.

로써 전신 불통으로 인한 피해를 최소화하려 노력했다.[46]

전신 선로 보호와 관리를 위해 만전을 기했지만 이를 예방하는 일도 필요했다. 전신 선로 훼손은 자연재해나 시설의 노후에 의해서만 일어나는 것이 아니라 사람이 전신 선로를 고의로 훼손시켜 발생하기도 했기 때문이었다. 이를 방지하기 위해 통신원은 지방 행정 단위를 전선 관리에 동원했다. 즉 "전간목이 소재한 부근 洞이 책임을 지고 전신줄을 끊거나 전신주를 파괴하는 폐단을 일체 엄금하라"고 전신 선로변의 지방 관아에 훈령을 내렸던 것이다.[47] 지방 관아에서 전신망을 훼손하거나 훔친 사람들을 벌하고 관련된 사건을 판별하기 위한 토대는 1896년에 발효된 '電報事項犯罪人處斷例(이하 '처단례'로 약함)'였다. 이 '처단례'의 초기 형태는 1883년 '부산구설해저전선조관'으로 해저선을 관리할 일본 전신국이 부산에 설치되었을 때 일본 정부의 요구로 조선 정부가 제정했던 '電線罰例'였다. 이를 발전시킨 1896년의 '처단례'는 세부 조항에서 훨씬 구체적인 사례를 제시했지만 처벌 및 징계 수위는 '電線罰例'보다 낮았다.[48] 이 '처단례'는 전신이라는 근대 문물을 처음 대하는 백성들에 의해 야기될 수 있는 다양한 실수와 잘못들을 적시했고 각각의 잘못에 대해 태형과 벌금의 형벌을 고지했다.

'처단례'에 거론된 다양한 잘못과 실수의 예들은 크게 선로 관리, 가설 공사, 그리고 전신 정보 보호 및 전보사 시설 보호 등 세 가지 유형으로 구분할 수 있다. 그 가운데 전신 선로 보호와 관련된 유형이 가장 광범위한

---

46) "示達"(훈령 제167호), 광무 4년 5월 31일, 체신부, 『80년사』, 부록 349쪽에서 재인용 ; 우체망 이용의 규정을 어기는 일은 직무소홀에 해당되어 징계에 처해졌다. 이에 관해서는 『독립신문』, 1897년 6월 5일.

47) 『황성신문』, 1899년 6월 30일.

48) '電線罰例'는 『일안 1』, 고종 21년 5월 4일, 124쪽 ; '처단례'에 대해서는 "법률 제6호"(1896년 8월 7일), 박지태 편, 앞의 책, 38~39쪽.

예를 포함하고 있는데, 예를 들어 전선을 묶거나 전선에 다른 물건을 묶어 전신 흐름을 방해하는 행위, 그리고 硝子와 磁器桶 혹은 선로에 돌을 던지는 행위, 그리고 전신주에 소와 말을 묶거나 수저선 標記木에 배를 묶는 행위 같이 선로를 훼손하거나 훼손시킬 위험이 있는 모든 행위들을 망라했고 이에 대한 벌로 벌금이나 태형이 명시되었다. 육로선의 경우에는 태형 10대 또는 벌금 10냥에 그쳤지만 고장 지점을 알아내기도, 수리하기도 쉽지 않으며 전선 값이 육로선보다 더 비싼 수저선과 관련해서는 좀 더 무겁게 처벌했다. 육로선 훼손의 5배에 해당하는 태 50대 혹은 벌금 50냥이 부가되었던 것이다. 또 전신주를 '고의'로 넘어뜨리거나 선로를 '일부러' 끊은 사람과 水線閣을 훼손한 사람은 역형 3개월 이상 3년 이하의 형벌과 벌금 15냥 이상 150냥 이하의 벌금형을 받아야 했다. 두 번째 유형은 전선 공사와 관련한 조항으로서, 선로 공사를 방해하는 사람은 중형인 역형 3개월 이상 3년 이하, 15냥 이상 150냥 이하의 벌금형에 처해졌다.[49] 마지막 유형의 범죄는 전보사 난입과 관련된 것이다. 난입은 전보사장, 혹은 집무인의 허락을 받지 않은 채 보방에 들어오는 행위를 의미하며 이 행위는 전신 정보 및 기밀의 누설 및 전보사 시설 危害 여부에 상관없이 형벌 태 20 이하, 벌금 20냥에 처했다. 특히 이 조항은 대한제국의 전신망 운영이 안정되면서 난민에 의한 난입, 방화와 같은 파괴적 행위로부터 전신 시설을 보호한다는 의미보다는 전신 정보 누설 방지를 뜻하는 것으로 변하게 되어 이 조항의 철저한 준수가 요구되었다.

'처단례'에 따른 전선 훼손자들의 형량은 1894년 이래 일본군이 부과했던 死刑에 비하면 훨씬 가벼웠지만 다른 범죄에 비하면 무거운 편이었

---

49) "電報事項犯罪人處斷例 제7조", 같은 책, 39쪽.

다.[50] 실제 1899년 이춘배와 이준학은 전선을 절단해 '처단례'에 정해진 최고형인 징역 3년과 벌금 150원을 언도받기도 했다.[51] 1902년 공주전보사에서 관리하는 금강 水線을 철거한 두 명을 '처단례'에 따라 처벌할 것을 통신원이 충남관찰사에게 요구하기도 했다.[52] 그러나 인위적인 전선 훼손이 자주 발생하지는 않았다. 앞의 두 사건 이외에 보고된 사건으로는 1903년 한성에서 650칸, 즉 1.1km 정도의 전선이 절도당한 사건과 1898년 말 돈을 주지 않으면 전보사를 폭파하겠다고 전보사 벽에 써 붙인 사건 정도에 불과했다.[53] 한성에서의 전선 절단 사건은 발생한 시기가 한성전기회사의 채무 분쟁 때와 비슷한 시기로 한성전기회사에 대한 항의의 표시로 전선을 자른다는 것이 전신선을 절단한 것으로 보인다.[54] 사건 발생 건수도 얼마 되지 않았을 뿐만 아니라 이처럼 민간에서 행해진 통신원 관리하의 전신선 훼손은 일본이 주장한 것처럼 조선인의 신문물에 대한 반감 등의 이유 때문에 고의로 행해진 것은 아니었다.

4) 일본 전신국에 의한 대한제국에서의 불법 영업

일본의 전신 선로 반환으로 대한제국 정부가 체제를 새롭게 정비하고 주도적으로 사업을 전개했음에도 일본은 대한제국에서의 전신 사업을 완전히 포기하지 않았다. 일본은 그 후로도 대한제국 정부 전신 사업의

---

50) 일본군의 전신선 훼손자에 대한 대응 방식과 관련해서는 李升熙, 앞의 글, 233쪽.

51) 『황성신문』, 1899년 10월 9일.

52) 우정100년사편찬실, 『고문서』 2권, 571~572쪽.

53) 한성 전신선 절단사건은 『황성신문』, 1903년 9월 12일을 참조. 전보사 폭파 협박사건은 『황성신문』, 1898년 12월 12일을 참조할 것.

54) 한성전기회사의 분규에 대해서는 김연희, "대한제국기의 전기 사업", 『한국과학사학회지』 19-1(1997), 24~34쪽.

강력한 경쟁자로 대한제국 정부의 전신 사업을 견제하고 방해했다. 이 일이 가능했던 것은 일본이 1894년 청일전쟁을 전후 임시로 가설한 경부 군용 전신선을 전쟁 후에도 철거하지 않고, 1895년 일반인 상대 업무를 시작한 데에 기인했다. 일본은 삼국간섭과 아관파천과 같은 일련의 사건으로 세력이 위축되었을 때에도 이 군용 전신선을 유지했고 심지어 전신 사업 확장을 도모했다. 일본은 1896년 1월 경부 군용 전선에서 일반 전신 업무를 지속하기로 결정했으며, 1902년 10월에는 인천과 부산의 우편국에서 전신 업무를 취급할 것임을 대한제국 정부에 통보했다.

이와 같이 사후 통지로 이루어진 일본의 대한제국에서의 통신 사업은 대한제국 정부가 주장했듯 불법이었음에도 일본은 이를 철회하거나 축소하지 않고 오히려 사업 규모를 확대하려 했다. 일본은 그 일환으로 일본 전신국의 전신 요금을 인하했다. 일본은 1899년 5월 대한제국에서의 전신 요금을 내렸으며, 또 1900년 5월에는 한일 간의 국제 전신 요금을 일본 안에서의 요금과 같은 수준인 한 글자 당 30전으로 개정했다. 한 글자에 30전이라는 금액은 당시 쇠고기를 두 근 넘게 살 수 있었던 돈으로 결코 싸지는 않았지만, 전신을 반드시 이용해야 할 상인, 무역업자나 외교관의 입장에서는 대한제국의 전신망을 이용하는 것보다 훨씬 유리했다. 일본의 전신 요금은 대한제국 전보사의 국제 통신망 이용 요금 87전(대한제국 내 요금 22전 포함)에 비해 비교가 안 될 정도로 쌌기 때문이다.[55] 명백히 두 국가 간의 국제 전신 교류임에도 대한제국으로의 전신 송수신을 일본 안에서와 같은 전신 요금을 적용하겠다는 일본의 가격 정책은 표면적으로는 대한제국에서 활동하는 일본인들의 편의를 도모하겠다는 것이었지만 한편으로는 일본인들 이외의 국제

55) 체신부, 『80년사』, 134, 284쪽.

전신 이용자들을 일본 전신사업소로 흡수하겠다는 의도도 담고 있었다. 이는 곧 대한제국의 국제 전신 업무 자체를 장악하겠다는 의미였다.

이처럼 일본이 전신 요금을 인하한 일은 대한제국 통신원이 사업을 추진하는 데에 큰 걸림돌이 되었다. 우월한 자본력을 바탕으로 가격 경쟁을 유도하는 일본 전신국이라는 경쟁자는 이제 막 본격적으로 사업을 전개하기 시작한 대한제국 통신원에 위협이 아닐 수 없었다. 통신원은 수지 개선을 위해 필요한 전신 요금을 자유롭게 결정하기 어려웠고 그 결과 1898년 전신 요금을 정비한 이래 1903년 3월까지 당시 물가의 폭등에도 불구하고 요금 인상을 단행하지 못했다.[56] 대한제국 통신원은 전신 운영에서 발생하는 적자 부분을 정부 재정에 의존할 수밖에 없었으므로 전신 사업이 정부재정 적자의 중요한 원인이라는 지적을 받지 않을 수 없었다.[57]

그러나 낮은 전신 요금에도 불구하고 일본의 전신 취급소가 부산, 한성, 인천 정도에 불과했으므로 전신을 이용하려는 사람들이 일본 전신망에 접근하기가 쉽지는 않았다. 일본은 이 문제를 해결하기 위해 대한제국 전신망에 일본 전신기기의 연결, 즉 通連 허용을 대한제국 정부에 요구했다. 전신기기로 전신망에 통련이 되면 한성, 부산, 인천의 일본 전신 시설이 대한제국의 모든 전보사로 연결되는 것을 의미했으며, 이는 일본이 대한제국의 전신망을 자유롭게 이용할 수 있음을 뜻했다. 또 이는 전신망 가설과 관련된 한일 간 조약이나 대한제국 정부와의 협상과 같이 복잡하고 지루한 절차를 거치지 않고 손쉽게 대한제국의 전신 선로를 장악하는 방법이기도 했다. 그러므로 청일전쟁 와중에 협상이나 조약 체결 없이 통련을 이루었던 일본은 전신망을 반환하면서 통련

56) 대한제국 통신원은 앞에서 살펴본 대로 1903년 3월 전신 요금 인상을 단행했다.
57) 러시아대장성 편, 정신문화연구원 번역, 앞의 책, 632쪽.

역시 단절되는 상황을 맞게 되자 기회가 있을 때마다 다시 이를 요구했다. 그 기회 가운데 하나가 대한제국 정부가 1898년 부산 일본조계 내의 전보사를 이전하겠다고 통보했을 때였다. 일본은 이를 수용한다면서 조건을 붙였다. 그 조건은 "일한 전선의 통련을 복구하고 서로 전보를 주고받을 수 있어야 한다"는 것이었다.[58] 대한제국 정부가 이 조건을 거부하자 일본은 "통련은 개명지국의 당연의무"임을 주장하며 재차 통련을 요구했다.[59] 이에 대한제국 정부는 "[일본이] 임시 군선을 오로지 私電, 商電에만 뜻을 두고 유지하여 무한 이익을 취했음"을 지적하고, 임시 군용 전신선을 인정할 수 없을 뿐만 아니라 대한제국이 전신망을 가설하고 전보사를 운영하여 통신에 문제가 없는 만큼 "장차 전보 이익의 전권을 지키고 잃지 않을 것"이라며 통련 거부 의사를 명확하게 밝혔다.[60] 이런 대한제국의 태도에 일본은 더 이상 통련을 주장하지 않았으나 러시아와 국경 연접을 위해 대한제국 정부가 조약 체결을 추진하는 것을 기회로 삼아 또 다시 통련을 요구했다. 일본은 대한제국 정부가 러시아와 연접하면 '부산구설해저전선조관'이나 '속약'에서의 조항을 이행해야 할 의무가 있고 이 통련은 그 일환이라고 주장했다. 또 일본은 1903년 통신원의 전신 요금 인상을 기회로 삼기도 했다. 대한제국 내에서 상업이나 무역업 활동을 하던 일본인들은 1903년 전신 요금 인상에 강하게 반발했는데 일본공사 林權助(1860~1939)는 이를 배경으로 대한제국 정부에 요금인상에 강력하게 항의하는 한편 통련을 주장한 것이다.[61] 그러나 대한제국 정부는 이때에도 이를 거부했으며 동시에 일본이 불법으

58) 『일안 4』, 문서번호 5246.

59) 『일안 5』, 문서번호 6213 ; 문서번호 6231 ; 문서번호 6545 ; 문서번호 6582.

60) 같은 책, 문서번호 6604.

61) 권태억, "1904년~1910년 일제의 한국 침략 구상과 '시정개선'", 『한국사론』 31 (2004), 226쪽.

로 가설한 군용 전선도 철폐하라고 반박했다.[62)]

대한제국 정부가 이처럼 일본의 통련 요구를 단호하게 거절함으로써 일본의 재한 전신 취급소들은 대한제국의 전보사에서 받은 전보문을 사람이 전달하는 방식인 使送에 의해 받아야 했고, 통신원은 일본의 불법적 전신 사업 운영으로부터 대한제국의 전신 사업을 보호할 수 있었다.[63)] 전신기기에 의한 통련은 1905년 한일통신협정으로 대한제국의 전신 시설을 완전히 접수한 이후에야 이룰 수 있었다.

일본은 대한제국 내에서의 전신 사업 강화를 위해 전신기기 통련만 요구한 것이 아니었다. 일본 전신국 소속 체전부의 자유로운 통행 특권을 주장하기도 했다. 일본은 신속한 통신을 생명으로 하는 전보전달이 대한제국의 다양한 통행금지정책으로 방해받는다고 지적하면서 1897년 초 자유로운 궁내부 출입과 야간 통행 허용을 주장했던 것이다.[64)] 이 요구에 대한제국 정부는 궁내부로의 간접 전달 방식을 제안했다. 일본 체전부가 인화문에서 전보문을 순검에게 전달하면 순검이 궁내부로 전달해 영수증을 즉시 돌려받을 수 있도록 하겠다는 것이다.[65)] 그러나 일본은 이 간접 전달 방식을 수용하기는 했지만 이것으로 만족하지 않았다. 1900년 2월, 또다시 일본은 신속 배달 문제를 제기하면서 체전부의 궁 출입 제한을 철폐하고 국왕 거둥 시 대피하지 않고 다닐 수 있게 하고, 1901년 5월에는 야간에도 성문을 왕래할 수 있는 특권을 부여하라고 요구했다.[66)] 일본은 통행 특권 요구를 관철시키기 위해 일본 우체국이 신속 배달을 위해

---

62) 『일안 5』, 문서번호 7464.

63) 1902년 4월 즈음에 일본군용 전신소에서 취급하던 일반 전신은 일본우편국의 전신취급소에서 승계해 운영했던 것으로 보인다. 체신부, 『100년사』, 235쪽.

64) 『일안 3』, 문서번호 4334 ; 같은 책, 문서번호 6260.

65) 체신부, 『80년사』, 285쪽 ; 『일안 3』, 문서번호 4337.

66) 『일안 5』, 문서번호 6260.

노력하고 있음을 과시하기도 했다. 1899년 재조선 일본 우체국에 자전거를 배치하고 체전부들에게 자전거 타기를 훈련시켰던 것이다.[67] 일본의 이와 같은 통행 특권 요구는 전보문의 신속 배달이라는 명분으로 인해 대한제국 정부에 대체로 수용되었다.

이처럼 일본은 대한제국의 전신 사업을 견제하고 방해했는데 그 범주가 유선 전신 사업에만 한정되지 않았다. 1899년 말부터 일본은 무선전신 교환소 설치특권 허여를 대한제국 정부에 요구하기로 결정하고, 이듬해 초부터 이를 강력하게 추진하기 시작했다.[68] 당시 주한일본공사 林權助는 대한제국 연안에 섬이 많은 점을 들어 무선전신을 설치하여 섬 지역의 소통을 원활하게 하고, 대한제국 연안 항구를 드나드는 일본 선박들이 안전하게 항해할 수 있도록 무선전신을 가설할 계획이므로 대한제국 연안 도서, 중요 도읍, 개항장에 무선전신 교환소를 설치할 권한을 허여하라고 요구했다.[69] 이때 일본은 이 요구서에 절영도, 부산, 거제도, 마산포와 같이 무선전신국 설치 장소까지 물색해 목록을 작성해 제출하는 치밀함을 보였다. 대한제국 정부는 이 요구에 대해 "무선전신은 매우 편리한 것으로 우리나라에서 현재 설치하기로 議定하고 電局을 창설하고자 하므로 요구를 허락하지 못하겠다"고 거부했다.[70] 하지만 대한제국 내에는 일본이 무선전신을 시험했다는 풍문이 떠돌기 시작했다. 일본 영자 신문을 인용한 『제국신문』의 기사에 의하면 "일본 해군성에서 우리나라 연해에 줄 없는 전보를 실지로 널리 시험하였으니 그 의도는 해변을

67) 『제국신문』, 1899년 5월 9일.

68) 『주한일본공사관기록』 13卷, 문서번호 기밀송 제67호(1899년 11월 28일) ; 『주한일본공사관기록』 14卷, 문서번호 기밀 제20호(1900년 3월 26일).

69) 『제국신문』, 1900년 2월 27일 ; 『황성신문』, 1900년 2월 27일 ; 『일안 4』, 문서번호 5528.

70) 『황성신문』, 1900년 3월 5일.

방어하자는 까닭이고 그 전보 놓는 장소는 대동강 어귀에서부터 북으로 원산까지 돌아오는 여러 섬"이라는 것이었다.[71] 이 기사에서 거론된 지역들이 이미 일본이 무선전신 중계권한 허여 요구서를 제출할 때 지목한 곳들임을 감안하면 이 지역들에서의 무선전신 시험 및 중계탑 설치 등 관련 작업이 진행되었을 가능성은 충분하다고 할 수 있다.

청나라에서 의화단과 서양 연합군 간의 공방이 격화되자 일본은 무선전신 중계권의 필요성을 절감해 대한제국 정부에게 이 특권을 양여할 것을 더 강력하게 요구했다.[72] 이른바 북청사변으로 인해 청나라의 전신 상황은 매우 악화되어 일본까지 이르는 전신선은 오로지 대한제국을 통하는 선로만이 남았기 때문이었다. 이에 인천항 전보사의 업무가 폭증했으며 이는 일본에게 좋은 빌미가 되었다. 심지어 청으로부터의 전신 상황이 극도로 악화되어 전신이 두절되는 일이 잦아지자 일본은 인천을 청나라로의 통신 중계 근거지로 삼아 청과 일본으로의 전신 송수신을 독점하려는 계획을 수립한 것이다.[73] 이 계획은 天津과 인천 사이에 情報艦과 군함을 배치해 이 지역들을 병참 근거지로 삼으면 청과의 교신도 원활해질 뿐만 아니라 서울 이남 지역을 일본 세력권으로 편입할 수 있어 영향력을 자연스럽게 확대할 수 있으리라는 전망에 근거한 일본의 대청, 대조선 전략의 일환이기도 했다.

먼저 몇 척의 군함을 상시 仁川에 두어 渤海灣과의 연락을 통하여(電信

71) 『제국신문』, 1900년 4월 17일. 이 기사는 일본 영자신문 기사를 인용한 것으로 공식 확인되지는 않았다.

72) 의화단 봉기의 전개과정과 서구 연합군과의 대립에 대해서는 최문형, 앞의 책(2004), 109~122쪽을 참조.

73) 『주한일본공사관기록』 14卷, 1900년 7월 20일(문서번호 기밀 제65호) ; 중국의 통신 두절에 대한 기사는 『황성신문』, 1900년 7월 9일, 7월 13일 참조.

과 같은 것도 만주와 上海線은 언제 절단 당할지 예측할 수 없으므로, 혹은 天津 인천간에 情報艦을 왕복하도록 하는 것이 필요하게 될 것임) 후에 순전한 우리 병참 근거지로 하는 것도 가능할 것입니다. 그렇게 되면 일시에 세상의 이목을 놀라게 하는 것 같은 일 없이 京城 이남은 저절로 우리의 세력 구역으로 귀속될 것이라고 생각됩니다.[74]

이런 의도를 내포한 무선전신 중계권 장악 기도는 대한제국 정부의 반발로 무산되었지만, 인천을 통신의 중심으로 설정한다는 일본의 계획은 변함이 없었다. 중국의 전신 사정이 나아지지 않자 일본은 인천우편국 통신 업무 폭증을 이유로 인천, 경성의 전신국 직원을 증원하면서 부산까지의 전신선을 복선화하겠다고 통지하기도 했다.[75]

그러나 대한제국 정부는 일본의 요구들을 단호하게 거부해 협상이 진행될 수 없었다. 당시 일본 당국으로부터 이런 전신 특권 교섭을 지속해 성과를 내라는 압박을 받았던 주한일본공사 林權助는 "[무선전신 중계권을 포함한 전신 사업권은] 일반적인 외교 수단으로 성과를 거두기란 극히 곤란한" 안건이므로 "지금 시기에는 제출하더라도 당장 성과를 거둘 가망이 없다"고 대한제국 정부의 분위기를 전했다.[76] 이처럼 대한제국 정부의 통신권 보호를 위한 태도는 단호했다.

논의를 유보했던 일본은 1901년 러시아가 대한 전신 연접을 요청한 일을 무선전신 가설권을 포함한 전신 특권을 요구하기에 매우 좋은 기회로 판단했다.[77] 이미 1897년 대한제국 국경 지역에서 전신선 연결을

---

74) 『주한일본공사관기록』 14卷, 1900년 7월(문서번호 기밀 제56호).

75) 같은 책, 1900년 7월 20일(문서번호 기밀 제65호) ; 『황성신문』, 1900년 7월 17일 ; 18일.

76) 같은 책, 1900년 7월 20일(문서번호 기밀 제65호).

77) 같은 책, 1901년 4월 17일(문서제목 : 朝鮮電信連絡에 관해 우리가 收得해야

시도했던 러시아가 또 다시 전신 연결 교섭을 청하자 일본은 이를 용인하는 조건으로 이에 상응하는 특권을 요구했던 것이다.[78] 일본으로서는 이 특권들이 허용되든지 또는 러시아와의 대한 전신 연접이 실패하든지 둘 중 어느 쪽으로 결론이 나더라도 손해가 되는 일은 아니었다. 그러므로 일본은 무선전신 중계소 설치권을 허여할 것을 일 년 내내 주장했다. 그러나 이 특권 허여를 주장하는 토대로 일본이 내세우는 1883년의 '부산구설해구전선조약'과 1885년의 '속약'은 일본이 주장하는 기득권과 관련이 없었다. 일본 역시 이 점을 알고 있었음에도 다른 요구들과 더불어 이 특권들을 허용하라고 계속 주장했다.[79] 이런 일본의 주장에 대해 대한제국의 태도는 변함이 없었다. 통신원은 일본이 요구한 특권(무선전신 교환소 설치권과 부산-마산 간 육상전신 지선 가설권)이 "한국의 전선포설 자유권에 속하는 것으로 다른 국가에게 양여할 수 없는" 권한이라며 일축했던 것이다. 그 밖의 조건에 대해서는 한국이 만국전신동맹에 가입한 이후 허용 여부를 판별할 일이며, 더 나아가 군용 전신은 임시로

할 權利問題에 대해 意見上申의 件), 4월 20일(문서제목 : 朝鮮電信連絡에 관해 우리가 收得해야 할 權利問題에 대해 意見上申의 件).

78) 『고종시대사』 5, 광무 5년(1901) 12월 14일.

79) 일본이 요구한 특권은 무선전신교환소 설치권, 부산 · 마산 간의 육상전신 지선 가설권, 한국 연안에 해저선 포설권이었는데, 마지막 세 번째 해저선 포설권에는 또 세 가지 조항을 첨부하기도 했다. 그것은 첫째, 일본에서 발착하거나 중계하는 모든 통신은 한국 발착신과 동일한 조건으로 이 선[새로 포설한 해저전신선]을 통과시킬 것, 둘째, 이 선으로 유럽 및 유럽 이외의 지역에 달하는 전신을 취급할 것, 셋째, 경성의 일본군용선과 한국의 모든 전선을 기계적으로 통련할 것 등 새로 포설할 해저선에 연결된 대한제국의 전선과 외국선이 접속할 경우를 대비한 것이었다. 이런 일본의 요구는 대한제국의 전신 사업을 일본에서 전담하겠다는 것과 별로 다를 바 없었다. 『주한일본공사관기록』 16卷, 1901년 11월 11일(문서제목 : 韓露間 電信線連結에 관한 件) ; 1901년 11월 15일(문서번호 機密第123號) ; 1902년 3월 28일(문서제목 : 國境地帶 電信線連結에 관한 露國의 要求).

가설한 것이므로 즉각 철수하라고 요구했다. 일본 내에서도 이런 특권 주장이 무리한 일이라고 보는 견해가 있었다. 일본공사 井上 馨은 '부산구설해저전선조관'이나 '속약'에 비추어 해외연접의 기득권을 요구할 수는 있지만 이는 '의정서'나 '각서' 등에서 러시아의 대한연접을 인정한 것을 미루면 일본이 러시아 연접을 반대할 권한도 없고, 심지어 이와는 별개의 특권인 무선전신 중계권을 요구하는 것은 얻을 수 없는 권리를 주장하는 일이라고 보았다.

> [1896년의] 일·러의 약정이 1886년 일·한 약정에 효력을 미친다는 예측도 있으므로 우리가 주장해야 할 논거는 자연히 약할 뿐만 아니라 [대한제국 정부에게 우리가] 권리라고 항의할 이유도 없습니다. 러시아는 위의 협상을 기초로 하면 충분히 그 권리[대한전신연접]를 주장할 수 있음은 물론입니다. … 무선전신의 가설에 이르러서는 앞에 드러난 이유에 기초하여 우리가 요구할 수 있는 부대조건으로 성립되지 않을 수 있으므로, 이는 반드시 교환 의미로서가 아닌 완전히 별개의 문제로 취급하는 것이 득책입니다.[80]

따라서 일본이 대한제국 정부에 요구할 수 있는 권한이 전신기기에 의한 통련, 일본 송수신 전신 및 중계의 모든 통신을 한국 송수신 협정조건에 의해 러한 연접선을 통과할 수 있도록 하며, 그 요금은 반값으로 하고, 이 선으로 유럽 및 유럽 이외의 지역에 송신되는 통신을 취급하지 않게 하는 것 정도에 불과하다는 점을 인지하고 있었다. 그럼에도 불구하고 일본은 대한제국 정부에 무선전신 특권을 지속적으로 요구했다.

---

80) 같은 책, 14卷, 1901년 4월 17일.(문서제목 : 朝鮮電信連絡에 관해 우리가 收得해야 할 權利問題에 대해 意見上申의 件).

일본의 무리한 요구에 대해 대한제국 정부는 “첫째, 한국 전선은 타국 전신국과 접속할 것을 원치 않으며, 둘째, 부산-인천 간에는 4개의 육상전선이 가설되어 있어 통신연락이 느리지 않으며, 셋째, 해저나 육상을 막론하고 전선 증설이 필요한 경우에도 이 모든 전선 가설권을 잃지 않을 것”이라고 하면서 거부 의사를 분명히 했다.[81] 비록 대한제국 정부가 단호한 태도로 일본의 특권 요구를 거부했지만 일본과의 공방에서 결국 대한제국 정부는 러시아와의 연접을 포기할 수밖에 없었으므로 일본이 특권 확보에는 실패했을지는 몰라도 러한 전선 연접을 중지시키는 결실은 얻을 수 있었다.[82]

러시아는 그 이후에도 전신연접 허용을 계속 요구했다. 러시아는 대한제국 정부에 두만강과 가까운 경흥에 러시아 영사관을 설치하는 방식을 제안하는 한편 일본이 이 연접을 방해한다고 생각해 일본공사에게 이 문제를 문의하기까지 했다.[83] 이에 대해 일본은 러시아에게는 연접을 반대하지 않는다는 입장을 표명하면서도 대한제국 정부에는 러시아와의 연접과 관련한 특권을 요구하는 이중적 태도를 견지함으로써 대한제국 정부로 하여금 러시아와의 연접을 수용하지 못하게 했다.[84] 이는 대한제국이 전신 사업을 자유롭게 확장할 수 없음을 의미하는 일이었다.

---

81) 『고종시대사』 5, 광무 5년(1901) 12월 14일.

82) 『주한일본공사관기록』 14卷, 1901년 4월 17일(문서제목 : 朝鮮電信連絡에 관해 우리가 收得해야 할 權利問題에 대해 意見上申의 件).

83) 같은 책, 16권, 1901년 11월 11일(문서제목 : 韓露間 電信線連結에 관한 件) ; 1901년 11월 15일(문서번호 機密第123號) ; 1902년 3월 28일(문서제목 : 國境地帶 電信線連結에 관한 露國의 要求).

84) 『일안 5』, 문서번호 6766 ; 문서번호 6809 ; 『일안 6』, 문서번호 7437 ; 문서번호 7449.

2. 전신 사업 경영 실태

1) 전신 사업 투자규모의 증가

일본의 견제와 방해에도 불구하고 대한제국 정부는 이전의 봉수 역원을 대체하는 전신망 확장 사업을 지속적으로 추진했다. 대한제국 정부는 전신이 획기적인 군사 통신망일 뿐만 아니라 지방으로의 명령 전달과 명령 이행 여부의 보고 통로로서 중요한 역할을 담당한다고 인식했기 때문에 전신망을 관리하고 새로 가설하고 전보사를 신축하는 데 드는 통신원 사업비에 대한 지원을 아끼지 않았고 그에 따라 이 사업의 총괄 부서인 통신원 예산은 해마다 증가했다.[85] 전신망의 운영과 관리에 중요한 전보사 한 개를 설치하는 데는 3천 원 정도가 들었는데 여기에는 대개 전보사 건물의 신축 또는 임대비, 전신기기 구입 및 설치비, 그리고 전보사가 설치된 곳까지 지선을 연결시키는 비용이 포함되어 있었다.[86] 1896년 이래 지방 전보사가 해마다 3~5개씩 증설되었음을 감안하면 대한제국의 재정 상태로는 늘어나는 전신 사업비가 적지 않은 부담이었을 것이다.

전신 선로 공사비가 얼마나 들었는지에 대해서는 통신원의 '1904년 전보사업비 예산 설명'을 중심으로 가늠해볼 수 있는데, 이 설명서는 2,110리의 전신망을 구축하는 데 든 경비를 모두 142,000원으로 산출했다. 산출된 공사비에는 기술 지도를 위한 한성총사 기사나 전보사 직원의 파견 여비와 전신주를 세우고 전신선을 연결하는 실무를 담당하는 공두와 일꾼의 급여, 전료구매비와 전간목 구매비만이 설정되어 있고 공사를

85) 체신부, 『80년사』, 213~214쪽에서 재인용.

86) "光武 年間 電報事業費 豫算表 說明書", 체신부, 같은 책, 부록 351쪽.

지휘하고 기술문제를 해결하는 전보사 직원들의 급여 항목이 포함되어 있지 않았다. 이 공사비는 〈표 4-5〉에서 보는 바와 같이 1리 당 단가로 환산하면 67.3원 정도로, 이를 1903년까지 대한제국 정부가 확보한 33개(지사 제외)의 전보사와 약 6,400리의 전신망에 적용하면 대한제국의 전신망 복구 및 신설을 위한 투자액 규모를 알 수 있다. 즉 대한제국이 전신 사업을 재개하면서 전신망 구축 공사비에만 약 53만원을 투자했던 것이다.[87] 이 공사비용에 인건비를 포함하면 대한제국 정부는 전신 사업 재개를 위해 1896년 이래로 해마다 대한제국 농상공부 예산의 두 배에 해당하는 평균 10만 원 이상의 자금을 마련해야 했다. 1900년 통신원이 농상공부로부터 독립한 이래 농상공부의 예산이 1/6 수준으로 축소된 점을 감안하면 대한제국 정부는 근대 통신 사업의 재개를 위해 자금을 별도로 마련했을 것으로 보인다.[88] 이 전신 사업을 위한 비용은 외국 차관 도입이 여의치 않은 상황에서 자력으로 해결할 수밖에 없었고, 이런 열악한 상황에서도 전신 사업이 중단 없이 진행된 것은 전적으로 고종을 비롯한 중앙 정부 관료들이 1895년 이래 폐지된 봉수와 역원을 대체할 군사 정보망을 확보하고, 지방의 행정 체계를 총괄할 통신망을 구축하고자 했던 의지의 결과라고 할 수 있다.

또 전신 사업이 전신 선로의 가설만으로 끝나는 것이 아니라 이를 운영해야 비로소 작동하는 것이므로 이를 위한 전보사 유지비용 또한 필요했으며 이 역시 적지 않았다. 예를 들어 1903년 작성된 1902년의 '通信院所管郵電業務叢目表'를 보면 전보사의 지출은 모두 126,011원이었다.[89] 이 지출을 구성하는 항목은 인건비와 숙박 및 소모비, 전료 구매비,

---

87) 우정100년사편찬실 편, "通信院所管郵電業務叢目表(광무 7년 12월)", 『고문서』 5권, 1~8쪽.

88) 李潤相, 앞의 글, 130~131쪽.

〈표 4-5〉 대한제국 전신망 가설비 추산표(단위 : 원)

	파원여비	공두, 모정역비	전료 구매비	전신주 구매비	합
2110리 건설비	1711.50	29126.00	52728.75	58380	141,946.25
리당 단가	0.80	13.80	25.00	27.70	67.30
1903년 전신망 리 수 : 6345리	5076.00	87561.00	158,625.00	175,756.50	427,018.50

* 출처 : "광무 연간 전보사업비 예산표 설명서", 체신부, 『80년사』 부록 350쪽 재구성.

수선역비, 건축 수리 및 각사 잡비 등이었다. 이들 항목 가운데 가장 큰 부분은 인건비로 61,543.6원에 달했는데 이는 지출의 반에 해당했다. 이 인건비에는 전보사 주사급 이상의 직원들 급여와 더불어 전전부, 공두, 청사 같은 잡급직의 급여도 포함되어 있었다. 주사급 이상 직원들의 봉급이 37,000원 정도였고, 잡급직의 급여는 직원 급여의 2/3에 해당하는 25,000원 정도였다. 전보사 지출 가운데 두 번째로 큰 몫을 차지하는 것은 전료 구입비였다. 각종 전료를 구입하는 데에 30,163.8원이 들었으며, 그 다음이 수선역비로 16,692.8원이 지출되었다. 그밖에 전신망 유지와 보수를 위해 파견한 직원들의 숙박 및 소모비로 9,101.4원을, 각 전보사 건물의 수리비로 3,456.5원을, 각사 잡비로 517.5원을 썼다.[90] 지출 항목들이 전신망 관리를 위해 필수적인 항목으로만 구성된 것으로 미루어 사업 예산 대부분이 기존 전신망을 유지하고 전신 사업을 운영하는 데 지출되었음을 알 수 있다.

1902년 통신원의 전보사업비 예산 180,000원이 책정되어 있었음을 감안하면 126,011원의 지출은 예산 가운데 54,000원을 집행하지 않았음을

89) "通信院所管郵電業務叢目表(광무 7년 12월)", 우정100년사편찬실 편, 앞의 책, 1~8쪽.

90) 같은 문서.

의미했다. 그러나 1902년도 예산의 미집행은 확장, 신설과 같은 신규사업비가 지출 항목으로 설정되지 않았기 때문에 발생한 것으로, 이를 감안하면 예산은 오히려 초과 지출되었음을 알 수 있다. 〈표 4-6〉을 통해 1902년의 신규 사업 및 수리비를 추론해보면 新建·수리비와 가설 수리비, 그리고 지사 설치비 등 이 세 항목의 합이 1903년 110,683원, 1904년 126,107원으로 각각 해당 연도의 예산에서 28%, 22%를 차지하는 규모이며, 전신주와 전료비를 합하면 232,567원, 311,293원으로 예산의 60% 정도나 차지하고 있다. 이를 미루어 1902년의 전신주 구입을 포함한 신규 사업 및 수리비는 100,000원 정도에 달했을 것으로 보인다.

〈표 4-6〉 통신원 예산 중 전보사업비 예산표

	광무 7(1903)	광무 8(1904)	광무 9(1905)
봉급 관원	54,360.00	70,200.00	56,453.00
잡급	36,696.00	46,812.00	
司費(비품,도서, 인쇄, 문구, 소모)	31,634.90	47,229.00	32,047.00
新建·수리비	11,100.00	14,000.00	14,270.00
여비	6,091.30	6,109.55	2,114.50
가설수리비	29,120.00	29,120.00	
전료전간비	121,884.60	268,173.00	111,108.75
전보학당	1,130.00	2,490.00	2,560.00
지사설치비	70,463.00	82,987.00	17,208.00
총계	362,479.80	567,120.55	235,761.25

* 출처 : 체신부, 『80년사』, 213~214쪽 재구성.

그러므로 집행되지 않은 것으로 보이는 50,000여 원은 실제 전신망 확장 공사비, 진주와 광주의 전보사 설치 등에 지출되었음이 분명하다. 이처럼 통신원은 전신망 확충과 전보사 신설에 투자를 아끼지 않았고 이로 인해 "국고에 상당히 손해를 줄 정도"였다.[91] 그럼에도 불구하고 대한제국 정부는 전신 사업에 계속 투자했다.

전신 사업에의 투자는 대한제국 정부 예산중에서도 큰 비중을 차지하는 것이었다. 전신 사업을 총괄했던 통신원의 사업비는 1901년부터 1904년에 이르는 동안 전체 대한제국 정부의 예산 가운데 4.4%, 4.9%, 4.3%, 4.5%를 차지했다. 이는 규모면에서 보면 군부, 내부, 탁지부, 황실에 이은 다섯 번째 순위였고, 심지어 학부와 외부의 예산을 합한 정도의 규모이기도 했다.[92)]

이처럼 큰 규모의 통신원 예산 편성은 전신망 구축을 통해 근대 행정 통신망을 갖추려는 고종의 열의를 반영했다. 그러나 당시는 정부 관원들의 월급조차 지급하지 못할 정도로 재정상태가 나빴던 만큼 통신원에서 편성된 예산이 그대로 집행되는 일은 쉽지 않았다.[93)] 정부 재정원이 황실로 이관되었고, 해관 수입조차 영국인 해관고문이 장악해 입출금이 자유롭지 않은 상황이었으며 외국에의 차관 요청은 무시되거나 일본의 방해로 좌절되었다.[94)] 이런 상황에서 정부 재정만으로 전신 사업자금을 모두 충당하기란 쉬운 일이 아니었다. 또 통신원이 다른 서구 문물을 도입하기 위해 설치된 기구들과 같이 고종의 직속기구로 편재된 만큼 황실로부터 재정 지원을 받았을 것으로 짐작할 수 있지만, 이도 황실 재원을 모두 전신 사업에만 투자할 수는 없었기에 원활한 재정지원은 이루어지지는 않았던 것으로 보인다.[95)] 황실에서 독점했던 홍삼이나 인삼 전매 수입은 전신 가설 필요자금에 미치지 못했고, 전매수입 규모가 급격히 팽창한 1901년이 지나서도 자금 사정이 아주 나아지지는 않았기

91) 러시아 대장성 편, 정신문화연구원 번역, 앞의 책, 709쪽.
92) 이윤상, 앞의 글, 131쪽.
93) 같은 글, 156쪽.
94) 같은 글, 85~86쪽.
95) 같은 글, 89쪽. 150쪽.

때문이다.[96]

이런 상황에서 정부는 재정문제 해결을 위한 다른 방법을 찾아야 했고 賣官賣職이 하나의 방안으로 이용된 것으로 보인다. 당시 매관매직은 사회적 병폐로 지적될 정도로 만연해 있었지만, 매관매직의 前身이라 할 수 있는 납속공명첩은 재정의 궁핍을 해소하기 위한 방편의 하나로 조선시대 전체를 걸쳐, 특히 임진왜란과 같이 국가 재정이 극도로 부족하고 불안할 때 적극적으로 이용되었던 만큼 나름의 공익성을 띠고 있었다.[97] 그런 만큼 국가 행정망을 개혁하는 일에 통신원의 주사직을 현금의 대가로 내놓는 일에 큰 문제를 느끼지 못했던 것으로 보인다. 통신원의 경우 1896년대 말부터 1904년까지 통신원(1900년 이전에는 통신국) 관원으로 『관보』와 『대한제국 관헌이력서』에 등재된 인물은 2천여 명이 넘었다. 이들 대부분은 부임하지 않거나 발령받은 지 하루 만에 면직되어 1년 이상을 근무한 통신원 관원은 고작 총인원의 20%에도 미치지 못했다.[98] 1900년 이후부터 특히 이 일은 고종의 최측근 중 한 명이자 통신원

---

96) 같은 책, 161~162쪽.

97) 납속공명첩은 납속책과 공명책 두 가지를 합한 말로 조선 시대에 국가 재정의 궁핍을 메우기 위해 실시한 정책의 하나였다. 쌀이나 돈을 바칠 경우 그에 적합한 상이나 관직을 주거나, 役과 형벌을 면제해주든지, 또는 신분을 상승시켜 주던 제도였다. 납속은 조선 전기에도 실시된 사례가 더러 보이나, 제도화된 것은 아니었다. 납속이 제도화된 것은 임진왜란을 거치면서였다. 즉 조선 정부는 임진왜란 중 군량미 조달을 위해 납속을 대대적으로 실시했으며, 전후에도 복구 사업을 위한 재정 확보를 위하여 계속 실시함으로써 제도화했던 것이다. 특히 현종·숙종 때 남발되었는데, 이는 양반의 증가 등 신분제의 동요에 큰 영향을 끼쳤다. 공명첩은 납속의 대가로 받는 명예 관직 임명장이었다. 이태진은 이같은 이유로 조선왕조에서 매관은 공익성을 띠고 있다고 지적했다. 교수신문 기획·엮음, 앞의 책, 188~189쪽 ; 이태진, "상평창, 진휼청의 설치 운영과 구휼문제", 『한국사 30 : 조선중기의 정치와 경제』(국사편찬위원회, 1998), 338~358쪽.

98) 안용식 편, 『大韓帝國官僚史硏究』 1, 2. 이 두 권에 등재된 1896년 이후 대한제국 관원들의 총 인원은 4천5백 명이 넘는다. 그 가운데 통신원 소속은 2천여

초대 총판인 閔商鎬가 담당했을 것으로 추측된다. 1900년 통신원 발족 후 통신원총판으로 임명되었던 그는 1905년 일본의 전신 사업권 강점을 반대해 일본에 의해 해임될 때까지 대한제국의 전신 사업을 총지휘했기 때문이다. 매관매직은 단지 전신 선로 가설만이 아니라 개혁 정책 수행을 위해 정부 차원에서 광범위하게 이루어졌던 것으로 보이며, 이 때문에 고종은 매관매직을 일삼던 임금이란 오명에서 헤어날 수 없었다.[99)]

대한제국 정부가 이런 방법을 동원하면서까지 전신망을 확보하려 한 것은 국가의 행정 통신망의 구축이라는 국가 통치 차원의 필요와 고종이 1880년대부터 가지고 있던 근대 전신망 구축에 대한 의지 때문이었다. 이와 같은 고종의 관심과 열의에 힘입어 전신 사업은 우체사업과 더불어 대한제국의 근대문물 도입 사업 가운데 가장 규모가 크고 또 관리와 운영이 잘 되는 사업으로 자리를 잡을 수 있었다.

2) 전신 사업 수입의 증가

전보사의 수입은 대한제국의 전신 사업 지원 정책에 힘입어 매달 증가하는 양상을 보여 왔다.[100)] 대한제국의 각 전보사 수입 증가 양상은 〈표 4-7〉과 〈표 4-8〉에서 나타나 있다. 그 가운데 통신원 창설 이듬해인 1901년의 수입을 보인 〈표 4-7〉을 보면 의주, 삼화, 평양, 영변과 같은 지방 전보사는 12월 수입이 1월에 비해 무려 두세 배 가까이 늘어나 있다. 지방 전보사마다 수입 증감이 다르지만 1901년 대개의 지방 전보사

명에 달하며, 그 가운데 전보사 소속 관원은 140명에 불과하며 우체사 소속 관원을 합해도 400명에 미치지 못했다.

99) 당시 매관매직의 상황은 黃玹, 『완역 梅泉野錄』(教文社 영인, 1996), 505쪽.

100) 체신부, 『80년사』, 237~244쪽.

수입은 매월 전월 대비 5%수준의 성장을 기록해 12월에 이르면 1월 대비 60% 정도 증가율을 보였다.

〈표 4-7〉 1901년 전보사 수입 성장률(단위 : 원)

전보사	1월	12월	성장률
한성총사	1447.89	2614.20	80.1
원산(1)	352.19	602.02	70.9
부산(1)	525.85	876.46	66.1
금성(2)	11.68	2.14	-81.7
경성(2)	67.55	91.38	35.3
함흥(2)	138.24	185.86	34.5
인천(1)	685.12	905.77	32.2
공주(2)	131.86	146.71	11.3
은산(2)	60.76	29.60	-51.3
전주(1)	187.07	266.74	42.6
성진(1)	49.32	.	
영변(2)	25.26	95.05	276.3
충주(2)	.	69.66	
운산(2)	74.30	·	·
창원(1)			
무안(1)	285.06	373.09	31.0
안주(2)	125.04	152.68	22.1
의주(1)	77.34	160.02	106.9
해주(2)	152.30	129.08	-15.2
옥구(1)	184.92	206.68	11.8
북청(2)	76.08	129.92	70.1
삼화(1)	102.75	397.07	286.4
평양(1)	436.54	966.46	121.4
대구(2)	215.75	388.15	80.0
개성(2)	141.85	154.60	60.8
선천(2)	·	65.10	·
계	5584.18	8943.34	60.7

* 출처 : "광무5년 각 전보사별 수입 일람표", 체신부, 『80년사』, 220~221쪽 재구성.
* 전보사 등급은 1900년 7월 25일 기준이며 괄호 안에 표시, 성장률은 (12월-1월)×100/1월로 계산.

〈표 4-8〉 1901~1904년 지방 전보사별 연간 수입(단위 : 원)

전보사	1901년	1902	1903	1904	소계
한성총사	21,481.21	29,894.40	41,100.00	49,472.23	141,947.84
원산(1)	5,394.12	7,578.62	11,642.93	15,134.10	39,749.77
부산(1)	7,454.66	9,148.00	14,290.83	16,510.73	47,404.22
인천(1)	9,046.71	10,422.99	17,075.67	23,086.77	59,632.14
평양(1)	7,153.58	9,967.88	13,456.58	23,086.77	53,664.81
대구(1)	2,464.75	5,204.94	5,068.77	4,730.00	17,468.46
전주(1)	1,998.86	2,075.40	3,352.83	4,356.61	11,783.70
성진(1)	9,190.07	1,657.01	2,479.42	1,228.69	14,555.19
창원(1)	·	2,486.60	3,320.51	2,333.55	8,140.66
무안(1)	3,659.22	4,409.71	7,128.43	7,747.24	22,944.6
의주(1)	1,723.97	2,352.21	8,239.71	1,323.42	13,639.31
옥구(1)	1,982.15	2,287.15	5,275.70	8,184.60	17,729.6
삼화(1)	3,946.71	4,893.41	10,702.51	13,552.43	33,095.06
은진(1)		·	1,269.84	3,252.10	4,521.94
영변(2)	584.94	1,016.43	2,407.56	422.84	4,431.77
금성(2)	115.89	149.79	135.85	164.56	566.09
경성(2)	1,000.94	1,513.00	1,365.21	352.68	4,231.83
함흥(2)	1,865.39	2,821.11	2,547.18	1,998.90	9,232.58
공주(2)	1,426.93	1,456.18	1,470.58	2,389.64	6,743.33
은산(2)	2963.50	2,992.85	3,183.88	3,036.20	12,176.43
충주(2)	279.74	816.73	1,016.43	805.22	2,918.12
운산(2)	642.32	715.63	1,139.29	455.50	2,952.74
안주(2)	1,495.22	2,103.26	3,469.56	797.14	7,865.18
해주(2)	1,469.72	1,558.29	2,140.08	3,080.58	8,248.67
북청(2)	1,608.31	1,963.08	2263.63	774.82	6,609.84
개성(2)	1,735.09	1,718.40	970.50	4,291.05	8,715.04
선천(2)	65.10				65.10
광주(2)		1,849.77	2,604.61	2,820.48	7,274.86
진주(2)		2,514.80	3,697.34	3,325.85	9,537.99
총계	90,749.1	115,567.64	172,815.43	198,714.70	577,846.87

* 출처 : "광무5년 각 전보사별 수입 일람표", 체신부, 『80년사』, 220~224쪽을 재구성.

이러한 성장세는 전신 사업을 재개한 이래 꾸준했으며 심지어 1904년 러일전쟁의 발발로 전보국이 무단 점령당하고 일본 군부대로 전신 업무가 이관되는 과정 속에서도 지속되었음을 〈표 4-8〉에서 볼 수 있다. 전보사들 가운데 특히 성장세가 두드러졌던 전보사는 원산전보사였다. 원산전보사는 1904년, 1901년에 비해 수입이 무려 세 배에 가깝게 증가했다. 다른 대부분의 전보사들 역시 1904년에도 1901년에 비해 두 배 정도의 수입을 거둘 수 있었는데, 이런 현상은 전신 사업의 특징을 보여주는 일이기도 했다. 즉 전신은 전시와 같은 비상시에 더욱 더 유용한 소통수단이라는 점이었다.

물론 모든 전보사가 해마다 두 배 이상 성장한 것은 아니었다. 〈표 4-8〉에서 볼 수 있는 것처럼 운산이나 은산의 전보사처럼 거의 성장하지 않은 곳도 있었다. 그러나 이 전보사들은 매우 특수한 환경에서 영업을 했던 경우로서, 외국인이 경영하는 광산회사에 있던 전보사였다. 이 외국회사들은 대한제국 정부와 계약에 의해 약정액을 납부했으므로 이들 전보사의 수입은 전적으로 그 지방에 보내지는 관보와 지방민이 사용한 전신의 요금으로 구성된 것이라고 할 수 있다. 이 전보사들은 행정상 중요하지 않은 산간지방이었을 뿐만 아니라 전보사가 외국인 광산회사 안에 있어 일반인의 접근이 쉽지 않았음을 감안하면, 이들 전보사의 수입은 도리어 이런 산간 지역에서조차 민간인이 전신을 유용한 통신 수단으로 이용했음을 보여주는 것이다. 이처럼 특수한 환경의 전보사를 제외하고 대부분 전보사업 재착수년도인 1896년부터 1902년까지 비슷한 폭의 증가세를 보였다.

1902년 들어서 대한제국 통신 사업의 외형은 매우 성장했다. 대한제국이 전신 사업을 재개하고 본격적으로 전신망을 확보하기 시작한 지 6년이 지난 해로 대한제국의 전신망은 6천여 리에 달했고, 이를 운영하는 전보사는 30개에 이르렀으며 고용된 인원은 전전부와 공두를 포함해 480명에 이르렀다. 또 대한제국의 전신망을 통해 1902년에만 모두 약 이십만 통의 국내 전보와 약 일천 통의 외국 전보를 송수신했으며, 전신 중계료를 합해 모두 120,000원의 수익을 거두었다. 이 해의 전신망 관리와 전보 사업 운영을 위한 경상지출이 126,000원이었으므로 손실 규모는 약 6,000원 정도에 불과했다.[101] 이처럼 전신 사업을 재개한 이래 외형이 성장한 만큼 전신 사업 실적도 점점 좋아져 해가 지날수록 손실 규모가 점점 작아졌지만 이 손실에 신규 사업비가 포함되지 않았음을 감안하면, 통신원으로서는 지속적으로 전신망을 확산하고 사업을 확장하기 위해 사업 자금을 정부 예산에서가 아니라 통신 사업 자체 내에서 확보하기 위한 방안을 마련할 필요가 있었다. 아무리 통신원 주사의 지위를 제공하는 납속공명첩을 발부해도 전신 사업비를 다 충당할 수 없었고 정부로서도 전신 사업에 같은 규모로 계속 투자를 한다는 것은 부담이었다. 이 문제를 해결하기 위해서는 통신 사업 자체에서 수익을 더 많이 내야 했고 따라서 전신 요금의 인상은 불가피했다.

통신원은 1903년 2월을 기해서 전신 요금을 한문과 국문은 이전보다 100%, 歐文의 경우는 50% 인상했다.[102] 큰 폭의 인상이기는 했으나 통신원은 전신 요금 인상 방안이 순익을 가져올 뿐만 아니라 명분도 있다고 판단했다. 1885년 조선에서 처음 전신 사업을 시작한 이래 전신 요금은 큰 변화가 없었기 때문이다. 물론 대한제국이 전신 사업을 재개할 때, 1885년의 요금 변동 체제를 탈피함과 동시에 전신 요금 인상을 도모한 일이 있었다. 전신 선로를 처음으로 가설했던 1885년 이래 조선 전신 요금은 송신거리와 글자 수에 따르는 방식을 따랐는데, 사업을 재개하면서 정부는 조선 전역이 동일하게 오직 글자 수에 따라 달라지는 요금

---

101) "通信院所管郵電業務叢目表(광무 7년 12월)", 우정100년사편찬실 편, 『고문서』 5권, 1~8쪽.

102) 『勅令 제4호 : 國內電報規則』, 『황성신문』, 1903년 3월 21일 ; 3월 23일 ; 3월 24일 ; 3월 25일.

방식을 채택했던 것이다. 그 요금체계에 따르면 보통전보 한문 한 자에 은 5전, 국문 한 자에 은 2전, 歐文 한 단어에 은 10전이었다.[103] 이는 이전 요금체계에서 한성-의주 사이와 한성-부산 사이가 각각 1각 3푼, 1각 1푼(은전으로 환산하면 2전 5푼과 약 2전 1푼 정도에 해당)이었음을 감안하면 한문 전신문을 100%에 가깝게 인상한 것이기도 했다.[104] 그러나 이 인상은 1897년 4월 철회되었고, 이 조치는 단순히 한문 전신 요금 인하에만 국한되지 않았다. 이때 국문 전신 요금도 같이 인하되어 대한제국 전역에서 전신 요금은 한문 한 자에 은 3전 25푼, 국문 한 자에 은 1전 5푼으로 정해졌다. 이 요금을 1896년과 비교하면 한문은 은 1전 75푼이 내리고, 국문은 5푼이 낮아진 수준으로서 1885년과 비교하면 한문은 1전이 오른 셈이었지만 대한제국 전역에서 거리와 관계없이 같은 요금을 받았으므로 전체적으로는 전신 요금이 인하된 셈이었다. 이 전신 요금표는 1898년 또 한번 소폭의 변화를 겪었다. 즉 한문은 한 자당 은 5전, 국문은 한 자당 은 2전으로 인상해 1896년 7월 수준으로 회복했던 것이다. 그러나 이 인상에도 불구하고 대한제국의 전신 요금은 20년 동안 한문만 약 100% 인상되었을 뿐 국문이나 구문 전신 요금은 거의 인상 없이 유지된 셈이었다.[105] 이처럼 전신 요금을 인상하지 못한 데에는 낮은 요금 정책으로 대한제국의 전신 이용자를 흡수하려 했던

---

103) 체신부, 『80년사』, 208쪽. 은 1전은 동 5문과 같고 1문은 4센트로 계산되었다. 그러므로 은 1전은 20센트에 해당하며, 1냥은 은 2전과 같다.

104) 1886년 8월 쌀값을 보면 상등미 1되에 2냥 7전으로 이를 은전으로 환산하면 약 은 5전 정도(은 1전은 동5문에 해당)로 두 글자의 한문 전신문은 당시 상등미 한 말 값과 거의 같았다. 은 1전으로는 하급의 면포를 1척 살 수 있었다. 『漢城周報』, 1886년 7월 24일. 1891년의 물가로 환산해보면 쌀 1되는 2냥 8, 9전으로 1886년에 비해 물가는 그렇게 크게 오르지 않았던 것으로 보인다. 貢人 池氏, 『國譯 荷齋日記』(서울특별시사 편찬위원회, 2005), 30~31쪽.

105) 『독립신문』, 1897년 6월 27일.

일본이 존재했기 때문이었다.

그럼에도 불구하고 통신원은 1903년에 이르러 수익 구조 개선을 위해 요금 인상을 단행했다. 전신 요금 인상의 효과는 곧 나타났다. 1903년 전신 요금을 인상한 바로 그 해에 전신 사업에서 수입 총액이 지출 총액을 넘음으로써 전신 사업 사상 처음으로 순익을 기록했던 것이다. 1903년의 획기적인 전신 수익의 성장은 대부분 전신 요금 인상에 의해 이루어졌음은 두말할 나위가 없지만, 〈표 4-8〉이나 〈표 4-9〉에서 볼 수 있듯이 전보사의 수입이 요금인상 전에도 지속적으로 증가했음은 수입의 증가가 대한제국 정부의 전신 사업 확산 정책과 깊은 관련이 있음을 보여준다. 대한제국은 1896년 전신 사업을 재개한 이래, 전보사 한 곳을 개설하는 데에는 3천원이 들고 또 전신 선로 1리를 가설하는 데 약 70원이나 들었음에도 전보사 증설과 전신망 신설을 지속했고, 그 결과 사업 재개 첫 3년은 전신 기본요금을 반 수준으로 인하했음에도 불구하고 전신 수익은 폭발적으로 증가할 수 있었다.(〈표 4-9〉 참조) 전보사가 신설될수록 1개 단위 전보사가 벌어들이는 수입이 증가했고, 이런 관계는 대한제국 정부가 전보사를 신설해야 했던 이유를 잘 보여준다. 한 전보사에서 벌어들이는 수입금은 매년 증가해 1903년에 이르면 한 개 전보사의 평균 수입이 약 6,080원 수준에 도달했다.

또 전보사 수익 증가는 전보사 직원 수의 증가와도 관련이 있었다. 전신망을 운영하고 관리하기 위한 경상 지출 항목 가운데 인건비는 가장 큰 비중을 차지해 상당히 부담스러운 규모였다.[106] 그러나 통신원은 인건비 부담을 줄이기 위해 직원 수를 조절한다거나 잡급 인원을 줄이지 않았다. 오히려 전보사 직원의 총수는 매년 증가했다. 하지만 전보사

106) 체신부, 『80년사』, 213~214쪽.

직원이 늘어났음에도 직원 1인의 수입이 감소되거나 정체되지 않고 1896년 사업 재개 초기에 비해 1903년에는 무려 12배 이상 증가한 것은 직원 1인이 감당하는 업무량 역시 큰 폭으로 증가했음을 의미했다.(〈표 4-9〉 참조) 이는 당시 대한제국의 전신 사업 시장이 아직 개발 단계에 있어 통신원이 사업을 확대할수록 시장 규모 역시 이에 따라 성장했음을 의미했다. 또 이는 전보사가 처리해야 하는 업무 가운데 정부 관보의 비중이 점점 감소하고 민간 전신 수발 업무가 늘어났음을 뜻했다.

〈표 4-9〉 1896년부터 1904년까지 전보사 총수입,
단위 전보사 및 직원 1인당 수입(단위 : 원)[107]

연도	1896	1897	1898	1899	1900	1901	1902	1903	1904
수입통계 전보사 수(개설 전보사수)	4	11	13	19	23	25	27	28(33)	28(34)
전보 총수입	2,239.5	13,088.15	32,795.19	48,034.47	68,566.9	90,749.1	115,567.64	172,815.43	198,714.7
전보사당 수입	559.8	1189.80	2536.50	2528.13	2980.70	3425.60	4223.40	6077.10	6852.23
전년 대비 성장률(%)		484.40	150.60	46.47	42.70	25.00	33.20	49.22	-11.40
직원수	25	40	53	80	95	104	116	142	149
직원 1인당 수입	89.58	327.20	618.80	600.40	721.80	823.50	983.00	1198.30	1336.56

* 출처 : 체신부, 『80년사』, 215~227쪽을 재구성.

대한제국 전신 사업의 수입 증가는 매우 중요한 사건이었다. 1903년의 통신원 예산을 보면 지출이 총 139,882원이었고 전보수입이 171,580원에 이르러 전보 사업으로 인한 순익이 30,000원이나 창출되었기 때문이다.[108] 물론 이 순익 규모가 그동안 전신망 가설과 전보사 신설을 위해 쓴 투자액을 모두 만회하는 수준에는 미치지 못했지만, 대한제국 정부로

107) 이 표에서 1903년에는 의주, 운산, 은산, 성진, 북청 지역 등 5개의 전보사가 총수입 산출에서 제외되었으며, 1904년에는 평양, 의주, 안주, 해주, 북청, 경성, 영변, 운산, 시흥 등의 9개의 전보사가 제외되었다.

108) 체신부, 『80년사』, 213쪽.

서는 전신 사업을 본격적으로 재개한 지 불과 7년 만에 순익을 창출했으므로 매우 고무적이지 않을 수 없었다. 대한제국의 전신 사업은 이제 단순히 행정 통신망으로서의 역할뿐만 아니라 대한제국 정부에 경제적 이익을 제공하는 근대 이기로서 대한제국 정부가 목적한 바를 성취하기 시작했다고 여길 수 있게 되었다.

전보사 수입이 늘어나자 수입금을 관리하는 일이 통신원의 주요 업무로 대두했다. 전보사에는 현금이 있기 마련이었고, 이 현금은 전보사 직원들에게는 대단한 유혹이 아닐 수 없었다. 1902년, 통신원은 지방 전보사 일부 직원들의 전보비 횡령 실태를 파악해 조치를 취하기 위해 각 전보사에 대한 감사를 실시했다. 이는 수입 미납액이 만여 원에 이르는 전보사가 있다고 여론에서 주의를 환기시켰기 때문이었다.[109] 1902년 시점에서 10,000여 원 이상의 수입을 올리는 전보사가 한성총사, 인천전보사, 부산전보사 세 곳밖에 없던 상황에서 횡령액 만 원 운운하는 여론은 과장된 면이 없지 않았지만, 통신원 역시 횡령을 감지하고 있었으므로 조치를 취하지 않을 수 없었다. 통신원은 대대적인 감사를 실시했고, 그 결과 전보사뿐만 아니라 우체사 등 통신원의 각 지방사의 직원들 대부분이 많게는 2,000원, 적게는 100여 원 정도를 횡령하고 있음을 밝혀냈다.[110] 그 중 개성전보사 주사 김성희가 전보비용 1,488원 86전, 권재혁 전 사장이 창원전보사 재임 중 2,800여 원의 전보비용을 횡령한 것이 드러나 김성희 주사는 면직, 권 전 사장은 면직과 동시에 구금되었다.[111] 또 정인호, 윤창선 두 주사도 감사결과 전보비를 횡령했음이 발각되었는데

---

109) 『황성신문』, 1902년 3월 6일.

110) 같은 신문, 1902년 5월 7일.

111) 김성희와 관련된 기사는 같은 신문, 1902년 4월 29일 기사를 참조할 것 ; 권재혁과 관련해서는 같은 신문, 1902년 5월 13일 기사를 참조.

이들 가운데 윤창선은 1901년 10월에 전보학당에서 수학했던 인물로 평양전보사에 도임하자마자 전보비 횡령으로 면직 징계를 받은 셈이었다. 정인호는 1900년 7월 전보학당을 마치고 평양전보사 견습생으로 왔다가 다음 달 안주전보사에 부임했던 사람으로 언제 평양전보사로 다시 배치되었는지는 정확하게 알려져 있지 않으나 윤창선과 비슷한 시기에 평양전보사로 와서 그와 함께 전보비를 횡령했던 것으로 보인다.[112] 한 전보사에서 두 명의 직원이 동시에 전보비를 횡령한 일은 유례가 없는 일이었다. 통신원은 두 전보사 직원에게 면직 징계를 내린 데에 그치지 않고 이들에 대한 관리 감독을 소홀히 한 평양전보사 사장을 한성으로 소환해 추궁하는 한편 통신원 직원을 평양전보사에 파견하여 그동안의 업무까지 監査하도록 하는 강력한 조치를 취했다.[113]

통신원은 횡령자에 대해서는 형사 처벌도 불사한다는 의지를 단호하게 천명함으로써 전보사 직원들의 경각심을 불러일으키려 했다. 그 본보기가 된 사람이 권재혁 사장이었다. 권재혁 사장은 1894년 공무아문 학원에서 전신을 배우기 시작해 1897년 5월 한성총사 주사를 거쳐 1899년 10월 12일 창원전보사에 사장으로 영전되어 1901년 11월까지 약 2년 동안 관리하다 전주전보사 사장으로 옮긴 전신 사업 재건에 공이 큰 숙련기술자였다.[114] 그럼에도 불구하고 통신원은 전주전보사로 옮기고 6개월이나 지난 시점에 그가 창원전보사에서 횡령했음을 밝혀내 면직시킴과 동시에 구금함으로써 횡령자에 대해서는 형사 처벌도 불사하겠다는 의지를 보여주었다.

112) 윤창선에 대해서는 이 논문 "부록", '윤창선' 항목 참조 ; 정인호에 대해서는 같은 글, '정인호' 항목을 참조.

113) 『電報處辦案』, 광무 6년 10월 24일 기사.

114) "부록", '권재혁' 항목 참조.

이처럼 1902년에 전보비 횡령 사건이 불거진 것은 전보사 직원들이 급작스럽게 도덕적으로 해이해졌기 때문은 아니었다. 이 해에 전보비 횡령 사건이 표면으로 부상한 것은 통신원이 선로 확장, 지방 전보사 설치와 같이 외형적 성장에 치우쳤던 이전과는 달리 전보사의 운영과 체제 정비에 중점을 두고 조직 관리를 시작해 지방 전보사를 본격적으로 제어하고 통제한 결과라고 할 수 있다. 그리고 역설적이지만 횡령 사건 자체는 전신 사업의 발전을 반영하는 일이기도 했다. 1900년 이전에는 횡령할 수 있는 자금의 여유가 몇몇 큰 전보사로 제한되어 있었으나, 전신 사업의 성장에 따라 수입이 증가하면서 지방 전보사에서 다루는 금액이 커져 횡령할 여지가 생겼다고 볼 수 있기 때문이다. 지방 전보사의 수입금 처리 방식도 직원의 횡령에 중요한 원인을 제공했다. 전보사는 전보수입을 월마다 결산해 중앙으로 전액 송금하는 방식이 아니라, 전보사 경비를 비롯해 전신 선로 관리 자금, 직원 월급에 이르기까지 거의 모든 비용을 먼저 해당 지방 관아에서 빌려 쓴 다음 수입을 정리하는 대로 지방 관아의 관보 사용료와 차입액 등을 먼저 정산한 후 남은 금액을 통신원으로 송금했다. 수입금이 적었을 때에는 이 지방 관아로부터의 차입금 상환도 부족해 횡령 자체가 불가능했고, 혹시 횡령을 한다고 하더라도 소액에 그칠 수밖에 없었으나, 1901, 1902년에 들어서 수입이 점점 증가하면서 전보사 직원이 유용하거나 횡령할 수 있는 여유가 커졌다. 수입금 전송 방식에 대한 근본적인 대책을 마련해야 했지만 통신원은 지방 관아와의 계산을 정리할 수 있을 정도로 예산을 확보하지 못했기 때문에 통신원은 대대적인 감사를 벌여 적발된 횡령 직원을 강력하게 징계함으로써 또 다른 횡령사건을 미연에 방지하려 했다. 또 통신원은 전보총국 이래 시행했던 방식, 즉 직원들을 20개월을 임기로 순환 전직시키는 원칙을 철저하게 시행할 것이라고 천명했다. 통신원의 감사 이후 횡령과 관련한 사건이나 보도가 없어진 것으로 미루어 통신원의 방식은 효과를 거둔 것으로 보인다.

3) 전신 이용의 증가

전신망의 확산과 전보사의 증설은 군사망과 행정 통신망의 확보라는 대한제국 정부의 목표를 실현하는 과정이기도 했지만 이는 부수적인 효과도 파생시켰다. 즉 민간인이 근대 통신수단인 전신을 좀 더 편리하게 이용할 수 있게 하는 데에 기여했던 것이다.

전신망이 수리되고 전보사가 늘어나자 민간인들은 전보사가 '관청'의 권위를 가진 곳이라기보다는 쉽게 접근할 수 있는 '이웃집'과 같은 곳으로 받아들였고 전보사에 드나들기 시작했다. 전보사를 처음 개설할 때 호기심 많은 사람들은 이곳을 드나들면서 잡일을 돕기도 하고 심부름을 하면서 전보사 직원들과 친해졌고, 이런 친분으로 민간인들은 전보사 학도로 선발되는 인연을 만들기도 했지만 대부분은 전보사를 신기하고 재미있는 곳으로 여기며 수시로 드나들었다.[115] 민간인들의 전보사 접근은 정보 누출이라는 부정적인 결과를 야기하기도 했지만 백성들이 전신을 더 많이 이용할 수 있게 하는 긍정적인 결과도 낳았다.[116]

대한제국에서 전신 사업이 재개되기 불과 2, 3년 전만 하더라도 "전보는 민간에게 폐가 많으니 혁파"해야 할 대상으로 동학군에게 지목된 근대 시설물이었다.[117] 전신에 대한 부정적인 생각은 일본군 전신선에서는

115) "學徒 所關 諸關係", 『學徒處辨案』(우정박물관 B00001-060-01), 광무 4년 7월 23일.

116) 『독립신문』, 1897년 9월 7일 기사.

117) 한우근, "동학군의 폐정 개혁안 검토", 『역사학보』 제23집(1964), 63쪽. 한편 김정기는 청이 가설하거나 관리하는 전신선으로 인해 전신 선로변 지방의 백성들이 경제적 부담을 과도하게 졌고 또 순변과 순병의 비리로 인해 많은

여전히 남아 있었지만 대한제국 정부가 주도적으로 운영하는 전신선의 경우는 그렇지 않았다. 물론 사업 초기, 전신은 대개 행정 공문이 오고가는 통로로서의 역할이 컸다. 따라서 전보사의 건물 구조는 민간인을 배려한 것도 아니며 요금이 일상적으로 사용하기에 싼 것도 아니어서 일반인의 전신 이용이 많지는 않았다. 하지만 시간이 지남에 따라 민간 전신 이용자들이 증가해 전신 체계가 관민 모두의 共同의 利器로 자리 잡게 되었다.

민간에서 전신제도를 익히는 데에는 시간이 필요했다. 비록 전신주를 마련하고 전신주를 세우는 일을 직접 담당했을지는 몰라도 전신을 처음 접하는 사람들이 매우 이질적인 서양의 사회적, 문화적 배경을 가진 전신 체계를 이해하기란 쉬운 일은 아니었다. 전신을 이용하기 시작했을 때 적지 않은 소동이 있었다. 보부상들에게 사적인 서신을 보내면 답신이 왔고, 이를 사례하던 방식에 익숙했던 사람은 전보지에 썼던 자신의 사연이 전신 요금을 지불한 후 보방으로 사라지고 응답이 없자 사기를 당했다고 생각하기도 했다.

> "영변관찰사 : 영변전보사 주사 고성준에 의하면 崔永俊이라고 하는 사람이 운산으로 전보를 보낼 것이 있다고 해 타송하였더니 이 사람이 홀연 보방에 난입하여 전보는 보내지 않고 보비만 暗喫이라 하고 꾸짖고 욕하니 雲山司에 탐문한 즉 面單에 수신인의 이름이 찍혀 있음이 분명하다기에 최모에게 설명해도 끝내 믿지 못하고 一向 詬辱하니 우선 경무서에 잡아넣으라 하온바 난입보방과 詬辱官人이 모두 법에 어긋남이 있으니 최영준을 엄징할 일. —통신원 총판 민상호"[118)]

고통을 겪었음을 들어 동학군이 이를 폐지해야 한다고 주장했다고 보았다. 김정기, 앞의 글(1993), 805~808쪽.

118) 『전보처변안』, 광무 6년 8월 29일.

비싼 전보비와 전신 배달비를 부담하면서 문명의 이기를 처음 사용해본 최영준은 아직 이 새로운 통신 방법에 익숙하지 않아 결국은 벌만 받게 되었는데, 이런 혼란은 그에게만 국한된 일은 아니었다. 어떤 이들은 전신선과 전기줄을 구별하지 못해 봉변을 당하기도 했다. 한성에 구경 온 시골 사람 세 명이 전신주 사이에 늘어진 전기줄로 소식을 전한다는 생각에 소리를 들어보기 위해 전기선을 끌어당겨 귀에 댔다가 감전사하기도 했다.[119] 이런 시행착오와 사고에도 불구하고 점차 전신이라는 통신수단에 민간인들은 익숙해졌고 급한 소식들을 전신을 통해 전하는 일이 점차 늘어났다.

무엇보다도 전보사는 호기심을 불러일으키는 곳이었다. 이처럼 호기심의 대상이 된 데에는 먼저 전보사에는 말로만 듣던 근대 기기가 있었기 때문이었다. 전보사 건물에는 피뢰침이 뾰족하니 세워져 있었고, 이곳에서 나온 전선이 전신주를 타고 거리에 이어져 있었다. 또 그곳에는 보기에도 신기하고 '다다다' 하는 소리를 쏟아내는 기계들을 서양인이 아니라 말 붙이기 쉬운 우리나라 사람이 다루고 있다는 점도 호기심을 자극하기에 충분했다. 전보사가 관아에 자리 잡고 있다고 할지라도 전보사 출입문에는 군졸이 배치되지 않았기 때문에 들어가기가 쉬웠고 위압적인 중앙 관아건물과도 거리가 있었다. 또 그곳에서 진행되는 일도 돈만 내면 이용할 수 있는 일이었다. 쉬운 접근성으로 민간인들은 전보사를 끊임없이 탐색했고 거침없이 드나들었다. 몇몇 대범한 사람들은 송수신 업무가 진행되는 報房에 발을 들여놓기도 했다. 보방에 들어온 사람들은 오고가는 전신의 내용을 묻기도 하고 전보사 직원들의 잡담들을 주의 깊게 듣고 그것을 저자거리에 퍼트리기도 했다.[120] 장이 서는 날이 한 번 지나면

119) 『황성신문』, 1901년 6월 13일.
120) 『독립신문』, 1897년 9월 7일.

보방에서 들었다는 소식이 여러 이야기가 덧붙여지고, 전하는 사람의 구미에 맞게 바뀌고 상상력이 보태져 곳곳으로 흘러가게 되었다.

이런 정보 누출은 전신 사업 추진에서 가장 경계해야 할 일 가운데 하나였다. 특히 전신망은 정부의 군사 행정 명령 통로였고, 전신 내용은 대부분 대외비 성격이 강했으므로 통신원은 정보 누출을 막기 위해 대책을 마련하지 않으면 안 되었다. 이전에 마련된 조치들은 주로 '처단례'에 의한 것이었다. 그 가운데 먼저 들 수 있는 예는 민간인의 보방 접근을 봉쇄하기 위한 것으로 민간인이 보방에 들어가기 위해서는 반드시 전보사 사장 혹은 주사의 허가를 받아야 했고, 이를 어기고 무단으로 들어올 경우에는 '亂入'으로 규정해 태 20 이하 혹은 벌금 20냥 이하의 벌을 받게 했다. 또 자신에게 온 것이 아닌 전보를 함부로 뜯거나 더럽혀 훼손시킨 사람도 태 40 이하 혹은 벌금 40냥 이하의 형에 처한다고 규정했다. 정보 누설과 관련한 처벌은 민간인에게만 국한되지 않았다. 전보사 직원이 전보에 담긴 내용을 누설하면, 민간인보다 무겁게 처벌받았다. 최저 역형 1개월 이상 1년 이하 혹은 벌금 60냥 이상 200냥 이하의 형을 받았던 것이다.[121] 민간인이건 직원이건 간에 정보 누출은 전신과 관련한 형벌 가운데 가장 중형이었으나, 민간인들이 자유롭게 전보사를 출입해야 전신 수입이 증가하고 또 전보사에 일단 들어오면 보방으로의 진입이 어렵지 않은 상황에서 전신의 비밀을 보장하기란 쉽지 않았다. 또 전보사 사장이 직권으로 그들을 내쫓거나 난입으로 판단해 군사를 요청하는 것도 난감한 문제였다. 따라서 이런 상황을 감안해 통신원은 보방에 들어오는 사람을 막지 못한 책임을 전보사의 임직원들 모두에게 묻기로 하고 이들을 중벌에 처할 것을 전제로 한 신칙을 각 전보사에

121) "처단례, 제2조 1항, 4조, 6조 2항", 박지태 편, 앞의 책, 39쪽.

내렸다.

"요사이 한잡한 사람들이 보방에 무난히 들어가 관원의 직무를 방해하고 또 전신사의들을 누설하여 소문이 자자해지고 극히 駭然한지라. 이제부터 엄금하되 만일 다시 이러한 폐단이 있으면 임직 관원은 중벌에 처하고 범인은 엄히 口辦할 것이라 한다."[122]

이 신칙은 보방에 들어선 민간인을 내보낼 수 있는 근거는 되었지만, 실제 전보사 직원들은 민간인들을 처벌할 수 있는 권한이 없었고, 보방에만 병사를 배치할 수도 없어 전신 비밀을 유지하기는 매우 어려웠다. 그러나 통신원 시대로 접어들면서 전신 정보의 비밀 보장은 반드시 해결해야 하는 문제로 대두되었다. 가장 좋은 방법은 앞에서도 지적했듯이 민간인의 보방 접근을 자연스럽게 막는 설치물에 의한 건물의 공간 분리지만 이는 재정형편상 실행이 어려웠다. 그러므로 통신원은 전보사 직원에게 전신 정보 비밀 유지의 중요성을 끊임없이 학습시키는 방식으로 해결되기를 기다리는 수밖에 없었으며 전보사를 드나드는 민간인들에게도 끊임없이 고지하는 길밖에는 방법이 없었다. 1902~1903년에 이르면 통신원이 더 이상 이런 류의 지령을 내리지 않았음을 보면, 정보 누설 문제가 크게 나타나지 않은 것으로 보인다.[123]

전신망이 확장되고 운영이 안정됨에 따라 대한제국의 신문사들은 전신 기술을 매우 유용한 도구로 인식했다. 이미 1분에 400타 이상의

122) 『독립신문』, 1897년 9월 7일 기사.

123) 『電報處辦案』, 광무 6년 5월 기사에 의하면 전보의 내용이 누설되었다는 민원을 접수했다는 경성전보사 사장의 보고를 듣고 통신원에서 조사한 결과 주민의 거짓 민원이었음이 밝혀지기도 했다. 통신원은 경성관찰사에게 거짓 민원자를 처벌할 것을 요구했다.

전신문을 보낼 수 있는 자동송신기가 1850년대 말 발명된 이후 서구 사회에서는 장문의 전신문을 주고받는 일이 어렵지 않게 되었으며, 그 영향은 신문사에도 미쳐 신문사가 '신속'을 중요한 과제로 삼게 되었고 대한제국도 늦었지만 이 흐름에 합류하기 시작했던 것이다.[124] 국내 신문사들 역시 해외 소식을 전달받기 위해 외국의 통신사들과 기사 수신 계약을 맺었다. 가장 먼저 계약을 맺은 신문사는 창간일이 가장 빨랐던 『독립신문』이었다. 『독립신문』은 1897년 3월 6일 '외국통신'란에 "영국 전보국과 약정을 맺고 세계 정치에 상관되는 일을 매일 신문에서 볼 수 있게 할 것"이라면서 국제 정황을 신문을 통해 전해들을 수 있음을 고지했다. 이후 국제통신사와 계약을 맺어 국제 소식을 게재하는 일은 국내 신문의 중요한 일이 되었다. 1898년 8월 창간한 『제국신문』은 1899년 5월 런던 소재 통신사로부터 뉴스를 받기로 했는데, 이 일에 대해 이 신문사는 해외 통신사와의 계약으로 세계 각지의 소식을 직접 전송받아 신속하게 접할 수 있게 되어 국제 사회의 움직임을 잘 알 수 있고 또 이로운 일은 먼저 취하고 해로운 일을 방지할 수 있을 것이라고 예상했다.

> 어느 나라의 형편이 어떠한지와 어떤 사람이 무슨 일 하는 것을 일일이 숨기지 않고 정치의 득실과 국세의 강약과 전쟁의 승패와 상무의 성쇠를 눈으로 보는 것같이 날마다 아는 것이 전보가 아니면 어떻게 이렇게 신속하겠는가. 그러므로 개명한 나라 사람들은 전보 보기를 시각을 다투어 남보다 먼저 천하대세를 알아서 무슨 이로운 일이 있으면 곧 행하고 해로운 일이 있으면 모면하려고 소비 다소는 가리지 않고 사볼 뿐더러 일반 평민이라도 전보의 유익함을 모르는 자가 없거늘

124) 이에 대해서는 톰 스탠디지, 앞의 책, 130~142쪽을 참조.

> … 이 전보를 사서 보고 외보에 번역하여 게재할 것이니 우리 대한 사람들은 모두 힘써 보고 외국 형편을 아는 것이 좋을 듯하다.[125]

『제국신문』과 같은 해 창간한 『황성신문』 역시 한 해 늦기는 했지만 1900년에 로이터 통신과 전신수신 계약을 맺었다.[126] 『황성신문』은 그동안 "외국 사항에 전보를 직접 하지 못해 보도에 차질이 생겼던" 일을 해소하기 위해 로이터통신과 계약을 체결함으로써 해외 소식을 매일 신문에 게재할 수 있게 되었음을 알렸다. 당시 신문사들이 국제통신사로부터 전신으로 소식을 받아보기 위해 지불하기로 한 금액은 한 달에 100원 정도였다. 이 금액은 당시 신문사 재정 사정을 감안하면 적지 않았지만 각 신문사들은 해외 통신사와의 계약 체결로 신문요금을 인상하지는 않을 것이라고 밝혔다. 그러나 이 계약은 신문사들의 경영을 압박하는 요소가 되었다. 『황성신문』의 경우, "물가가 거의 배로 올라 그에 부득이 신문가격을 개정"한다며 물가를 핑계로 한 달 구독료를 2전 인상했던 것이다.[127]

『황성신문』과 『제국신문』이 해외 통신사와 계약함으로써 외국 소식을 보도하는 속도가 매우 빨라졌을 뿐만 아니라 내용도 풍부해졌다. 1900년 1월 이전 『황성신문』이 다룬 외신보도는 미국과 필리핀의 조약 내용, 세계 철도의 가설 상황과 같이 굳이 빨리 다룰 필요가 없는 기사가 주를 이루었다.[128] 외신에서 다룬 국가들은 일본, 러시아, 청이 중심이었다. 또 다른 기사들은 사건 발생으로부터 보름 이상 지연된 것들로 보통

---

125) 『제국신문』, 1899년 5월 3일.
126) 『황성신문』, 1900년 1월 5일.
127) 같은 기사.
128) 『황성신문』, 1899년 12월 12일 ; 1899년 1월 9일.

일본 신문 기사를 옮겨 싣는 수준에 머물러 있었다.[129] 또 외신보도란 자체가 없는 날도 드물지 않았다. 그러나 영국의 로이터 통신과 계약을 체결한 후부터는 신문사 편집진이 외국통신을 직접 접할 수 있게 되어 기사를 선택할 수 있는 범위가 넓어졌으며 이는 곧 신문 편집에 반영되었다. 1900년 1월 6일, '외보'란 기사는 '영국수병증파', '오렌지 遷都', '법국해군 擴張', '로바르원수의 令息', '伊國醫員派遣'을 포함해 모두 아홉 기사가 실렸다.[130] 외보의 기사는 가짓수만 증가한 것이 아니라 양도 증가했으며 지면 위치도 달라졌다. 1900년 이전 신문의 가장 뒷면에 위치했던 外報란은 앞면으로 옮겨졌다. 이런 변화에 대해 『황성신문』은 "시국의 변화를 알기 위해서는 오직 신문의 외보를 열람해야" 하기 때문이라고 주장했다.[131] 또 3월 6일자 사설에서는 독자들의 이해를 돕기 위해 신문 외보에 나오는 赤十字社, 行瘟疫, 호열자, 역질, 흑사병, 세력권, 문호개방, 덤덤탄, 중재, 극동과 같이 국내 독자들에게 낯선 용어들을 정의하고 설명하기도 했다.[132] 『황성신문』은 外報란에서 취급하는 기사에 설명이나 해설을 적극적으로 덧붙이지는 않았지만 독자들은 이 외보들로 인해 세계의 소식을 빠르게 접할 수 있었고 더 나아가 세계정세를 판단하는 데 필요한 정보를 취합할 수 있게 되었다. 일본이 도입하기로 한 미국 차관의 협상 조건이 실리기도 했으며, 북청사변은 원인과 추이가 그대로 신문을 통해 전해졌다.[133] 특히 日・英・俄・美・德・白・墺의 제국들이 의화단의 반

---

129) 같은 신문, 1899년 12월 12일 ; 1899년 1월 5일.

130) 같은 신문, 1900년 1월 6일.

131) 같은 신문, 1900년 2월 15일 ; 1901년 10월 8일.

132) 같은 신문, 1900년 3월 6일.

133) 일본의 차관 조건에 대해서는 1901년 10월 1일. 그리고 북청사변에 대해서는 같은 신문, 1900년 8월 2일 ; 8월 7일 ; 9월 1일 ; 9월 3일 ; 9월 4일 ; 9월 5일 ; 9월 6일.

제국주의 항쟁을 빌미로 북경을 함락시킨 사건은 동아시아에서 열강의 세력 균형에 균열을 일으킨 사건으로, 우리나라에서 발간되는 신문을 통해 상세하게 보도된 점은 특기할 만하다. 이런 외신 보도는 중국 사람들을 포함한 외국인들이 갑자기 늘어나고 인천전보사에 전보를 보내려는 사람들이 급격히 증가한 일들을 이해하게 했다.

> 이제 東淸 일대는 철로와 전선이 모두 의화단들에 의하여 단절되어 청국에서 일본까지 통할 수 있는 전선은 오직 우리나라 하나뿐이었으므로 인천항에는 전보를 보내는 사람으로 줄을 이어 … 우리나라로 피난해 온 산동 사람들은 전후로 수천 명이나 되었다. 그들은 兩西에서 三南지방으로 들어가므로 우리나라 백성들은 매우 고통스러워하였다.[134]

무엇보다도 큰 변화는 신문에 대한제국 정세에 직접적인 영향을 미치는 열강들의 움직임이 상세하게 보도됨으로써 청나라와 일본, 그리고 다른 열강들과의 역학 관계를 분석하고 정세를 판단할 수 있는 정보들이 일반인들에게도 전달될 수 있게 되었다는 점이다. 이런 정보들은 신문이 통신사와 계약을 맺기 전에는 단지 소수 위정자들만이 접할 수 있었기 때문이었다. 그러나 외신 보도를 직접 접하고 높은 수준의 정보들을 접할 기회를 제공했음에도 신문사가 보기에는 국민들이 신문을 읽고 세계 정세와 대한제국 상황을 연결시키며 앞날을 예견하려는 시도가 미진했다. 『황성신문』은 이런 현상을 두고 "천하의 대세를 아는 자가 시무를 알 수 있는 자인데, 외보를 읽지 않는 것이 안타깝다"고 토로하기도 했다.[135]

---

134) 황현, 앞의 책, 134쪽.
135) 『황성신문』, 1901년 10월 8일.

전신망이 안정적으로 운영되자 외신 기사들을 받던 대한제국은 세계에 직접 소식을 전하는 뉴스 발신국의 하나로 편입되기도 했다. 1903년 12월에는 미국의 연합통신사에서 한국에 통신원을 두기로 결정해 통신원이 일본을 거쳐 도착할 것이라는 소식을 실었다.[136] 대한제국에는 이제 외국 통신사의 통신원이 주재해 직접 사건을 취재해 전송하는 지역이 되었다. 이런 일은 안정적으로 전신망이 운영될 때에만 가능한 일이었다.

대한제국이 전신 사업을 주도하면서 나타난 이런 현상들은 전신 사업 주도권을 침탈당했던 이전 시기에는 상상도 할 수 없을 일이었다. 전신 사업 주도권을 회복함에 따라 대한제국은 전신망 복구와 확산을 도모하여 전신망이 확산되었으며 이에 따라 전신망을 관리하는 조직 역시 복구되었다. 이전 시대와 달리 지선 설치와 전보사 신설이 대한제국 정부의 판단에 의해 가능했으므로, 행정상 중요한 곳이나 개항장에는 어김없이 전보사가 신설되었고, 전보사가 늘어남에 따라 민간의 전신 접근성이 좋아졌다. 이전 시대에 외세 침략의 통로였던 전신망은 처음 도입을 시도할 때 상정되었던 행정 통신망이자 소통의 통로라는 역할을 다시 부여받았다. 전신망의 역할 변화는 전신이 관민 모두에게 유용한 도구로 인식되었음을 의미했다.

이처럼 민간에서의 전신 이용이 늘어나자 대한제국 정부는 전신 사업을 수익 사업으로서 의미를 부여하기 시작했다. 수익 사업으로서의 목적을 달성하기 위해서는 민간의 사용 증진을 도모해야 했고, 이는 곧 민간인이 편리하게 사용할 수 있도록 대책을 마련해야 함을 뜻했다. 전신 업무가 민간인을 대상으로 사업 영역을 확장하는 만큼 민간인과의 관계에 관한 몇 가지 규칙이 필요했다. 예를 들어 전신 업무를 보는 사람이 전보

136) 같은 신문, 1903년 12월 22일.

의뢰를 거절하면 役刑 1개월 이상 1년 이하, 혹은 벌금 60냥 이상 200냥 이하의 형벌에 처한다든가 하는 규칙을 마련해야 했다.[137] 그러나 전보 의뢰를 거절하는 일과 관련된 민원은 거의 없었고 민원의 대부분은 전신 지연과 관련된 것이었다. 민간인들이 전신 사용에 익숙해지면서 전신의 지연은 대부분 전보사 직원들의 실수로 일어난다는 사실을 알게 되었다. 통신원에서는 전신이 지체되는 것을 금지하기 위해 벌칙과 벌금을 마련해두기는 했지만 민간에서 전신을 이용하는 횟수가 많아질수록 전보사 직원의 실수도 늘어났고, 이런 실수에 불만을 제기하는 일도 늘어났다. 특히 부음과 관련된 전신이 늦어질 경우에는 불만의 소리가 더 컸다.

> 대구군 책실 윤성현 씨가 병이 나서 위급하게 되어 그의 아들 양지아문 학원 윤태범 씨에게 이달 14일 오후 10시에 전보하였는데 전보사에서는 16일 오전 10시에 전보하였다. 윤태범 씨가 즉시 출발했으나 도중에 부고를 듣고 임종하지 못하였다. 그래서 해당사 관리의 직무태만에 분노하였다고 한다.[138]

전신이 지연되었다는 민원을 접하면 통신원은 전후 사정을 조사해 시시비비를 가렸다. 전보사 직원의 직무 태만일 경우 해당 전보사 직원은 벌봉 처분을 받거나 견책을 당했다. 1900년에만 전보사 직원이 직무 태만으로 전보가 지체되거나 전보문을 잃어버려 처벌을 받은 일이 네 번 있었고, 이 경우 해당 전보사 사장 역시 직원관리 소홀의 책임을 물어 함께 처벌받았다.[139] 특히 외국인의 전신을 취급하는 일은 더욱

---

137) "처단례, 제6조 2항". 박지태 편저, 앞의 책, 39쪽.
138) 『황성신문』, 1900년 3월 23일.

더 주의를 기울여야 했다.[140] 외국인들의 전보를 잘못 전송하거나 지체, 혹은 분실했을 경우, 외교문제로 비화되어 통신원이 외부로부터 질타를 받았기 때문이었다.

> "외부에서 法國 공사의 조회를 받았는데 … 의주전보국에서 전보 장정을 알지 못하여 항상 지체하여 그릇되니, 대한 외부에서 의주전보사에 별도로 신칙하여 전보를 받는 대로 바로 전하여 다시 지체하는 일이 없게 하라고 하였는데 …."[141]

따라서 외국 사람의 전보를 잃어버리거나 지체한 것으로 판명된 전보사 직원은 벌봉 정도에서 그치는 것이 아니라 면직이라는 중징계를 받았고, 면직 이후 복직도 어려웠다.[142] 통신원은 전신 지연, 분실과 관련된 민원은 국내뿐만 아니라 국제적으로 전신 사업의 신뢰 형성에 큰 걸림돌이 된다는 점을 알고 있었으므로 제기된 민원을 해결하기 위해 노력했고 전보사 직원들을 독려해 지연 사고를 미연에 방지하려 했다.

또 다른 종류의 민원은 전보 배달료와 관련이 있었다. 전보 배달은 전신 배달만을 전문으로 담당하기 위해 새로 만든 직능인 電傳夫의 일이었

---

139) 우정100년사료편찬실, "懲戒案", 『고문서』 4권.

140) 『電報處辨案』, 광무 6년 10월 9일.

141) 『독립신문』, 1899년 7월 5일.

142) 『제국신문』, 1899년 11월 16일의 기사에 따르면 "의주전보사 주사 임영주 씨는 외국 사람에게 가는 전보를 진작에 보내지 않고 그 전보를 잃은 까닭으로 관직을 면하였으며, 창원전보사 주사 박하진 씨는 전주전보사에 보낸 전보를 24시가 되도록 지체하고 전하지 않았으므로 관직을 면하였다"고 했다. 박하진의 경우는 『황성신문』, 1900년 3월 1일 기사에서 "전 창원전보사 주사 박하진 씨는 전주사에서 발송한 전보를 24시간 지체하여 전하지 못하여 본관에서 면직시켰다. 광무 4년 음력 정월 25일 반조(나라에 경사가 있을 때 백성에게 포고함)하여 면징계하였다"고 한 것으로 보아 복직된 것으로 보인다.

는데 전전부는 민간이 전신을 점점 더 널리 활용하면서 중요한 역할을 담당하게 되었다.[143] 전전부는 민간인과 직접 접촉하는 전보사 직원으로 그들의 행동에 따라 민원이 발생할 여지가 많았으므로 통신원은 전전부의 업무에 규제 조항을 두어 민원의 소지를 없애려 했다. 예를 들면 전보 배달자가 배달 업무를 소홀히 하고 게으르게 해 전보를 잃어버리거나 늦게 전하면 태 30 이하 혹은 벌금 30냥 이하의 벌(제3조)을 받아야 한다거나 전신의 글자와 부호를 더럽히거나 안 보이게 해놓은 범죄자들은 태 10 이하 벌금 10냥 이하의 벌(제1조)을 받아야 한다는 조항들이었다.[144] 이 벌금들은 많게는 1년차 전전부의 한 달 급료에 버금가는 금액이어서 그들로서는 큰 돈이 아닐 수 없었다.

그러나 전전부와 관련해 발생한 민원 대부분은 전신 지연이나 전신문을 더럽히는 일과 관련한 것보다는 전전부들이 배달료를 청구하는 일로 인해 발생했다. 민간인들이 전신 체계를 이해하는 데서 가장 어려운 것이 바로 배달료였다. 이 배달료는 화전국에서부터 유래한 것으로 전신 사업이 확장되기 전까지는 크게 문제가 되지 않았지만 민간에서 전신 이용이 증가하면서부터 배달료는 많은 시비를 불러일으켰다. 배달료에 대해서는 1896년 '국내전보규칙' 40조에 명시되었는데, 전달 봉사료는 受信司로부터 10리 내외는 무료, 10리부터 매 10리에 15전씩을 규정해 전전부가 이를 받아 오는 것으로 정해져 있었다.[145] 이 규칙은 상당한

143) "電傳夫執務 및 料資支給 規程 제2조" 체신부, 『80년사』, 344~345쪽. 전전부는 공두와 같이 身役으로, 선발권은 통신원 수립 이래 전보사 사장의 권한으로 귀속되었다. 전보사 사장은 전전부를 선발할 때, 배송시 실수를 방지하기 위해 국한문을 해독할 수 있는 능력을 갖춘 사람들을 시험을 통해 선발했다. 각 지방 전보사에는 적게는 2명부터 26명에 이르는 전전부가 있었다.

144) "처단례", 제3조, 제1조, 박지태 편, 앞의 책, 39쪽.

145) '국내전보규칙 제40조'(1896년 7월 26일), 같은 책, 34쪽.

혼란을 일으켰다. 전신 수신자들은 전신 발신자가 전신을 보낼 때 내야 할 돈을 다 냈을 것이라고 생각했는데, 막상 전전부가 자신에게 배달료를 내라고 하는 일을 이해할 수 없어서 전전부가 보행 삯을 부당하게 요구한다고 생각했기 때문에 관련 민원이 끊이지 않았다.[146] 이런 민원을 해결하기 위해 통신원은 1903년 규칙을 개정하면서 배달료를 십 리마다 20전씩으로 인상하면서 발신인이 전보문을 의뢰할 때 함께 지불하게 하는 것을 원칙으로 정했다. 그리고 이 실제 거리를 조사하는 일을 전전부에게 맡기지 않고 전보사에서 직접 담당하게 함으로써 민원의 소지를 없애려 했다.[147]

이처럼 통신원은 일반인의 전신 이용이 늘어나자 일반인이 전신 시설 이용을 편하게 하기 위한 기준과 규칙 등 경영 토대를 마련했고, 이런 대민 봉사 차원의 지원은 또 일반인의 전신 이용 증가를 낳았고 이는 또 다시 전보사를 증설하게 했다. 이 전보사 증설을 위해서는 전신 기술 인력 관리체계의 정비와 양성 계획이 뒷받침되어야 했다.

3. 대한제국의 전신 기술 인력 관리

1) 전보사 직원 관리체계의 재정비

인력 확보와 관리가 전신 사업의 기반임을 인식한 통신원은 1900년 창설되자마자 곧 조직 정비에 착수했다. 통신원은 가장 먼저 명령 체계 수립을 위해 단위 전보사를 사장 체계로 재편했다. 통신원 발족 이전에도

146) 『제국신문』, 1899년 4월 11일 ; 1900년 5월 15일.
147) '국내전보규칙 제41조, 제42조', 『고종실록』, 광무 7년 2월 10일.

전보사에 司長을 두기는 했지만 이는 1등 전보사에 한한 일이었고, 2등 전보사에서는 사장 代辦을 지명하지 않아 상부의 명령이 2등 전보사의 직원에게는 제대로 전달되지도, 수행되지도 못하는 일이 많았다. 따라서 통신원은 모든 전보사의 인적 구조를 사장 중심으로 재편하는 일에 착수했던 것이다. 이 작업을 신속하게 수행하기 위해 圈點을 이용했다. 이 권점은 대한제국 정부 조직에서 우두머리를 뽑을 때 필요 지식, 인사관리 및 운영 능력에 대해 조직 구성원의 의견을 먼저 묻는 예비 임명방식이었는데, 통신원이 전보사 사장 임용에 이 방식을 채택한 것은 업무 능력과 관리 능력에 대한 검토에 필요한 시간을 절약하기 위한 조치로 보인다.

권점을 통해 단위 전보사의 인적 구조를 사장 중심 체제로 재편한 통신원은 전보교사 뮐렌스테스의 지도로 작성된 '應行事宜'와 '示達'을 제목으로 하는 훈령을 두 차례에 걸쳐 내렸다.[148] 4월과 5월 반포된 이 명령서들은 전보사 직원들의 업무 수칙에 관한 것으로 이전 시대에 존재했던 '報房規則'이나 '節目'을 대체하는 성격의 훈령이었다.

4월에 내려진 '응행사의'는 전보사 사장들이 해야 할 일을 중심 내용으로 하고 있다. 이에 의하면 전보사 사장은 전보사 운영의 전반적 상황을 파악해 보고해야 했다. 즉 전보사 사장들은 각 전보사의 물품과 기기 상황을 점검해 책을 만들어 보고해야 했고, 전보사 직원의 근무 상황과 더불어 전보사 수입 역시 책으로 정리해 보고해야 했던 것이다. 이 명령은

---

148) "應行事宜 : 훈령 제49호", 체신부, 『80년사』 부록, 347~348쪽에서 재인용 ; "示達 17項, 훈령 167호", 같은 책, 부록, 348~349쪽에서 재인용. 뮐렌스테스는 서로전선 가설 때 우리나라에 온 대북부전신회사 출신의 전신 기술자였다. 이후 줄곧 대한제국에서 화전국 소속의 전신기사로 활약했으며 청일전쟁으로 화전국이 철수하자 잠시 중국으로 갔다가 다시 우리나라에 돌아와 전신 사업에 관여했다.

세 가지 목적을 지니고 있었다. 첫째는 전보사 사장이 이 명령을 수행함으로써 전보사의 보유 기기 및 전료의 물량뿐만 아니라 상태를 점검하고 직원들의 근무 현황과 태도를 살피고, 전보사의 수입 지출 상황을 검토함으로써 사장으로서 전보사 장악력을 확보하게 하려는 것이었다. 둘째는 이를 보고받음으로써 통신원 역시 지방 전보사의 전반적인 상황을 정확하게 파악하려 했다. 세 번째 목적으로 들 수 있는 것은 새롭게 구축한 명령 전달 및 보고 체계가 제대로 작동하는지에 대한 점검이었다.

'응행사의'가 전보사의 전반적인 상황을 파악하고 명령과 보고 통로를 확보하기 위한 훈령이라면, '시달'은 전보사 사장의 인사 관리 항목을 구체적으로 제시한 훈령이었다. 먼저 통신원은 '시달'을 통해 지방 전보사 사장들로 하여금 매일 직원들의 업무 상황을 보고하는 일일 기록부를 작성할 것을 요구했다. 이 일일 기록부에는 어떤 전신선을 누가 담당했는지, 그리고 몇 차례의 전신 업무를 보았는지 업무 태도는 어떠했는지 등이 기재되어야 했다. 또 '시달'에 의하면 전보사 사장은 매일 아침 전날의 상황을 電文으로 통신원에 보고해야 하고 매달 5일 이전에 전달의 전신 去來報를 책으로 꾸며 통신원에 보고해야 했다.[149]

특히 '시달'에는 전보사 사장의 의무와 권리뿐만 아니라 전보사 직원의 업무도 규정되어 있었다. '시달'에서 지적한 전보사 직원의 가장 중요한 업무 가운데 하나는 전신기기 관리였다. '시달'에 의하면 전보사 직원은 開報시간 이전에 출근해 전신기기에 이상이 없는지를 살펴야 하고, 停報시에는 기계를 잘 정돈하고 마무리를 함으로써 전신기가 작동하지 않도록 해야 했다. 또 전신기 운영도 '시달'에서 명시한 전보사 직원의 중요한 업무로 전보사 직원은 전신기기 앞을 무단 이탈하지 말아야 했다. 덧붙여

149) "示達 17項, 훈령 167호 : 1, 2, 3, 4조", 같은 책, 부록, 349쪽에서 재인용.

전보사 직원은 전신 수발시 보비 계산에 실수가 없어야 했다.[150]

통신원의 이 두 가지의 명령서로 전보사 사장의 업무가 확장되었다. 이 훈령 이전에도 전보사 수입 지출을 포함한 관리 업무를 하지 않은 것은 아니지만 전보사 사장은 대개 직원들이 기술상의 문제를 제기하면 해결하고 기기를 점검하는 일을 가장 중요한 업무로 삼았다.[151] 그러나 이 훈령으로 사장은 이전의 업무와 더불어 직원들이 전신기기들을 제대로 작동시키고 관리하는지와 실수를 하는 일은 없는지, 그리고 실수가 생겼다면 누구의 책임인지를 밝히는 일과 더불어 업무 분배, 그리고 직원들의 숙직 일정 조정과 같은 업무도 처리해야 했다.[152] 즉 전보사 사장은 숙련된 전신 기술자로서 통신원 총판의 명령을 직접 받아 수행하며, 담당 전보사 내 일체의 업무를 관장하고 산하 직원들에게 업무를 분장하고 감독하는 일을 담당하는 단위 전보사의 최고 관리자가 된 것이다.[153] 그리고 전신 정보 누설 방지를 위해 외부인의 보방 진입을 규제하는 일도 전보사 사장의 몫이었다.[154] 통신원은 전보사 사장이 직원을 감독하고 작업을 지시하는 등의 관리 업무를 원활하게 수행할 수 있도록 몇 가지의 권한을 전보사 사장에게 부여했다.[155] 그 가운데 가장 큰 권한은 직원들의 휴가와 병가 관리권이었다. 통신원 체계에서는 사장의 판단에 따라 직원의 휴가가 결정되었고, 병가와 무단 이탈이 구분되어졌다.

---

150) "示達 17項, 훈령 167호 : 9, 10, 11조", 같은 책, 부록, 349쪽에서 재인용.

151) "電報司官制 제4조", 『고종실록』, 광무 4년 7월 25일. 司長은 사내의 일절 사무를 掌理하고 電機에 소관한 기술에 종사함.

152) "示達 17項, 훈령 167호 : 9. 10. 11. 12조", 체신부, 『80년사』 부록, 349쪽에서 재인용.

153) "칙령 제27호 : 전보사 관제, 제4조, 제6조"(1900년 6월 22일). 업무가 많지 않은 전보사에는 주사가 사장을 대리하도록 했다.

154) "示達 17項, 훈령 167호 : 7조", 체신부, 『80년사』 부록, 349쪽.

155) "應行事宜 : 훈령 제49호, 2, 3, 5, 6, 8, 9조", 같은 책, 부록, 347~348쪽.

또 전보사 사장은 전전부 및 공두의 선발과 관리 감독 권한을 가지게 되었다.[156)]

'응행사의'와 '시달'은 이전 시대와는 다르게 통신원이 구체적으로 전보사 직원의 업무를 제시했고 업무의 책임소재를 명확히 했다는 점에 그 의의가 있다. 이는 전보사 사장이 가지는 직원들의 업무 감독의 기준이 되었다. 또 직원들의 업무 수행을 고무하기 위한 권한이나 하급 직원인 공두와 전전부의 임면권을 부여받은 점은 이전 시대에는 없었던 권한이었다.[157)] 이런 권한들을 부여받았지만 이 권한은 전보사 직원의 실수나 문제 발생 시 전보사 사장도 연대 책임져야 하는 의무와 연관된 것이어서 전보사 사장은 직원들의 징계에서 자유로울 수 없었다. 따라서 전보사 사장은 직원들의 업무 감독에 더욱 더 신경을 쓸 수밖에 없었고 직원들은 업무에 실수가 없도록 만전을 기할 수밖에 없었다.

통신원은 발족 후 이처럼 전국 전보사의 명령체계를 확보하고 '응행사의'와 '시달'을 훈령하여 전보사 조직의 정비작업에 성공함으로써 이를 총괄하는 명실상부한 상부조직으로서의 위치를 확보할 수 있었다. 통신원은 지방의 전보사 직원의 하루 업무에까지 영향을 미치는 중앙기구가 되었고, 이를 바탕으로 한 관리체계를 구축할 수 있었다.

통신원은 전보사 직원을 개별적으로 징계하며 관리하기도 했지만 징계 직원이 많은 전보사를 집중적으로 관리하기도 했다. 평양전보사가 집중 관리를 받았던 전보사였다. 이 전보사는 『本院 所屬職員 論儆案』에 따르면 유난히 징계 직원이 많았으며, 〈표 4-10〉에서 보는 바와 같이 1900년부터 1904년까지 직원들의 징계 건수가 모두 20회 이상 되는

---

156) "示達 17項, 훈령 167호 : 5, 6, 14, 15조", 같은 책, 부록, 349쪽.

157) 공두와 전전부는 신역으로 지방관의 소관이었다. 특히 공두의 前身은 순변과 순병으로, 이에 대해서는 이 책 2장을 참조.

〈표 4-10〉 1900~1905년 전보사별 소속 직원 징계 건수 정리

	전보사 이름 및 소속 직원 징계 회수	면직 건수
10회 이상	평양(23), 한성(21-지사 포함)	평양(2), 한성(3)
5~10회	개성(8),대구(8), 전주(8), 삼화(5), 공주(5)	개성(2), 삼화(2), 공주(2)
2~5회	운산(4), 부산(4), 의주(4), 영변(3), 은산(3), 무안(2), 해주(2)	운산(2), 은산(2), 안주(2)

* 출처 : "本院所屬 職員 論懲案", 우정100년사료편찬실 편, 『고문서』 6권-1, 297~316쪽 재구성.

전보사였다. 평양전보사와 비슷한 수준으로 징계를 받은 전보사는 한성총사가 있을 뿐이었다. 이 둘을 제외하고는 다른 전보사들은 같은 기간동안 징계가 대부분 10회 미만으로 그중 많은 편에 속하는 개성과 전주, 대구 전보사의 건수가 각각 8회였다.

징계가 20회가 넘은 전보사 중의 하나인 한성총사의 경우, 상근 근무자가 20명이 넘었으며 지사 세 곳을 총괄했었던 만큼 다른 전보사들에 비해 징계가 많다고 할 수 없다. 그러나 평양전보사의 경우는 사정이 달랐다. 평양전보사에는 5명의 직원이 상주했고 불과 5년 동안 근무 연인원이 25명 안팎이었는데 그곳에서 발생한 징계 건수가 무려 24회라는 이야기는 곧 매년 모든 직원이 약 한 건의 징계를 받았다는 것을 의미했고, 평양전보사의 관리체계에 심각한 문제가 있음을 뜻했다. 또 24회 징계 내용을 보면 견책 7회, 벌봉 15회, 면직 2회였고, 또 벌봉 15회 가운데 가장 가벼운 3일 벌봉이 단 세 건에 불과했다. 이 역시 평양전보사 내에 심각한 문제가 존재한다는 것을 드러내는 일이었다. 따라서 통신원은 유난히 징계가 많은 평양전보사를 집중적으로 관리해 조직을 재정비하기에 이르렀다.

통신원은 먼저 평양전보사 사장 李鍾瀅에게 일일보고서 이외에 주사들의 勤慢보고를 따로 작성해서 매달 반드시 보고할 것을 명했다. 덧붙여 통신원은 "평양전보사 사장 李鍾瀅의 지휘를 따르지 않거나 사무에 不勤한

주사를 발견하는 즉시 보고하지 않아 별반 징계하지 않으면 귀 사장도 論儆을 면하기 어려울 것"이라고 경고했다.[158] 이 엄명에 따라 이종형 사장은 2월부터 8월까지 6개월 간 姜榮必, 李南鎬, 尹鼎大, 金魯善, 李鍾浹 주사의 근무 상황을 기록하고 매달 보고해야 했다.[159]

이와 같은 관리 감독 강화 체제 아래서도 평양전보사 직원들은 끊임없이 문제를 야기했다. 개보 시간이 지연되거나 잘못 알린 일부터 전신을 제때에 중계하지 못해 "귀사에서 매번 紛錯함이 많"다는 인근 전보사의 항의에 이르기까지 문제가 끊이질 않았던 것이다.[160] 또 도덕적 해이도 심각한 수준이었다. 9월에 새로 도임한 주사 정인호와 尹昌善은 사장으로부터 첫 인상이 총명해 보이고 사규 익히기에 열심이라는 평가를 받았지만 부임한 지 한 달 만에 전보비를 횡령하는 대담한 일을 벌이기도 했다.[161] 이 일은 곧 발각되어 이들은 면직되고 사장 이종형은 관리 업무 소홀로 한성으로 소환당했다.[162] 사장은 곧 평양전보사로 환임되었으나 정인호와 윤창선은 면직당해 다른 전보사 직원들의 면직 기간보다 훨씬 긴 1904년 5월 즈음에 비로소 복직되었다.[163]

평양전보사에서 문제가 끊이지 않고 발생한 데에는 전보사장의 무능력도 중요한 원인이겠지만 평양전보사의 지리적 위치 역시 중요한 배경이 되었다. 평양전보사는 상해로 이어지는 국제선을 운용했을 뿐만 아니라 외국인이 운영하는 광산회사가 있는 은산과 개항장인 삼화를 인근에

158) 『電報處辨案』, 광무 6년 4월 9일.

159) 우정100년사료편찬실 편, 『고문서』 6권-1, 536~556쪽.

160) 『電報處辨案』, 광무 6년 2월 5일 ; 10월 9일.

161) "本司主事 勤慢報告", 우정100년사료편찬실 편, 『고문서』 6권~1, 584~586쪽 ; 『電報處辨案』, 광무 6년 10월 9일 ; 광무 6년 10월 24일.

162) 『電報處辨案』, 광무 6년 10월 24일.

163) "本院所屬職員論儆案", 우정100년사료편찬실, 앞의 책, 297~316쪽.

둔 전보사였다. 앞에서 살펴보았듯이 일본이 대한제국의 국제 전신 업무를 흡수하려고 시도하고 있었고, 또 외국인 관련 전신 업무의 착오는 외부로부터도 추궁을 당했으므로 통신원은 이 국제 업무에 대해 더 많은 신경을 쓸 수밖에 없었다. 이런 상황에서 평양전보사의 계속된 실수들 때문에 통신원은 이 전보사를 특별 관리하지 않을 수 없었다.

> 電訓평양전장 : … 특별히 훈을 발하는 바 전보사무가 素患難愼일뿐더러 至略 은산하여는 외국인 상관이라 더욱 더 특별한 逈別이거는 귀사에서 매번 분착함이 많으니 寄信人이 詰駁이 喚至하니, 이는 주사의 소홀함만이 아니라 귀사장도 책임을 면하기 어려우니 所直論儆이되 특별히 용서하니 앞으로 집무에 힘쓰지 않음이 없도록 하라. –총판[164]

외국인들의 전신 업무에서 발생한 문제는 外部와 연관되어 통신원 자체에서 해결하기 어려웠으므로 더 엄격하게 처리될 수밖에 없었다. 앞 장에서도 언급했지만 외국인들은 전신에 문제가 생기면 즉각 대사관을 통해 외부에 항의했고, 외부로서는 이런 항의에 가시적인 조치를 취할 것을 통신원에 요구할 수밖에 없었던 것이다. 이처럼 외국인들의 전신 수발 업무 수행 중에 사고가 생기면 다른 전신 사고보다 복잡하고 까다롭게 처리되므로 통신원은 국제 전신 업무에 더 많은 신경을 썼다. 그러나 실무를 담당하는 전보사 직원들로서는 전보학당에서 서양어와 부호타보 훈련을 받았다고 하더라도 그것을 능숙하게 처리하는 일이 쉽지 않아 실수가 잦았고, 심지어 실수를 줄이기 위해 전신을 지체시키는 동안 發信해야 할 電信文을 잃어버리는 일이 생기기도 했다.[165] 통신원으

164) 『電報處辨案』, 광무 6년 10월 9일.
165) 『電報處辨案』, 광무 6년 7월 10일, 광무 6년 10월 9일, 광무 6년 12월 8일.

로부터의 압력을 실제 겪어야 하는 전보사 직원들은 외국인들의 전신에 더 많은 공을 들였지만 외국인들의 전신 수발 업무가 유난히 많았던 평양전보사에서는 다른 지역의 전보사보다 실수가 더 자주 일어났고, 이로 인해 평양전보사는 직원들이 징계를 더 많이 받게 되었으며, 직원들이 전근을 희망하며 불안하게 업무를 수행하는 전보사로 전락했다.[166]

2) 전보사 직원의 일과와 업무

우리나라에서 전보 사업이 개시된 이래 모든 전보사의 일과는 開報로 시작해 停報로 끝났다. 모든 전보사가 정해진 개보 시간을 맞추지 못하면 전보 송수신 작업을 수행할 수 없기 때문에 시간을 맞추기 못한 전보사 직원은 징계에 처해지기도 했다.[167] 또 정보 시간을 어기면 이전 전보사에서 보낸 전신문이 유실될 가능성도 컸다. 따라서 전보사에서 開報와 停報 시각을 맞추는 일은 전보사 직원의 기본 업무였다.[168] 전보사 직원들은 전신의 개정보 시간에 맞추어 출퇴근했는데 그에 따르면 전보사 직원은 하루 14시간을 근무하는 셈이 된다. 그리고 2등 지방 전보사의 경우에는 1~2일에 한 번, 1등 전보사의 경우라도 2~3일에 한 번은 숙직을

166) "本司主事 勤慢報告", 우정100년사료편찬실 편, 앞의 책, 536~556쪽.

167) "懲戒案", 광무 4년 12월 18일.

168) 개보 및 정보시간은 북로전선이 완성된 후 전신 사업을 재개하면서 변경되었다. 전보총국 시절, 조선의 전신 업무 시간은 하절기인 3월부터 8월까지는 아침 7시에 開報하여 밤 9시에 停報했으며 동절기인 9월부터 2월까지는 아침 8시에 개보하여 밤 10시에 정보했으나, 1896년 새로운 전보규칙 반포로 계절에 따른 개정보 시간이 조정되어 하절기가 3월부터 10월까지로 늘어났고 따라서 동절기는 11월부터 2월가 되어 동절기에 해당하는 기간이 6개월에서 4개월로 줄어들었다. 『報房規則』(한국통신 영인, 1994), 제1조 ; "國內電報規則", 15조, 박지태 편저, 앞의 책, 32쪽.

했으므로 정부의 다른 관원들과 비교하면 업무 시간이 매우 긴 편에 속했다. 다른 기관의 관원들은 보통 4월 6일부터 6월 24일까지는 오전 9시부터 15시까지, 6월 24일부터 10월 10일까지 오전 8~12시, 10월 10일부터 4월 7일까지는 8~16시까지 일했으므로 하루 평균 7시간 근무했으나, 전보사 직원들이 하루 2교대로 근무했다고 가정하면 하루 7시간 정도였지만 숙직을 고려하면 다른 관원들보다 업무 시간이 훨씬 길었다.[169] 다른 부서의 관원들도 숙직을 했지만 전보사와 비교할 수 있을 만큼 자주 순번이 돌아오는 곳은 별로 없었다. 그뿐만 아니라 전보사 직원이 사장을 포함해 모두 두세 명에 불과한 2등 전보사에서는 2교대로 하루 7시간만을 근무하는 것은 구조적으로 불가능했고, 숙직 역시 차례가 자주 돌아와 다른 부서의 관원에 비해 긴 시간 동안 업무를 보아야 했다. 또 직원 가운데 한 명이라도 전보 발령을 받아 이직을 하게 되면 남은 한두 명이 새 직원이 부임하기 전까지 전보 송수신 업무를 모두 도맡아야 했기 때문에 업무 과중에 따른 부담은 더 커졌다.[170]

그러나 중앙 관리기구인 통신원은 지방 전보사 직원들의 업무량이 많다고는 생각하지 않았다. 이런 판단의 근거는 각 전보사의 일일 보고서였다. 한 예로 1등급인 대구전보사의 직원별 업무량을 전보사가 인력 수급이나 체제가 안정적으로 운용되었던 시점인 1903년 9월부터 11월까지를 정리하면 〈표 4-11〉과 같다.[171] 월별로 보았을 때 사장을 제외한 주사들이 한 달에 처리한 전보차수는 약 1,000차에 이르러 많아 보이지만, 하루의 업무량으로 나누면 30, 40차 정도에 해당하는 양이었다. 이 업무량

169) 러시아대장성 편, 한국정신문화연구원, 앞의 책, 607쪽.

170) "보고서 : 제24호", 우정100년사편찬실, 앞의 책, 374쪽.

171) "광무7년 九月度(10월, 11월) 大邱 電報司 來去報 及 各司 繼月報 視務次 成冊", 우정100년사편찬실 편, 앞의 책, 124~190쪽.

〈표 4-11〉 1903년 9~11월 대구전보사 직원의 업무 및 일일 업무량
(괄호 안은 1일 처리 전보차수)

	9월		10월		11월	
	처리전보차수	비고	처리전보차수	비고	처리전보차수	비고
趙重恩	31	사장	75		20	
玄擎運	963 (1일 32.1)	하루 신병	855 (1일 31.6)	부친상 나흘, 반일 신병	613 (1일 32.3)	11일간 忠線給由
金鍾冕	1,311 (1일 43.7)					
洪泰健	1,363 (1일 45.3)		1,047 (1일 52.4)	11일 전주 노선 수리 출발. 2일 신병	1,120 (1일 46.7)	6일 給由
李鎬弼	430 (1일 53.8)	22일 부임	1,623 (1일 59.0)	2일 신병	1,346 (1일 61.2)	8일간 부산선 給由
李鳳承			1,647 (1일 53.1)	반일 신병	1,590 (1일 53)	
崔誠愚					1,317 (1일 47.0)	합 2일 미부임
계	4,098		5,247		6,006	

* 출처 : "光武七年 九月度(10월, 11월) 大邱 電報司 來去報 及 各司 繼月報 視務次數 成冊", 우정100년사편찬실, 『고문서』 6권-1, 124~190쪽 재구성.

을 시간당으로 나누어보면 하루 14시간 일을 한다고 했을 때에는 시간당 2, 3차 정도에 불과하며 2교대로 업무를 나누어 7시간 일한다고 해도 한 시간에 많아야 5, 6차를 처리하는 정도였다. 따라서 전보사 직원의 전신수발 업무만으로 볼 때 통신원은 직원들의 업무가 많다고 여기지 않았다.

그러나 전보사 직원의 입장은 달랐다. 전보사 직원으로서는 비록 한 시간에 3, 4차례 전신 업무를 본다고 하더라도 자신이 담당한 전신선을 방치하고 자리를 비울 수 없으므로 업무량을 단순히 업무 시간당 전신 수발 양만으로 판단할 수 없다고 생각했다. 또 그들은 전보사를 지나는 전선 수선과 전신망 관리, 새로운 전신선 공사 감독과 같은 일들도 수행해

야 했다. 이런 업무를 위해 이들은 1년에 한두 번씩 교대로 출장을 가야 했고, 이는 길면 열흘 이상, 짧으면 대엿새 정도의 장기 출장이었으므로, 전보사에서 한 직원이 출장을 가게 되면 남은 직원들의 전신 수발 업무량은 늘어날 수밖에 없었다. 〈표 4-11〉의 대구전보사의 경우, 주사 洪泰健이 10월 18일부터 28일까지 11일 간 전주선을 점검하고 수리하기 위해 출장을 떠난 후 남은 玄擊運, 李鎬弼, 李鳳承 등 세 명의 주사는 경우에 따라 많게는 하루 평균 업무의 두 배 이상인 80차에 이르는 전신 수발을 수행하기도 했다.[172] 또 이런 경우는 要急 官報와 같이 24시간 대기해야 하는 전신을 위한 입직의 순번도 자주 돌아올 수밖에 없었다.[173] 14시간의 근무와 3, 4일에 한 번 정도 담당해야 하는 당직을 감당하기는 전보사 직원들로서는 큰 부담이었으므로, 기회가 있을 때마다 중앙 통신원에 인원 충원을 호소할 수밖에 없었다.[174]

전보사 직원의 긴 업무 시간도 문제였지만 더 큰 문제는 적절한 휴식을 취하기 어려웠다는 점이었다. 다른 정부 관원들은 공식적인 휴일이 있었다. 모든 정부의 관원들은 일요일, 왕조의 창건일, 국왕의 탄일, 국왕의 선서일, 그리고 새해 하루 전부터 초삼일까지의 정기 휴일을 가질 수 있었고, 하절기에는 휴가를 받을 수 있었다.[175] 하지만 전보사 직원들은 자신의 업무 수행 평가에 따라 각 전보사 사장이 부여하는 휴가만을

172) "光武七年 九月度(10월, 11월) 大邱 電報司 來去報 及 各司 繼月報 視務次數 成冊", 우정100년사편찬실, 같은 책, 124~190쪽.

173) 要急 官報는 전보를 보내는 시간에 제한을 받지 않는다. 박지태 편저, 앞의 책, 32쪽. 전보사가 취급하는 '요급' 전보는 관보 이외에 사보도 있으며 관보의 전보요금은 통상전보비의 2배, 사보는 3배를 징수했고 이의 전달은 전보문을 받는 즉시 하도록 규정되어 있다. '국내전보규칙 제40조, 57조'(1896년 7월 26일), 박지태 편저, 앞의 책, 33, 35쪽.

174) 『電報處辨案』, 광무 6년 12월 20일.

175) 러시아대장성 편, 한국정신문화연구원 역, 앞의 책, 607쪽.

가지고 있었을 뿐이었다. 사장은 업무 방해가 없을 것으로 판단되는 선에서 직원들 가운데 일 년 안에 징계를 받지 않거나 실수하지 않은 직원들에 한해 휴가를 줄 권한을 가지고 있었다.[176] 그러나 어렵게 휴가를 얻었더라도 일이 바빠지거나 전신망에 사건이 발생하면 곧 귀환해야 했다.[177]

휴식 없이 장시간을 근무하는 일은 매우 힘들었으므로 〈표 4-11〉의 '비고'에서 보는 것처럼 전보사 직원들은 마치 관행처럼 달마다 하루 이틀 신병을 핑계로 병가를 얻거나 전신선 관리, 수선을 위한 출장에 하루 정도의 휴가를 포함시키는 방법으로 휴식을 취했다. 또 전보사 직원들은 장기간 휴식 기간을 임의대로 갖는 방법을 개발하기도 했다. 몰래 빠져나가거나 어렵게 휴가를 얻으면 시한이 지나도록 복귀하지 않는 방법이 이용되었다.[178] 가장 널리 행해지던 방법은 전보 발령에 의한 이동 기간을 휴식 기간으로 삼는 것이었다. 도임지로의 이동이 지연되는 일에는 다른 이유도 있었다. 생활 근거지를 옮겨야 한다는 불안감도 적지 않았고 또 전보 발령처가 이전 근무지보다 등급이 낮거나 직원 수가 적어 상대적으로 근무 여건들이 좋지 않을 경우에도 도임을 꺼렸다.[179]

통신원은 도임을 늦추는 직원들에게 규정대로 빨리 부임지로 갈 것을

---

176) "應行事宜", 9조, 체신부, 『80년사』, 부록, 348쪽.

177) 『電報處辦案』, 광무 6년 3월 3일.

178) 『황성신문』, 1898년 12월 12일.

179) 『제국신문』, 1900년 5월 3일. 도임을 미루다 다른 관직을 받은 일도 있는데 이는 조선 전신 역사상 단 한 차례에 불과했다. 1890년대 초, 이채연은 대구전보사 주사로 발령을 받고도 여러 가지 이유를 대고 도임을 늦추다가 관리직인 단성 현감으로 옮겼고, 곧 전보국의 幇辦에 올랐으며 한성부윤으로 승진했다. 체신부, 『100년사』, 122쪽. 이 사례는 매우 이례적이었으며 통신원 관리 체제에서는 이런 일을 기대하기 어려웠다.

촉구했다. 전보사 직원의 규정에 따르면 전근 명령을 받은 사람은 빠른 기간 안에 근무지로 이동해야 했는데 이 이동 기간은 거리에 따라 정해져 있으며 대부분 한 달을 넘기지 않도록 되어 있었다.[180] 전보사 직원의 이동과 배치는 통신원이 전보사 장에게 보내는 電訓 형식으로 진행되며 통신원의 총체적 인력 관리 계획에 의해 수행되는 일이었다.[181] 따라서 통신원은 전보사 직원의 장기간 도임 지연에 따른 지방 전보사의 기술 인력 공백을 걱정하지 않을 수 없어 신속하게 이동할 것을 명했다. 하지만 이 통신원 총판의 명령에도 전보사 직원들이 도임을 최대한 미루는 일이 근절되지 않자 1900년 통신원 총판 민상호는 이들을 철저하게 징벌하겠다고 告示하기에 이르렀다.

> 관원이 벼슬한 후 부임, 출근하는 기한의 규칙이 있는데 지금 각 우체사, 전보사에 부임하지 않았거나 관직을 옮긴 관원이 장정을 생각하지 않고 한갓 관망만 하여 날과 달이 지나도록 부임할 뜻이 없어서 우체와 전보사 사무 방해가 많으니 사태를 생각하면 懈緩하지라. 만일 이렇게 공고히 알린 후에 부임하지 않으면 그 벼슬한 일자와 도로 원근을 고려하여 장정대로 징벌할 것이니 후회하지 말라.[182]

통신원은 총판의 엄포만으로는 직원들의 도임 지연을 방지할 수 없다는 점을 깨닫고 매우 실제적인 제재를 가하기로 했다. 즉 업무를 보지 않으면

180) 전보사 직원의 규칙은 "示達 17項, 훈령 167호", 체신부, 『80년사』 부록, 349쪽 재인용. 이동 기간에 대해서는 "節目", 1892년 윤6월, 같은 책, 부록 339쪽에서 재인용.

181) 『電報處辨案』, 광무 5년 12월 30일 ; 광무 6년 1월 6일 ; 광무 6년 1월 10일.

182) "告示 : 郵遞司, 電報司 職員의 赴任을 독촉하는 건", 1900년 4월 30일, 박지태 편저, 앞의 책, 123쪽 ; 『제국신문』, 1900년 5월 3일.

급료를 주지 않는 방법을 취한 것이다.[183] 다른 관원들의 근무지 무단 이탈에 따르는 벌금이 기간에 상관없이 급료의 반액에 불과한 것에 비하면 도임하지 않은 전보사 직원에게 내리는 처분이 가혹한 일일 수 있었다. 이 제재에도 전보사 직원은 도임을 서두르지 않았다. 이런 상황에서도 통신원이 경제적인 제재밖에 가하지 못한 것은 한 명의 전신 기술자가 아쉬운 상황에서 도임 지연을 이유로 면직시킬 수 없었기 때문이며, 전보사 직원 역시 이 점을 잘 알고 있었기에 이런 기회를 최대 활용했다.

전보 발령에 의한 인력 공백 문제를 해결하기 위해 통신원은 엄포와 경제적 제재 등 할 수 있는 방법들을 동원해 보았으나 궁극적으로 이 문제는 '적절한 인력 배치'를 통한 공식적 휴일과 정기적 휴가의 보장에 의해서만 해결될 수 있었다. 그러나 '적절한 인력 배치'에 대한 단위 전보사와 통신원 간의 인식 차이와 이 차이를 해소하기 위해 필요한 재정 확보, 필요 인원 충원 같은 문제는 빠른 시간 안에 해결하기 곤란한 난제였으므로 통신원은 인력 양성에 더 힘을 쏟을 수밖에 없었다.

3) 새로운 급여 체계와 전보사 직원의 경제적 지위

통신원은 전보사 조직을 정비하는 차원에서 전보사 직원의 월급 체계도 바꿨다. 전보사 직원의 월급은 1896년 업무를 재개했을 당시 전보사 직원의 기술적 전문성을 인정해 우체국 직원의 월급보다 5원 내지 10원이 더 많았다.(〈표 4-12〉 참조) 이런 차이로 우무학당보다 전보학당으로 더 많은 지원자가 몰렸다. 그리고 통신국 내 같은 직급의 다른 급여

183) "광무 7년 九月度(10월, 11월) 大邱 電報司 來去報 及 各司 繼月報 視務次數 成冊", 우정100년사편찬실 편, 앞의 책, 124~190쪽.

체계와 비교해도 불평등했고, 이를 해소할 수 있는 방법은 같은 직급에 같은 급여를 책정하는 것이었다. 이는 1900년 봉급령 개정안에 반영되었다. 통신원이 발표한 새로운 급여 체계는 같은 직제에 동일한 월급을 적용하던 이전의 방식을 바꾸어 각 직제마다 세 등급의 직급을 두고 각각에 다른 월급을 적용한 방식이었다.

〈표 4-12〉 전보사 직원 월급의 변화(단위 : 원)

	총사 및 1등사									2등사					
	사장			기사			주사			사장 대판			주사		
	1급	2급	3급	1급	2급	3급	1급	2급	3급	1급	2급	3급	1급	2급	3급
1896	40						30(20)			35(30)			25(20)		
1900	70	60	50	70	60	50	35	30	25	60	50	40	30	25	20

* 출처 : "電報司職員俸給令", 박지태 편저, 『정책사자료집 8』, 31쪽 ; "電報司職員의 俸給令을 改正하는 件", 같은 책, 129~130쪽 재구성. 1896년 괄호 안은 우체사 직원 월급.

통신원의 월급 개정에 따라 전신국 관리의 급여 체계는 15등급으로 세분되었으며 직제에 따라 인상폭이 달라졌다. 가장 많이 인상된 직급은 1등사 사장 1급으로 약 80% 정도 인상되었고, 2등사 사장 대판 역시 1급은 35원에서 60원으로 70% 정도 인상되었다. 그러나 전보사 주사들 대부분은 새로운 봉급령의 혜택을 보지 못했다. 새로운 봉급령으로 주사 1급의 경우는 17% 인상되었지만, 대부분 주사의 등급인 3급은 17% 정도 인하되었기 때문이다.[184] 그러나 새로운 봉급령에 따라 월급이 낮아졌더라도 견습을 마치고 발령받은 신참 전보사 직원은 첫 월급으로 일등미 한 가마(8원), 쇠고기 5근(60전), 닭 두 마리(80전), 계란 100개(80전), 옥양목이라고 불리며 당시 유행하던 영국산 맨체스터 1등 면포 한 필(4.80

184) 1905년 조사에 의하면 1등사나 2등사 1급 주사들의 수는 모두 8명에 불과하고 3급 주사는 60명에 달했다. "各 電報司 職員人數 及 等級表", 우정100년사편찬실 편, 『고문서』 5권, 13~15쪽 참조.

원)과 같이 衣食 생활에 필요한 물품을 사고도 5원이 남는 20원을 받았다. 20원이라는 돈은 당시로서는 꽤 많은 급료였다.[185] 또 각 전보사는 직원 월급을 한 달 동안의 전보사 수입에서 먼저 지급한 다음 나머지 금액을 중앙 통신원으로 송금했기 때문에 전보사 직원은 자신의 월급을 통신원으로부터 기다릴 필요도 없었고, 체불당할 위험도 없었으므로 경제적 처우는 매우 좋은 편이었다.[186]

통신원의 새로운 봉급령으로 우체사와 전보사 직원들은 이제 같은 직급이면 같은 월급을 받게 되어 우체사보다 전보사가 나은 점이 없어져 버렸다. 그리고 우편 업무와 비교해 보면 전신 업무는 훨씬 까다롭고 외국어의 전신 부호와 같이 숙지해야 할 일도 많았고 업무 시간도 길어 힘든 편이었다. 통신원의 엄격한 관리 탓에 조금이라도 업무를 소홀히 하면 곧 징계를 당할 수 있었다. 또 기술 훈련 과정 역시 전보학당이 우무학당에 비해 수월하지 않았다. 기술을 익히는 일 자체뿐만 아니라 학칙의 적용도 전보학당이 훨씬 엄격했다. 이런 이유들로 전무 학도 지원자가 감소했을 것으로 예측할 수 있다. 경제적 보상마저 줄어든다면 전보사가 우체사에 비해 매력적인 직장일 수 없었기 때문이다. 그러나 전보학당의 학도 선발시험이 지원자가 없어 무산되었다는 보고나 신문기사가 없는 것을 보면 지원자가 줄지는 않았던 것으로 보인다.

이처럼 지원자가 줄어들지 않았던 것은 전보사가 새로운 근대 기술을 다루는 세련된 직장으로 주목받았고 전신 기술자는 선망의 직업으로 부상했기 때문이었다. 그러나 이 전보사 취업이 쉬운 일이 아니었으므로 전보사 직원은 한번 발령받으면 면직의 징계를 받거나 상을 당하거나

185) 당시 물가에 대해서는 통계청, 『통계로 본 개화기의 經濟·社會相』(1994), 89쪽 참조.

186) 이윤상, 앞의 글, 156쪽.

身故의 경우를 제외하고는 계속 전보사에서 근무하려 했다. 이는 전보사 직원이 전문 기술을 익혀야 했기 때문이기도 했지만 그만큼 전보사가 안정적 직장으로 인식되었기 때문이기도 했다. 한성전보학당은 매우 엄격한 시험을 치러야 입학이 가능했으나 지방 전보사의 경우, 신설 당시 전보사 주변을 맴돌며 잡일을 도와 지방 전보사 학도로 선발되어 채용되는 기회를 가진 사람들도 있었고, 통신원에서 해당 지역에서 단지 전보사의 일을 감당할 능력이 있을 것이라고 판단해 채용하는 경우도 있었다.[187] 그러나 이 경우는 기존 전보사 직원들의 강력한 반발과 항의에 부딪혔다. 이 반발과 항의는 표면적으로는 "전보는 변경 지역에서의 군사 소식과 공사의 급신을 신속히 처리하기 위하여 설치한 것이므로 다른 사무에 비하여 관계가 매우 중요한" 것이라는 전신의 사회적 의의와 전신 기술의 특성을 내세운 것이었지만, 그 기저에는 전보사 직원들이 가지는 전문성에 대한 자부심이 내재해 있었다.[188]

이처럼 전신 기술자들은 자신의 일에 대한 자부심이 큰 편이었지만, 이 자부심만으로 班常의 관념까지 극복할 수는 없었다. 1894년 갑오개혁으로 반상의 제도가 혁파되었고, 인재 등용에 신분을 문제 삼지 않겠다고 정부가 천명했다고 해도 사회적인 통념은 여전히 지속되었기 때문이다. 1896년 전신 사업이 재개되었을 당시, 이른바 양반 신분으로 전신 기술자가 된 사람도 있었다. 일본에 유학중이었던 몇몇 학생들이 조선 전신 가설과 같이 개화를 위해 중요한 사업에 일익을 담당하겠다는 사명감으로 전신 사업에 투신하기도 했고, 소학교의 교원들이 전보사 직원으로 직종

187) "學徒所關諸事件", 『學徒處辨案』, 광무 4년 4월 20일 기사 ; 광무 4년 7월 23일 기사.

188) 『황성신문』, 1899년 6월 9일. : 전신기술자들의 사회적 지위에 관해서는 김연희, "대한제국기, 새로운 기술 환원집단의 형성과 해체－전신기술자를 중심으로－", 『한국사연구』 140(2008), 183~220쪽 참조.

을 바꾼 사례도 여러 건 있었으며, 영어학당으로 바뀌기 전 육영공원 학생 출신도 있었다.[189] 하지만 이런 일들로 대한제국의 전신 기술 종사자들이 반상의 관념을 극복하고 진보적 신분 관념을 지녔다고는 볼 수는 없다. 전보방에 몰려 들어와 업무를 방해했던 군인들을 쫓아냈다고 장교인 육군 참위가 전보사 직원들에게 욕설을 퍼부은 사건이나, 전보학당에 입학한 학생 가운데에서 군사학교처럼 전통적으로 기술직에 비해 사회적으로 나은 신분을 보장하는 학교에 다시 지원하는 학도들이 생겨난 일에서 볼 수 있듯이 전보사 직원을 바라보는 사회적 시각이나 스스로의 직업에 대한 인식은 여전히 전통적인 반상의 관념에 묶여 있었다.[190] 이는 전보사에 소속된 사람들이 사회적으로 더 인정받는 직업, 예를 들면 지방 관아의 책임자나 더 나은 조건의 직장이 생기면 언제라도 이직할 수 있음을 시사하기도 했다.

---

189) 일본 유학생, 소학교 교원, 육영공원 학생들이 모두 양반이라는 의미는 아니다. 그러나 이들 가운데 양반들이 있을 확률은 다른 집단보다 컸다. 전신 기술자 가운데 한종익, 고영관은 육영공원 출신으로 양반이었으며 같은 육영공원 출신인 이정래는 중인이었다.

190) 우정100년사료편찬실, 『고문서』 2권, 477~482쪽. 한편 당시 군대 편제에 따르면 참위는 위관급 가운데 正尉, 副尉 다음의 계급으로 장교이다. 대한제국 시대의 군제상 장교급은 군교육 전문기관에서 훈련받아야 했다. 이에 대해서는 러시아 대장성 편, 정신문화연구원 역, 앞의 책, 676쪽. 또 군사학교로 옮긴 학도에 대해서는 "學徒所關諸事件", 『學徒處辨案』, 광무 4년 9월 24일 기사를 참조.

4. 전신 기술 인력 양성 기관 재정비

1) 1896~1897년 전신 기술 인력 현황

1896년, 대한제국이 전신 선로를 환수받아 사업을 본격적으로 주도했을 당시 대한제국에서 전신 기술자로 활동했던 전보사 직원들은 약 40명 정도에 불과했다. 이들 가운데에는 오랜 경력을 가진 사람들도 많았다. 1886년 즈음 남로전선과 북로전선 가설 공사에 참여했던 사람들 50여 명 가운데 25명이 지속적으로 전신 업무에 종사하고 있었고, 이들 중 6명은 1897년 본격적으로 전신 사업이 재개될 당시 전보사 사장으로 승진해 숙련기술자로서 뿐만 아니라 전신 사업 재개를 위한 전신망 수리와 확충과 같은 업무를 관리하는 데에도 능력을 발휘했다.(〈표 4-13〉 참조) 백철용은 1884년 김학우와 함께 일본 전신국으로 유학했던 인물로 조선 전신의 역사와 함께 했다고 해도 지나치지 않은 인물이었고, 강원선이나 윤자용은 백철용보다는 늦었지만 기술 실력을 인정받아 각각 인천과 부산전보사 사장으로 활동했다. 이 두 지역은 일본의 전신 취급 우체국이 있던 지역으로 일본과의 극심한 경쟁을 피할 수 없는 지역이기도 했다. 이 두 전보사의 징계 상황이 크게 부각되지 않은 것을 미루어보면 큰 문제없이 전보사를 운영했던 것으로 보인다. 피희두의 경우는 1894년 공무아문에 학도로 입문해 불과 3년 만에 사장으로 진급했던, 유례없이 빨리 진급한 인물이었다. 이들이 전신 사업 재개 당시 대한제국의 전신망을 구축하는 데에 중요한 구심점 역할을 담당했으며 1900년 당시 서로와 남로, 북로전선의 중심 거점의 사장을 담당하며 전신 사업의 원활한 운영을 지원했다.

〈표 4-13〉 1897년 당시 전보사 사장

	1896년 이전 이력	1896 이후 이력	1897년
강원선	1888 남로전선 공사 참여	1897 인천 사장	사장
권보인	1894 공무아문 주사	1897 원산 사장	사장
백철용	1883, 84 일본 유학, 1888 남로가설공사 참여, 1894 공무아문 주사, 1896 농상공부 기사	1896 한성 사장, 1899 인천 사장, 기사	사장/기사
윤자용	1891 북로가설공사 참여, 1894 공무아문 주사	1900 부산 사장	사장
이종형	1894 공무아문 주사, 1896 농상공부 기수	1896 한성 주사, 1897 삼화 주사, 1897 삼화사장, 1901 평양 사장	사장
피희두	1894 공무아문 학원	1897 전주 주사, 1897 무안 주사, 1897 무안사장, 1900 경성 사장	사장

* 출처 : "부록" 재구성.

그리고 1900년 통신원 설립을 전후해 사장으로 임명되거나 승진한 숙련기술자들 17명 역시 1897년에도 전신 업무에 종사하고 있었다. 그들의 전신 경력을 살펴보면 대부분 10년이 넘는 숙련경력자였지만 1890년대 중반 즈음부터 업무를 시작했던 사람들도 있었다. 가장 경력이 짧은 사람은 權在赫으로 1894년 공무아문 학원으로 전신 기술을 익혔으며 1897년 한성전보사 주사로 일했고 1899년 10월 창원전보사장으로 승진했으나 1901년에 전주전보사로 옮긴 지 6개월 만에 횡령사건에 연루되어 형사처벌을 받은 인물이었다. 그리고 李鼎來, 李濟健, 韓宗翊은 1894년 공무아문 주사로 전신 사무를 보았던 인물들로 북로전선 가설 공사 이후 전신 기술을 익혔던 것으로 보이며, 그 가운데 한종익은 스스로 전보학당을 졸업했다고 밝히고 있다.[191] 그는 인력 양성 전문학교의 제도 정비를 위해 한성전보학당의 재정립 사업을 통신원의 감독 아래 진행했으며, 한성총사의 사장을 역임해 전신 사업을 구축하고 확장시키는

191) "부록", 한종익 항목 참조.

데 기여했다. 〈표 4-14〉는 1900년 4월 통신원 관제가 반포되었을 때 사장 및 사장 대판이 되어 통신원의 전신 조직 관리 체제 구축을 위해 중심적인 활동을 했던 사람들을 정리한 것이다.

〈표 4-14〉 1900년 이후 사장으로 진급한 1897년 숙련 기술자[192]

	1896 이전 이력	1896 이후 이력	1897/1900
고영운		1897 무안 주사	주사/대판
권재혁	1894 공무아문 학원	1896 한성 주사, 1899 창원 사장, 1901 전주 사장, 1902 면직	사장
김동식	1888 남로전선 공사 참여, 1894 공무아문 주사	1898 대구 주사, 1899 전주 주사, 1900 금성 주사	주사/대판
김인배		1897 한성 주사, 1898 평양 주사, 1898 무안 주사, 1899 함흥 주사	주사/대판
박승규		1896 개성 주사, 1899 안주 주사, 1899 개성 주사, 1900 평양 사장	주사/사장
백낙진		1897 전주 주사, 1897 인천 주사, 1900 무안 사장	주사/사장
상운	1888 남로가설공사 참여, 공주위원, 1891 북로 가설공사 참여, 1894 공무아문 주사, 1896 농상공부 기수	1903 안주 사장	주사/대판
서상석	1891북로가설공사 참여, 1894 공무아문 주사, 1897 농상공부 기수	1897 전주 주사, 1899 전주 사장	주사/사장
서상욱	1888남로가설공사 참여, 1894 공무아문 주사, 1898 농상공부 기수	1898 대구 주사	주사/대판
이정래	1894 공무아문 주사, 1896 농상공부 기수	1896 한성 주사, 1899 한성 사장, 1900 주답 일본공사국3등참서관, 1900 한성 사장	주사/사장
이제건	1894 공무아문 주사	1896 의주 주사, 1898 의주 사장, 1899 옥구 사장	주사/사장
이종형	1894 공무아문 주사, 1896 농상공부 기수	1896 한성 주사, 1897 삼화 주사, 1897 삼화 사장, 1891 평양 사장	사장
정우헌		1897 공주 주사, 1899 한성 주사, 1900 성진 사장	주사/사장
조중은	1888 남로가설공사 참여, 1894 공무아문 주사	1896 평양 주사, 1898 평양 사장, 1899 옥구 사장, 1899 의주 사장, 1901 대구 사장	주사/사장
최종악	한성전무학당 졸업	1898 안주 주사, 1899 운산, 안주 주사.	주사/대판

한종익	1887 육영공원 입학, 1892 전보학당 졸업, 1898 농상공부 기사	1896 개성 주사, 1897 인천 주사, 1897 한성 주사, 1899 한성 사장, 1899 기사	주사/사장
황석희		1898 평양 주사, 1898 의주 주사, 1899 박천 주사, 1899 운산 주사	주사/대판

* 출처 : "부록" 재구성.

또한 그룹으로 1897년, 또는 1900년에 사장으로 승진하지는 못했으나 1896, 1897년 전신 사업 재구축 작업에 참여한 주사급 직원 그룹을 들 수 있다. 그 수는 15명 정도로 이들은 대부분 남로전선과 북로전선 가설 공사에 참여했던 경력을 가지고 있었다.(〈표 4-15〉 참조) 그들 가운데 朴夏鎭, 吳範善, 李南圭, 李弼求는 일찍 사장으로 승진했던 權輔仁, 徐相旭, 趙重恩과 함께 參下 주사로 1886년의 남로전선 가설 공사에 참여한 이래 줄곧 전신 업무를 수행했던 인물들이었다.[193] 특히 박하진의 경우, 1886년의 서로전선 재가설 공사부터 참여했으므로 전신 기술 경력이 20년에 가까웠다. 그밖에 高永寬, 金鵬南, 朴奎會, 白文鏞, 白潤德, 李羲善, 趙忠鎬 등도 역시 북로전선 가설 공사에 참여해 10년 이상의 경력을 가졌다. 이들 대부분은 남로 혹은 북로 전선 가설 공사에 참여해 전선 완공의 공로로 고종으로부터 포상을 받기도 했다.[194] 이들 중 비교적 경력이 짧은 金鵬南, 李起鎭은 불과 6년 만에 사장으로 진급했던 피희두 등과

---

192) 이 표는 "부록"을 토대로 작성한 것이다. 이 표의 고영운, 김인배, 박승규, 백낙진, 정우헌, 황석희의 경우, 1897년 이전의 이력이 알려지지 않았으나 전신 사업 재개 이후 담당한 직책으로 미루어 1897년 이전부터 전신 업무에 종사했던 사람들로 판단되어 이 숙련기술자 그룹에 포함시켰다.

193) 정부 기구 실무업무를 담당하는 관원으로 참상관급, 참하관급으로 나뉜다. 참상관급은 주사로, 참하관급은 副主事로 불리는데 부주사는 일정 기간이 지나면 주사로 승진했다. 또 이들보다 지위가 낮은 실무직으로 司事, 위원 등이 있었다. 김영경 외, "제중원의학당 입학생의 신분과 사회진출―李鎌來를 중심으로"(『醫史學』, 2001년 6월), 64쪽.

194) 체신부, 『100년사』, 109쪽.

〈표 4-15〉 1900년 주사로 근무한 1897년 당시 숙련기술자

	1896년 이전 이력	1896년 이후 이력	1900년 직급
고영관	북로전선 공사 참여, 1894 공무아문 주사	1896 의주 주사 서임	주사
공학순	남로전선 공사 참여	1898 대구 주사, 1899 옥구 주사, 1899 대구 주사	주사
김붕남	1894 공무아문 학원	1897 한성 주사, 1897 개성. 삼화, 무안 주사 1902 전주 사장	주사
김영걸	북로전선 공사 참여	1896 의주 주사, 1903 안주 사장	주사
박규회	남로전선 공사 참여, 1894 공무아문 주사	1898 부산 주사, 1901 身故	주사
박영배	북로전선 공사 참여, 1894 공무아문 주사, 1898 농상공부 기수	1898 원산 주사, 1902 개성 주사	주사
박하진	서로재가설공사, 남북로 가설 공사 참여. 1894. 공무아문 주사	1899 면직, 1900 창원 주사	주사
백문용	1894년 공무아문 주사	1897 인천, 개성 주사, 1899 안주, 한성 주사	주사
백윤덕	1894 공무아문 주사, 1898 농상공부 기수	1902 면직	주사
오범선	남로전선 공사 참여	1897 평양, 삼화 주사 1899 6. 운산, 삼화 주사	주사
이기진	1894 공무아문 학원, 1898 농상공부 기수	1898 한성 주사, 1899 전주, 금성 주사, 1900 身故	주사
이필구	남로전선 공사 참여	1900 금성 주사, 1901 광주 주사, 1902 무안 주사	주사
이희선	1894 공무아문 주사	1898 부산, 전주 주사	주사
조충호	북로전선 공사 참여	1896 평양, 1899 인천 주사, 1900 한성, 인천 주사	주사

* 출처 : "부록" 재구성.

같이 1894년에 공무아문 학원으로 전신 기술을 익힌 인물이었고, 전신 기술계로 입문한 지 10년이 되지 않은 1902년 1등사인 전주 전보사장으로 승진했다. 그들 가운데에는 비록 사장으로 진급하지는 못한 사람들도 있었지만 그들 모두는 통신원의 창설 이후에도 대한제국의 전신 체계 성장과 발달에 기여했다.

전신 기술자들의 경력이나 실력이 아무리 우수하다 해도 당시 전신

사업을 실제적으로 담당해야 할 전보사 주사들이 40명이 채 되지 않은 1896년의 상황은 큰 문제가 아닐 수 없었다. 한성, 개성, 평양, 의주 등지의 전보사는 기존의 인력으로 충원할 수 있었지만, 이 인력만으로는 1897년부터 1900년 사이에 중요 개항장 및 중요 행정 구역 20여 개의 전보사를 운영하기 어려웠다. 그러므로 대한제국 정부는 기술 인력을 신속하게 양성하기 위한 속성 전신 기술자 충원 계획을 수립하지 않으면 안 되었다. 정부의 충원 방향은 대략 세 가지로 정리할 수 있는데, 먼저 신학문을 접해 새로운 근대 기술을 빠르게 익히는 데 무리가 없어 보이는 일본 파견 국비 유학생을 활용하는 방법이었다. 대한제국 정부는 이들 국비 유학생 가운데 80명에게 통신 기술을 익히게 해줄 것을 慶應義塾에 요구했다.[195] 그러나 慶應義塾은 유학생의 반이 넘는 학생들에게 통신 기술을 훈련시키는 일에 대해 부정적인 반응을 보였고, 따라서 일본 유학생 가운데에서는 金昌植과 劉文相을 포함한 극소수의 학생들만이 일본 전신국에서 실습을 통해 기술을 익힐 수 있었다.[196]

일본 유학생 활용 계획이 여의치 않자 대한제국 정부가 시도한 또 하나의 방법은 국내의 신학문 수학자와 전신 기술 습득 유경험자를 활용하는 방안이었다. 대한제국 정부는 이들을 전보학당에 입학시켜 속성으로 전신 기술자로 양성하거나 재교육시켰다. 당시 전보국이 소속되어 있던 농상공부는 보성전문학교나 영어학교에서 이미 신학문을 접했던 사람들이나 1894년을 전후해 공무아문 학도로서 전신을 접했으나 이후 다른 분야에서 일했던 사람들을 전보학당에 입학시키기 위해 학부와

195) 체신부, 『80년사』, 249쪽.

196) 『독립신문』, 1897년 8월 17일 ; 『제국신문』, 1900년 3월 12일. 유문상은 1902년 한성우체사 주사로 활동했으며 김창식의 흔적은 통신원에서 찾을 수 없다. 안용식, 『大韓帝國官僚史硏究』 1, 2.

다른 정부 부서의 협조를 구했다.[197] 이 요청에 따라 보성전문학교 출신 洪箕周나 관립 영어학교 출신 柳仁秀, 공무아문 학도였던 尹鼎大 등이 전보학당에서 전신 기술을 교육받고 임용시험을 통과해 전보사 주사가 되었으며, 1887년 전주분국에서 활동하다 원산우체사에서 근무하던 李南奎가 다시 복직되었고, 1894년 공무아문 학원으로 전신 기술을 익히고 우체사에서 근무했던 趙觀濠 역시 전보사로 재배치되었다.

마지막으로 들 수 있는 속성 충원 방안은 우체사, 소학교 등에서 활동하던 사람들을 차출하는 것이었다. 먼저 우체사에 있던 사람으로는 1896년 경성우체사에서 근무했던 宋趾仁을 들 수 있다. 그는 1898년 4월 안주전보사 주사를 거쳐 1899년 6월 옥구전보사에서 근무했다. 영변우체사 주사였던 金容濟는 1899년 말 운산에 전보사가 설치되자 1900년 1월 초 전보사로 발령받았으며 한성우체사에 근무하던 徐庸熙 역시 한성전보사에서 근무하게 되었다.[198] 물론 전보사에서 근무하다가 우체사로 옮기는 경우도 있었지만 그것은 2건에 불과했고, 그 중 한 건마저도 1903년 전신 인력이 안정적으로 충원되기 시작했을 때의 일이었다. 통신 분야와 관련이 없는 일에 종사하다 충원된 사람으로는 1897년 5월 개성공립소학교 교원이었던 李鍾浹과 함경북도 관찰부 주사였던 金泰鎭, 강원도 관찰부 주사였던 成樂弼을 들 수 있다. 이종협은 1899년 6월 부산전보사 주사로, 김태진과 성낙필은 1899년 함흥전보사가 개설되면서 이곳에서 업무를 담당했다.[199]

전신 업무에 종사한 경력이 있던 관원들이 전보사로 발령받은 경우에는 이전 업무로의 복귀라는 의미가 있으므로 크게 문제가 없었다. 하지만

197) "學徒 所關 諸事件", 『學徒處辨案』, 광무 4년 6월 22일.

198) "부록" 송지인, 김용제, 서용희 항목 참조.

199) "부록", 이종협, 김태진, 성낙필 항목 참조.

전신과 관련 없는 일에 종사하다 전신 업무를 담당하게 되는 일이 생기자 전보사 직원들은 크게 반발했다. 그들은 전신은 다른 전보사와의 관계 속에서 이루어지는 작업인 만큼 직원들 모두가 기술력을 보유하고 있어야만 된다고 주장하면서, 다른 부서의 관원이나 문외한의 전보사 발령을 반대했다.

> "전보는 변경 지역에서의 군사 소식과 공사의 급신을 신속히 처리하기 위하여 설치한 것이므로 다른 사무에 비하여 관계가 매우 중요한 것이며 이 때문에 學徒를 설치하여 기술에 능숙한 자를 사장과 주사를 서임하여 사내의 일체 사무를 맡기는 것은 규정에도 분명히 기재되어 있는 것인데 … 사장이 사무에 어두면 의심스럽고 어려운 부분은 어느 곳에 質明하며 주사가 기술에 생소하다면 그 勞를 누구에게 대신하게 할 수 있겠습니까" 하고 속히 이를 변동하여 달라고 하였다.[200]

이런 전보사 직원의 반발이 전혀 근거가 없는 것은 아니었다. 인력이 부족한 상태에서 전보사 실무를 담당하는 직원들로서는 학도도 아닌 동료를 교육시켜야 한다는 부담까지 떠안아야 했고, 이 부담뿐만 아니라 전신망 자체가 제대로 작동되지 않을 수도 있었다. 이들의 비판을 받아들여 정부는 이미 발령을 낸 직원들을 다른 우체사나 지방 관아로 전근시키는 조치를 취했고 심지어 발령을 취소하기도 했다.(〈표 4-16〉 참조)

〈표 4-16〉을 보면 면직 직원들의 서임지가 해주, 함흥, 의주, 금성 등 몇몇 전보사에 몰려 있었다. 그 가운데 해주와 함흥전보사의 경우, 전보사 개설이 지연되어 직원 충원 계획 자체가 무산됨으로써 이들의

200) 『황성신문』, 1899년 6월 9일.

〈표 4-16〉 1897~1900 신규 주사 서임자 중 1달 미만 근무자 및 근무지

이름	근무처	근무기간	이름	근무처	근무기간
김현만	해주	1899.9.25~10.5	박정열	함흥	1899.9.25~10.13
박동규	해주	1899.9.30~10.13	이춘영	의주	1898.2.26~3.8
전영칠	해주	1899.9.30~1899.10.13	이중억	의주	1898.3.8~3.17
이석희	해주	1899.9.25~9.30	심헌택	의주	1898.3.17~3.23
김형규	해주	1900.10.5~10.13	김재은	금성	1900.1.12~1.13
김문환	함흥	1899.10.3~10.13	정봉화	금성	1900.2.20~2.24
윤찬주	함흥	1899.10.3~10.13	이인수	개성	1900.1.12~-1.13

* 출처 : "부록" 재구성.

발령이 취소되었다고 볼 수 있지만, 이들이 만약 훈련된 전신 기술 인력이었다면 다른 전보사로 전보발령 냈을 것임을 감안하면 이들 대부분이 미숙련자들이었음을 알 수 있다. 이처럼 속성으로 인원을 충원하려 했던 대한제국 정부의 전신 인력 확보 계획은 업무 처리 미숙과 내부의 반발 등으로 난관에 봉착할 수밖에 없었고, 근본적인 해결 방안을 모색하지 않으면 안 되었다.

2) 『전무 학도 규칙』 반포와 전보학당 정비

부족한 전신 기술 인력을 속성 방식으로 충원하는 일이 불가능하다고 생각한 통신원은 좀 더 근본적인 대책이 필요하다고 보았고, 전보학당 제도의 정비를 대안으로 채택했다. 물론 통신원이 전보학당을 정비하기 이전에도 전보학당은 운영되고 있었다. 1896년 7월 반포한 『전보사관제』에는 "전보사 주사를 전무학습원으로 充한다"고 되어 있는데, 이는 이미 각 지방 전보사나 중앙한성총국에서 학도를 선발하여 교육을 시켜왔음을 의미했다. 또 『전무 학도 규칙』 반포 이전에도 전신 기술 인력 양성소가 있었음은 전신 기술자들 스스로가 자신을 전보학당 졸업자라고 지칭하는

것에서도 찾아 볼 수 있다.[201] 또 통신원이 한성총사의 전보학당부터 재정비한 것은 이 학당만을 유일한 전무 학도 양성소로 상정했기 때문이 아니라 한성총사가 당시 교원 활용 가능 인력이나 실습 기기 구비 실태와 같은 제반 여건이 다른 전보사에 비해 월등히 나았기 때문이었다. 대한제국의 통신원은 총사의 학당을 시작으로 수준 높은 교육과 훈련 프로그램을 운용함으로써 질적으로 우수한 기술자를 양성해내고 이들을 토대로 전국 기술 인력의 수준을 높여 이후 전국 전보사에서 양성하는 인력 역시 일정 수준 이상의 기술력을 확보하려 했다.[202]

그리고 통신원이 전보학당 재정비를 위한 작업을 진행했다고 하더라도 전보학당은 한성총사 소속이었으므로 이에 대한 재정적, 인적 지원은 한성총사에서 담당해야 했다. 이는 통신원의 전보학당 지원 예산이 불과 연 150원 내외로 설정된 점에서 찾아볼 수 있다.[203] 이 정도의 예산으로는 교수를 단 한 명을 채용해도 6개월 이상을 감당할 수 없었다. 그러나 학당을 운영하기 위해서는 매일 6시간의 수업을 진행하고 학생을 관리하는 데에 최소한 교장을 포함해 세 명의 교수가 필요했다. 따라서 통신원은 전보학당을 한성총사 부속기관으로 하여 한성총사의 교육용 전신기자재를 이용하고 한성총사의 인력으로 교수진을 구성하면 별도의 기자재

201) "電報司官制(1896.7)", 제6조. 『황성신문』, 1900년 6월 12일 ; "부록", 피희두, 한종익 항목 참조.

202) 체신부, 『80년사』, 252쪽.

203) 체신부, 『80년사』, 214쪽. 1903년 이후 전보학당 예산의 총액은 늘어났지만 아래 표에서 보는 것처럼 이 증가분은 전보학도 외국 유학비가 대부분 차지해, 전보학당으로의 지원 예산은 크게 증가하지 않았다.(단위 : 원)

	1903	1904	1905
전보학당비	146	170	240
전보학도 외국 유학비	990	2320	2320
합계	1136	2490	2560

구입비와 교수 월급을 책정하지 않아도 순조롭게 학당을 운영할 수 있다고 판단했다. 한성총사가 통신원과 가까운 거리에 있어 통신원이 전보학당의 운영 상황을 점검하기에도 좋았다.

전보학당 교직원의 면면을 보면 통신원의 전보학당 운영의 기본 정책을 엿볼 수 있다. 1900년 『규칙』이 반포되기 전 전보학당의 교장 한종익은 한성총사의 기사였고, 후임 교장 이정래 역시 한성총사의 사장이었다. 또 한성총사는 3, 4명의 직원으로만 운영되던 다른 지방 1등 전보사와는 달리 약 10명의 숙련 기술 인력을 확보하고 있었으며 실력 또한 다른 전보사 직원들보다 우수한 편이었다. 이들 총사의 직원들은 통신원 소속 교사인 뮐렌스테스의 지원 아래 교수진을 구성해 학도들의 교육을 담당했다.[204] 총사 직원인 이들에게 전보학당의 교원으로 활동한 일에 대한 보수를 따로 지급하지 않고 직급에 따른 봉급만을 제공해도 문제가 없었다. 그리고 金仁植과 같이 지방학도로 훈련을 받았으나 전보사 직원 채용 시험을 통과하지 못했던 사람들을 학습 보조인력으로 활용할 수 있었던 점도 한성총사만이 누릴 수 있는 보조 교원 확보 방법이었다.[205]

한성총사는 전보학당에 교수진뿐만 아니라 소소한 운영비와 경비도 제공했다. 한성총사의 예산 지출 항목에는 '학교비'가 따로 설정되어 있었고, 서적 구입을 위해 1901년 14원 39전을, 다른 전보사가 평균 연 1, 2원을 사용하는 잡비를 한성총사는 30원 정도를 지출했으며, 문구비 역시 다른 전보사에 비해 훨씬 많이 사용했다.[206] 이렇게 총사의 잡비와 문구비가 많았던 것은 총사 직원이 다른 전보사에 비해 직원이 많았기

---

204) "전무 학도 규칙", 제21조(1900년 11월 1일 통신원령 제7호), 체신부, 『80년사』 부록, 353쪽에서 재인용.

205) "學徒關係報告", 『學徒處辨案』, 광무 5년 1월 12일 기사.

206) "광무5년도 통신원 經費未支出條, 우정100년사편찬실 편, 『고문서』 3권, 31쪽.

때문이기도 하지만 그보다는 전무 학도가 입학한 후 필요한 서적과 문구류 일체를 학교가 공급하게 되어 있었고, 한성총사가 이를 지원했기 때문이었다. 총사의 지원은 1년에 4, 5회 실시되는 학도 선발 비용을 제공하는 일에도 미쳤다.[207]

전보학당은 운영에 필요한 거의 모든 교수진과 재정을 총사에서 지원하는 총사의 부속 기관이었으나 학당과 관련된 모든 권한은 통신원이 장악했다.[208] 전보학당의 초대 교장이라고 할 수 있는 한종익 한성총사 기사는 1899년부터 이 학교를 맡아 운영하면서 『전무 학도 규칙』의 구체적 내용을 설정했을 것으로 보이지만 실제 전보학당 교장으로서의 권한은 크지 않았다. 비록 그에게 定員에서 부족한 학도들을 신입으로 선발할 권한과 세칙을 정할 권한이 주어지긴 했지만 최종 결정은 통신원 총판의 재가를 얻어야만 하는 제한된 것이었다.[209]

이와 같이 학당이 총사와 통신원으로부터 이중의 통제를 받게 된 점은 통신원의 기본적인 인력 양성 구도에 기인했다. 지방 전보사가 늘어날 수밖에 없는 상황에서 모든 전보사의 직원을 중앙에서 공급할 수 없다는 것을 통신원도 알고 있었다. 하지만 지방 전보사의 기술 수준에서 학도를 훈련시키는 것으로는 전신 기술의 향상을 도모할 수 없다는 판단 아래 먼저 한성 전보학당을 정비한 것이었으므로 굳이 총사로부터 학당을 분리시킬 이유가 없었던 것이다.

그럼에도 신설된 통신원이 『전무 학도 규칙』을 새롭게 제정해 반포한 것은 지방 전보사의 전보학도 선발과 양성을 제한해 일정기간 전보학도의

207) "各電報司 司費表"; "郵電兩司業務叢錄票"(광무 9년 4월 30일), 우정100년사편찬실 편, 『고문서』 5권.

208) "전무 학도 규칙", 제4조.

209) 같은 조항.

양성을 중앙으로 일원화함으로써 학도들의 훈련 수준을 높이겠다는 의지를 표명한 일이었다. 이를 위해 통신원은 먼저 학도의 선발 방식을 정비했다. 『전무 학도 규칙』이 반포되기 이전 지방 전보사 사장의 천거와 통신원의 승인을 통해 전무 학도로 선발되면 해당 전보사에서 전신 기술을 훈련받을 수 있었다. 하지만 이렇게 선발된 학도들은 몇 가지 문제를 안고 있었다. 먼저 지방 전보사장의 천거라는 선발의 기준이 매우 모호했음을 들 수 있다. 대부분 지방 전보사의 학도로 선발되는 이들은 전보사 설치 직후부터 전보사의 일을 도왔다거나 총명함이 전보사장의 눈에 띄었다거나 하는 주관적인 기준에서 천거되었던 것이다.[210] 또 전보사에 근무하는 직원이나 친지들의 알선이 천거의 배경이 되기도 했다.[211] 두 번째로 지적할 수 있는 것은 전보사 사장이 천거한 학생을 통신원이 승인하는 과정도 엄격하지 않았다는 점이다. 지방 전보사에서 행해졌던 전무 학도 천거를 통신원은 대부분 승인했는데, 이는 지방 전보사에서 인력을 확보하는 방법이기도 했고, 중앙 정부가 부족인원을 제대로 충원해주지도 못했기에 지방 전보사장의 천거를 반대할 명분이 없었다는 데에 기인했다. 또 당시 통신원은 지방 전보사 학도에 대한 능력을 평가하는 분명한 승인 기준을 가지고 있지 않았으므로 학도의 수만을 승인의 기준으로 삼을 수밖에 없었다. 예를 들어 옥구 전보사장이 선발한 세 명의 학도 가운데 통신원이 한 명만을 승인했는데, 이는 해당 전보사에 일이 많지 않다는 통신원의 판단에 근거한 것이었다.[212] 선발 기준이 모호한 상황에서 심지어 승인 기준조차 확보하지 못했으므로 통신원은 지방 전보사의 요구가 강력할수록 학도 선발을 통제하지 못했

---

210) "學徒關係報告", 『學徒處辨案』, 광무 4년 7월 23일 기사.

211) 체신부, 『80년사』, 252쪽.

212) "學徒關係報告", 『學徒處辨案』, 광무 4년 4월 22일, 5월 3일.

다. 인천 전보사가 6명의 견습생을 뽑은 일에 대해 통신원은 3명만 승인했지만 인천 전보사 사장이 이미 세 명을 승인한 통신원이 나머지 세 명을 승인하지 않는 것은 부당하다며 강력하게 항의했을 때 이를 받아들이지 않을 수 없었다.[213] 이처럼 통신원은 『전무 학도 규칙』 반포 이전 전국의 지방 전보사가 실시한 학도 선발을 통제할 수 없었다. 지방 전보사는 언제나 전신 기술자가 절대적으로 부족했기 때문에 눈에 띄는 사람을 학도로 선발해 현업에서의 기술 전수를 중심으로 훈련시켜 실무에 투입했던 것이다. 이런 관행에 통신원이 할 수 있었던 일은 지방 전보사 학도 선발 및 훈련과 국가 관원인 주사로 서임하는 일을 별개로 상정함으로써 지방 전보사 학도 선발에 영향력을 행사하는 정도에 불과했다. 즉 통신원은 실무를 통해 기술을 익힌 지방 학도들에게 한성에서 다시 훈련받을 것을 명하거나, 전보사 직원으로서 필요한 자질이 갖추어지지 않았다는 이유로 서임을 미루는 정도밖에는 지방 전보사에서 임의로 행하는 학도 선발과 훈련에 대응할 수 있는 대책이 없었던 것이다.[214]

하지만 통신원은 『전무 학도 규칙』을 반포함으로써 지방 전보사의 전무 학도 선발과 훈련을 통제할 수 있는 근거를 확보했고, 이를 토대로 지방 학도 선발 자체를 규제하기 시작했다. 이처럼 통신원이 『전무 학도 규칙』 반포를 계기로 지방의 학도 선발과 양성을 통제하고 중앙으로 일원화하려 한 데에는 중앙과 지방 전보사의 교수 인력 상황의 차이가 주요한 원인으로 자리 잡고 있었다. 한성총사에는 전신 기술자 훈련에만 20년의 경험을 가진 외국인 교사 뮐렌스테스와 그를 돕는 주사들이 존재했지만 지방 전보사에는 당장 현업을 처리하기에도 바쁜 전보사 사장과 주사가 있을 뿐이었다.[215] 비록 그들이 앞에서 본 바와 같이

213) 같은 문서, 광무 4년 5월 24일.
214) 같은 문서, 광무 4년 7월 25일.

215) 1900년대에 이르러 대한제국의 전신 기술자들이 증가하면서 중앙 정부는 기술 훈련 교사인 외국인 기술자 고빙문제를 재고하기에 이르렀다. 가장 문제가 된 사람은 전보학당의 기술교육을 담당해왔던 뮐렌스테스였다. 그는 1885년 서로전선 가설을 위해 조선에 입국한 이래 조선의 전신 가설과 운영에 관여했고, 또 때때로 정부의 전무교사로 활약했으며 그 공로로 정부로부터 서훈을 받기도 했다. 하지만 1900년 즈음 대한제국에서의 기술 인력 여건이 달라진 만큼 정부로서는 그에게 지급하는 연봉 2,400원이 부담스러웠다. 이 금액은 통신원 총판인 1등 또는 2등 칙임관 연봉 3,500원, 3,000원보다는 적었지만 이들 칙임관이 연봉의 일정액을 당시 정부에 반환했던 관행을 고려하면 칙임관 급에 버금가는 큰 금액이었다. 특히 대부분의 통신원 관원 연봉이 평균 500원에 미치지 못했고, 당시 전보사 한 개를 신설하는 데에 3천원 정도가 필요했던 만큼 정부로서는 외국인 교사 급여를 절약해 전보사를 한 개라도 더 신설하는 것이 나았다. 따라서 대한제국 정부는 뮐렌스테스와의 재계약을 재고하게 되었다. 또 뮐렌스테스도 당시 서양의 발전된 기술을 전수해줄 수 있는 상황도 아니었다. 그는 1885년 서로전선 가설 공사 때에 입국해 화전국이 철수한 1894년에 중국에 갔다가 중국 벽지인 운남전보사로 발령을 받자 조선의 전신 사업에 종사할 것을 자원해 조선으로 돌아왔다. 10년 넘게 조선에 거주해 언어 소통의 문제가 없는 것은 그의 장점일 수 있으나, 1885년 조선으로 오기 전에 이미 덴마크를 떠나 청나라에 와 있었으므로 최신의 전신 정보와는 거리가 멀었다. 그가 가지고 있을 전자기학 지식수준은 그가 처음 아시아에 발을 디딘 1870, 80년대를 벗어나지 못했을 것으로 보인다. 그가 남긴 사진에서 보면 그가 가르치는 학생들은 여전히 인자기로 배웠고 그가 구매 자문을 했을 통신원의 전신기기도 그의 모국인 덴마크 회사에서 만들어진 1860, 70년대 식 인자기였다. 그로서는 대한제국 정부의 계약 거부는 곧 귀국을, 그리고 그에게 귀국은 은퇴를 의미하는 일이었기 때문에 조선에 머물게 해줄 것을 대한제국 정부에 요청하지 않을 수 없었다. 그는 계속 조선의 전신 사업에 참여하길 원했으나 그를 고용해야 할 필요성은 없어진 반면 높은 비용을 지불해야 하는 정부는 그에게 연봉 협상을 제안했다. 모국인 덴마크와 수교를 맺지 않았기 때문에 뮐렌스테스와의 협상은 러시아가 중재했다. 그 결과 그의 연봉은 1,800원으로 줄어들었고 고용 기간도 해마다 계약을 갱신한다는 조건이 붙어 재고빙 계약이 체결되었다. 그의 경우는 외국인 기술자와의 계약체결에서 대한제국 정부가 그동안 보여왔던 수동적인 자세에서 벗어나 주도적인 자세로 협상했음을 보여주는 중요한 사례였으며 이는 통신원이 확보한 전신 기술력에 기인했다. 이에 대해서는 『제국신문』, 1899년 12월 13일 ; 1900년 6월 16일 ; "통신원관제를 개정하는 건", 칙령 제52호, 『고종실록』 광무 4년 12월 19일 ; 우정100년사편찬실, "통신원 경비 예산", 『고문서』 5집 : 3권 173~178쪽 ; 이원순, 앞의 글, 296~297쪽 ; 일본 전신전화공사, 앞의 책, 494쪽 : 진용옥, "초창기 전기통신 기술 규명"(전기통신

1900년 이전 전신 인력을 속성으로 양성하는 데 기여했을지는 몰라도 그들 스스로도 현업 위주로 훈련시킨 학생들이 한성에서 훈련받은 수준으로 전신 관련 지식과 외국어를 포함한 전신 부호를 완벽하게 학습 받지 못했음을 알고 있었다. 또 통신원 역시 이 점을 인식하고 있었다. 통신원은 『전무 학도 규칙』 반포 직후부터 "각 지사에는 선생이 없으므로 (학도들을) 가르칠 수 없다"고 지적하며 지방 전보사에서의 학도 선발과 훈련을 강력하게 제지하기 시작했던 것이다.[216)]

따라서 통신원은 한성총사 전보학당의 학도 선발을 재정비함으로써 선발의 기준을 명확히 하기 시작했다. 토대가 된 것이 『전무 학도 규칙』이었다. 이 규칙에 명시된 전무 학도 선발기준 가운데 통신원 칙주임관의 판단에 따라 선발한다는 점은 이전과 동일했다. 그러나 새로운 규칙에는 15세 이상 30세 이하라는 연령제한이 생겼고 신체가 건강해야 한다는 조건이 덧붙여졌다. 또 기본적으로는 글과 산수를 이해할 뿐만 아니라 업무에 잘 적응할 수 있을 정도의 聰氣도 있어야 한다고 밝혔다.[217)] 무엇보다 이전과 달라진 점은 전무 학도 지원자가 통신원의 칙주임관의 천거를 받아 세 번으로 구성된 입학시험을 보아야 한다는 것이었다. 예비시험이라고 할 수 있는 첫 번째 시험과목은 한문, 독서, 작문, 寫字였고, 두 번째 단계의 시험과목은 한문 대신 국문 시험을 보는 것을 제외하고는 첫 번째 시험과목과 같았으나 첫 번째 시험보다는 어려운 문제가 출제되었을 것으로 보인다. 두 번째 시험을 통과하고 난 사람들에게는 산술과 문답으로 구성된 세 번째 시험이 기다리고 있었다. 세 번의 시험을 통과했다고 입학 자격이 주어지는 것은 아니었다. 시험 합격자들은 자신의

사편찬연구위원회, 1987), 5쪽 참조.

216) "學徒關係報告", 『學徒處辨案』, 광무 4년 11월 2일.

217) "전무 학도 규칙, 제10조, 제5조", 체신부, 『80년사』 부록, 353쪽에서 재인용.

신원과 행동, 학업 과정을 보장하고 책임져 줄 사람을 보증인으로 내세워야만 전보학당에 입학할 수 있었다.[218]

『전무 학도 규칙』으로 선발 기준을 설정한 통신원은 규칙 반포 이전 지방 전보사에서 훈련 중인 전무 학도를 정리하기 위해 각 지방 전보사에서 훈련시키고 있는 학도들을 한성으로 보낼 것을 명했다. 지방 학도들은 상경 비용을 지방 전보사나 중앙 통신원으로부터 지원받을 것을 바라지 말고 각각 장만할 것을 지시함으로써 이들이 한성에 와서 공부하는 일의 결정 여부를 전적으로 학도들의 판단에 맡겼다.[219] 또 정해진 기한 안에 한성에 도착하지 못하면 출학 조치할 것임을 명시하기도 했다. 그뿐만 아니라 통신원은 지방 전보사에서 견습생을 자체적으로 선발하는 일 자체가 잘못되었음을 분명히 했다. 삼화전보사에서 인원 부족을 이유로 학도를 임의로 선발해 교육시킨 일에 대해 통신원은 "귀사가 견습학도를 멋대로 선발함은 잘못된 것"이라고 지적해 시정을 명하기도 했다.[220]

통신원의 명에 따라 전국에 산재한 전무 학도들은 한성전보학당으로 모여들었다. 한성총사에서 새로 모집한 학도들과 합해 모두 45명이 첫 입학을 기다렸다. 그러나 통신원은 이들 모두를 전보학당에 입학시키지 않고 이들을 실력에 따라 분류하고 능력이 부족한 사람들을 배제해 3학년에 해당하는 1급에 10명, 2급에 8명, 3급에 7명으로 모두 25명만을 선발했다. 이들 25명이 『전무 학도 규칙』 반포 이래 첫 전보학당의 학도들인 셈이었다. 이 25명의 학생으로 전보학당은 수업을 시작했고 이듬해부터 본격적으로 이 규칙에 규정된 시험을 통해 학도들을 선발하고 수업과 각종 시험을 통해 전신 기술자로 양성해 배출했다.[221] 그러나 통신원은

218) "전무 학도 규칙" 제7조, 제8조, 제9조, 체신부, 앞의 책, 부록, 353쪽에서 재인용.
219) "學徒關係報告", 『學徒處辨案』, 광무 4년 11월 2일.
220) 『電報處辨案』, 광무 6년 4월 28일 기사.

25명으로 정원을 동결시키지 않고 전무 학도의 수를 점점 늘려 1903년에 이르면 35명을 선발하기에 이르렀다.[222]

3) 전보학당의 학사 관리

이처럼 통신원 관리하의 전보학당에서는 기준을 엄격하게 적용해 전무 학도를 선발했다. 이 기준을 통과해 전보학당 입학이 허락된 학도들은 그에 상응하는 권리를 부여받았다. 그 권리는 주로 학습권에 관한 것들이었다. 학교는 이들이 교육받을 때에 필요한 모든 책을 공급해야 했고, 실습을 위한 기기 設備들 역시 제공해야 했다. 또 학도들은 정부 산하의 다른 기술학교의 학도들처럼 공부하기 위해 필요한 종이와 붓, 먹과 같은 문방구들을 지급받았다.[223] 이처럼 전무 학도들에게는 교육을 받기 위해 필요한 개인의 경제 부담은 없었다. 또 학도들은 학습 전용공간을 제공받을 수 있었다. 즉 『전무 학도 규칙』에 전보학당으로 사용하는 학사가 마련되어야 한다는 점이 명시되어 학습공간을 점유할 수 있게 된 것이다.[224] 이와 같은 학도에 대한 배려는 이들이 기술을 습득하게 되어 선발되면 정부의 업무만을 전문적으로 담당하며 정부에 봉사해야 했다는 점에 기인했다. 대한제국 정부로서는 정부 실무를 담당할 현업 인력인 잡과 기술 인력을 확보하기 위해 전통적으로 이 학도 훈련 지원방식의 채택하고 있었으며 이를 통해 우수한 실무인력을 확보할 수 있었다.[225]

221) "電務學徒記", 『學徒處辨案』, 광무 4년 11월 7일.
222) "광무8년도 전무 학도 현존 인원", 『鈐印案』(우정박물관 도서 4547).
223) "전무 학도 규칙", 제2조, 제8조, 체신부, 『80년사』, 부록, 353쪽에서 재인용.
224) 같은 문서, 제2조.

또 전보학당을 운영하고 총괄하는 교장의 자격도 규정되었다. 『전무 학도 규칙』에 의하면 교장은 "본원(통신원)과 전보총사 奏判任官 중에 電務에 숙련되고 외국어를 兼解하는 한 사람"이어야 했다.[226] 전신이 국내에서만 통용되는 정보 전달 수단이 아니기 때문에 외국어를 부호화한 전신을 제대로 송수신했는지를 판별할 능력을 갖추어야 학도를 훈련시킬 수 있고, 그러기 위해서 통신원은 전보학당의 교장 역시 전신 업무뿐만 아니라 외국어를 독해할 수 있는 능력을 갖추어야 한다고 보았다. 이런 조건들을 규칙에 명문화함으로써 전무 학도들이 받을 수 있는 교육의 전반적인 수준을 높이려 했다.[227]

그렇다고 『전무 학도 규칙』이 학도들의 권리만 보장한 것은 아니었다. 학도들의 의무 역시 명시되었고 이 의무는 결코 가볍지 않았다. 그들은 타보, 번역, 전리학, 전보규칙, 외국어, 산술의 여섯 과목을 하루 평균 6시간씩 수업받으며 공부해야 했고, 수업을 받는 도중에 轉學이나 退學이 허용되지 않았다.[228] 방학은 정해져 있지 않고 교장의 판단에 따라 달라졌으며 병이 들어 부득이하게 퇴학해야 하는 경우 보증인과 함께 교장으로부터 심사를 받은 후 통신원의 허락을 받아야 했다. 또 질병 또는 사고로 수업을 받지 못하는 경우 1주일 이내에는 교장의 허락을 받아야 하고, 1주일 이상은 통신원으로부터 승인을 받아야 했다.[229] 그리고 1주일 이상의 장기 결석은 6개월 이내에 오직 한 번만 허용되었다.[230] 전무 학도에게 주어진 출석 및 퇴학에 대한 조항은 통신원이 학도들을 통제하기

---

225) 李萬珪, 『朝鮮教育史 上』, 264~272쪽.
226) "전무 학도 규칙", 제3조, 체신부, 앞의 책, 부록, 353쪽에서 재인용.
227) 같은 문서, 제2조 ; 제3조.
228) 같은 문서, 제11조 ; 제13조 ; 제16조.
229) 같은 문서, 제4조 ; 제16조.
230) 같은 문서, 제15조.

위한 조치의 일환이었다.

『전무 학도 규칙』의 반포는 학도들에게 권리와 의무를 부과한 점에서도 중요하지만 이를 통해 교육 환경이 개선되어 학도들의 기술력을 향상시킬 수 있는 계기가 되었다는 점에서도 의의를 찾을 수 있다. 사실 이 점이 전보학당 정비의 가장 주된 목적이었으므로 학도들에게 학업과 기술 수준을 향상시키는 데에 필요하다고 판단된 여러 가지 의무가 부과되었다. 그 가운데 중요한 의무인 시험은 학도들의 긴장된 수업 태도를 유지시키기 위해 매월 한 번씩, 매학기 말, 그리고 매학년 말 실시되었다. 학도들은 시험을 반드시 통과해야만 진급할 수 있었고 졸업도 가능했다. 이 시험 성적이 기준에 이르지 못한 자들은 탈락되어 다시 훈련을 받거나 성적이 지극히 좋지 않은 사람들은 출학당하기도 했다.[231] 시험 과목들은 기본적으로 이 규칙에 명시된 과목들로 타보, 번역, 전리학, 전보규칙, 외국어, 산술이었다. 학도들은 매일 6시간씩 이 과목들을 공부해 전신 발생 원리와 전신기의 구조를 익히고 전신기기 설치와 고장을 처리할 수 있는 능력을 갖추었으며 전신 수발 업무 수행 능력을 훈련받았다.[232] 이 훈련 정도를 평가하는 시험들을 무사히 통과하고 승급을 했다고 하더라도 졸업을 하기 위해서는 특별시험을 봐야 했고 성적이 미치지 못하면 졸업할 수 없었다.[233]

또 이전과는 달리 학도들의 이수 과목의 종합 성적이 승급 사정의 기준이 되었다. 전보학당에서 가르치는 과목들은 『전무 학도 규칙』 반포 이전과 유사했지만, '전보학당 前身'에서는 打報가 승급의 기준 과목이었으

231) 『황성신문』, 1900년 6월 12일 ; 8월 13일 ; "學徒 所關 諸事件", 『學徒處辨案』, 광무 4년 6월 12일.

232) "전무 학도 규칙", 제11조, 제13조.

233) 같은 문서 제20조.

나 이 규칙이 반포된 이후부터는 상황이 바뀌었다.[234] 한종익 교장이 통신원 총판에게 보낸 요청서에 대한 통신원의 답은 이런 달라진 상황을 잘 반영한다. 그는 "홍태건이라는 2급 학도가 1급 말인 오인묵의 52타보다 한 타 더 빠른 53타를 치므로 승급을 허락해 달라"고 통신원에 요구했으나 통신원은 이를 거부해 홍태건은 결국 승급하지 못하고 3개월 더 교육을 받은 후 다른 2급 학도들과 함께 진급할 수밖에 없었다.[235] 이처럼 규칙이 반포된 후부터는 더 이상 타보 실력만으로 승급할 수 없었고, 다른 교과과목 시험성적도 좋아야 했던 것이다.

학사관리에서 가장 무거운 징계는 출학이었다. 출학을 당하면 다시 입학이 허용되지 않았기 때문인데 '전보학당 전신' 시절부터 시험성적은 출학의 중요한 근거였다. '전보학당 전신'도 시험을 실시했고 출학의 근거로 타보 성적을 기준 삼았다. '전신 전보학당'에서도 타보 성적이 30회 기준에 20회이 안되면 출학 당했을 뿐만 아니라 전체 성적이 학당이 요구하는 일정 기준에 도달하지 못한 자들은 다른 학도의 학업에 방해가 된다는 이유로 출학 당했던 것이다.[236] 그리고 승급시험에서 누락되거나 탈락한 학도들을 구제할 수 있는 방법은 전혀 없었다.[237] 이처럼 '전보학당 전신'은 성적을 면학 분위기를 진작하는 근거로 이용했고, 이를 통신원이

234) 전보학당과 『전무 학도 규칙』 반포 이전의 전보학당을 구분하기 위해 후자를 '전보학당 前身'으로 지칭할 것이다.

235) "學徒關係報告", 『學徒處辨案』, 광무 4년 12월 17일 ; "學徒 所關 諸事件", 같은 책, 광무 5년 3월 16일.

236) "學徒關係報告", 같은 책, 광무 4년 5월 14일 ; 광무 4년 6월 6일 ; 6월 12일 ; 특히 6월 12일자 기사에 의하면 "5월 시험 30점이 13인, 29점 반이 8인, 29점이 2인, 28.5점이 4인, 28점이 2인, 27.5점이 1인, 27 점이 2인, 25.5점이 1인, 25점과 24점, 23.5점. 그리고 20점, 14.5점 13점 이 각 1인, 病由 2인(모두 39+2=41)"이라고 보고하고 있다.

237) 『황성신문』, 1899년 6월 21일.

그대로 수용해 새 규칙에 적용했다.

'전보학당 전신'에서는 시험성적 이외에도 학도들에게 여러 이유로 제재를 가했다. 예를 들면 아무런 연락 없이 시험을 보지 않거나 관혼상제를 포함해 장기간 휴가를 요구한 학생은 출학되었다.[238] 학도를 출학시킨 후 이에 의해 생긴 결원은 즉시 학도를 선발해 충원했다. 그러나 통신원은 이처럼 엄격한 출학 방식이 반드시 효율적이 아니라는 점을 알고 있었다. 출학당한 학도 대신 다시 시험을 통해 신입 학도를 뽑을 수는 있지만 학도들의 질을 보장받을 수 없었다. 더 심각한 문제는 출학당한 학도에게 투자한 시간을 전혀 보상받을 수 없다는 점이었다. 당시 전신 기술자 충원 요구는 매우 컸으나 아무리 속성으로 양성한다고 하더라도 최소 1년 정도의 시간이 필요했기 때문에 '전보학당 전신'처럼 출학을 엄격하게 적용해서는 적정 인원을 배출하기가 어렵다는 점을 통신원도 인지하고 있었다. 이런 경험이 새 규칙에 반영되어 출학 규정은 인력 수급 상황에 따라 유연하게 운영될 수 있도록 구성되었다. 즉 출학 해당자를 "操行이 不端해 여러 차례에 걸쳐 주의를 주었으나 따르지 않았거나 학업이 부진하여 1개년 안에 成就할 가망"이 없고 "아무런 이유 없이 1주일 결석한 학도"로 규정해 상황에 따라 전무 학도 정원을 조절할 수 있게 했던 것이다.[239] 출학 기준의 무단 결석 1주일은 명백한 기준이어서 별로 융통성이 개입될 여지가 없지만, 품행거지를 거론하는 출학 기준은 주관적으로 판단할 수 있는 여지가 많은 조항이었다. 무엇보다 학도들에게 직접적으로 큰 영향력을 발휘하는 조항인 학업 부진과 관련된 부분 역시 '1개년 안에 성취할 가망이 없는'이라는 단서 조항을 두어 달마다

---

238) "學徒 所關 諸事件", 『學徒處辨案』, 광무 4년 4월 22일 ; 광무 4년 5월 4일 ; 광무 4년 5월 31일 ; 광무 4년 7월 25일 ; 광무 4년 7월 25일.

239) "전무 학도 규칙", 제17조, 체신부, 『80년사』, 부록, 353쪽에서 재인용.

치는 시험과 해마다 시행되는 시험을 기준으로 삼기보다는 1년이라는 기간을 두고 학도의 전반적인 수업 태도 및 지적 능력을 종합적으로 판단함으로써 출학을 결정할 수 있게 했다. 이런 단서 조항을 둠으로써 전신 인력 수급 상황에 따라 출학 여부를 판단할 수 있게 해 학도들이 학업을 이수할 수 있게 했다. 물론 객관적이고 엄격한 기준의 부재에 따른 부작용도 없지 않았겠지만 이런 기준은 이전 시대 출학과 관련한 다양한 시행착오를 바탕으로 한 당시로는 최선의 기준이었다고 할 수 있다. 그 결과 1900년 20명이 넘었던 출학자 및 퇴학자의 수는 1901년 이후 확연히 줄어들었다.(〈표 4-17〉 참조)[240]

〈표 4-17〉 대한제국기 전보학당 학생수[241]

	입학	출학 및 퇴학	서임	학도수
1900	45	20		25
1901	21			21
1902				
1903	35	9	3	21
1904	19	9		10
1905	3			3

* 출처 : "電務學徒記", 『學徒處辨案』과 "學徒所關諸事件", 『學徒處辨案』 광무 5년, 1월 16일, 3월 12일, 5월 7일, 7월 12일. 8월 28일, 10월 19일. 체신부, 『80년사』, 253~254쪽 재구성.

『전무 학도 규칙』의 출학과 관련한 규정이 유연하다고 해서 전보학당 운영이 느슨하게 행해진 것은 아니다. 통신원으로서는 전보학당을 정비해 전국의 전신 기술 수준의 향상을 도모했고 또 전보학당 출신자들을

---

240) 1900년의 출학 및 퇴학자 수에는 앞 절에서 언급한 것과 같이 이미 선발된 지방 학도들의 재선발 결과, 기준에 도달하지 못해 정리된 학도들이 포함되어 있다.

241) 이 표는 "電務學徒記"를 토대로 만들었다. "學徒所關諸事件", 『學徒處辨案』 광무 5년, 1월 16일, 3월 12일, 5월 7일, 7월 12일. 8월 28일, 10월 19일.

토대로 전국적 기술 인력 양성 체제를 구축하는 것을 목적으로 했기 때문에 엄격한 규칙 적용은 불가피한 일이었다. 같은 통신원 소속의 우무학당과 비교해보았을 때 그 엄격함이 확연하게 드러난다. 우무학당에서 두 번 시험을 보지 않은 우무학도를 한 등급 강등시키는 정도로 제재를 가했음에 반해 전보학당에서는 시험을 한 번만 치르지 않아도 여지없이 출학시켰다.[242] 전보학당의 학사 관리도 이에 못지않게 엄격했는데, 이는 '전보학당 전신' 이래의 전통이기도 했다. 1899년 6월, 시험에서 떨어진 사람들이 우무학당에서 시험에 낙과한 사람들이 청원을 통해 구제되었음을 들어 자신들도 구제해 줄 것을 청원했으나 전신국은 "만일 다시 訴한다면 아예 학도 명부에서 지워버리겠다"고 엄포를 놓고 거절한 일도 있기 때문이다.[243] 이처럼 통신원은 전보학당을 전무 학도의 실력 연마를 위해 엄격하게 운영했다. 이런 엄격함에도 불구하고, 전무 학도 결원 보충을 위해 연 4, 5차례 시행되는 선발 시험이 지원자가 없어 무산되는 일이 없을 정도로 지원자가 끊이질 않았고, 이 풍부한 잠재적 전신 기술 학도층의 존재로 인해 전무 학도들은 출학당하지 않기 위해 열심히 학습에 임했으며 이런 면학 분위기는 대한제국 전신 기술의 질적 향상을 견인했다.

엄격한 학사 운영뿐만 아니라 『전무 학도 규칙』에 명기된 성적 우수자에 대한 포상 역시 학도들의 면학 태도를 진작시키는 데 큰 영향을 미쳤을 것으로 보인다. 성적이 우수한 학도들에게는 조기 진급이라는 상이 주어졌기 때문이다. 규칙을 그대로 적용하면 전보학당에 입학한 전무 학도가 학업을 마치고 졸업해 전보사에 견습생으로 배치받기까지 적어도 2,

---

242) "郵遞學校 請願書", 같은 책, 광무 5년 2월 12일 ; "學徒關係報告", 같은 책, 광무 4년 5월 14일.

243) 『황성신문』, 1899년 6월 21일.

3년이 소요되며, 진급도 학년말에 치르는 年終시험, 즉 학년말 시험을 통과해야만 결정되었다.[244] 당시 인력난이 심했기 때문에 전무 학도들은 학업 성적이 크게 떨어지지 않는 한 전신 기술을 습득하고 견습생으로 파견되기까지 대부분 3년이 걸리지는 않았으나 성적 우수자들은 학습 기간을 1년 미만으로 줄일 수 있었다. 이는 입학 1년 만에 2등 전보사의 3급 주사가 되어 한 달 20원 정도의 월급을 받을 수 있는 기회를 가질 수 있다는 것을 의미한다. 규칙에 의하면, 연속 세 번 우등한 사람과 1년 내 여섯 번 우등한 사람은 입학 연도와 상관없이 월반할 수 있었다.[245] 그뿐만 아니라 채용 시험이라고 할 수 있는 특별시험에서 우등한 사람은 한 달 간 한성총사에서 견습할 수 있는 기회를 가질 수 있었다.[246] 한성총사에서 근무하는 일은 3년 정도 지방에서 근무하며 실력을 연마한 사람들에게나 부여된 기회였던 만큼 이 기회는 특혜 중의 특혜였다. 총사에서의 견습생은 우수한 성적으로 무사히 견습을 마치면 그대로 총사에서 근무할 수 있는 기회를 부여받을 가능성이 커지기 때문이었다. 당시 학도 가운데 이런 기회를 잡았던 사람은 없었지만 1900년 11월 7일 2급이었던 陣相準과 文彦敎는 불과 4개월 만인 이듬해 3월 16일 1급으로 진급했고 또 불과 4개월 만인 7월 9일 특별시험에 통과함으로써 견습생으로 전보사에 파견되기도 했다.(〈표 4-18〉 참조)

이와 같이 엄격한 학사관리 아래 전신 기술 훈련을 거쳤다고 하더라도 전무 학도 모두가 졸업할 수 있는 것은 아니었다. 특별시험이라 불리는 졸업시험을 거쳐야 했는데 그 시험 과목은 타보, 전보 규칙, 작문, 기계 도식으로, 진급을 위한 시험들과는 달리 업무 관련 능력 평가가 주를

244) "전무 학도 규칙", 제18조, 체신부, 『80년사』, 부록, 353쪽에서 재인용.
245) 같은 문서, 제19조.
246) 같은 문서, 제21조.

〈표 4-18〉 1900~1901년 전보학당의 학생 명단

	1900 (11.7)	1901. 1. 12	1901. 3. 6	1901. 3. 15	1901. 7. 9	1901. 10.19
1급	이필우 정인묵 오구영 이원학 이남호 김노선 김상찬 남기훈 오인묵	김상찬 김노선*1	이필우	이필우 진상준 조태하 박성호 홍태건 정희태 김상준 문언교 오진근 심상일 이정춘	진상준 문언교 홍태건 이정춘*2 이원학*3	
2급	문언교 정희문 박성호 진상준 오진근 김상준 조태하 심상일		진상준 조태하 박성호 홍태건 정희태 김상준 문언교 오진근 심상일 이정춘	임종석		
3급	김하영 이정춘 이호영 이춘복 임종석 김병민 안건호		안건호 김하영 임종석 이호영 이춘복 김병민 이봉종 구자욱 이준재 김세희 김복규 김병건 이병규		김종만 성낙필 洪性天 金鎭贊 權昌植 金賢模(7.12) 李象儀(8.28)	朴鎭萬 尹昌璿

* 출처 : "전무 학도기", 체신부, 『80년사』, 253쪽에서 재인용, "學徒關係報告", 『學徒處辨案』, 광무4년 5월 24일을 재구성. 표 가운데 *1은 견습생 파견, *2는 견습생으로 파견 결정, *3은 金尙瓚 서임 대신 상학케 할 것, 이원학은 1900년 전무 학도 선발 당시 1급이었으나 1901년 7월 1급으로 상학된 점을 미루어 그 사이 한 급 밑으로 강등되었다가 다시 진급한 것으로 보임.

이루었다.247) 이 특별시험 응시 자격은 월종시험과 연종시험 성적이 좋지 못해 1급으로 진급하지 못한 학도들에게는 주어지지 않았다. 특별시험을 통과해 졸업한 후에 전보사 직원으로 서임 받기 위해서는 전신 기술자로서의 능력을 평가하는 시험을 통과해야 전보사에서 직원으로서 활약할 수 있었다.

전보학당을 졸업하기 위해서는 『전무 학도 규칙』에 의하면 일 년에 한 등급씩 승급을 해 3년 동안 학당에 다녀야 했다. 그러나 전보학당

247) 『황성신문』, 1900년 6월 12일.

재정비 초기에 학습 연한과 관련한 조항은 제대로 이행되지 않았다. 이는 다른 조항들이 준수된 것과 대조를 보이는데, 이는 규칙 이전 입학자에게 특히 두드러진다. 이 현상은 두 가지로 해석할 수 있다. 하나는 1900년 규칙의 제정으로 한성으로 와야 했던 지방 전보사에서 선발한 학도들이 전보학당의 경쟁적 분위기에서 실력 향상을 이루어냈다는 것이다. 예를 들어 1900년 5월 학도로 인천 전보사에서 선발되었던 李貞春, 李浩榮, 李春馥이 약 1년 만에 졸업해 지방 전보사에 견습으로 파견되었고, 1900년 7월 김해에서 올라와 학도로 선발되었던 金仁植 역시 불과 4개월 만에 시험에서 매우 우수한 성적으로 졸업해 1901년 1월 견습으로 파견되었다.[248] 또는 전보학당을 개교할 때 지방 전보사 출신 학도들이 정원의 반이나 되었는데 이들에게 전보학당의 새로운 규칙을 무조건 준수하라고 요구하는 일이 무리라고 판단한 학교 측이 이들의 조기 졸업을 유도해 나타난 현상일 수도 있다. 기존의 학도들 가운데 1900년 11월 29일자로 지방 전보사 주사로 서임된 金鷺碩, 南基薰, 吳龜泳, 李南鎬, 李源學, 鄭寅默 여섯 명은 불과 20여 일 전인 11월 7일 1급(최종학년에 해당)으로 승급한 사람들로, 이들은 새 규칙에 따르자면 1년 학습 기간이 더 남은 상태에서 1급으로 진급한 지 불과 한 달도 못되어 견습으로 채용되었다. 그렇다고 전신 인력의 기술력 향상을 중요한 과제로 생각했던 통신원이 실력이 되지 않은 학도들마저 졸업하자마자 채용하지는 않았다. 같이 시험을 치른 金魯善, 金尚璨과 吳仁默, 李弼雨 등은 채용 시험에서 떨어져 다음 시험을 기다려야 했다.[249] 두 가지 어떤 방향으로 해석을 해도 규칙 반포 이후 전무 학도들은 실력 향상을 위해 일정 기간 학습할 수 있는 권리와 의무를 부여받아 전신 기술자로서 필요한 소양을 쌓을 수 있었음은

248) "學徒 所關 諸事件", 『學徒處辨案』, 광무 5년 1월 12일 ; 체신부, 『80년사』, 253쪽.
249) 『황성신문』, 1900년 6월 12일.

분명하다.

『전무 학도 규칙』 반포 이후 입학자들 대부분이 이에 명시된 연한을 채우지 않은 일은 그 학습 연한 규정이 당시 상황을 고려하지 않고 이상적으로 설정되었기 때문이기도 했다. 전신과 관련한 전기 이론과 화학을 완벽하게 학습하고 전신기기의 체계를 완전히 이해할 뿐만 아니라 자유자재로 전신 부호를 타보할 수 있을 만큼 우수한 타전실력을 확보하고 또 외국어를 습득하기 위해서는 3년의 연한이 오히려 모자랄 수 있다. 그러나 당시는 전신 기술 인력이 부족했던 시기로 전무 학도 대부분은 1, 2년 만에 전신 기술자가 알아야 할 기본적인 과학 지식을 습득하고, 전신 부호를 익히고 『규칙』에 정해진 시험들과 특별시험을 통한 평가를 거쳐 졸업해 실무 현장으로 투입되었다. 이들은 정규 과정을 소화해냄으로써 이전 세대에서는 이룩할 수 없었던 대한제국에서의 전신 기기의 개량과 같은, 이미 서구의 동료 전신 기술자들이 해냈던 작업을 이룰 수 있는 기본 소양을 갖출 수 있었고 전보학당은 그 요람으로서의 역할을 수행하기 시작했다.

4) 전무 학도의 학습 내용

전보학당이 정비되자 전무 학도들에게 제공하는 교육 수준 역시 향상되었던 것으로 보인다. 특히 전보학당에서의 수업은 지방 전보사 학당에서처럼 현업을 중심으로 실행되는 것이 아니라 일정 기간 동안 전적으로 전신 관련 분야들을 공부하고 수련해야 했으므로 전신 기술자로서 필요한 능력을 갖추기에 충분했던 것으로 보인다. 전신 기술자들은 타전과 수보, 전신 선로 가설 및 관리, 전신기기 조립과 수리 같은 전신기 관리 업무를 수행해야 했다. 이를 위해 전보학당에서는 이와 관련한 수업들을 진행했는데 이 수업들로 전무 학도들은 부도체와 전도체 구분 원리, 화학 전지의 구조, 전신의 원리, 전신기 부품들의 원리를 이해할 수 있었고, 전신기의 조립과 관리에 필요한 기술을 전리학 과목에서 교육받았을 것으로 보인다.[250] 전신 기술자는 전신기에 고장이 발생하면 수리할 수 있어야 할 뿐만 아니라 전신 선로 설계 및 가설과 관련한 소양을 갖추어야 했다.[251] 이와 관련한 학습을 받는 동안 학도들은 진급 시험과 임용 시험을 위해 이를 중심으로 한 훈련과 공부를 소홀히 할 수 없었다. 하지만 전보학당의 교과 과정이나 그들이 교과서로 이용한 서적들의 흔적을 찾을 수 없으므로 당시 대한제국에 있던 서적들을 중심으로 전무 학도들이 공부했을 전신 관련 지식들을 재구성해보려 한다.

전보사의 창고에는 전병, 고무 피막을 한 전신선, 자철, 구리선, 아연과 탄소와 같이 전신기의 부품에 소용되는 물건들이 구비되어 있었다.[252] 이는 전신기를 완제품으로 구입하더라도 사용할 때 고장 나는 부분들을 직접 고쳐 사용했음을 의미하므로 전무 학도들은 반드시 전신기의 구조와 구성 부품을 숙지하고 작용의 원리를 터득하고 있어야 했다. 이를 위한 책으로 1880년대에 수입한 『電報節略』이 있다.[253] 이 책은 대북부전신회사 소속으로 청나라에서 전신 가설 공사 때에 번역관으로 활약했던 俶爾賜가 한역한 것으로 가장 기초적인 전신 기술을 설명하고 있다. 초보적인 내용을 다룬 만큼 이 책은 전무 학도들이 전신기 조립정도의 훈련을 받는 데에는 적절했을지 모르지만 전신기의 원리를 이해하는 데에 큰 도움이 되지는 못했다. 따라서 전신 기술자들이 전신기가 고장나

250) J. E. Smith. 앞의 책, 27~41쪽.
251) 같은 책, 41~48쪽 참조.
252) "電報司 舍居間數 及 物品成冊", 우정100년사편찬실 편, 『고문서』 3권, 289~338쪽.
253) 俶爾賜(丹國) 譯, 앞의 책. 이에 대해서는 2장에서 이미 살펴보았다.

전신이 중단되는 상황을 해결할 수 있는 능력을 배양하기 위해서는 다른 책의 도움이 필요했는데, 이런 목적으로 쓰였을 가능성이 있는 한역 과학기술 서적으로 『電學』, 『電學圖說』, 『電學講目』, 『電學須知』와 『電氣圖說』 등을 들 수 있다.(〈표 4-19〉 참조)

〈표 4-19〉 전기학 서적 목록

책제목	지은이	번역 및 편자	발행연도	입수연도	분량
電氣圖說				1884	1책
電學	瑙挨德(英)	傅蘭雅(英)	1879	1882.4	10권,合6책
電學綱目		田大里(英)輯, 傅蘭雅(英)口譯			1책(70장)
電學圖說		傅蘭雅(英)	1887		5권1책(72장)
電學須知	傅蘭雅(英)		1887		1책(33장)圖

* 출처 : "서학류", 『규장각 도서 중국본 종합목록』.

고종이 규장각에 내하한 책들의 목록에는 나타나 있지만 현존하지 않는 『電氣圖說』을 제외한 4종의 전기학 서적 가운데 가장 방대한 내용을 다루고 있는 책은 『電學』이다. 이 책은 영국 瑙挨德(H. M. Noad)이 1855년경에 쓴 『전기학(A Manual of Electricity)』을 당시 청나라 江南製造局에서 활동하던 영국 선교사 존 프라이어(傅蘭雅, John Fryer, 1839~1928)가 번역 구술하고 徐建寅이 筆述해 출간한 책이었다. 전체 10권 6책, 256개의 소절과 게재 그림만 모두 402개인 책으로, 1850년대 전자기학 연구 성과를 총망라한 방대한 책이었다.[254] 이 책은 기원전 6세기 탈레스(Thales, fl.585. B.C.)가 언급한 호박마찰에 의한 정전기 발생에서부터 18세기 벤저민 프랭클린(B. Franklin, 1706~1790)의 피뢰침 발명, 갈바니의 전지 발명에 이르기까지 전기 발전사를 다루었고, 전기학 발전의 토대인 전기 원리, 각종 전기 법칙

254) 瑙挨德(英) 著, 傅蘭雅 口譯, 徐建寅 筆述, 앞의 책.

등의 이론적 지식과 발명된 여러 기기들의 유용성을 다루었다.[255]

그리고 전기의 원리와 자기와의 관련, 자연계에 존재하는 다양한 전자기 현상과 전기유도장치, 화학전지, 전기의 물리적 법칙을 비롯해 전자기학의 당시 연구 성과를 소개하고 설명하는 데에도 많은 지면을 할애했다. 그와 더불어 각종 전자기 현상을 발생할 수 있는 실험장치를 비롯한 다양한 실험방법을 그림과 함께 실어 전기 현상을 이해하도록 했다. 예를 들면 1850년대 전류가 흐르는 현상에 대한 설명인 "공기의 각 질점이 正負 둘로 이루어"지는 것을 설명하기 위해 〈그림 4-3〉을 제시했다.[256] 그림을 보면 전기가 흐르는 것은 질점 '巳'로부터 질점 '卯巳'의 '巳'에 正 전기력이 미치는 것으로 이는 '巳'와 '卯巳' 사이의 공기를 이루는 각 질점들이 正負의 전기를 띠어 전기를 잡아당기도록 재배열되고, '卯巳' 역시 '卯'는 부의 전기를, '巳'는 正의 전기로 나누어져 배치됨으로써 가능했다. 이처럼 말로 설명하기 어려운 원리는 그림을 덧붙였다.

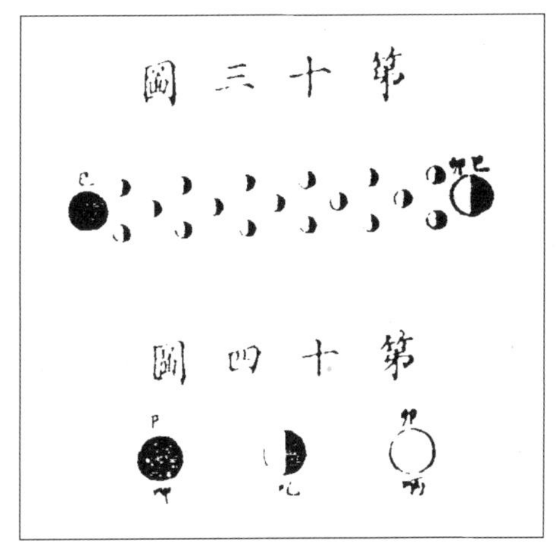

〈그림 4-3〉 출처 : 瑙挨德(英) 著, 傅蘭雅 口譯, 徐建寅 筆述, 『電學』, 1권 17쪽.

전신 관련 내용은 이 방대한 책의 제9권에 편성되어 있다. 이 책은 "구리선은 전기를 능히 속히 수백 리 먼 곳에 이르게 할 수 있다"고 하면서 모스 전신 체계뿐만 아니라 그 이전 전신의 역사와 더불어 전신원

255) 같은 책, 총설.

256) 같은 책, 1권, 17쪽.

리를 설명했다. 전신의 역사는 전기가 다양한 전기 신호를 만들어내는 방식을 쉽게 설명하는 데 도움이 되었고 이는 또 다른 방식의 전기 신호가 존재할 가능성을 제시한 것이었다. 그리고 전신기 구조를 자세히 설명할 뿐만 아니라 전신주 가설 방법도 보여주었다. 특히 부도체를 설치하는 방법과 다양한 부도체를 그림으로 설명했는데 이 부도체의 역할을 "電報支柱의 구리선으로부터 전기가 흩어져 전해지지 않는 일이 없게" 하는 것이라고 덧붙이기도 했다.[257] 이 책에 의하면 프랑스와 미국은 각기 다른 부도체를 사용하는데 프랑스에서는 아연을 백금으로 도금한 것을, 미국에서는 유리로 구운 것을 사용한다고 했다.[258] 또 전신선을 가설하는 방법으로 주로 사용하는 지상 설치법 이외에도 지하에 매설하는 방법이 있음을 보여주었다.[259] 이런 전신 가설 방식 설명은 전신 업무의 실무자들이 수행해야 하는 일의 범주를 설정하는 일이기도 했다.

제9권의 가장 많은 설명은 모스 전신 체계와 관련되어 있다. 모스 전신기가 전기를 신호로 전환하는 원리와 점과 선의 신호로 글자의 조합을 만드는 방법, 전기 신호가 종이에 인쇄되는 방식의 설명과 더불어 전신기기 부품들의 구조와 특징이 상세하게 설명되었다.[260] 모스 전신기의 기본적인 부품들 각각에 대해 발명과 개발의 역사도 함께 취급되었다. 또 지멘스와 할스케 사(Siemens & Halske Co.)가 개량한 전신기를 설명하기도 했는데, 이 방식은 작은 크기의 종이를 채택함으로써 인쇄에 필요한 전기를 매우 감소시켜 먼 거리의 전신에도 增力器(부전지)가 필요하지

257) 같은 책, 9권, 15~16쪽.
258) 같은 책, 9권, 17~18쪽.
259) 같은 책, 9권, 22~23쪽.
260) 같은 책, 9권, 23~26쪽.

않다고 덧붙였다.[261] 이처럼 모스 전신기를 이루는 각각의 부품은 각각 성능 향상을 위한 기술자들의 노력으로 발전을 거듭했음을 보여주었다. 그밖에 해저 전신선의 구조와 가설 원리, 해저에서 사용되는 전선의 특징, 국제적 전신망을 구축한 회사를 소개하는 등 전신과 관련한 당시까지의 발전상을 총괄했다.

전신의 원리를 완전히 이해하기 위해서는 『電學』의 내용을 섭렵하는 것이 도움이 되겠지만 엄청난 양으로 접근하기 쉽지 않았을 것이다. 이 문제를 해결한 책들이 출간되었다. 예를 들면 1887년에 출판된 『電學圖說』과 같은 책인데, 이 책은 분량이 70장 정도에 불과했다. 이 책은 『電學』처럼 두껍지 않고 내용 역시 어렵지 않았지만, 『電學』과 마찬가지로 내용을 매우 세분화해 다루어 처음 전기를 대하는 사람들이 이해하기는 쉽지 않았다.[262] 또 대한제국 정부에 의해 수집된 『電學綱目』 역시 이런 문제를 안고 있었다. 영국의 과학자 틴들(漢文名 田大里, John Tyndall, 1820~1893)이 쓴 책을 한역한 이 책은 분량 면에서는 『전학도설』의 두 배 정도였으나 다루는 내용은 39장으로 나눌 정도로 많았다.[263] 전기와 자기와 관련된 발견이나 전신기의 개량에 있어서의 발견과 발명자는 연도를 명시하며 나열하고, 전기를 이용한 여러 가지 기기들의 특징과 기기들에 이용된 전기의 성질과 원리를 설명했다. 이 책에서 전신은 19~24장에 걸쳐 실려 있다. 특히 제21~24장까지 네 장에 걸쳐 화학전지를 주로 다루며 전기를 발생시키는 원리를 설명하고, 각종 기기에 전기를 이용하게 한 화학전지를 만드는 법을 설명하기도 했다. 화학전지 관련 내용은 『電學』과 크게 다르지 않으나 설명을 간략하게 줄였다는 차이가 있다.

261) 같은 책, 9권, 26쪽.

262) 傅蘭雅 역, 『電學圖說』(1887, 규중 5328).

263) 田大里(英) 輯, 傅蘭雅(英) 口譯, 『電學綱目』(규중 3050), 刊期 미상.

이런 차이는 전지와 관련해서만 드러나는 것이 아니었다. 『電學』이 전기학 일반 개론서라면 『電學綱目』은 요약본에 해당한다고 할 정도로 설명이 간단했다.

이 세 권의 책은 전기학을 광범위하게 다루었지만 당시 대한제국에는 이 책들에서 다루는 전기학을 가르칠 만한 교사가 확보되지 않은 상황이었다. 따라서 전신 기기와 관련한 전기와 자기의 원리와 관련 지식을 핵심만을 짚어 쉽게 풀이해 전무 학도들이 빠른 시간 안에 전자기 현상과 이론을 이해할 수 있도록 도와줄 책이 필요했다. 그런 면에서 『電學須知』는 전무 학도의 학습 목표에 부합하는 교재일 수 있었다.[264] 대한제국 정부가 수입한 전기학 관련 서적 가운데 가장 늦은 1887년, 프라이어가 편찬한 이 책은 총인에서 출간 의의를 밝혔는데 "『전학도설』, 『전학강목』에 전기의 여러 일들이 논의되어 있으나 너무 심오하거나 혹은 너무 오래되어 초학자들이 披覽할 수 없"어 "심오함을 피하고 새로운 것을 따라" 편집했다는 것이다.[265] 이 책은 모두 6장으로 꾸며져, 전기의 근원과 성격, 정전기와 자기, 화학 전지 구성과 원리 및 전기 기기의 이용을 다루었다. 전자기학의 내용을 쉽게 다루었다고 학습을 체계적으로 못한다는 것은 아니지만 이 책의 가장 큰 문제는 전신을 직접 다루지 않았다는 것이었다. 하지만 이 책만큼 전자기의 논의를 간단하고 명료하고 이해하기 쉽게 다룬 책이 없었으므로 이 책을 중심으로 전리학을 공부하면서 전신기의 구조와 조립을 위해 필요한 『전학도설』과 같은 책을 병용했을 가능성이 있다. 그러나 이 두 책을 주로 사용했다고 하더라도 『電學』과 『電學講目』 등은

264) 傅蘭雅 編, 『電學須知』(1887, 규중 5789, 5820).

265) 같은 책, "總引" 1쪽. 이 인용글에는 이 책들 이외에 『格致啓蒙』과 『格物入門』이 거론되었다. 이들 두 책은 傅蘭雅가 지적한 '오래되었다'는 것의 대표적인 책이라 할 수 있다.

부교재로서 전무 학도들의 학습을 더 풍부하게 해주었을 것으로 보인다.

전신 기술자가 되려는 전무 학도들은 전리학에서 전신의 원리를 배움으로써 전신기 관리를 위한 소양을 쌓았으며 더불어 전신 부호와 전신송수신 업무에 필요한 타보를 훈련받았다. 이 훈련시간에 전무 학도들은 『萬國電報通例(이하 『通例』로 줄임)』와 『電報章程(『장정』으로 줄임)』의 내용을 익혀야 했다. 『通例』는 전신 기기가 사용되면서부터 정해진 전신 규칙은 아니었다. 미국과 유럽 등지에서는 전신문의 비밀 보장을 위해 전신을 사용하는 개인이나 전신 회사에서 코드와 암호를 조작하기도 했는데 이런 방식 때문에 주가 조작과 같은 범죄와 연결되었고, 또 서로 다른 규칙을 지닌 국제간 전신망이 연결될 때 혼란이 일어나는 등 많은 문제들이 발생했다. 이를 해결하기 위해 1864년 프랑스 정부를 중심으로 유럽의 국가대표들이 파리에 모여 ITU(International Telegraph Union)를 결성해 암호 사용의 문제를 해결하기 위해 노력했는데, 이 『通例』는 그 결과물 가운데 하나였다.[266] 이 『通例』에는 국제 텔레그래프 규칙들을 포함해 알파벳에 따른 모스 신호와 더불어 알파벳 자수를 줄이기 위한 코드를 포함해 각종 구두점에 대한 전기 신호가 수록되어 있었다. 대한제국에서 국제 전신망으로 송신할 때에는 이 규약을 반드시 지켜야 했으므로 전무 학도는 이 규약을 숙지해야 했다. 그리고 또 하나의 규정집인 『장정』은 전보총국 시절 마련한 전신 규칙들과 암호 전문 보내는 방법, 외국어 전신 기호, 기호문자의 字數 계산법, 전신 수신 때 발신 전신국과의 업무 규약, 전신 송신 시 수신 전보사 호출 방법과 같이 전신 기술자가 업무를 수행하는 데에 필수적인 규칙이 수록되어 있었다. 이 전신 송수신 관련 규정은 전리학과 더불어 시험 과목에 포함되어 있을 만큼 전보사 직원에게

266) 톰 스태디지 지음, 조용철 옮김, 앞의 책, 97~114쪽 참조.

중요한 분야였다.

전신 기술자는 기초적인 화학 지식도 필요했다. 전신 기술자가 반드시 수행해야 하는 업무 가운데 하나는 전신기기 관리였고 가장 손질을 필요로 하는 부품은 전지였다. 당시 지방 전보사의 창고에는 아연과 탄소 막대가 많이 있었고 유황을 보관하는 경우도 있었음은 대한제국의 전보사 직원들이 전지를 손질하거나 조립해서 사용했음을 보여주는 일이기도 했다. 이를 위해 전신 기술자들은 전지를 구성하는 물질의 화학적 특성을 숙지하는 것이 중요했으며, 이를 토대로 전지의 성능이 떨어지거나 더 이상 전류가 흐르지 않을 때에 대처할 수 있었다. 1880년을 전후해서 개발되었고 1900년 이후 전신기에 일반적으로 쓰였던 전지는 다니엘 전지로, 이 전지의 수명은 상용할 경우에는 2개월 정도에 지나지 않았다.[267] 이 기간이 지나면 세척을 해야 다시 사용할 수 있었는데 전지 내부를 깨끗이 하는 일은 쉽지 않았다. 전지의 청소는 기본적으로 전지를 모두 분해하는 일로부터 시작되었다. 조선 전신 가설 초창기에 사용했던 것으로 보이는 카본 전지 역시 세척을 하면 더 쓸 수 있다는 점에서 다니엘 전지와 다르지 않으므로, 다니엘 전지의 세척 방법을 알아보는 것도 당시 전신 기술자들에게 필요한 화학 지식의 수준을 추측하는 데에 도움이 될 것으로 보인다.

전지를 세척하려면 전지를 분해해서 먼저 아연 조각을 담갔던 용액인 황산화아연을 주사기로 완전히 뽑아 올려야 했다. 이 용액은 폐기하기도 하고 다시 사용하기도 했는데 재사용을 위해서는 다른 깨끗한 용기에 옮겨 부서진 아연 조각들을 가라앉히고 황산화아연 만을 남겨두어야 했다. 또 다른 한 극을 이루는 부분에서도 같은 작업이 필요했다. 전지에서

---

267) W. H. Preece, C. E, *TELEGRAPH*(1876, electric resource : http://www.hti.umich.edu.myaccess.library.utoronto.ca/cache/), 20쪽.

이들 금속 이외에 전지 내부를 분리하는 역할을 담당하는 다공성 막의 청소도 중요했다. 사용된 다공성 막은 금속들의 작은 알갱이들로 구멍이 메워져 있으므로 이 작은 알갱이들을 빠짐없이 제거해야 했다. 그리고 떨어진 전지의 성능을 향상시키기 위해 전해질을 추가로 넣어주기도 했다. 전해질은 유황을 물과 반응시키는 방식으로 제조되기도 했다. 이런 과정들은 전신 기술자들이 화학에 대한 아무런 지식 없이 기계적으로 수행할 수도 있고 전기학의 지식만으로도 가능하기도 했다. 그러나 전지 가격이 비쌌던 만큼, 세척 작업에서 발생하는 다양한 실수나 잘못을 없애려면 전지의 구조와 사용되는 물질의 성질 및 전지의 원리를 제대로 이해하는 일이 중요했다. 즉 전지의 두 극에 사용되는 금속들을 분류할 정도의 능력을 갖추어야 했고, 황산과 질산과 같은 산성 용액의 특징 정도는 알고 있어야 했던 것이다. 이 정도의 소양을 갖추고 있어야 교체 물질이 구비되지 않았을 때 임시조치를 취할 수 있어 전신 송수신이 끊기는 일을 방지할 수 있었다.

전지를 관리하는 데에 필요한 기초적인 화학 지식을 갖추기 위해 정부가 1880년대 초반부터 수집했던 서적들을 모두 섭렵할 수는 없는 일이었다.[268] 조선에는 『化學鑑原』, 『化學鑑原續編』, 『化學分原』과 같이 물질들의 특성과 제법들을 광범위하게 다룬 방대한 분량의 화학 서적이 10여 종 수입되었지만 이 책들은 60여 가지의 원소를 중심으로 이들이

---

268) 조선 정부는 1881년 파견된 영선사행 이래로 화학과 관련해서는 많은 서적을 수집했다. 이는 영선사 김윤식이 청의 化學廠 책임자로부터 듣고 전한 화학의 중요성과 관련되어 있다. 당시 김윤식은 중국 화학창 책임자로부터 전기나 화약제조가 다 같이 뿌리를 두고 있는 분야로 화학을 지칭했고, 이 분야를 다루는 사람들은 화학의 원리에 통달해야 비로소 자신의 기술을 능숙하게 할 수 있다는 말을 들었다. 김윤식, 앞의 책, 85쪽. 이때 화학창에 배정된 유학생은 李熙民(?~?)으로 처음에 수사학당에서 외국어를 배우게 되어 있었으나 “입이 둔하여 스스로 자퇴하고 화학을 배우기를 청한” 사람이었다.

만든 수많은 화합물의 성질을 설명하고 제법을 다루어 마치 화학사전과 같았다. 이런 책들이 전무 학도들에게 모두 필요하지는 않았다.[269] 전신 기술자들은 산과 염기, 전리되는 금속의 특성들을 습득하면 되는데, 이 정도 수준의 내용들로 구성된 책 중, 수입된 책으로는 1886년 상해에서 발간했던 『化學須知』 정도가 있을 뿐이었다.[270] 이 책은 공기를 이루는 산소와 질소, 수소, 염소의 제법과 성질을 다루는 한편, 금속과 비금속을 분류하고 대표적인 원질(지금 우리는 원소라고 칭함) 60개의 특성과 분리 방법을 소개했는데 아연과 탄소 역시 여기에 포함되었다. 당시 화학서적의 요약본에 해당하는 이 책으로 전신 기술을 익히려는 전무 학도들은 전지 관리에 필요한 기본적인 화학 지식을 체계를 갖추어 습득할 수 있었을 것이다.

전무 학도의 교과 과목에는 전리학, 타보와 기초적인 화학 지식 이외에도 산술이 포함되어 있었다. 기본적인 산수 능력은 세 번의 선발 과정에서 확인되었으므로 이 과목에서는 전신 기술자로서의 능력을 향상시키기 위한 내용을 포함했을 것이다.[271] 당시 전신 기술자의 업무 가운데 하나는 전신 가설이었다. 전신선을 가설할 때 가장 기본적으로 행해지는 작업이 측량이었고, 측량을 위해서는 수학 지식이 필요했다. 즉 간단한 삼각함수 정도는 자유자재로 다룰 수 있어야 측량이 가능했고, 또 필요한 만큼의 전료를 마련할 수 있었다.

---

269) 조선 정부는 화학에 관한 한 1870년대와 1880년대 초반에 중국에서 번역되어 발간된 서적들을 거의 다 수집했다. 수집상황과 분류 및 내용과 관련해서는 김연희, "1880년대 수집된 한역 과학기술서의 이해", 『한국과학사학회지』 38-1 (2016), 71~119쪽을 참조할 것.

270) 傅蘭雅(John Fryer), 『化學須知』(1886, 규중 5811의 1, 2).

271) "전무 학도 규칙", 광무 4년 11월 1일 통신원령 제7호, 체신부, 『80년사』, 부록 353쪽에서 재인용.

당시 대한제국 정부가 보관하고 있던 漢譯 수학 관련서적들은 크게 『御製數理精蘊』류의 중국 전통의 수학서적과 1600년을 전후해 중국에 들여온 『기하원본』과 같은 근대 이전의 수학서적, 그리고 『數學啓蒙』과 같이 근대 수학책들로 나눌 수 있다. 전신학도들에게는 근대 수학책들의 내용이 제공되었을 것이며 대개 어렵지 않고 양이 많지 않은 『洋算例題』, 『洋算例題 속편』이나 프라이어가 1887년과 1888년에 기초적인 내용으로 구성, 편집해 발간한 『曲線須知』, 『代數須知』, 『微積須知』, 『三角須知』, 『量法須知』들이 교재로 전무 학도들에게 제공되었을 것으로 보이는데, 특히 『삼각수지』는 전무 학도들이 이수해야 할 과목으로 제공했을 가능성이 크다.(〈표 4-20〉 참조)[272]

〈표 4-20〉 전무 학도들이 학습한 것으로 보이는 수학서적들

서목	지은이	역자/편자	발간연도	분량
書形圖說	傅蘭雅		1885	1책19장
數學啓蒙		偉烈亞力(英)輯	1886	2권2책
洋算例題				2책
洋算例題 속편				2책
三角須知	傅蘭雅		1888	2책
代數須知	傅蘭雅		1887	2책
曲線須知	傅蘭雅		1888	1책25장(圖)
微積須知		傅蘭雅	1888	1책26장
量法須指	傅蘭雅		1887	1책28장

* 출처 : "서학류", 『규장각 도서 중국본 종합목록』.

이 『삼각수지』는 總引과 6장으로 구성된 2권짜리 책이다. 이미 조선을 포함한 동양문화권에서의 수학이 발전했음을 의식한 프라이어는 "삼각법이란 八線術이라고도 불린다. 팔선이란 삼각법에 소용되는 수로, 正弦(사

272) 傅蘭雅(英), 『曲線須知』(1888, 규중 5822의 1, 5822의 2), 『代數須知』(1887, 규중 5817), 『微積須知』(1888, 규중 5818의 1, 5818의 2), 『三角須知』(1888, 규중 5816).

인), 餘弦(코사인), 正切(탄젠트), 餘切(코탄젠트), 正割(세크), 餘割(코시컨트), 正矢(어떤 각의 여현을 1에서 뺀 것), 餘矢(어떤 각의 정현을 1에서 뺀 것)를 팔선이라고 한다"고 삼각함수의 용어를 팔선으로 설명해 새로운 용어로 인한 혼란을 덜어주려 했다.[273] 그러나 전통적 수학 용어가 존재함에도 이 책의 이름을 『팔선수지』로 하지 않은 것에 대해 "세 변의 끝이 만나 이루어진 것이 삼각형이다. 삼각법에는 비록 팔선을 사용하여 증명하고 추구하는 것이 있지만 결국에는 삼각형의 법칙을 논하는 것"이기 때문이라고 설명했다. 이 책이 비록 팔선이라는 동양 전통의 개념을 이용해 용어를 풀이하고 쉽게 이해할 수 있도록 내용을 편성했다고 하더라도 서양 수학의 기초가 없거나 전통 산학의 소양이 없으면 이해하기 쉬운 책은 아니었다. 그러므로 이 내용을 기하학적 증명을 통해 전신학도들에게 학습시키기보다는 대수적 계산 방법을 중심으로 측량에 필요한 몇 가지 공식을 이해하고 이용할 수 있도록 제공했을 것으로 보인다.

---

273) 傅蘭雅(英), 『三角須知』, 1쪽.

제5장 일제의 전신 사업 주도권 침탈 : 1904~1910년

1904년 러일전쟁을 일으킨 일본은 "對韓方針과 對韓施設綱領"을 원로회의와 각의에서 결정함으로써 한반도 지배의 기본적 틀을 완성하고 그 일환으로 대한제국의 통신시설을 장악하기 위한 계획을 수립했다.[1) 그 항목에는 "[일본이 대한제국의] 교통과 통신기관의 要部를 我方에서 장악함은 정치상 군사상 및 경제상의 諸點으로 보아 대단히 緊要한 일"로 "통신기관 중 특히 중요한 전신선을 소유하거나 또는 관리 아래 두는 것이 절대적으로 필요한 일"이라고 전신권 장악의 필요성이 명시되어 있다.[2)] 비록 1904년에야 통신권 확보에 대한 정책이 설정된 것처럼 보이지만, 일본이 대한제국의 전신권을 확보하려는 움직임은 한반도를 장악하려고 시도했을 당시부터 있어 왔다. 즉 일본은 1880년대 초부터 전신권을 선점하기 위한 작업을 구체적으로 진행했으며, 한반도에서의 영향력 행사 여부 및 정도에 따라 강도의 변화는 있었지만 전신권을

1) 이에 대한 자세한 논의는 권태억, "1904~1910년 일제의 한국침략 구상과 '施政改善'", 『韓國史論』 31(2004), 213~255쪽 참조.

2) "對韓施設綱領", 『고종시대사』 6집, 1904년(甲辰 광무 8년) 5월 31일.

확보하기 위해 대한제국 정부를 지속적으로 압박했던 것이다. 20년이 넘는 작업의 마무리가 바로 "한국정부로 하여금 우편 통신 및 전화 사업의 관리를 帝國政府에 위탁케 하고 帝國政府는 本邦의 통신 사업과 합동 경리하여 양국 공통의 일 조직으로" 만드는 1905년의 한일통신협정의 체결이었다.[3)]

일본은 한반도의 전신망을 확보하는 일을 한반도 지배 체계의 토대를 마련하는 일과 같은 것으로 인식했다. 즉 전신망을 독점함으로써 대한제국 정부와 대한제국내의 모든 움직임을 다른 나라보다 먼저 취해 누구보다도 빨리 대처방안을 마련하고, 때로는 다른 국가가 대한제국 정부에 접근하는 것을 차단하며, 통제된 정보만을 대한제국 정부에 제공함으로써 정황 자체를 일본에 유리하게 조성할 뿐만 아니라 군사적으로도 다른 나라보다 먼저 파병을 단행함으로써 유리한 고지를 선점할 수 있다는 점을 인지하고 있었다. 그리고 이와 같은 여건을 조성하는 일이 한반도를 보호국화하거나 병합하는 데에 필수적인 조건이라고 여겼다. 물론 일본이 정치적, 군사적으로만 한반도 전신망 독점이 가치가 있는 일이라고 생각한 것은 아니었다. 일본이 전신을 독점함으로써 한반도에서 상업 및 무역 활동을 하는 일본인들에게 최대 이윤을 확보할 수 있게 하고, 또 전신 이용료를 저렴하게 조정함으로써 이들로 하여금 실질적 혜택을 누리도록 지원할 수 있다는 점 역시 중요한 가치로 인정하고 있었다. 이런 수많은 가치를 지닌 대한제국의 전신망을 장악하기 위해 일본은 20여 년 동안 노력했던 것이다. 이 장에서는 일본이 이 노력의 결실을 확보했던 한일통신협정 체결 전의 전신에 대한 도발 및 협정체결 이후 전신 체계의 변화에 대해 살펴보고자 한다.

---

3) 같은 문서.

1. 러일전쟁과 대한제국의 전신 사업

3장에서 살펴본 대로 1900년대 일본은 대한제국의 전신 사업권 장악을 위해 끊임없이 대한제국 정부를 압박하기는 했지만 그 强度가 센 것은 아니었다. 일본은 무선전신중계권을 포함해 획득하고자 하는 전신권한을 대한제국 정부에 요구하는 일이 "번거롭게 의견만 왕복하게 될 뿐만 아니라 다른 교섭 안건에도 영향을 미칠 것이라서 득책이 아니라"고 판단해, 협정 체결을 굳이 도모하지 않았다.[4] 이런 판단의 바탕에는 대한제국 통신원이 전신 사업을 성공적으로 운영하고 있다는 日帝의 인식이 크게 작용하고 있었다. 그러나 이런 일본의 태도는 러일전쟁을 전후해 완전히 바뀌었다. 러일전쟁에서 승리하기 위해서 대한제국 전신 사업권의 선점 여부가 중요한 관건이 되었던 만큼 대한제국 전신망은 강압적 방법을 동원해서라도 반드시 획득해야 할 시설로 부각되었다. 이에 대해서는 러시아도 같은 생각이었다. 따라서 러일전쟁이 발발하자 일본과 러시아는 동시에 대한제국의 전신망을 폭력적으로 접수하려 했다. 러시아는 의주, 영변, 안주, 성진과 같이 대한제국 서북 지역의 전보사와 전신망을 강제로 점령했다. 하지만 대부분의 대한제국 통신망은 러시아보다 빨리 행동을 취했던 일본이 장악했다. 일본은 러일전쟁 선전포고 전에 이미 부산과 창원과 같은 지역의 전보사들을 접수했으며, 러시아 함대의 전신문을 가로채거나 지연시킴으로써 러일전쟁에서 기선을 제압했다.[5] 전쟁이 발발하자 일본은 대한제국 정부에 "일본군이 북으로 행군하므로 沿路 지방 곳곳은 전보를 쓰지 않게 하고, 전보사에 칙령을 내려 우리가 公信, 私信을 보내는 데 장애 없이 통신할 수 있게 하라"고

4) 『주한일본공사관기록』 14卷, 1900년 7월 20일(문서번호 기밀 제65호).

5) 체신부, 『100년사』, 237쪽.

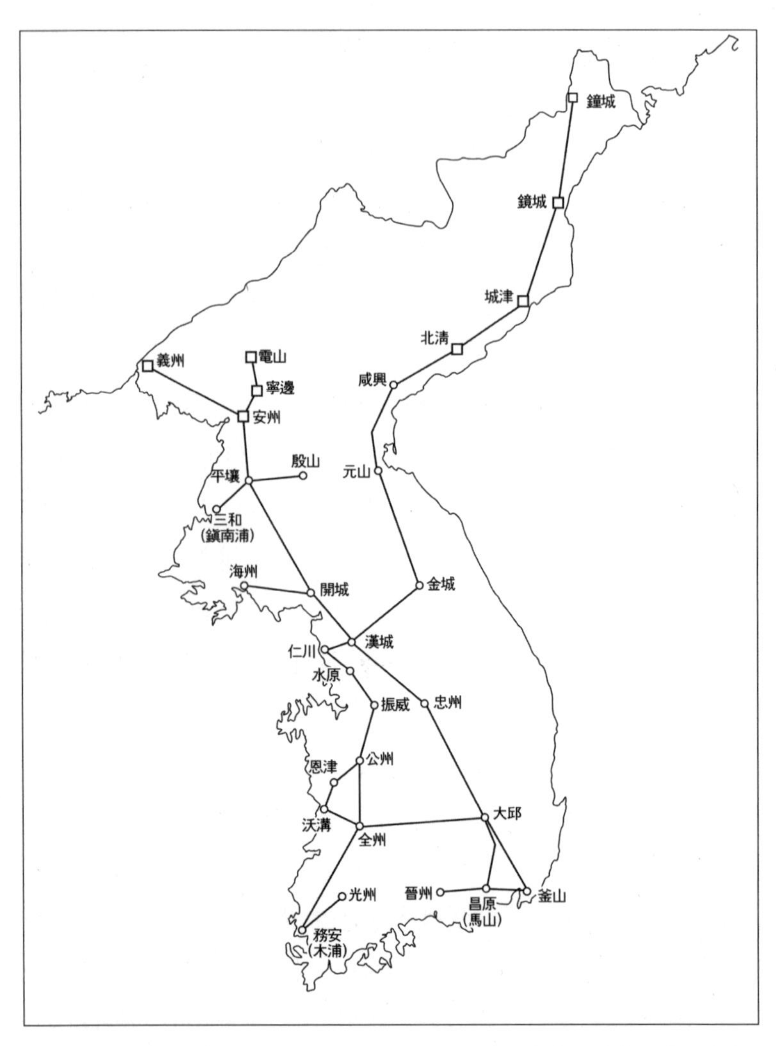

〈그림 5-1〉 러일전쟁 중 러시아, 일본의 전보사 점령 상황 출처 : 체신부, 『100년사』, 186쪽 재구성. □ : 러시아군 강점 전보사, o : 일본군 강점 및 영향하의 전보사.

요구했다.[6] 또 기존 전신선 이외의 필요한 경로에 전신선을 가설할

6) 『황성신문』, 1904년 2월 14일.

계획을 세우기도 했다. 즉 "평양, 경성 간에 公私 전신이 매우 빈번하여 현재 가설된 전화선과 전신기계가 손상되기 쉬우니 전신기를 장차 군용, 戰時用으로 신설할" 것을 승인하라고 강제하는 한편, 대한제국에 독자적으로 필요한 전신선을 가설하기 시작했다.[7] 더 나아가 일본은 전쟁과 큰 관련이 없는 지역으로까지 군용 전신선을 확장했다. 일본은 한성의 진고개에서 광화문 통신원 앞까지 새로 전신선을 가설했으며, 강진, 재령, 봉산 등지에도 전신 선로를 가설했다.[8] 또 남부지역인 진해-창원 간 전선을 신설하였고, 한성-평양 구간처럼 신설이 어려운 긴 구간의 경우에는 기존의 전화선을 전신선으로 전용하기도 해 한성-개성-평양 간의 전화 업무가 중지되었다.[9]

이처럼 1904년 이후 일본은 전신 선로를 독자적으로 가설했을 뿐만 아니라 기존 선로를 '借與'라는 형식으로 점유했다. 3월 28일 평양-진남포 간의 2회선의 전신선을, 그리고 4월 11일에는 한성-개성선을 독점했고, 평양전보사와 개성전보사를 점령해 버렸다. 이처럼 전보사를 점령해 일본군용 전신소로 변경함으로써 개성과 평양을 비롯한 몇몇 전보사 직원들은 출장 근무하거나 인근 지역으로 옮겨 전보사를 임시로 설치하거나 해야 하는 처지에 놓이기도 했다.[10] 일본의 전횡은 여기서 그치지 않았다. 일본은 고장 난 선로를 신속히 수리하라고 재촉하기도 했다. 1904년 4월 평양-안주 간 전선 수리 및 복선화, 영변과 운산 전선 보수, 개성-평양 간 전선 보수를 위한 전신주 준비와 개성-봉산 간, 개성-해주

7) 『황성신문』, 1904년 2월 23일.

8) 『황성신문』, 1904년 3월 15일, 4월 21일.

9) 체신부, 『80년사』, 305쪽.

10) 이런 상황과 일본군과 러시아군으로부터 전보사와 전신기기를 지키기 위해 지방 전보사 직원들이 노력했던 모습은 김철영의 『搖籃日記』에 잘 나타나 있다. 金澈榮, 앞의 책.

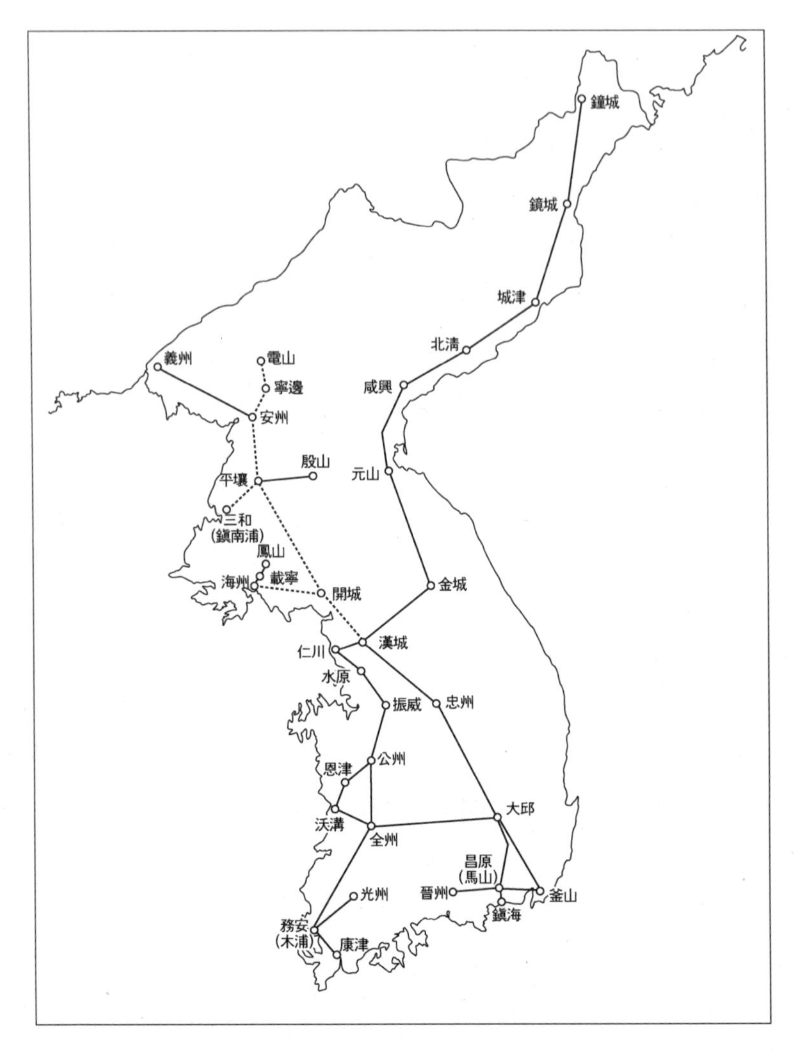

〈그림 5-2〉 러일전쟁 중 일본의 전신선 가설 및 수리 요구상황 출처 : 체신부, 『100년사』, 186쪽 재구성. 일본이 새로 가설하거나 수리를 요구한 전신선을 점선으로 표시.

간의 전선 보수를 요구했던 것이다. 이는 〈그림 5-2〉에서 보는 것처럼 서로전신망의 재구축 요구에 다름 아니었다.

대한제국 정부는 이런 일본의 재촉과 강요에 전신망 수리와 보수를 위해 10만 원 이상의 지출을 감당해야 했다. 대한제국 정부는 이 지출에 대해 "비록 외국군의 군용을 위한 전선 수리이나 우리 정부 소유의 전선인 만큼 그 보수를 日軍에게 맡길 수 없고 우리 스스로 담당해야 한다"고 정당화했지만, 러일전쟁 와중이어서 제대로 사업을 전개하기도 어려울 뿐만 아니라 전신 운용을 대부분 일본에서 도맡고 있는 상황에서 전신선을 보수하는 일이 소용없다는 점을 모르지 않았다.[11] 그러나 전세가 일본으로 기울어졌고 대한제국이 일본의 압박을 견뎌낼 수도 없었기 때문에 전신선 보수비를 지출하지 않을 수 없었다. 이처럼 일본 정부는 자국의 필요를 충족시키기 위한 투자에도 인색해 대한제국 정부로 하여금 재정적 부담을 지게 했던 것이다. 그러나 이런 압력은 다음에 전개될 통신협정의 체결 압박에 비하면 아무 것도 아니었다.

2. 전신 사업권 이양 강요와 한일통신협정

1904년 2월 러일전쟁을 개전한 지 얼마 지나지 않아 곧 승세를 굳힌 일본은 대한제국 전신 사업권을 완전히 장악하기 위한 작업에 착수했다. 일본은 앞에서 살펴본 대로 대한제국의 전신 사업을 끊임없이 경계하고 방해했으나 대한제국이 전신 사업을 자주적으로 전개하고 성장을 거듭하고 있음을 인지하고 있었다. 대한제국의 전신 사업 성공은 전통적인 통신망을 근대적 통신 체계로 대체하는 사업이 성공했음을 의미했고, 지방 행정을 중앙 정부가 총괄하는 토대를 확보했음을 상징하는 일이기도 했다. 그러므로 대한제국을 식민지화하는 데 있어 지방 저항 세력을

11) 인용문은 체신부, 『80년사』, 307쪽에서 재인용.

약화시키고 지방을 장악하는 일이 큰 과제가 된 일본으로서는 그 일환으로 이 전신 사업을 중단시켜 지방과 중앙 정부를 단절시키는 일이 매우 시급했다. 일본은 러일전쟁 기간에 대한제국의 전신망 대부분을 점유하고 많은 선들을 임의로 신설하는 등의 지엽적인 권리를 확보했지만, 그 정도로는 대한제국으로 하여금 사업 전권을 포기하라고 압박할 수 없다는 것을 알고 있었으므로 더 근본적인 방안을 대한제국 정부에 제시하기에 이르렀다. 그것이 바로 '한일통신협정'이었다. '한일통신협정'은 '한일의정서'를 강제로 체결한 1904년 2월 이후 대한제국의 실제 권리를 하나씩 확보해나가는 침략 정책의 정해진 수순의 일환으로 볼 수도 있지만, 일본이 1883년 이래 설정했던 조선 전신 사업권 장악이라는 목표를 달성한 것이기도 했다.

이 '한일통신협정'의 기본 틀은 1904년 5월에 제시된 '對韓方針 및 對韓施設綱領(이하 강령으로 줄임)'이었다. 이 '강령'은 대한제국의 외교권 접수와 재외공사관 철수, 군대 해산, 재정과 교통기관 및 통신기관 접수가 중심내용이었고, 각각에 대한 세부적 지침인 '세목'이 첨부된 형식으로 구성되었다.[12] '세목' 가운데 5항은 "통신기관을 장악할 것"이라는 과제 아래 일본이 전신망을 확보해야 하는 이유를 제시하고 있다. 그 이유로 "한국 고유의 통신기관은 극히 불완전한 상태로, 수지 또한 현재 해마다 30만 원 내외의 손실을 내고" 있기 때문에 "이를 만약 이대로 방기한다면 공연히 재정상의 곤란을 증대할 뿐이고 일반 공중의 편리에 이바지하지 못하기" 때문임을 들었다. 그러나 일본이 언급한 '재정상의 손실'은 앞에서 살펴본 바와 같이 1903년 전신 사업의 수익 구조가 개선되어 영업 이익을 내고 있음을 상기한다면 일본의 修辭에 불과하다는 것을 알 수 있다.[13]

12) 이에 대해서는 권태억, 앞의 글(2004), 222~244쪽을 참조할 것.

13) "일본각의에서 對韓方針 및 對韓施設綱領이 다음과 같이 결정되다", 국사편찬위

이는 1904년 일본공사관에서 작성한 '한국의 재정 일반'이라는 보고서에도 드러나 있었다. 이 보고서는 "[官報, 郵便, 電信收入, 官有物品 등 잡수입 가운데] 특히 현저한 것은 전신수입으로, 광무 6년도(1902년)에는 800元이었으나, 同 7년도에는 9만5천 元이 되고 금년도에는 드디어 16만 元에 달했다"고 대한제국 전신 사업의 수입을 평가했던 것이다. 또 이런 속도로 대한제국의 전신 사업이 발전한다면 "[일본]기관과의 충돌을 면할 수 없게 되어 한 나라 안에 同種 기관이 2개 이상 독립해 존재함으로써 경제상, 사무상, 양편에 모두 불편과 불리를 가져오는" 상황에 도달할 것이므로 신속하게 대한제국의 전신 사업을 완전히 인수하는 방안을 수립해야 한다고 진단하기도 했다.[14] 이 상황 분석에 따라 일본은 대한제국의 전신 사업을 일본 통신 사업에 편입하는 것을 우선으로 삼고, 이것을 달성하지 못하면 "전쟁 계속 중에는 중요 선로를 골라서 우리의 군용 전선을 가설할 것, 경성에서는 日韓 전화의 기계적 통련을 영구히 유지할 것"과 같은 대비책을 마련해 두기도 했다.[15]

이처럼 1904년에 전신 사업권 점유를 위한 기본 방침과 대비책을 수립한 일본은 러일전쟁 와중에 통신원의 기능을 정지시키고, 전신망 대부분을 접수했으며, 한성에서 기계적 통련을 이루었지만 여기에서 그치지 않았다. 1905년 2월 러시아와의 전쟁에서 완전히 승세를 굳힌 일본은 대한제국의 통신권을 장악하기 위해 '한일통신협정(이하 '통신협정'으로 줄임)'에 조인할 것을 대한제국 정부에 요구하기 시작했다. 이 '통신협정'은 한국통신기관을 정비해 일본 정부가 위탁 관리한다는 것이 주요 내용이었다. 그리고 개설된 통신 사업부의 토지와 건물을 포함한

원회, 앞의 책(1970), 1904년 5월 31일 기사.

14) 外務省 編纂, 앞의 책 37卷 第1冊, 390쪽. 明治 37년(1904) 5월 31일.

15) 체신부, 『80년사』, 314~315쪽.

모든 재산을 일본 정부에 이속시키고, 통신 사업의 확장 발전을 위해 필요한 토지와 건물을 무상으로 사용할 권리와 통신 설비에 관한 면세 특권까지 포함했다.[16] 또 일본이 제시한 '통신협정'에 의하면 대한제국 정부는 더 이상 통신 사업과 관련해 외국과 교섭을 행할 수 없었다. 즉 '통신협정'에는 대한제국 정부가 통신과 관련해서 사업 계획을 수립하거나 결정, 또는 수행할 수 있는 권리가 전혀 남아 있지 않았던 것이다.

'통신협정'은 대한제국의 통신권을 완전히 인도하라는 요구와 다를 것이 없었으므로 고종과 정부 관료들이 강하게 반발할 수밖에 없었다. 이미 1904년 이른바 '황무지 개척권' 교섭 과정에서 관과 민의 격렬한 저항을 경험했던 일본은 전신 사업권 양도 협상이 그보다 더 어려우면 어려웠지 쉽지 않을 것이라고 예상하고는 있었다. 즉 일본은 "[이 통신기관 위탁 작업이] 일한 교섭 중의 어려운 일이고 또 큰 문제"라고 생각했던 것이다. 따라서 협상을 정상적인 방법으로 체결할 수 없을 것으로 판단했다. 대한제국 중앙 정부와 지방 행정 사이의 소통로인 전신망을 포기하라는 '통신협정'은 말 그대로 전신 사업에 의한 수익은 차치하고 지방 행정권 전체를 포기하라는 것과 다름이 없었으므로, 고종은 아예 협의에 응하지 않았고 참정대신 조병식은 의정부 회의의 소집을 거부하여 안건 토론 자체를 저지했을 뿐만 아니라 사직으로 반대의사를 명확하게 밝혔다. 통신원 총판 역시 '통신협정' 체결요구에 격렬하게 반대했다. 이런 상황에서 고종이 러시아 황제에게 밀서를 보냈다는 '밀서 사건'이 일어나 고종의 입지가 매우 약화되었다. 일본은 이를 빌미로 고종을 압박했다.[17] 고종은 조병식의 사직을 받아들여 후임으로 閔泳煥을 임명하고, 의정부 회의의

16) 『舊韓末條約彙纂－입법자료 제18호』(국회도서관, 1964), 189~191쪽(체신부, 『80년사』, 321~322쪽에서 재인용).

17) 체신부, 『80년사』, 247쪽.

개최를 요구하는 일본의 강박을 따를 수밖에 없었다. 이때가 '통신협정'이 제기된 지 두 달이 지난 4월 1일이었고, 참정대신이 불참한 가운데 의정부에서는 '통신협정'을 가결했다.[18]

'통신협정' 체결 과정에서 일어난 반발과 저항은 인계 과정에서 그대로 재현되었다. 대한제국 정부 관료들은 "말을 백방으로 회피하여 인계 교섭에 응하지" 않았는데, 일본은 그 원인을 그들이 러시아와의 전쟁 전황이 바뀔 것이라는 희망을 가지고 있기 때문이라고 분석했다.[19] 그러나 대한제국 관료들의 희망과는 달리 러시아의 발틱 함대는 적절한 시간에 동해에 도착하지 못했고 끝내 러시아는 일본에 패배했으며 이런 전황에 힘입어 일본은 통신원 업무를 인수하는 작업을 추진하기 시작했다. 이에 전보사를 비롯한 통신 시설의 실무 직원들이 인계 작업에 저항했다. 일본은 전보사 직원들의 저항을 약화시키고 반발을 무마하기 위해 전보사 직원의 고용을 모두 승계하고 보장할 것이라고 통고하는 등 회유 작업을 병행했다. 이미 러일전쟁으로 대부분의 지방 전보사를 일본의 육군에서 관장하고 있어 많은 작업이 필요 없었음에도 대한제국의 전보사를 포함한 통신 시설의 인수 작업은 한 달 넘게 걸렸다.[20]

1905년 6월 27일 경성전보사를 폐쇄한 채 인수한 것을 마지막으로 일본은 대한제국의 전신 사업을 종식시켰다. 전신 사업은 새로운 서양의 근대 기술을 도입해 국가 통신망을 재건하겠다는 대한제국의 의지의 산물이며 도입과 운영에 성공한 사업이기도 했다. 1904년 일본에 의해 강제적으로 점거되기 이전 대한제국의 전신망은 중앙 정부와 지방 행정

18) 이 회의 자리에 민영환은 참석하지 않았고 대리로 군부대신 權重顯이 회의를 진행했다. 체신부, 『80년사』, 247쪽.

19) 체신부, 『80년사』, 326~327쪽.

20) 일본전신전화공사, 앞의 책 1, 9쪽.

간 疏通의 중추였고, 일반민들의 생활 속에 자리 잡기 시작하며 전통적 삶의 양식을 변화시킨 근대 시설물이었다. 그럼에도 오히려 이런 성공에 위기감을 느낀 일본의 강제에 의해 '한일통신협정'이 체결되었고, 그 후 대한제국의 전신 사업은 완전히 일본에 양도되어 대한제국의 전신 체계는 일본이 설립한 조선통치기구와 새로 이 땅에 이주한 일본인들이 새롭게 형성한 지역을 중심으로 재편되었다.[21]

3. 통신협정 체결 이후 대한제국 전신 체계의 변화

1) 중앙 관리기구의 해체

'한일통신협정'으로 대한제국의 전신 사업을 장악한 일본의 전신 기술 상황은 대한제국과 많은 격차를 보이고 있었다. 일본은 메이지 유신 이듬해인 1869년 영국인 전신기사 길버트(George Gilbert)를 고빙해 도쿄와 요코하마를 잇는 전신선을 가설했다. 그리고 1870년 대북부전신회사와 조약을 체결해 블라디보스토크와 상해를 잇는 나가사키 해저전신선을 포설했고, 1872년에는 나가사키와 요코하마를 잇는 전신선을 가설해 유럽으로의 전신선에 연접했다. 또 전보학도를 해외로 파견해 선진기술을 익히도록 했으며 전신설비를 자국 내에서 생산하기 시작했다. 이처럼 의욕적으로 전신 도입을 추진하던 일본 정부가 더욱 더 전신선을 확장하게 만든 사건이 발생했는데, 이는 1876년에 일어난 사쓰마 번의 반란이었다. 전신을 통해 일찍 이 소식을 접하여 반란을 비교적 초기에 진압할 수

21) 外務省 編纂, 앞의 책 37卷 第1冊, 390쪽. 明治 37년(1904) 5월 31일.

있었던 일본 정부는 전신의 가치를 더욱 더 높게 평가하고, 전신 사업에 박차를 가했다. 1891년에 이르면 일본에는 435개의 전보국이 전신선을 운영했으며 11,000km가 넘는 육로전선, 그리고 387km의 해저전선이 가설되기에 이르렀다.[22] 물론 이와 같은 발전은 1872년 설립된 대북부전신회사의 일본회사와 무관하지 않았지만 일본의 전신 사업 성장은 대한제국과는 비교가 되지 않는 상황이었다. 일본 정부는 자국 내에서 관의 주도로 기간선을 가설하고, 개인 기업들이 자유롭게 지선들을 사용할 수 있도록 했으며 이런 민간 이용 증진 정책은 전신 사업 확장에 크게 기여했다.

일본에서 이런 발전을 이룬 일본 정부는 대한제국 전신 사업을 장악한 이후 가장 먼저 관리 조직의 재편에 착수했다. 통신 사업 인수 후 대한제국의 체신사업은 일본 정부의 체신성에서 직접 관리했으며 책임자로 인계위원장으로 내한해 있던 池田十三朗이 임명되었다. 하지만 이런 방식은 급한 업무를 우선 처리하기 위한 임시방편에 불과했다. 본국 체신성의 지시와 결정을 기다리고, 따라야 하는 이 방법은 매우 비효율적이었다. 이런 비효율성은 1905년 12월 을사늑약이 강제되어 통감부가 설치되고 산하에 통신관리국이 수립됨으로써 해소되었다. 통신관리국이 대한제국의 통신 사업을 전담하게 된 것이다. 통신관리국의 설치는 대한제국 통신원의 위치를 더 약화시켰다. '통신협정'에는 6조, 즉 "일본국 정부의 관리 및 사무 확장에 저촉하지 않은 범위 내에서 통신원을 존치함은 한국 정부의 임의로 할 사"라는 조항을 둠으로써 통신원을 그대로 유지하기로 되어 있었다. 이는 언젠가는 통신 사업을 다시 환수하겠다는 고종의 의지가 반영된 것이기는 했으나 통신관리국이 설치되자 통신원은 대폭

22) D. R. Headrick, 앞의 책, 44쪽.

축소되어 명맥만을 유지하고 있었다. 그나마 1906년 7월 완전히 폐지되었다. 이로써 대한제국의 통신 사업을 전담해 확장과 발전을 이루어내던 통신 중앙 관리 부서는 일본의 전신 사업권 강점에 따라 완전히 사라졌다.

일본이 설치한 통신관리국은 통신원 해체 후 전신 사업을 총괄하는 부서가 되었다. 통신관리국은 대한제국 통신 사업의 감독, 업무의 시설경영, 개선계획 등 관리에 관한 업무를 총관장하는 감독기관 역할을 담당하게 된 것이다. 대한제국 정부의 전신체계를 모두 인수한 통신관리국은 설치 후 곧 육군 관할하의 전신선을 모두 승계했고, 1907년에는 해군 관할의 군용 전선도 귀속시켜 한반도 내 전신 시설을 모두 통합 관리할 수 있는 체제를 갖추었다. 통신관리국의 업무가 늘어남에 따라 경성, 부산, 인천, 원산, 군산, 목포, 평양 및 의주 등의 지방 통신국으로 하여금 인근 지역 통신사무소의 중간 관리 역할을 담당하게 했다. 이들 지방 통신국에서는 사업 용품 지원, 우체함의 설치와 이동 및 폐쇄를 결정하는 일과 같이 간단하고 사소한 업무들도 담당했다.[23]

통신관리국은 중앙 및 지방 조직을 재편함과 동시에 경영 정상화를 도모했다. 그들은 "(일본)체신성이 10년 적자를 각오하고 (대한제국의 통신 사업을) 경영했다"고 했지만 불과 5년 만에 흑자로 전환되었고, 이는 당시 대한제국의 전신 사업이 그만큼 경제적 측면에서도 충분한 가치를 내포하고 있었음을 보여주는 일이기도 했다.[24] 통신관리국은 대한제국의 통신 사업 경영 손실은 지방 단위 통신사의 방만한 지출에 가장 큰 원인이라는 점을 파악하고 있었다. 이는 이 점만을 시정할 수 있다면 곧 흑자 전환이 가능할 것이라는 것과 같은 의미였다. 특히 전신선 신설과 같은 신규 투자는 거의 하지 않고 신규 투자가 필요한 부분은

23) 일본전신전화공사, 앞의 책 1, 13쪽.

24) 같은 책, 69~70쪽.

대한제국 정부로 하여금 도맡게 했으며, 전신을 포함한 통신 사업에 소용되는 필요 토지 및 건물을 대한제국 정부를 압박해 확보한 만큼 통신관리국이 전신 사업 경영에서 흑자를 확보하는 일은 매우 쉬운 작업에 속했다. 이 점을 감안하면 대한제국에서의 통신 사업은 일본에게 경제적 이득까지도 확보하게 하는 사업이기도 했다.

2) 전신 기술과 전보사 체제의 변화

이처럼 경영 상태가 호전될 수 있었던 것은 일본이 대한제국에서의 전신선과 전보사 증설과 같은 설비 투자에 적극적이지 않았던 데서 기인했다. 통신협정의 기본 방침인 '對韓施設綱領'에 의하면 전신기기 등 설비를 개선해 "一般 公衆의 利便에 供"할 수 있게 한다는 것이 주요 목표로 설정되어 있지만, 실제 사업을 전개하면서 그 목표 달성보다는 기존 설비와 적은 예산으로 최대의 효과를 확보하는 것이 주목표로 설정되었다. 일본은 기존 회선을 이용해 직통회선을 구성하고 설비기계를 개량했으며 그와 더불어 전신 전화를 함께 병용했던 기존의 방식 대신 전화선을 분리시키는 방식을 택했다. 그러나 이 작업들조차 편성된 예산이 적어 더디게 진행되었다.[25] 또 전신 설비의 중요한 부분인 전신기기 역시 다른 신기종으로 교체하기보다는 인수받은 전신기를 활용하는 방법을 택했다. 일본은 대한제국 통신원으로부터 덴마크 노르치스키 회사의 지멘스 모스 인자기 43대를 인수했는데, 이 전신기들이 "사용한지 오래되었기 때문에 상태가 좋지 않다"고 평가했으나 전신기를 대체하지 않고 이 전신기들과 일본 육군전신대에서 인계받은 전신기들로 전신

25) 같은 책, 450쪽.

사업을 운영하기로 결정했다.[26] 전신 기기의 개선은 1906년부터 시작되었는데 그나마 전격적인 교체가 아니라 수신기를 인자기에서 음향기로 바꾸는 정도였다. 이 작업을 추진한 이유는 종래의 인자기가 잉크와 종이 테이프를 지속적으로 갈아주어야 했고 전신기의 진동에 의한 오류로 신뢰도와 업무 효율을 저하시켰기 때문이었다. 이 음향기 교체 작업은 업무 효율을 높이고 신뢰도를 상승시키는 데에는 기여할 수 있었지만, '오래 되어 상태가 좋지 않은' 전신기 사정을 궁극적으로 개선하는 수준이 아니었으며 그나마 교체 작업도 시간이 오래 걸려 1920년대가 지나서야 완전히 끝났다.[27]

전신 기술을 다루며 전신 선로를 관리, 운영하는 전보사의 증설 역시 일본의 '대한시설강령'대로 이루어지지 않았다. 한일통신협정을 맺은 1905년 이래 1908년 이전까지 새로 개설된 전보사는 채 10곳이 되지 못했다. 그나마 새로운 전신선이 가설되기 시작한 것은 1908년이 지나서였다. 일본은 전보사를 증설하기보다는 한 회선에 여러 전신국을 연결하는 방식을 도입해 전신 선로나 전보사 증설 효과를 도모했다. 1906년 2국에 접속된 회선은 36개, 3국 접속 회선은 20개, 4국 접속 회선은 11개, 5국 접속 회선은 5개, 심지어 6국 접속 회선을 2개나 운영함으로써 가설한 한 전신선의 전신 송수신 능력을 향상시켰던 것이다.[28] 1905년 이후 20개의 전보사를 증설할 계획을 세웠던 통신원의 계획은 남로전선 상에 지선을 연결해 새로운 거점을 확보하는 방식으로 전신망을 넓게 확산하는 것이라면, 직통회선의 증가는 이미 가설된 전신선의 효율을

---

26) 같은 책, 494쪽. 이 노르치스키 전기회사에 대해서는 알려진 것이 없다.

27) 같은 책, 494~495쪽 ; 체신부, 『100년사』, 303쪽.

28) 일본전신전화공사, 앞의 책 1, 476쪽. 이처럼 접속 회선이 많아지자 전신 회선의 표준통신량을 제정했지만 일본과의 요금 체제가 달라 일본과 조선을 아우르는 표준을 세울 수는 없어 문제가 되었고, 이는 1920년 즈음에야 해소되었다.

제고하는 것을 목적으로 한 것이었다. 이런 직통회선의 증가는 기존 전신선을 이용하는 전신기기를 증가시켰지만 전신선을 확보한 지역은 늘지 않았고 조선인의 전신 접근성이 개선될 여지가 마련되지 않았다는 것을 의미했다.

이와 같이 통신원과 판이하게 다른 사업 전개 양상은 일본의 전신선의 운영 목적이 통신원과 다른 데서 기인한다. 일본 정부는 대한제국에서의 전신 사업에 식민지 팽창과 지배 이외에는 관심을 두지 않았다. 대한제국의 전신선에는 오직 지방행정을 통제, 장악하고 만주로의 진출을 위한 교두보로서의 역할만을 부여한 것이다. 만주 진출을 위해 일본은 대한제국의 전신기간축을 강화하는 데에는 열심이었지만 지선을 확보하고 전신선을 증설하는 데에는 매우 인색했다. 이제 대한제국에서의 전신선은 더 이상 부국강병의 이기가 아니라 제국의 침략에 봉사하는 도구로 전락했음을 보여준 사례라 할 수 있다.

이처럼 일제의 침탈에 의해 이루어진 전신 기술의 변형은 제국주의 침략의 속성을 그대로 보여주었다. 대한제국 정부가 전신 접촉 지역의 한반도 전역으로의 확대를 도모했다면 일제는 일본과의 접촉, 한반도 지배, 만주로의 진출을 위해 한반도 남북 선로 보강에 초점을 맞추었다. 즉 한반도의 남북 선로의 강화와 전신 선로의 효율을 높이기 위한 배속기 채용이 중심이 된 것이다. 설령 전신선을 새로 가설한다 해도 이는 기존 선로 가운데 한반도 지배 강화와 경제 수탈이 목적이었다. 예를 들어 진주－통영선(진주－마산－진해－통영 : 1908년 4월 1일), 경성－대전(경성－수원－대전 : 1908년 6월 1일), 강경－논산(1908년 7월 11일), 조치원－청주(1908년 7월 11일), 금화－금성선(1908년 10월 16일), 경성－대구 2번선(경성－수원－조치원－대전－대구 : 1908년 10월 16일), 성진－길주선(1908년 11월 1일), 대구－경주선(1908년 12월 1일), 부산－절영도선

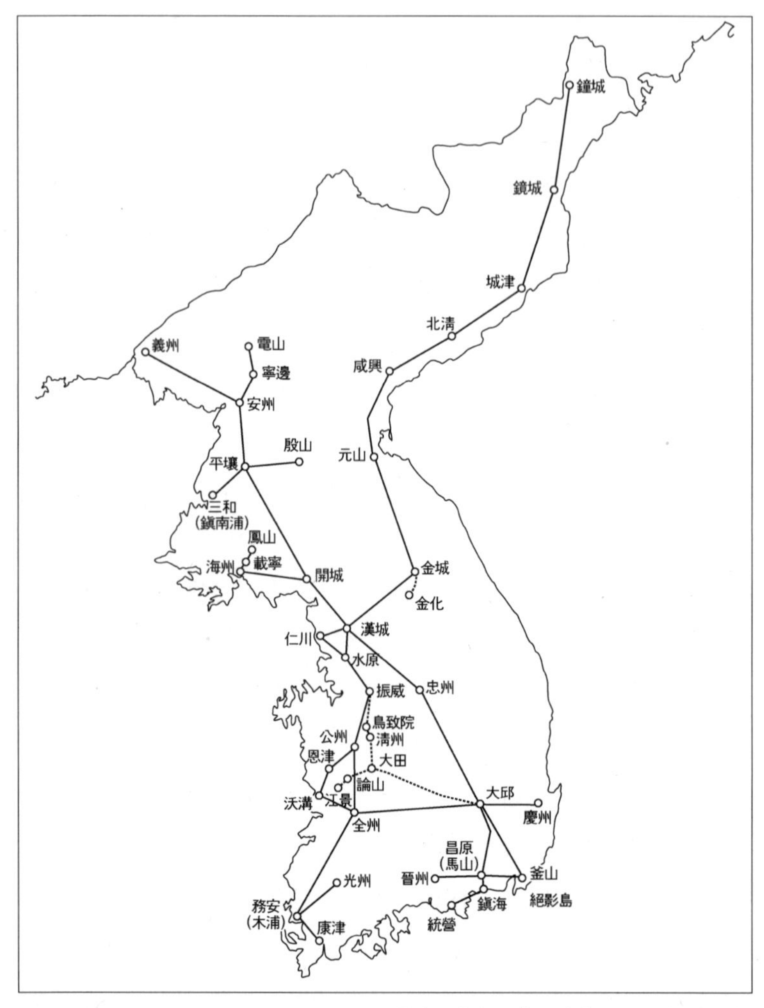

〈그림 5-3〉 1908년 이후 새로 가설된 전신선 출처 : 체신부, 『100년사』, 186쪽을 재구성.

(1908년 12월 16일), 원산－함흥선(원산－함흥－영흥 : 1909년 12월 21일) 등이 1908, 9년에 신설되었고 또 이 전신선들에 접속할 수 있는 통신 사무소가 증가했지만 이 선로는 대부분 경부선을 강화하거나 만주로의 연결을 염두에 둔 것이었다.(〈그림 5-3〉 참조)

이 전신선들은 주로 진해, 마산, 통영, 강경, 논산, 대전, 조치원, 금화, 길주, 영흥 등 남해안의 일본 군사 거점이거나 새롭게 일본과의 교역항으로 등장한 곳이 아니면 경부선 가설로 일본인들이 경제권을 장악하면서 새롭게 부상한 상업 지역, 또는 만주로의 진출을 위한 지역들에 가설되었다. 특히 이 선들 가운데 경성–대구 2번선은 기존 선로였던 경성–대전선을 연장해 강화한 것이며, 조치원–청주, 성진–길주 사이 선은 경비 전화선을 이용한 선들로, 이 선들의 가설로 전신망이 다른 지역으로 확산되었다고 할 수는 없다.[29]

이 지역들로의 전신선 가설은 지방 통제의 일환으로 수행된 것이기도 했다. 고종을 강제 퇴위시키고 대한제국의 세력 구도를 재편성한 1907년 이후, 전신에 접촉할 수 있는 지역이 늘어났는데 이 증가 추세는 1910년 병합 이후로도 지속되어 1910년 병합 직전 우편전신취급소는 모두 167개소로 증가했고, 강점 이듬해인 1911년에는 189개소로 늘어났다.(〈표 5-1〉 참조)[30] 이는 1907년 정미7조약, 고종의 강제 퇴위, 강제 군대 해산을 계기로 격화된 항일 의병 무장 투쟁을 신속하게 진압시키는 일을 목적으로 한 군사 통신망 확보 계획의 일환이었고, 전신보다는 비상전화선을 신설하는 일이 주축을 이루었다.

그리고 지방 행정 단위에 대한 통제력 강화를 위해 군 단위 이상의 지역에 통신사무소를 개설하는 정책에도 힘입었다.[31] 이런 의병 진압과

---

29) 체신부, 『100년사』, 258쪽.

30) 같은 책, 288쪽. 이런 목적으로 경비용 전화선로가 가설되었음에도 그 경비 40만 원을 대한제국 정부로 하여금 부담하게 했다. 이에 대해서는 같은 책, 260쪽을 참조.

31) 일본은 지방민들의 저항을 약화시키고 통제력을 강화하기 위한 방편의 일환으로 지방 군 단위 행정의 대표인 군수를 조선인으로 임명했는데, 통감부 아래의 군수는 이전 조선시대에 가지고 있던 경찰권, 재판권, 징세권을 박탈당하고 단순한 행정관의 지위만을 가지게 되었다. 이에 대해서는 박은경, 앞의 책,

<표 5-1> 전신을 취급했던 통신기관의 수

	1905년 7월 인수 직후	1910년 병합 직전
우편국	12(5)	
우편국출장소	21(3)	
우편전신취급소	1(1)	110
전신취급소	10(10)	57
총계	53	167

* 출처 : 체신부, 『100년사』, 254쪽, 288쪽을 재구성 : ( ) 안은 일본이 영업활동을 했던 기존의 조선 내 전신취급소의 수, 1910년의 우편전신 취급소와 1910년의 전신 취급소는 철도역 전신 취급소만을 포함시켰는데, 이곳에서는 국내 전보의 송수신 사무도 병행했을 것으로 보인다.

지방을 장악하는 정책들과 더불어 경부, 경의선과 같은 철도 선로가 부설된 것도 통신사무소의 증가에 영향을 미쳤다. 이 철도들이 지나는 역마다 철도 전신소가 설립되었고, 필요한 지역에는 이 철도 전선에 지선을 연결해 전신을 운영했기 때문이었다.

일본에 의한 이와 같은 전신선 가설과 전신기기의 도입은 이제 전신 체계가 대한제국과는 아무런 관련이 없어졌음을 의미했다. 대한제국이 전신 사업을 전개함에 있어 전신권역의 확산을 염두에 두었다면 일본은 만주로의 진출, 조선의 식민지배 체제로의 전환을 신속하게 수행하기 위한 일본과의 원활한 소통로 확보라는 목적으로 전신 선로를 운영했고 이를 실현하기 위해 전신 체계를 변형했다. 전신 체계 가운데 사업 주도권자의 영향으로부터 가장 자유로울 것으로 여겨지는 전신 기술조차 이 목적의 전환이 반영되어 영향을 받았다. 즉 일제는 전신 선로의 확장으로 전신을 이용할 수 있는 지역을 확산시킨 것이 아니라 기존 전신선의 효율을 증가시키기 위해 전신 기술을 도입했다. 극단적인 예는 배속기의 도입이었고, 송수신의 오류를 극소화하기 위한 음향기조차 주요 간선을

71쪽.

중심으로 도입해 지방 전보사 가운에 중요도가 떨어지고 송수신 업무가 비교적 적은 지역의 인자기는 1920년대에야 비로소 음향기로 교체되었다. 일제의 이와 같은 전신 기술 도입은 대한제국에서의 전신 사업 운영에 있어 적은 비용으로 최대의 효과를 도모한다는 제국의 기본적 식민지 경영 방침에 기인한 것이었다.

3) 전신 이용자의 변화

이런 일본에 의한 전신 기술, 전신 선로, 전보사, 중앙 관리기구 등에의 변형은 전신 이용자층에도 영향을 미쳤다. 통신사무소와 같은 전신을 이용할 수 있는 통신기구의 증설은 조선 거주민의 전신 접근성을 높이는 계기가 될 수 있었지만, 조선인의 전신 이용이 통신사무소의 증설과 비례하지는 않았다. 전신 이용자 가운데 일본인의 비중이 큰 폭으로 증가한 반면, 조선인들의 증가는 미미했기 때문이다.(〈표 5-2〉 참조)

〈표 5-2〉 통신협정을 전후한 전보통수의 증가 상황[32)]

	일본인 사용 전보수				조선인 사용 전보수				일본인 사용대비조선인사용률(%)
	발신	착신	소계	전년 대비 증가율 (%)	발신	착신	소계	전년 대비 증가율	
1904	369,756	334,508	704,264		71,745	70,779	142,524		20.2
1905	894,963	765,535	1,660,498	1357.8	87,844	88,710	176,554	23.9	10.6
1906	1,040,393	994,958	2,035,351	22.6	113,537	115,325	228,862	30.0	10.5
1907	1,191,205	1,149,378	2,340,583	22.9	121,133	120,972	242,105	5.8	9.0
1908	1,362,147	1,328,602	2,690,749	15.0	157,699	158,817	316,516	30.7	11.8
1909	1,626,433	1,587,685	3,214,118	19.5	203,947	204,907	408,854	29.1	12.7

* 전년 대비 증가율은 (당해연도－전년도)×100/전년도로 계산함.

32) 일본전신전화공사, 앞의 책 1, 151쪽.

일본인들의 전신 이용은 1905년 증가율이 무려 1,360%에 이를 정도로 폭발적이었다. 이런 증가세는 대한제국을 일본 지배 체제로 재편하기 위해 주한일본 공사와 일본 본국 사이의 교신량이 대폭 늘어난 데에 기인한다. 그리고 일본 정부가 사용한 관보의 비중보다는 낮지만 러일전쟁 승리를 계기로 본격적으로 대한제국으로 이주한 일본인들 역시 전신을 많이 이용했을 것으로 보인다. 그들은 일본의 전신기기가 대한제국 전신망에 연결됨에 따라 대한제국 전역의 전보사에서 전신망에 쉽게 접근할 수 있었고 이와 같은 일본인 사용 전보량의 증가는 전신망에 일본의 전신기기를 통련했을 때 일어날 수 있는 일을 보여주는 일이기도 했다. 반면 조선인의 전보 이용은 일본인 사용량의 10%를 벗어나지 못했는데 전보사들이 정상 운영을 시작한 1906년에도 조선인이 이용한 전보통수의 일본인 대비 비율은 여전히 10.5%대에 머물렀으며 1907년에는 10%에도 미치지 못했다. 이는 1904년, 전보사를 일본군에 강점당했을 때에조차 20%대의 비중을 차지했던 점과 비교해보면 '통신협정'이 조선인의 전신 사용에 긍정적이지 못한 영향을 미쳤음을 시사한다. 이런 차이가 나타난 가장 큰 원인으로 들 수 있는 것은 현저하게 저하된 대한제국 정부의 지방 장악력이다. 통감부의 지방 통제를 위한 전신 사용은 큰 폭으로 증가한 데 비해 대한제국 정부가 취한 지방 행정과의 소통량은 매우 줄어든 것이다. 1907년 이듬해부터는 일본인 대비 조선인 전신 사용률이 1906년의 수준을 회복했으며 전년 대비 전신 이용률도 30% 정도의 신장세를 보였는데, 이는 새로운 전신선의 가설과 전보사 10여 곳의 신설에 의한 증가에 기인한 것으로 보인다. 그러나 이런 증가세는 이미 통신원 시절 10여 곳의 전보사를 증설했을 때 보였던 증가율에는 미치지 못하는 수준으로 이는 전신 사업권을 일본이 점유한 이후 전보사의 신설이 곧 조선인의 전신 접근성을 높이는 것으로 작용하지 않았음을 뜻했다.

〈표 5-3〉 일본인 사용 전보 가운데 일본어 이용 전보수

	일본인 사용 총전보수	일본어 사용 전보수	차이
1904	704,264	1,431,345	-727,081
1905	1,660,498	1,855,682	-195,184
1906	2,035,351	2,141,346	105,995
1907	2,340,583	2,476,670	136,087
1908	2,690,749	2,905,796	215,047
1909	3,214,118	3,654,413	440,295

* 출처 : 일본전신전화공사, 『電氣通信史資料 1』, 151쪽을 재구성.

한편 〈표 5-3〉은 일본 정부가 대한제국 전신선에 부여한 목적이 무엇이었는지를 보여주었다. 이 표에 의하면 1904, 1905년까지 일본어를 이용한 전보통수는 일본인 이용 전보통수보다 많았지만 1906년부터 이 상황이 역전되었다. 이는 일본인 가운데 일본어로 전신을 보내지 않는 경우가 많아졌고 점점 더 이런 일이 더 많아지고 있음을 의미했다. 일본인이 한글로 전신을 보내고 있음은 수신자가 조선인이라는 상황을 뜻했고 이는 통감부가 군 단위로 지방 행정을 장악해나가는 당시 상황과 맥을 같이하는 일이었다. 통감부는 조선의 전신선을 지방 장악을 위한 도구로 이용했던 것이다.

이와 같은 조선 전신 선로의 역할 변화는 전신 이용자인 조선인의 접근을 더 어렵게 하는 일이 되었다. 조선인의 접근을 어렵게 한 것은 그뿐만이 아니었다. 요금체계의 변화도 같은 영향을 미쳤다. 일본은 '통신협정' 체결 후 11월 전신 요금을 인하 조정했다. 이 요금 인하는 1905년 이후 한일 간 전신 사용이 폭증함에 따라 급히 설치한 부산-대마도 간의 해저선을 일본이 매수했고, 또 조선과 일본 사이의 전신 요금을 일본 국내용으로 동일하게 처리하기로 한 결정에 기인했지만, 전적으로 조선에서 활동했던 일본인을 위한 조처로 굳이 일본과의 전신 왕래가 필요하지 않은 조선민에게는 별로 필요한 조치가 아니었다.[33] 이 전신

〈표 5-4〉 전신 요금의 변화[34]

	1903년 통신원 개정 요금	1905년 한일통신 협정 당시	1905년 11월 1일	1910년	1920년
국문	매자 4전	3자 이내 10전 2자 이내 증가마다 3전 가산	7자 이내 10(20)전, 2자 이내 증가마다 3(5)전 가산	7자 이내 10(25)전, 2자 이내 증가마다 3(5)전 가산	7자 이내 10(25)전, 2자 증가마다 3(5)전 가산
일본어		7자 이내 10전 5자 이내 증가마다 3전 가산	15자 이내 10(20)전, 5자 이내 증가마다 3(5)전 가산	15자 이내 10(25)전, 5자 이내 증가마다 3(5)전 가산	15자 이내 10(25)전, 5자 증가마다 3(5)전 가산
서양어	매자 15전	1語 이내 10전 1어 증가마다 3전 가산	5어 이내 15전, 1어 증가마다 3(5)전 가산	5어 이내 15(25)전, 1어 증가마다 3(5)전 가산	5어 이내 15(30)전, 1어 증가마다 3(5)전 가산

* 출처 : 일본전신전화공사, 『電氣通信史資料 1』, 137~138쪽. ( ) 안은 조선 내에서 송수신되는 전신 요금으로 이때 '조선 내'에서라고 함은 한국과 일본 및 일본의 식민지와의 통신도 포함하는 것이다.

요금 인하 조치는 조선민에게 혜택은커녕 오히려 인상 결과까지 안겨주었다. 예를 들면 '부친위독'이라는 국문전보를 조선 내의 지역에 보내면 1903년 통신원 요금으로는 12전, 1905년 협정 당시 요금으로는 13전, 1905년 11월 요금으로는 20전이 나왔고 이는 1903년에 비해 무려 80%나 인상된 것이었다.(〈표 5-4〉 참조) 전신문이 길어질 경우에는 인하의 효과가 있었다. 예를 들어 '생신축하장수기원'이라는 8자의 전신문을 보낼 경우, 1903년에는 32전, 협정 당시 요금으로는 19전, 1905년 11월 요금으로는 23전이었다. 하지만 글자당 인하의 효과를 보기 위해 일부러 긴 전신문을 쓰는 일은 오히려 지불해야 할 총요금 자체를 증가시키는 것에 불과했다.

전신 요금 조정이 있은 지 채 5년이 지나지 않은 1910년에 전신 요금 체제에 변화가 있었다. 이때 시행된 전신 요금 변동은 시내요금은 1905년

33) 체신부, 『100년사』, 355~356쪽.

34) 일본전신전화공사, 앞의 책, 137~138쪽.

의 골격을 그대로 유지했지만 국내 발착, 즉 대한제국과 대만과 같은 일본 식민지들 사이의 요금을 높게 책정했다. 이는 전신 이용의 증가를 소화시키지 못한 상태에서 전신기기 및 설비를 증설하는 투자를 감행하기보다는 요금을 인상함으로써 수요를 축소시키려는 정책의 반영이었다. 그리고 설비의 증설을 이룬 이후 다시 한 번 전신 요금을 개정할 필요성을 내포했다.

이런 전신 요금 정책 결정에 조선민은 고려 대상이 아니었다. 조선민이 전신을 이용하기 쉽지 않았던 것은 전신 요금이 부담스럽기도 했지만 통신사무소 직원이 일본인으로 전원 교체되었기 때문이기도 했다. 즉 언어소통의 어려움으로 조선인이 통신사무소에 출입하기 어려웠던 것이다.

1905년 통신협정 강제조인 후 일본은 '대한시설강령'에서 주장한 바와는 전혀 무관하게 한국에서의 통신망을 일본을 중심으로 한 체제로 개편하는 데 성공했다. 즉 수사뿐인 '대한시설강령'을 토대로 한 '한일통신협정'은 그들의 수사와는 달리 조선민들에게 근대 기술의 혜택을 누릴 수 있는 기회를 제공하지 않았던 것이다.

4) 대한제국 전신 기술 인력의 와해

'통신협정'을 체결하자 일본은 전국의 전보사를 포함한 통신 기관을 인수하기 위한 인계위원회를 구성하면서 각 단위 전보사와 우체사의 한국인 직원은 그대로 고용을 승계할 것이라고 통보했다. 이 고용 승계는 '통신협정'에도 명시되어 있었다. 제6조에 "일본국 정부의 관리와 업무 확장에 저촉치 아니하는 범위 내에서 통신원을 존치함은 한국정부의 임의로 할 일"임을 인정했고, 그 부수 조항으로 "일본 정부는 관리와

확장의 업무에 관하여 되도록 다수의 한국 관리와 관리인을 임용할 일"이라고 명시되어 있었다.[35]

하지만 일본은 인수 작업을 종결하자 곧 태도를 바꾸었다. 1905년 12월 통신원관제를 개정해 통신원의 규모를 대폭 축소시켰고, 1906년 7월 형식적으로나마 남아 있던 통신원을 완전히 폐지시켰다. 또 인수 작업을 마치자마자 전보사 직원을 해고했다. 1905년 인수 작업이 시작될 당시만 해도 전국의 전보사 직원은 13명의 전보사 사장, 2명의 기사, 109명의 주사 등 모두 124명의 직원이 존재했다.[36] 그러나 1905년 7월에 이르면 전신 업무에 종사하는 한국인 기술자는 단 한 명도 남지 않게 되었고, 오직 하급 고원만이 500여 명 존재하게 되었다.(〈표 5-5〉 참조)[37] 일본이 새로 만든 통신관리국의 직원수는 모두 649명에 이르렀으나 그 가운데 한국인은 오직 통신속과 같은 하급직에 소속되었고, 그 직능은 대부분 전선 보호와 수리를 담당한 공두역이거나 체전부였다.

이들 하급 고원도 매년 줄어드는 추세를 보여 1910년에는 370명 규모로 줄어들었다. 따라서 전보사 직원의 고용 계승 보장을 운운한 일본측의 협정은 "한국 관리 및 小者(役員)들이 직을 잃게 하는 것이 과도기의 득책"이 아니기에 채택된 임시방편이었으며, "사업의 운영상 필요하다기보다는 차라리 정책상의 조치로서 부득이"하게 제시된 방책에 불과했다.[38] 일본은 적당한 시기, 즉 인수 작업을 완결하면서 전보사 직원

---

35) "韓國通信事務引繼心得", 체신부, 『80년사』, 327쪽에서 재인용.

36) 1904년 러일전쟁이 발발하기 전 전보사 직원수는 20여 명이 더 많은 150명 수준이었다. 개성, 평양, 원산 등 군사전략상 중요한 전보사는 일본군영으로 전보사를 옮겨갔고, 경성과 종성의 전보사는 폐쇄된 상태였다. 이런 상황을 반영해 1905년 인계 작업 당시 전보사 직원의 수는 120명 규모로 감소한 것으로 보인다. 〈부록 1〉 참조.

37) 일본전신전화공사, 앞의 책, 49쪽.

38) 체신부, 『80년사』, 327쪽.

〈표 5-5〉 1905년 통신국 소속 직제 및 직원 상황

직위	1904 일본 인수 이전 직원 상황	1905 일본 인수 직후 직원 현황
관리국장	1	1(칙임 또는 주임)
관리국사무관	15*①	2(주임)
통신사무관		8(주임)
통신사무관보		11(주임)
통신기사		7(주임)
통신기수	109*②	45(판임)
통신수		308(판임)
통신속	254*③	267
인원 합계		2,287

* 출처 : 일본전신전화공사, 『전기통신사자료 1』, 49쪽. 표 가운데 *①은 전보사직제가 이와 같이 분화되지 않았으므로 전보사 사장급과 기사를 이에 포함시킴. *②는 역시 같은 이유로 전보사 직원 가운데 주사급을 포함시킴, *③은 청리, 사역, 체전, 공두 포함.

개개인에 대해 심사 작업을 전개해 인물의 성행, 능력, 근무 태도 등을 토대로 정리 작업을 단행해 일본국 소속의 관원으로서의 자질을 심사했다.[39] 심사를 통과해 관원직을 유지했다고 하더라도 전신 업무에 종사한 사람은 단 한 명도 없었다. 이는 그들의 실력이 부족해서라기보다는 통신, 특히 전신 업무는 통감부 및 일본 정부의 기밀과 보안을 요하는 군사상 비밀을 다루는 경우가 많았으므로 아무리 친일적이고 충성서약을 했을지라도 조선인으로 하여금 이 업무에 종사하도록 하는 일은 무리라고 판단했기 때문이었다.

1905년의 120여 명의 전보사 직원들 가운데 1905년 이후 『大韓帝國官員 名簿』 및 『직원록』에서 흔적을 찾을 수 있는 사람은 30명에도 미치지 못했다.(〈표 5-6〉 참조)[40] 즉 90여 명에 이르는 전보사 직원들이 관직에서 퇴출되었던 것이다. 이들 가운데에는 李宰求 인천전보사 주사처럼 일본의 전보사 인수 직후 자의 반 타의 반으로 퇴직한 사람도 있었다. 퇴직을

39) 『황성신문』, 1905년 7월 14일.
40) 이후 전보사 직원에 대해서는 〈부록 1〉을 참조.

〈표 5-6〉 관직을 유지한 전보사 출신자

이름	경력	1905년 이후 이직처	1910년 이후
고영관	육영공원 영어학습, 1890년부터 전신 업무 종사	1909 탁지부 이재국 국고과 주사	1910 군서기(목천군)
김세희	1904 안주전보사 주사	1909 탁지부 임지재산정리국 기수	
김용제	일본 경응의숙, 동경전문학교 출신, 1904 통신사 사무	1908 궁내부 제도국 이사	1919 군수
남직희	1898년 전보학교 졸업	1906 탁지부 주사 1909 탁지부 대신관궁 주사	1910 군서기(온양군) 1910 중추원 찬의 1932 중추원 참의
민기호	1903 인천전보사 주사	1909 탁지부 인천세관 주사	1911 군서기(원산군) 1921 군수
박상준	1900 은산전보사 주사	1908 평남 강동 군수	1926 강원도지사 1931 중추원참의
백철용	1899 한성전보총국 기사	1909 대구재무감독국 마산포재무서장	1911 군수
변덕환	1904 진주전보사 견습	1909 법부 진주지방재판소 서기	1912 부산지법 통역생
서병문	1899 한성전보사 주사	1907 7월 탁지세무 주사 1909 탁지부 평양재무감독국 주사	1910 군서기(옹진군)
성두식	1904 은산전보사 주사	1909 내부대신관방 회계과 주사	1910 군서기(장기군) 1916 군수
신홍구	1897 통신국 전무견습 1898년 무안전보사 주사 1905년 퇴임(전무인계시)	1907 임시군용급철도용지 조사국서기	
유인수	1903 개성전보사 주사	1909 탁지부 사계국 주계과 주사	1910 군서기(해주군) 1929 군수
이건춘	1904 한성총국 주사	1909 내각 외사국 국장	1910 중추원 찬의 1923 중추원 참의
이기소	1903 은진전보사 주사	1909 탁지부 대구 재무감독국 의홍재무서 서장	
이남구	1904 개성전보사 주사	1909 탁지부 대구재무감독국 봉화재무서 서장	
이원창	1902 한성총국 주사	1909 외사국 번역과 주사	1910 총독부 인사국 1916 군서기 (고양군) 1928 군수
이인수	1900 개성전보사 주사		1910 군서기 (의주군) 1916 군수
이창우	1899 개성전보사	1909 탁지부 대구 재무감독국 현풍재무서 서장	1910 군서기(현풍군)

이름	경력	1905년 이후 이직처	1910년 이후
임원재	1903 경성전보사 주사	1909 탁지부 공주재무 감독국 괴산재무서 서장	1910 군서기(괴산군)
조중은	1888 남로전선 가설참여 1901 대구전보사장	1909 군수	
최성우	1899 한성전보사 주사	1909 탁지부 건축소 세무계	1911 총독부 회계국 1912 군수
최종악	1898 안주전보사 주사	1909 군주사	1910 군서기(횡간군)
홍기주	1898 한성전보사 주사	1909 탁지부 사세국 세무과	1910 군서기(김해군)
황정연	1903 공주전보사 주사	1909 탁지부 전주재무서감독국 여수재무서 서장	1910 군서기(해남군)

* 출처 : 이 표는 "부록"과 『朝鮮總督府及所屬官署職員錄』(조선총독부, 1911년 이후 연간 발행), 그리고 박은경, 『조선인관료연구』, 180~320쪽을 재구성.

원하지 않은 직원들 가운데 일본의 심사를 통과한 사람들은 이전 업무와 전혀 다른 성격의 업무를 수행해야 했기에 그만둔 사람도 있었을 것으로 보인다. 즉 통감부가 전보사 직원들에게 제시한 업무는 그들이 종사해온 전보사 업무가 아니라 대부분 탁지부의 회계 업무를 보게 되었던 것이다. 그들은 물론 전보학당에 입학해서 '산술'을 공부해야 했고, 전보사 직원으로 근무할 때 전보 수입을 맞추는 일이 중요한 업무 가운데 하나였으므로 대부분 대차대조를 중심으로 하는 근대식 회계 장부 정리에 익숙했겠지만, 이 업무는 그들에게는 부수적인 업무에 지나지 않았다. 그들은 근대식 기계를 다루는 능력을 갖춘 전문 기술자로 훈련받고 전문직에 종사했던 사람들이었으므로 새로운 회계 업무직에 적응하지 못한 사람들은 퇴직할 수밖에 없었다. 따라서 일본의 심사를 통과했더라도 전신 업무를 10년 넘게 수행해온 전문기술자들에게 회계 업무를 맡긴 것은 자진퇴직을 종용하는 뜻으로밖에 해석할 수 없다. 더 나아가 무연고지로 발령을 냈을 경우 그 의미는 훨씬 강했다. 은진전보사 주사였던 李基韶는 대구재무감독국으로 발령을 받았고, 개성전보사 주사였던 이남구 역시 대구재무감독국으로 옮겨야 했는데 이들은 곧 퇴직했다. 그렇다고 회계 업무에 적응했던 전보사 출신의 직원들이 관원 생활을 안정적으로 영위했던 것으로도 보이지 않는다. 전보사 직원들을 대부분 승계 임용했던 기관은 대한제국의 내각, 탁지부 회계검사국들로 이 기관들 역시 1910년 총독부 설립과 더불어 폐지되었으므로 이때 전보사 출신 관리들은 대부분 각 지방군청의 서기직으로 자리를 또 옮겨야 했다.(〈표 5-6〉 참조)

1908년을 기준 시점으로 하여 전보사 출신 관리 24명의 전보사 경력을 보면, 50%인 12명이 1903년과 1904년에 임용된 신입 직원들이었다. 그 나머지 가운데 1890년대에도 전보사 직원으로 근무했던 사람들은 고영관과 백철용, 조중은 등 서너 명에 지나지 않았다. 즉 1908년 관원직을 유지한 사람들 대부분은 1900년 이후에 임용되어 경력이 채 5년이 되지 않는 직원들인 셈이었다. 이런 점을 감안한다면 일본은 전보사 숙련기술자 대부분을 관직에서 축출했고, 전보 업무에 비교적 덜 익숙했던 사람들만을 심사를 거쳐 관원으로 다시 채용해 성격이 전혀 다른 부서에 배치했음을 알 수 있다.

일본은 '한일통신협정' 이후 전보사 직원들 대부분을 해고한 데 이어 대한제국의 전신인력 양성의 산실이었던 전무학당 역시 폐교시켰다. 이후 대한제국의 전신 업무는 일본에서 파견한 기술요원이 담당했고 1909년에야 비로소 설립된 遞信吏員양성소에서 부족 인원을 양성했지만 1911년까지 운영된 이곳에서 훈련받은 38명 가운데 조선인은 없었다.[41)]

41) 일본전신전화공사, 앞의 책 II, 57~59쪽. 1909년의 경우, 보통과 체신생은 14세 이상 18세 이하의 남자(우편국 근무자는 23세까지)로 보통과는 제1부, 제2부, 제3부로 나누었고 제3부는 우체소장이 추천한 사람으로 7개월의 훈련을 받아 졸업 후 그 우체국에 채용하는 조건부 선발이었다. 제1부의 학생들은 전신 사무에, 제2부 학생들은 우편 일반 사무에 종사시키기 위한 훈련을 1년 동안 실시했다. 이곳 졸업자들은 초임 33~40엔으로, 성적에 따라 판임관급에 등용했다.

1913년 일본으로부터의 기술자 파견만으로는 필요 전신요원 충원이 어려워지자 1913년 10월 체신사수전습생 양성규칙을 제정해 工務傳習所에서 체신 업무 담당학생들을 양성하기 시작했다. 즉 '한일통신조약' 체결 후 8년이 지나서야 비로소 조선의 전신망 인력 수급을 위한 제도가 수립된 셈이었다. 이 기관의 졸업자들은 대부분 일본인 남자로 조선인은 1915년에 단 3명만이 배출되어 전신 업무에 종사했는데 이는 일본인 여자 졸업자보다 적은 수였다. 또 당시 조선의 체신 업무를 담당했던 판임관급(주사)이 모두 1,162명(판임관급 이상 고급 관리요원을 합하면 모두 1,209명)에 이르렀지만 그 가운데 조선인은 세 명밖에 없었음은 일본이 병합 이후에도 여전히 조선인들을 체신 업무에서 배제시키고 있음을 의미했다.[42] 이처럼 일본으로 조선의 전신 사업권이 완전 이양된 이후 대한제국이 공들여 형성했던 전신 기술자들은 1905년 이후 대한제국 전신 역사에서 자취를 감추게 되었다.

42) 같은 책, 51쪽.

결 론

조선 정부는 개항 이후부터 새로운 통신 수단인 전신 기술을 도입해 전래의 역원과 봉수를 주축으로 한 군사 통신 제도를 개혁하려 했다. 그 결과 1904년 대한제국 정부의 전신 사업 규모는 전신 선로 총길이 6,400리, 전보사 30개를 넘는 수준에 이르러 목적한 바 근대 군사 및 행정 통신망을 확보할 수 있었다. 하지만 이 규모는 사업 운영 개시 이래 20년이라는 시간이 지났음을 감안하면 느리게 성장한 편이었다. 육로전신 가설길이는 다른 나라, 특히 전신 기술 생산국과는 비교조차 할 수 없을 정도였다. 전보사만 하더라도 1899년 독일, 미국에는 20,000개가 넘었고, 한반도보다 면적이 조금 큰 영국에도 10,000개 정도였으며 전신 기술 수입국인 일본에 760개, 또 영국의 식민지였던 인도에조차 3,300개가 설치되어 운영되었음과 비교하면 대한제국의 전보사 수는 매우 적었다.[1] 그러나 그 20년의 전신 사업 과정을 자세히 살펴보면 다른 이야기를 할 수 있다. 20년 가운데 약 14년은 전신도입을 모색하던

---

1) 『독립신문』, 1899년 4월 22일 ; D. R. Headrick, 앞의 책, 53쪽.

준비를 포함해 청과 일본에 의해 전신 사업 주도권이 점유된 기간이었다. 나머지 6년 간의 전신 사업 독자적 운영 시기에도 일본의 전신 사업권 침탈 행위가 지속되었기에 대한제국 정부는 전신 기술 생산국이나 일본에서처럼 민간전보사 설치를 허용할 수 없었고, 외국과 자유롭게 전신 선로 연접을 이룰 수도 없었다. 따라서 대한제국의 전신 사업은 대한제국 정부의 독점적인 활동에 의존할 수밖에 없었다. 1904년 대한제국의 전신 사업 규모는 전적으로 대한제국 정부가 군사 및 행정 정보 통신망을 대체하기 위해 전신 선로를 확장하고 전보사를 증설하며 전신인력을 배출함으로써 전신 사업을 지속적으로 확대하는 등 전신 체계를 구축하기 위해 노력을 기울인 결과였다.

1880년 이래 조선 정부의 전신 사업 전개에서 찾아볼 수 있는 특징 가운데 하나는 조선 정부가 자발적으로 전신 기술을 도입하려 했다는 점이다. 다른 전신 기술 수입국들이 대부분 전신 기술을 생산하는 선진 서양 제국의 소개 혹은 진입으로 전신 기술이 도입된 데에 반해 조선 정부는 전신 기술 관련 정보 수집과 기술 인력 양성을 자발적으로 시도해 소수이지만 전신 기술을 습득한 인력을 확보했다. 또 하나 지적할 수 있는 특징은 외세의 강한 간섭으로 전신 사업을 주도적으로 운영할 수 없었던 때에도 전신 사업을 포기하지 않고 주도권 회복을 위해 노력했다는 점이다. 그 원인의 하나로 당시 정부가 지녔던 전신에 대한 태도를 지적할 수 있다. 조선 정부는 당대의 현안이었던 군제 개편의 일환으로 제대로 작동하지 않는 전래의 군사통신망을 개혁해야 했는데, 전신 기술을 그 대안으로 간주했다. 따라서 전래의 통신수단인 역원과 봉수가 정부가 관할하는 제도였듯이 새로운 근대 통신기술인 전신제도 역시 조선의 행정 체계내로 흡수되어 조선 군사통신망 및 행정의 도구로 활용되었다. 또 이를 관리하고 운영하는 전신 기술자 역시 행정 체계내로 수용되어 관원의 지위를 확보했으며 전신 기술 인력을 잡과기술 인력 양성 방식으로 길러냈다. 전신 기술이 조선의 행정 체계내로 완전히 편입된 결과, 전신 제도는 국가 주권과 긴밀하게 연결되었다. 따라서 전신 사업 주도권을 침탈하려는 시도는 곧 국가의 주권을 침탈하려는 것과 같은 의미로 받아들여져 조선 정부는 이를 수호하기 위해 힘쓸 수밖에 없었다.

조선 정부의 전신 기술에 대한 태도는 전신 선로의 노선 설계에 그대로 투영되었다. 전신 선로는 조선의 주요 도로를 좇아 가설되어 서쪽으로는 한성-개성-평양-의주에, 남쪽으로는 영호남을 망라해 부산과 목포에, 그리고 북쪽으로는 원산과 함흥을 지나 경흥에 도달했다. 이 전신 기간 선로는 서로전선을 제외하고는 모두 조선 정부가 설계한 것으로, 전통적인 역원과 봉수로 노선을 좇고 있을 뿐만 아니라 남부 지방의 경우 영남과 호남 지방을 연결할 수 있게 설계되었다. 전신 선로가 지나가는 지역은 대부분 예전부터 조선의 행정과 군사의 요충지였고 새롭게 개항한 항구들을 포함했다. 조선 정부는 한반도의 동서남북을 잇는 4개의 기간선로를 통해 한반도 전역과 의사소통을 할 수 있게 되었다. 행정 통신망을 확보함에 따라 중앙 정부와 지방 관아 사이의 업무 연락은 대부분 이 전신 선로를 통해 이루어지게 된 것이다. 그 결과 중앙 정부와 지방 관아 사이의 공문서 수발 시간이 급격히 줄어들었다. 전신 선로 가설 이전, 서울부터 의주까지 1,050리의 거리를 말을 이용하는 騎撥은 이틀, 빠른 걸음의 인편인 步撥은 2~3일, 그리고 서울-경흥까지의 북로는 기발 4~5일, 보발 6일, 또 서울-동래는 기발 1~2일, 보발 2~3일 걸리도록 설계되었지만 이 시간이 지켜지는 일은 거의 없었다.[2] 동래에서 보낸

2) 南都泳, "朝鮮時代 軍事通信組織의 發達", 『韓國史論 9』(국사편찬위원회, 1981), 117쪽.

문서가 한성에 도달하는 데는 대부분 7일 정도가 걸렸고 경흥으로부터의 전갈은 12일이나 걸렸던 것이다.[3] 하지만 전신 기술을 도입함에 따라 공문서의 수발이 더 이상 지연될 이유가 없어졌다. 이는 중앙 정부가 국경이나 지방의 사정을 빨리 접할 수 있고, 민요나 병란과 같은 군사적 움직임에도 신속하게 대처할 수 있게 되었음을 뜻했다.

조선 정부가 전신 기술을 군 개혁의 일환으로 인식하고 있기는 했지만 청과 일본의 압박에 의해 전신 사업 주도권을 온전히 지켜내지 못했던 시기도 있었다. 청의 경우, 자국에서의 전신 기술에 대한 적대감에도 불구하고 전신의 실효성은 인식하고 있었다. 청 정부는 자국내에서 군사 정보 통신로를 확보하는 차원에서 군사 요충지를 잇는 전신 선로를 가설하고 있었고 조선의 전신선을 이 군사선에 편입시키려 했다. 임오군란과 갑신정변을 겪으며 일본보다 정보 입수가 늦었던 청은 조선의 사정을 신속하게 알 수 있는 서로전신선을 가설했던 것이다. 청 정부는 전신 선로 가설 및 운영을 독점했고, 조선 정부에게는 선로 가설 공사자금, 전신 선로 운영자금, 전신 선로 보호 인력의 제공과 같은 부담만을 지웠다. 일본 정부는 청 정부의 전신 사업권 독점에 강하게 반발하며 '부산구설해저전선조약'을 토대로 청과 동일한 시간에 정보를 입수할 수 있게 하는 남로전선을 요구했다. 일본 역시 조선에서의 전신 선로는 군사적 정보를 신속하게 전달시키는 통로로 간주했고, 남로전신을 통해 이를 실현하려 했다. 일본은 이에 만족하지 않고 1894년 임의로 경부간 군용 전선을 가설했으며, 1896년 조선에서 세력이 약화된 이후에도 지속적으로 불법 운영함으로써 군사통신망을 확보하는 한편 조선 정부의 자유로운 전신 사업 전개를 견제했다.

---

3) 『備邊司謄錄』 인조 20년 2월 21일.

청과 일본이 전신 선로를 단지 군사 정보 소통로로서 한정한 데에 반해, 조선 정부가 전신 선로에 부여한 역할은 훨씬 컸다. 초기 전신 기술을 봉수와 역원의 대체 체계로 여겼던 조선 정부는 조선의 동서남북을 잇는 기간선로를 확보하자, 이를 이용해 공문서를 신속하게 전달하려 했다. 전신 기술에 대한 인식의 확대는 지선을 신설하고 전보사를 증설하는 움직임으로 나타났다. 특히 1896년 전신 사업 주도권을 회복한 후 이 움직임은 더욱 더 활발해졌다. 지방의 주요 행정 지역을 중심으로 해마다 5개 이상의 전보사를 신설했던 것이다. 전신 선로를 관리 운영하는 전보사가 늘어나자 자연스럽게 일반인들이 전신망으로 좀 더 쉽게 접근할 수 있었다. 이 현상 역시 조선 정부의 전신 기술에 대한 인식의 지평을 넓히는 데에 기여했는데, 조선 정부가 전신 사업에 수익 사업의 역할도 부여하기 시작한 것이다. 1881년 일본에 파견된 조사들이 보고한 이래 수익 사업으로서의 전신 사업에 대한 기대가 없었던 것은 아니었지만 청과 일본에 의해 전신 사업권을 제한당했던 1885년부터 1896년 이전까지는 그런 기대를 실현하는 일은 쉽지 않았다. 그리고 전신 사업을 주도적으로 행했던 시기에도 군사 정보 통신로의 확보와 행정 통신망의 구축이라는 목적의 달성이 우선되었던 만큼 수익 사업은 부수적인 것으로 여겨질 수밖에 없었다. 하지만 전신 사업이 안정적으로 운영되기 시작하자 이 수익 사업에 대한 기대가 다시 부각되었고, 이는 1905년 전보사 증설 계획으로 표면화되었다.

전신 사업의 확대는 전보사의 증설을 낳았고 이는 기술 인력의 증원을 필요로 했다. 조선 정부는 전신 기술 도입을 모색했을 때인 1880년 즈음부터 전신 기술 인력을 확보하기 위해 노력했다. 기술 습득을 위한 주요 통로는 청과 일본이었다. 이들 나라로 파견했던 유학생을 중심으로 전신 학교를 설립, 운영하려 했던 조선 정부의 계획은 청의 전신 사업 주도권 점유로 무산되었지만, 전신 기술 인력을 확보하려는 노력 자체를 포기한 것은 아니었다. 전신 사업에 관한 권한을 거의 가지지 못했던 시기에도 화전국으로의 학도 파견, 조선전보총국에서의 기술 인력 양성, 공무아문에서의 전보학교 운영 등 조선 정부는 기술 인력을 확보하기 위해 가능한 노력을 지속했다. 이런 기술 인력 양성 노력은 1896년 전신 사업을 전면적으로 확대했던 시기에 큰 힘을 발휘했다.

그렇다고 전국적으로 확산되고 사업규모가 커지는 전신 사업을 충족할 수 있을 정도로 충분한 인력을 확보했던 것은 아니었다. 증설된 전보사의 직원을 충원하기 위한 정부의 무리한 속성 충원계획은 오랜 기간 학습을 요하는 전신 기술 특성상 현실적이지 못했다. 정부는 부족한 전신 기술자를 확보하기 위한 근본적인 대책을 수립해야 했는데, 이는 전신학교 재정비로 구체화되었다. 이 계획은 한성전보학당을 중심으로 진행되었다. 전문인력 양성을 위한 정비된 체제 속에서 엄격한 심사를 거쳐 선발된 학도들은 정해진 기간동안 오직 전신 기술을 습득하는 일에만 전념했다. 정규과정에서 훈련받은 전문기술자들이 배출되기 시작하면서 전신 사업은 더 확장될 여지가 마련될 수 있었고, 당시 사회에서는 드물게 근대 과학기술을 훈련받고 자신들의 기술력에 자부심을 가진 전문인 집단이 형성될 수 있었다. 150명에 가까웠던 전신 기술자 집단은 일본이 전신 사업권을 강점하기 전까지 조선의 전신망을 큰 과오없이 운영, 관리했다. 그러나 1905년 한일통신협정으로 한국인 전신 기술자들은 일본인 기술 집단으로 대체되었다. 그 결과 대한제국 정부의 기술 인력 확보 노력은 무산되었고 한반도에는 조선인 전신 기술 인력은 사라지게 되었다.

대한제국의 전신 기술 인력이 자신의 기술력에 자부심을 가지기는 했지만 이들이 보유한 기술력은 당대 서양 전신 기술자들과 비교하면 부정적인 평가를 면하지 못할 것으로 보인다. 비록 대한제국 전신 기술자들이 송신하는 전보타수가 1분에 40타 이상으로 서양의 기술자들보다 많았지만, 이미 서양의 전신 기술자들은 1분에 400타를 전송하는 대량송신기를 발명하는 등 끊임없이 전신 기술을 개량하거나 새로운 기술을 생산해내고 있었기 때문이다. 그들은 전신 기술 생산국의 전신 기술 발전과 관련한 정보를 수입할 수 있는 통로를 가지지 못했다. 그들의 스승이었던 뮐렌스테스조차 조선에 정착한 지 10여 년이 훨씬 지났기 때문이었다. 그들은 전신기기를 조립하고 관리하고 수리하는 이상의 업무 능력을 발휘하기 어려웠다. 이런 문제를 해결할 수 있는 계기가 전보학당의 재정비로 마련되었지만 이 일은 일제가 전신권을 침탈하기 겨우 3, 4년 전의 일이었다. 이 학교를 통해 전문적인 기술을 습득한 기술자들이 배출되어 전신 기술 수준 향상을 위한 토대를 구비하자마자 일제는 전보학당을 폐쇄시켰다. 결과적으로 조선 정부 주도하의 전신 사업 시기 전신 기술 능력 향상은 이루어질 수 없었다.

조선은 서양의 전신 기술을 직접 수입할 수 없었던 정치적 상황 때문에 전신 기술을 청과 일본으로부터 수입할 수밖에 없었다. 청의 전신 기술은 조선보다 고작 2, 3년 빠른 정도에 불과했고, 청 정부가 전보학교를 설립해 기술 인력을 양성했다고 하더라도 이들 전보학교의 대부분이 속성 과정인 까닭에 전신 기술 인력의 수준 역시 높지 않았다. 이런 청에 의해 조선에 모스 전신기가 도입되었다. 이 기기는 당시 전 세계적으로 보편적으로 이용되던 것으로, 이를 관리하고 운영하는 데에 필요한 기술은 간단했다. 모스 전신기에 필요한 기술은 정보를 송수신할 때 부호를 변환하는 것과 전신기 수리와 관리에 지나지 않았다. 전신선 관련 기술에서도 군사 정보 통신선 이상의 의미를 조선의 전신 선로에 두지 않았기 때문에 청나라는 전신선의 효율을 높이거나 정보송수신 양을 늘리기 위한 배속기류의 기기를 도입하지 않았다. 이런 기술력은 조선 정부에도 그대로 이어졌는데, 조선 정부로서는 한 전신선의 효율을 증가시키는 것보다 전신지선을 확장해 전신권역을 넓히는 것을 더 큰 과제로 삼았으므로 배속기를 도입하기보다는 전신 선로 지선 확보에 더 큰 관심을 쏟았다.

반면 한일통신협정 이후 일본은 조선 정부와는 다른 기술 정책을 폈다. 일본체신성은 한반도의 정탐보고와 식민지화 작업을 위해 일본에서 한성 지역으로의 회선에 전신이 집중될 수밖에 없을 것으로 판단하고, 이를 기존전신 선로의 효율을 높이는 배속기를 설치함으로써 해결하려 했다. 이는 전신 사용지역을 확산하려 했던 대한제국 정부의 정책과는 다른 것이었다. 일본으로서는 조선에서의 전신 사업 기본 구도가 한반도 지배를 수월하게 하며 만주로의 진출을 보조하는 도구를 확보하는 일이었으므로 이에 위배되는 지역으로 전신 선로를 확대할 필요가 없었다. 이처럼 전신 체계를 이루는 요소들 가운데 가장 전신 사업 주도권의 향배로부터 독립적일 것으로 여겨지는 전신 기술조차 이로부터 자유로울 수 없었다.

전신 선로가 확장됨에 따라 전신을 이용하는 층이 다양해지기 시작했음은 앞에서도 지적했다. 기간선로에 군사적, 행정적 요충지에만 전보사가 가설되었던 1895년 이전의 전신 이용층은 조선 정부, 조선주재 공사관, 조선에서 사업을 전개하는 외국 상인이 대부분이었으나 지선이 설치되고 단위전보사가 늘어나 전보사로의 접근성이 향상됨에 따라 전신의 민간이용이 증가했다. 조선의 전신 이용자들은 오스만투르크에서처럼 왕과의 소통을 목적으로 하거나 전국의 스파이들이 정탐 내용을 보고하기 위해서가 아니라 사적인 소통을 위해 전신을 이용했다. 조선 정부는 민간의 전신 이용을 돕기 위해 청이나 일본이 전신 사업을 주도했을 때에는 없었던 전신배달부라는 직능을 전보사에 편성하고 전보관련민원을 해결하기 위해 노력했다. 이런 노력의 결과 전신 이용료가 비싼 편이었음에도 불구하고 전신을 이용하는 민간인들은 꾸준히 증가했다. 그리고 신문사가 전신 이용자로 새롭게 등장했다. 당시 신문사들은 외국 통신회사와 계약을 체결해 세계의 움직임을 전송받기 시작했던 것이다. 이전 이들 신문에 실린 세계 소식은 청과 일본의 신문이나 잡지를 재인용한 것이었으나 1896년 이후 신문사들은 세계 정세와 관련한 정보를 직접 입수하고 신속하게 보도하기 위해 외국 통신회사와 계약을 맺었다. 각 신문의 외신 보도는 신문의 전면에 배치되는 일이 늘어났고 정보의 양도 증가했으며 그 결과 조선 백성들은 세계 정세를 비교적 빠른 시간에 청과 일본의 검토를 거치지 않고 직접 접할 수 있게 되었는데 이는 전적으로 전신망의 안정적 운영으로 가능한 일이었다.

이 같은 민간에서의 전신 이용의 증가는 전신 사업의 수익구조를 개선시키는 기반이 되었다. 1903년의 수입은 지출을 상회할 정도로 증가했는데 이는 전신 사업이 더 이상 정부재정을 고갈시키지 않게 되었음을 의미했다. 물론 이 수익구조에는 전신 사업에 대한 정부 투자분이 결산되지 않았지만 대한제국 전신 사업 수입의 꾸준한 증가가 가지는 의미는 컸다. 대한제국 정부의 전신 사업의 흑자 전환은 한반도를 강점하려는 일본에게 그 전제조건인 전신 사업을 탈취하는 일이 어려워짐을 뜻했다. 따라서 일본은 조선 전신 사업의 신속한 점유를 목표로 삼아 1904년 러일전쟁을 빌미로 대한제국의 전신 선로를 탈취했고 이듬해 한일통신협정을 강제했던 것이다.

조선 전신 사업 운영에서 중요한 위치를 점하는 요소 가운데 하나는 정부의 중앙 총괄기구라고 할 수 있다. 정부가 전신 선로를 전래의 군사 정보망을 대체하는 것으로 인식했기 때문에 이 작업을 총괄하는 중앙 정부 기구를 마련했다. 우정사, 우정총국, 조선전보총국, 전우총국, 통신

국, 통신과, 통신원으로 이어지는 전신 사업의 중앙 총괄기구는 사업에 필요한 법제를 정비하고, 전신 선로 노선을 설계하고, 전신수리를 관장하며 전신인력을 관리했다. 이 중앙 관리기구는 중앙 정부 조직내에 구성되거나 또는 독립된 부서로 만들어졌는데 특히 후자의 경우 고종이 직접 관리하도록 편재되었다. 전신담당 부서가 가장 위축되었을 때는 1894~1895년 정부조직이 통폐합되었을 때로, 이는 일본이 전신 사업권을 점유할 것을 염두에 두고 조선 정부의 통신담당 부서를 축소시켰던 탓이다. 대한제국 정부가 전신 사업의 전권을 장악하면서 사업이 확장되자 중앙총괄기구를 통신원으로 확대개편했다. 이 기구는 황제 직속의 부서로서 군사 행정 통신망을 근대적으로 재편하는 일을 지휘하기에 부족하지 않은 법적 지위를 보장받았다.

이와 같은 중앙 관리기구의 편재는 대한제국 정부가 전신 사업을 부국강병의 도구로 인식했음을 보여주는 일이었다. 특히 대한제국 정부가 전신 기술에 군사적으로 중요한 가치를 부여하고 있음은 이 사업의 지휘를 담당했던 사람들의 前歷에서도 찾아볼 수 있다. 우정사 협판을 거쳐 우정총국 초대 총판에 임명되었던 홍영식은 朝士로서 일본에 파견되었을 때 일본의 육군을 시찰했고, 귀국 후 統理機務衙門의 軍務司副經理事가 되었으며, 副護軍으로서 임오군란을 수습했을 뿐만 아니라 함경북도병마수군절도사 겸 안무사, 협판군국사무, 병조참판에 임명된 인물이었다. 그리고 조선전보총국 총판이었던 조병직은 홍영식 만큼 화려하지는 않지만 1884년 함경도병마수군절도사 겸 안무사로 활동했다. 대한제국기 통신원 총판이었던 민상호 역시 陸軍參將을 겸임했다. 이처럼 전신을 포함한 근대 통신 체계를 총괄했던 首將들 대부분이 군과 깊은 연관을 맺고 있음은 정부의 통신 제도에 대한 인식의 일단을 보여주는 일이라고 할 수 있다. 이와 같은 정부 총괄기구와 군무와의 관계는 전신 사업이 조선의 관료체계 내에서 수용될 수밖에 없음을 보여주는 일이기도 하다.

그리고 조선 전신 사업이 관료체계 내에서 이루어진 일임을 보여주는 또 다른 예는 전신 기술 인력 양성 방식이었다. 정부에서 필요한 기술 인력을 잡과를 통해 충원했던 조선 정부는 오래 전부터 잡과 지원자들에 대한 교육을 정부차원에서 수행했었다. 엄격한 시험을 통해 선발된 이들은 그 분야의 전문 숙련 관원들로부터 교육을 받았으며, 정부로부터 학습에 관한 모든 물품을 지원받으며 기술 습득에만 힘을 쏟았다. 그들은 시험을 거쳐 선발되었지만 채용 시험을 다시 치루어 합격을 해야 비로소 관원으로 채용될 수 있었다. 이러한 방식은 재정비된 전보학당에서 전무 학도를 양성할 때 그대로 채용되었다. 학도들의 학습에 필요한 물품은 모두 관급이었고, 학비는 따로 징수하지 않았으며, 이들의 선발, 훈련, 채용은 모두 중앙 정부기구인 통신원에서 관장했던 것이다.

고종시대 전신 사업은 전래의 통신 제도를 신기술을 도입해 개혁하려는 국가통치 차원의 사업이었다. 자발적으로 전신 기술을 도입하려 했고 이를 정부 체제내에 수용했던 것이다. 하지만 당시 상황에서 조선 정부가 자주적으로 전신 기술 도입을 수행할 수 없었다. 전신 사업에서 조선 정부를 배제하려는 청과 일본에 의해 조선의 전신 기술에는 제국주의 팽창의 도구와 부국강병을 위한 도구로서의 의미가 혼재하게 되었고, 이런 조선 전신 사업의 양면적 성격으로 인해 전신 사업권을 둘러싼 각축은 매우 치열하게 전개되었다. 청과 일본의 세력이 강해 전신 사업권을 점유했던 때에도 조선 정부는 이 주도권을 환수하려는 노력의 끈을 놓지 않았다. 그리고 조선 정부가 전신 사업을 주도적으로 전개할 때, 일본 역시 조선에서의 전신 사업을 포기하지 않았다. 이는 한반도 전신 사업이 조선 정부에게 중요했던 만큼이나 일본 정부에게도 중요했기 때문이었다. 일본에게 전신 사업은 한반도에서의 세력 강화뿐만 아니라 만주 진출을 위한 교두보로 제국팽창의 필수조건이었던 것이다.

이런 양면성은 전신 사업에 투자되는 인력, 비용에도 영향을 미쳤다. 청이나 일본이 자국의 필요에 의해 가설하는 전신선의 경우에도 투자비용과 전신선관리를 위한 하급 인력을 조선 정부가 부담하는 경우가 대부분이었고, 이를 관리 운용하기 위한 전보사 설치비, 토지 제공과 인건비 역시 조선 정부가 담당했다. 주도권이 언제 바뀔지 모르는 조선에의 투자를 극도로 억제했던 것이다. 반면 조선 정부는 사업 전개 초기에 청에 의해 중지된 전신도입 사업을 지속적으로 추진하기 위해, 기회가 닿을 때마다 전신 선로 가설을 위한 비용을 부담했고 그 대가로 전신 사업권을 회수하려 했다. 조선 정부가 주도적으로 사업을 전개했을 때에는 전신 선로 구축과 인력 관리 및 양성에 필요한 투자를 아끼지 않았다. 이런 전신의 이중성은 민간인들의 태도에 반영되었다. 제국 팽창의 도구의 성격이 강할 때에는 전신 선로 훼손과 절단과 같은 저항을 시도하며 적대적 감정을 표출했지만, 행정 소통망 개혁의 도구로 인식되는 시기에는 이를 사적 정보의 소통로로 이용하는 일을 주저하지 않았기 때문이다. 조선 백성들도 전신에 대해 이중적 태도를 보인 것이다.

일본이 전신 사업의 전권을 장악하게 되자 전신 체계를 형성하는 모든 요소들의 성격이 변했다. 전신 선로는 지방으로의 확장보다는 한반도 장악과 만주로의 진출을 위한 도구에 알맞은 구조로 바뀌었다. 한반도의 남북 선로가 보강되었고 전신 기술은 가설된 전신선의 효율을 증가시키는 방향으로 전환되었다. 전신 이용자는 일본 정부와 일본 통감부, 각 지역에서 항일의병전쟁을 저지하기 위해 활동하는 일본군, 그리고 조선 각지에서 활동하는 일본인들이 큰 비중을 차지했다.

이처럼 전신 사업의 주도자가 바뀔 때마다 전신 체계의 여러 요소들이 많은 영향을 받았으므로 전신 사업의 주도권이 다른 어떤 요소들보다 조선의 전신 체계에 가장 큰 영향력을 행사하는 요소였다고 할 수 있다. 궁극적으로 전신 사업의 주도권은 국가의 주권과 깊은 연관이 있는데 전신 사업 주도권이 침탈당하는 상황은 곧 국가의 주권이 침탈당하는 상황을 반영했다.

조선의 국가 행정 통신망 개혁을 위한 1880년대 이래의 전신 기술의 도입과 사업 운영은 조선에서의 역사적 의의는 매우 컸으나 전 세계의 전신 역사 속에서는 미미한 움직임에 불과했다. 조선의 전신 기술 수준은 세계 전신 기술의 발전에 아무런 기여를 하지 못했을 뿐만 아니라 심지어 하루가 다르게 발전한 세계 전신 기술을 수용하는 일조차 하지 못했다. 조선의 전신 기술은 1880년대 중반 청에 의해 이식된 수준에서 벗어나지 못했으며 세계 전신 선로 확장에도 기여할 수 없었다. 조선의 영토는 너무 좁았고 당시 일본의 견제로 인해 조성된 사업 환경으로 정부는 전신 사업을 독점 운영할 수밖에 없었으므로 전보사수는 매우 제한적으로 증가할 수밖에 없었다. 또 1890년대 말 마르코니에 의해 개발되어 1900년대 초반에 상용되기 시작한 무선전신을 도입하는 일도 가능하지 않았다.

이처럼 세계 전신 기술사에 대한 조선 전신 기술의 기여는 미미했지만, 한반도의 지정학적 위치를 고려할 때 조선의 전신선은 매우 중요한 의미를 지니고 있었다. 조선은 만주와 러시아로 연결되는 통로였다. 따라서 조선에서의 전신선은 만주와 러시아로 연결되어 유럽과 아시아의 육로전신선을 완결시키는 핵심고리 역할을 담당할 수 있었다. 즉 조선의 전신 선로가 시베리아의 전신선으로 연결되면 나가사키–부산 구간만을 제외하고는 굳이 비싸고 관리하기 힘든 해저선을 통해서가 아니라 육로전신선으로 연결시킬 수 있었던 것이다. 이처럼 한반도의 전신선은 전 세계 전신망에서 차지하는 위치에서 뿐만 아니라 청으로서는 일본의 대륙진출과 러시아의 남하를 저지하기 위해, 그리고 일본으로서는 대륙으로의 진출을 위해서도 중요했다. 일본이 아시아에서의 패권을 차지하는 제국으로 발돋움할 수 있었던 것은 조선 전신선을 확보했기 때문에 가능한 일이었다고 평가할 수 있다.

조선 정부가 전신 기술을 도입해 국가의 신경망으로 운영한 20여 년의 경험과 그 효과는 전신 기술을 수입해 운영했던 다른 나라들과 달랐다. 전신 선로가 오스만투르크 제국의 형성과 몰락에 기여했고 또 일본에서는 부품 생산을 통한 관련 산업부문의 성장과 중국으로의 진출과 같은 제국의 팽창에 기여했지만, 조선에서는 사업을 추진하는 동안 대부분의 시간을 전신 사업권을 침탈하려는 제국들로부터 이를 수호하기 위해 할애해야 했다. 오스만투르크나 청 정부처럼 전신 사업을 일부분도 포기할 수 없었던 것은 국토가 넓지 않았기 때문이기도 했지만 전신 선로가 군사적, 행정적으로 매우 중요하다는 조선 정부의 자각이 있었기 때문이기도 했다. 조선 정부는 전신 사업의 주도권을 조선의 국권과 긴밀하게 연결시켰으나 그 결과 주권의 상실이 곧 전신 사업권의 상실로 이어지게 하는 결과를 낳았다. 이는 곧 주권이 상실되지 않는 한 전신 사업의 주도권도 포기되지 않을 수 있음을 의미하는 일이기도 했다.

조선 정부는 조선의 전신 기술자가 만든 전신수신기를 파리박람회에 출품할 정도로 새로운 근대 통신망의 한 축을 담당했던 전신 사업을 자랑스러워했다. 이 전신 기술이 자발적 의지에 의해 도입이 준비되고 청과 일본의 영향력이 강했던 시기조차 자주적 사업 전개를 위해 노력했던 만큼 전신 기술은 한국과학기술사에서 중요한 의미를 지닌다. 조선 정부의 전신 사업으로 인해 1900년대 초반 근대과학지식으로 무장한 전문기술 인력 집단이 존재할 수 있었고 이들의 양성을 위한 훈련 과정은 근대 서양과학지식을 수용하는 통로 역할을 담당했다. 또 전신이 역원과 봉수처럼 정부의 독점 이용 통신망이 아니었으므로 대한제국의 백성들은 근대 기술인 전신을 통해 급한 소식을 전할 수 있었고 중요한 소식과 국제적인 소식도 빨리 접할 수 있었다. 대한제국 사회가 정보의 확산이라는 세계적 흐름에 합류하기 시작했음을 의미하며 접하는 정보량도 급격히 증가했음을 뜻했다. 이는 더 나아가 정부의 전신 사업은 대한제국 정부가 수행한 근대 기술 도입을 통한 구체제 개혁 사업의 시금석이기도 했다. 그러나 한일통신협정에 의해 변화된 전신 체계는 더 이상 대한제국 사회의 발전에 기여할 수 없었다. 전신 사업의 주권을 일본이 장악함에 따라 대한제국이 개항이래 수행한 전신 사업을 위한 노력과 결과들이 해체되었다. 그리고 일본에 의해 식민지배를 위한 통신 제도로 재구성되어 변형되었다.

참고문헌

1차 자료

1. 연대기 및 신문류

『正祖實錄』
『中宗實錄』
『宣祖實錄』
『고종시대사』(국사편찬위원회 영인, 1972)
『고종실록』
『備邊司謄錄』
『承政院日記』
『日省錄』
『漢城旬報』
『漢城周報』
『황성신문』
『독립신문』
『제국신문』

2. 법전류

『經國大典』 卷4, 「兵典」
『增補文獻備考』 兵考 18
朴志泰 편저, 『대한제국정책사자료집 Ⅷ』(선인문화사, 1999).

3. 전신 사업 관련 문서류

金澈榮, 『搖籃日記,』(한국통신영인, 1993).
『寄報章程』(한국통신 영인, 1994).
『電報章程』(한국통신 영인, 1994).
『朝鮮電信誌』(遞信省 通信局, 1895).
우정100년사편찬실 편, 『우정부사료 제5집』(1982).
『電報處辨案』(우정박물관 고서목록 B0000-097-01).
『學徒處辨案』(우정박물관 소장 B00001-060-01).
統理交涉通商事務衙門 편, 『電案』(규 17740).
統理交涉通商事務衙門 편, 『統記』(규 18736).

체신부, 『대한민국체신연혁』(체신부, 1971).
체신부, 『郵政事業史』(체신부, 1964).
電氣通信事業八十年史編纂委員會 編, 『電氣通信 八十年史』(체신부, 1966).
체신부, 『電氣通信事業 100年史 上』(1985).
일본전신전화공사, 『外地海外電氣通信史資料 韓國之部 Ⅰ, Ⅱ』(체신부, 1966).
電信總局 편, 『中國電信紀要』(1961).

4. 외교문서류

『駐韓日本公使館記錄』(국사편찬위원회 영인, 1986).
外務省 編纂, 『日本外交文書』(태산문화사 영인, 1986).
『舊韓國外交文書』「日案」, 「淸案」, 「德案」, 「美案」, 「俄案」(고려대학교 아세아문제연구소 영인, 1965).

5. 외국파견 사신 보고서류

金綺秀, 「日東記游」, 國史編纂委員會 편, 『韓國史料叢書 9, 修信使記錄』(1971).
金綺秀, 「修信使日記 卷1」, 國史編纂委員會 편, 『韓國史料叢書 9, 修信使記錄』(1971).
金允植, 「陰晴史」, 어윤중·김윤식 지음, 『從政年表, 陰晴史』(국사편찬위원회 영인, 1958).
김윤식, 「追補陰晴史」(국사편찬위원회 간, 1972).
김홍집, 「修信使日記 卷2」, 國史編纂委員會 편, 『韓國史料叢書 9, 修信使記錄』(1971).
姜文馨, 『工部省』, 허동현 편, 『朝士視察團關係資料集 12』(國學資料院 영인, 2000).
趙準永, 「聞見事件」, 허동현 편, 『朝士視察團關係資料集 12』(國學資料院 영인, 2000).
閔種默, 「聞見事件」, 허동현 편, 『朝士視察團關係資料集 12』(國學資料院 영인, 2000).
朴定陽, 「日本國見聞條件」, 허동현 편, 『朝士視察團關係資料集 12』(國學資料院 영인,

2000).
李鑢永, 「日槎集略」, 허동현 편, 『朝士視察團關係資料集 14』(國學資料院 영인, 2000).

6. 한역과학서류

傚爾賜 역, 『電報節略』(同治12(1873, 규중 5312).
瑙挨德(英) 著, 傅蘭雅 口譯, 徐建寅 筆述, 『電學』(1879, 규중 2994).
傅蘭雅 역, 『電學圖說』(1887, 규중 5328).
傅蘭雅 編, 『電學須知』(1887, 규중 5789).
傅蘭雅(英), 『微積須知』(1888, 규중 5818의 1, 2).
傅蘭雅(英), 『曲線須知』(1888, 규중 5822의 1, 2).
傅蘭雅(英), 『代數須知』(1887, 규중 5817).
傅蘭雅(英), 『三角須知』(1888, 규중 5816).
傅蘭雅, 『化學須知』(1886, 규중 5811의 1, 2).
田大里(英)輯, 傅蘭雅(英)口譯, 『電學綱目』(光緖年刊, 규중 3050).
鄭觀應, 『易言』(연세대학교 소장, 국역본).
合　信, 『博物新編』(江蘇上海墨海書館藏板, (咸豊5년(1855), 규중 4922).

7. 인명록류

『朝鮮總督府及所屬官署職員錄』(조선총독부).
국사편찬위원회, 『大韓帝國官員履歷書』(1972).
안용식, 『大韓帝國官僚史研究』 1, 2(연세대학교 사회과학연구소, 1997, 1998).
정신문화연구원, 『朝鮮時代雜科入格者總攬-잡과방목의 전산화』(1990).

8. 기타 자료

러시아 대장성 편, 『국역 한국지』(한국정신문화연구원, 1984).
G. W. 길모어, 신복룡 옮김, 『서울풍물지』(집문당, 1999).
申福龍 외 옮김, 「데니문서, 묄렌도르프 문서」, 평민사, 1987.
Horace. N. Allen, 김원모 역, 『알렌의 日記』(단국대학교 출판부, 1991), 103쪽.
崔漢綺, 「神機踐驗 下」, 『韓國科學技術史資料 20』(여강출판사 영인, 1988).
黃　玹, 『완역 梅泉野錄』(敎文社 영인, 1996).
『周禮』
『孟子』

9. 외국전신 기술관련 원전류

Smith, J. E. *Manual of telegraphy designed for beginners* (14th ed. 1876, [electronic resource:http://www.hti.umich.edu.myaccess.library.utoronto.ca/cache/ajr4251]).
W. H. Preece & J. Sivewright, *TELEGRAPH* (1876, [electronic resource 〈http://www.hti.umich.edu.myaccess.library.utoronto.ca/cache/ajr4251]).

2차자료

1. 저서

교수신문 기획·엮음, 『고종황제 역사 청문회』(푸른역사, 2005).
구완희, 『한말 제천의병 연구』(선인, 2005).
국사편찬위원회 편, 『한국사 38 : 개화와 수구의 갈등』(1999).
權錫奉, 『清末對朝鮮政策史研究』(一潮閣, 1986).
김근배, 『한국근대 과학기술 인력의 출현』(문학과 지성사, 2005).
김연희, 『한국근대과학형성사』(들녘, 2016).
김영식, 김근배 엮음, 『근현대 한국사회와 과학』(창작과 비평사, 1998).
김원모, 『한미수교사』(철학과 현실사, 1999).
나애자, 『韓國 近代 海運業史 研究』(국학자료원, 1998).
柳永益, 『甲午更張研究』(一潮閣, 1990).
文一平, 『韓美五十年史』(朝光社, 1945).
박은경, 『일제하 조선인 관료 연구』(학민글밭, 1999).
宋炳基, 『近代韓中關係史研究』(단대출판부, 1985).
유길준, 김태준 역, 『서유견문』(박영사, 1982).
李光麟, 『開化派와 開化思想研究』(一潮閣, 1989).
李萬珪, 『朝鮮教育史 上』(한국학진흥원 영인, 1987).
이태진, 『고종시대의 재조명』(태학사, 2000).
정재정, 『일제침략과 한국철도(1892~1945)』(서울대학교 출판부, 1999).
陳偉芳 著, 權赫秀 譯, 『清日甲午戰爭과 朝鮮』(백산자료원, 1999).
최문형, 『국제관계로 본 러일전쟁과 일본의 한국병합』(지식산업사, 2004).
최문형, 『한국을 둘러싼 제국주의 열강의 각축』(지식산업사, 2001).
崔文衡, 『제국주의시대의 列强과 韓國』(民音社, 1990).
톰 스탠디지(Tom Standage) 지음, 조용철 옮김, 『19세기 인터넷과 텔레그래프 이야기』

(한울, 2001).
한국과학기술진흥재단 엮음, 『세계자연과학사대계 XVII : 한국과학사』(1987).
한국역사연구회, 『1894년 농민전쟁연구(3)』(역사비평사, 1993).
한철호, 『親美開化派研究』(국학자료원, 1998).
許東賢, 『近代韓日關係史研究』(國學資料院, 2000).
Daniel R. Headrick, *the Invisible Weapon*(New York Oxford univ.1991).
Tessa Morris-Suzuki, *The Technological Transformation of Japan*(Cambridge univ. press, 1994).

2. 논문

具仙姬, "갑신정변직후 反淸政策과 청의 袁世凱 파견", 『史學研究』 51(1996), 33~79쪽.
具仙姬, "개항기 관제개혁을 통해본 권력구조의 변화", 『한국사학보』 12-0 (2002), 307~335쪽.
權大植, "初創期 韓國電氣通信事業史에 關한 研究"(건국대학교 행정대학원 석사학위논문, 1985).
권석봉, "영선사행고", 『淸末 大朝鮮政策史研究』(一潮閣, 1997), 145~188쪽.
權泰檍, "1904~1910년 일제의 한국 침략 구상과 '시정개선'", 『韓國史論』 31 (2004), 213~260쪽.
權泰檍, "1910년 일제 식민통치의 기조", 『韓國史研究』 124(2004), 207~232쪽.
김도형, "개항이후 보수유림의 정치, 사상적 동향", 『1894년 농민전쟁연구 3』(역사비평사, 1993), 209~242쪽.
김동수, "갑오개혁기의 지방제도 개혁", 『전남사학』 Vol.15-0(2000), 1~62쪽.
김연희, "고종시대 서양 기술 도입 : 철도와 전신 분야를 중심으로", 『한국과학사학회지』 25-1(2003), 87~121쪽.
김연희, "영선사행 군계학조단의 재평가", 『한국사연구』(2007.06), 227~267쪽.
김연희, "『한성순보』 및 『한성주보』의 과학기술 기사로 본 고종시대 서구 문물 수용 노력", 『한국과학사학회지』 33-1(2011), 1~39쪽.
김연희, "1880년대 수집된 한역 과학기술서의 이해", 『한국과학사학회지』 38-1(2017), 71~119쪽.
김영경 외, "제중원의학당 입학생의 신분과 사회진출-李鎌來를 중심으로" (『醫史學』 2001년 6월).
金泳鎬, "韓末西洋技術의 受容", 『아세아연구』 11-3(1968), 295~348쪽.
김용구, "『易言』에 관하여", 『세계관 충돌과 한말 외교서, 1866~1882』(문학과 지성사, 2001), 325~335쪽.
金容燮, "韓末에 있어서의 中畓主와 驛屯土 地主制", 『東方學志』 20-0(1978), 35~84쪽.

김용욱, "조선조 후기의 봉수제도", 『법학연구』 44-1(부산대학교 법학연구소, 2003), 127~151쪽.
金源模, "遣美使節 洪英植 復命問答記", 『사학지』 제15(1981), 207~230쪽.
金源模, "遣美使節 洪英植 硏究", 『사학지』 제28집(1995), 289~326쪽.
金源模, "朝鮮報聘使의 美國使行(1883) 硏究(上)", 『東方學誌』 49집(1986), 36~87쪽.
金源模, "朝鮮報聘使의 美國使行(1883) 硏究(下)", 『東方學誌』 50집(1986), 333~381쪽.
金正起, "1880年代 機器局, 機器廠의 設置", 『한국학보』 1(1987), 91~118쪽.
金正起, "西路電線(인천-한성-의주)의 架設과 反淸意識의 形成", 『김철준박사화갑기념논문집』(지식산업사, 1993), 799~822쪽.
金正起, "조선 정부의 淸借款導入(1882~1894)", 『韓國史論』 3(1976), 403~489쪽.
金正起, "朝鮮政府의 獨逸借款導入(1883~1894)", 『韓國史硏究』 39권(1982), 85~120쪽.
金鍾圓, "朝·中商民水陸貿易章程에 대하여", 『역사학보』 32(1966), 120~169쪽.
김현목, "한말 역학생도의 신분과 기술직 중인의 동향", 『한국근대 이행기 중인연구』(신서원, 1999), 339~404쪽.
南都泳, "朝鮮時代 軍事通信組織의 發達", 『韓國史論 9』(국사편찬위원회, 1981), 73~143쪽.
朴星來, "開化期의 科學受容", 『韓國史學 1』(한국정신문화연구원, 1980), 251~268쪽.
朴星來, "大院君時代의 科學技術", 『한국과학사학회지』 2-1(1980), 3~15쪽.
朴星來, "漢城旬報와 漢城周報의 근대과학 수용노력", 『언론학보』 16집(1983), 39~73쪽.
朴正圭, "漢城旬報와 周報에 관한 연구", 『신문학보』 16호(1983), 23~31쪽.
박찬승, "한말 驛土 屯土에서의 지주경영 강화와 抗租", 『韓國史論』 9(1983), 255~338쪽.
裵英淳, "韓末 驛屯土에서 所有權 紛爭", 『韓國史硏究』 25(1979), 361~404쪽.
宋炳基, "開化期 日本留學生 派遣과 實態(1881~1903)", 『東洋學』 18-1(1988), 249~272쪽.
宋炳基, "소위 '三端'에 대하여-近代韓淸關係史의 한 연구", 『史學志』6(1972), 93~128쪽.
신동원, 『한국근대보건의료체제의 형성, 1876~1910』(서울대학교 박사학위논문, 1996).
신용하, "한말 지식인의 위정척사사상과 개화사상", 『한국근대사회사상사연구』(일지사, 1987), 306~348쪽.
辛太甲, "洋務運動 時期의 電信 事業 經營", 『釜山史學』 23집(1992), 131~161쪽.
阿部洋, "舊韓末の日本留學", 『韓』 3-5(1974), 63~127쪽.
延甲洙, "『內閣藏書彙編』 解題", 『奎章閣』 16(1993), 125~250쪽.
延甲洙, "개항기 권력집단의 정세인식과 정책", 한국역사연구회 편, 『1894년 농민전쟁연구 3』(역사비평사, 1993), 93~145쪽.

柳炳魯, "대한제국시대 전기통신의 도입에 관한 연구"(충남대학교 석사학위논문, 1992).

柳承宙, "開化期의 近代化 過程", 『近代化와 政治的 求心力』(한국정신문화연구원, 1986), 63~94쪽.

유영익, "淸日戰爭 및 三國干涉期 井上 馨 公使의 對韓政略", 『明成皇后殺害事件』(민음사, 1992), 269~314쪽.

은정태, "高宗親政 이후 政治體制 改革과 政治勢力의 動向"(서울대학교 국사학과 석사학위논문, 1998).

李光麟, "「易言」과 韓國의 開化思想", 『개정판 韓國開化史硏究』(일조각, 1993), 19~30쪽.

李光麟, "開化 初期 韓國人의 日本留學", 『韓國開化史의 諸問題』(일조각, 1990), 39~63쪽.

李光麟, "舊韓末 露領 移住民의 韓國政界 進出에 대하여", 『歷史學報』 108(1985), 51~86쪽.

李光麟, "舊韓末 新學과 舊學의 論爭", 『韓國開化史의 諸問題』(일조각, 1986), 202~216쪽.

李光麟, "농무목축시험장의 설치에 대하여", 『한국개화사연구』(일조각, 1993), 203~218쪽

李光麟, "육영공원 설치와 그 변천", 『한국개화사연구』(일조각, 1993), 103~133쪽.

李光麟, "통리기무아문의 조직과 기능", 『개화파와 개화사상 연구』(일조각, 1989), 2~24쪽.

李光麟, "한성순보와 한성주보에 대한 일고찰", 『역사학보』 제38집(1968), 1~45쪽.

李培鎔, "開化期 西歐 科學技術 受容의 역사적 의미", 『성곡논총』 27-3(1996), 49~86쪽.

李升熙, "일본에 의한 한국통신권 침탈", 『제48회 역사학대회(발표요지)』(2005), 234~241쪽.

李元淳, "韓末 雇聘歐美人 綜鑑", 『한국문화』 10(1989), 242~307쪽.

李潤相, 『1894~1910년 재정 제도와 운영의 변화』(서울대학교 박사학위논문, 1996).

李載坤, "韓國電氣. 電子. 通信. 放送 技術史", 『韓國 現代文化史大系 5, 科學技術史(下)』(고대민족문화연구소출판부, 1981), 592~601쪽.

이존희, "봉수제 운영의 실태와 문제점", 『문화사학』 11·12·13호(1999), 771~784쪽.

이태진, "상평창. 진휼청의 설치 운영과 구휼문제", 『한국사 30 : 조선중기의 정치와 경제』(국사편찬위원회, 1998), 338~358쪽.

임경순, "통신방식의 역사", 『물리학과 첨단기술』(2001년 6월호), 2~8쪽.

임종태, "'도리'의 형이상학과 '형기'의 기술 : 19세기 중반 한 주자학자의 눈에 비친 서양 과학 기술과 세계 : 이항로(1792~1868)", 『한국과학사학회지』 21-1(1999), 58~91쪽.

전미란, "통리교섭통상사무아문에 관한 연구", 『이대사원』 24·25집(1989), 213~250쪽.
전해종, "統理機務衙門 設置의 經緯에 대하여", 『역사학보』 17.18합집(1962), 687~717쪽.
鄭晋錫, "한성순보 주보에 관한 연구", 『신문연구』 36호(1983), 74~142쪽.
주진오, "개화파의 성립과정과 정치", 『1894년 농민전쟁연구3』(역사비평사, 1993), 147~207쪽.
진기홍, "郵政博物館 所藏 古圖書解題", 『「전기통신 고문서」에 대한 번역 및 영인에 관한 연구』(한국통신학회, 1991), 12~32쪽.
진용옥, "近代 電氣通信 導入의 科學史的 意義와 社會的 背景", 전기통신사편찬연구위원회(1987).
진용옥, "초창기 전기통신 기술 규명"(전기통신사편찬연구위원회, 1987).
진용옥, "전기통신학술연구과제 : 정보통신발달사자료정리", 전기통신사편찬연구위원회(1988).
崔 俊, "「漢城旬報」의 뉴우스源에 對하여", 『신문학보』 2호(1969), 12~20쪽.
한보람, "1880년대 조선 정부의 개화정책을 위한 국제정보수집 : 《漢城旬報》·《漢城周報》의 관련기사 분석"(서울대학교 석사학위 논문, 2005).

Morus, Iwan R., "Telegraphy and the Technology of Display : the Electricians and Samuel Morse", *History of Technology*, vol.13(1991), pp.20~40.
Yakup Bekatas, "Displaying the American Genius : the electromagnetic telegraph in the wider world", *The British Journal for the History of Science*, vol.34(2001), pp.199~232.
Yakup Bekatas, "The Sultan's Messenger : Cultural Constructions of Ottoman Telegraphy, 1874~1880", *the History of Technology*, vol.41(2000), pp.669~696.

【부록】
대한제국 전신 기술 인력

이 부록은 다음을 중심으로 구성했다.

○ 국사편찬위원회, 『大韓帝國官員履歷書』(1972)
○ 정신문화연구원, 『朝鮮時代雜科入格者總攬-잡과방목의 전산화』(1990)
○ 체신부, 『한국전기통신100년사』(1985)
○『황성신문』
○『독립신문』
○『제국신문』
○ 우정100년사편찬실 편, 『우정부사료 제5집 : 고문서5권』(1982,정보통신부 행정자료실 소장)
○ 안용식, 『大韓帝國官僚史研究』 1, 2(연세대학교 사회과학연구소, 1997, 1998)
○ 박은경, 『일제하 조선인 관료 연구』(학민글밭 1999)
○ 김현목, "한말 역학생도의 신분과 기술직 중인의 동향", 『한국근대 이행기 중인연구』(신서원 1999)

이름	임명처	임명날짜	면직날짜	면직사유	전직(날짜)	겸직(기간)	이직(날짜)	기타
강영필 姜榮必	평양전보사주사	1900.8.15						
고영관 高永寬	의주전보사주사	1896.8.25	1902.9.29				1909 탁지부 이재국 국고과 주사 1910 군서기(목천군)	
고영운 高永運	무안전보사주사 박천전보사주사 안주전보사주사 은산전보사주사	1897.12.12 1899.10.14 1900.2.19 1900.8.15	1898.7.1 1904.2.13					
공재찬 孔在瓚	함흥전보사주사	1899.9.25	1899.10.3					
공학순 孔學淳	대구전보사주사(판6) 옥구전보사주사 대구전보사주사(판5)	1898.3.8 1899.7.10 1899.9.30	 1901.4.30	 父憂				
공홍식 孔洪植	전선사주사	1898.3.20	1898.9.15					
구연만 具然萬	전주전보사주사 금성전보사주사 공주전보사주사 창원전보사주사 한성전보지사주사	1897.10.26 1899.6.2 1899.7.26 1901.6.8 1903.4.16	 1900.11.24					
구자욱 具滋旭	개성전보사주사 한성전보사주사	1902.4.8 1904.2.29						광무5년 3급 전무 학도
권만규 權晩奎	전주전보사주사 한성전보사주사	1900.8.15 1900.11.26	 1903.11.20					
권보인 權輔仁	원산전보사주사 원산전보사장	1897.5.21 1897.12.30						
권재혁 權在赫	한성전보사주사 창원전보사장 전주전보사장	1897.5.21 1899.10.12 1901.11.23	 1901.11.23 1902.5.9					
권종철 權鍾哲	공주전보사주사 전주전보사주사 옥구전보사주사 한성전보사주사	1897.12.12 1899.7.26 1899.9.30 1902.9.24						
권창식 權昌植	함흥전보사주사 은진전보사주사	1902.6.27 1903.3.4						광무5년 3급 전무 학도
김기주 金基柱	평양전보사주사	1903.11.27						
김노석 金?碩	삼화전보사주사	1900.11.26	1903.12.14					
김노선 金魯善	영변전보사주사 평양전보사주사 한성전보사주사	1901.5.18 1901.8.24 1902.7.8	1901.8.24					광무4,5년 1급 전무 학도

이름	임명처	임명날짜	면직날짜	면직사유	전직(날짜)	겸직(기간)	이직(날짜)	기타
김대윤 金大潤	운산전보사주사 삼화전보사주사 평양전보사주사 운산전보사주사 평양전보사주사	1899.6.2 1899.9.6 1899.9.21 1900.1.3 1900.1.8	1900.12.12	母憂				
김동석 金東奭	의주전보사주사 창원전보사주사 통신사전화사주사 진주전보사주사	1899.12.2 1900.3.12 1901.7.27 1901.12.10	1901.7.28					
김동식 金東植	대구전보사주사 전주전보사주사 金城전보사주사	1898.3.8 1899.9.30 1900.1.23						
김문환 金文煥	함흥전보사주사	1899.10.3	1899.10.13					
김병건 金炳鍵	안주전보사주사	1902.1.27						광무5년 3급 전무 학도
김병묵 金秉?	해주전보사주사	1899.9.25	1899.9.30					
김병승 金炳升	옥구전보사주사 수원전보사주사	1900.3.12 1903.3.9						
김병업 金炳業	평양전보사주사 한성전보사주사	1899.6.2 1899.10.13	1903.6.16					
김붕남 金鵬南	한성전보사주사 개성전보사주사 삼화전보지사주사 무안전보사주사 전주전보사장	1897.2.28 1897.5.21 1897.10.26 1897.11.4 1902.5.9						
김상규 金相圭	해주전보사주사 한성전보지사주사	1899.10.13 1903.4.16						
김상렬 金相烈	충주전보사주사	1903.8.24						
김상윤 金相允	전선사주사	1899.4.17	1899.5.12		주전사주사 (1897.3.27)		봉상사주사 (1899.5.12)	
김상준 金相準	전주전보사주사	1902.1.27						광무4, 5년 2급 전무 학도
김상찬 金尙瓚	개성전보사주사	1901.6.8						광무4, 5년 전무 학도 1급
김성희 金成熙	함흥전보사주사 개성전보사주사	1899.10.13 1900.2.16	1902.1.10					
김세희 金世熙	해주우체사주사 통신사전화과주사	1896.8.25 1900.6.4	1897.3.22		1904 안주전보사 주사		1904 안주전보사 주사	1909 탁지부 임지재산정리국 기수
김순석 金淳碩	평양전보사주사	1903.8.24						

이름	임명처	임명날짜	면직날짜	면직사유	전직(날짜)	겸직(기간)	이직(날짜)	기타
김승범 金升範	전선사주사	1897.3.3	1897.3.9					
김승희 金承熙	전선사주사	1898.6.23	1898.6.24				중추원의관 (1903.8.9)	
김영걸 金永杰	의주전보사주사 평양전보사주사 운산전보사주사 평양전보사주사 영변전보사주사 免 징계 삼화전보사주사 안주전보사장	1896.11.9 1898.7.27 1899.9.21 1900.1.3 1901.8.24 1902.2.26 1902.5.21 1903.2.22	1901.11.6					
김완규 金完圭	한성전보사주사 원산전보사주사 부산전보사주사 전주전보사주사	1897.12.12 1898.2.17 1900.1.23 1903.5.7	1898.7.1					
김인배 金寅培	한성전보사주사 평양전보사주사 무안전보사주사 함흥전보사주사	1897.12.30 1898.2.17 1898.2.26 1899.10.13	1898.7.1					
김일제 金一濟	함흥전보사주사	1903.3.4						
김재은 金在殷	金城전보사주사	1900.1.12	1900.1.23				중추원의관 (1901.6.7)	
김종만 金鍾萬	통신원주사	1901.9.23						광무 5년 3급 전무 학도
김종면 金鍾冕	대구전보사주사 免 징계 공주전보사주사	1902.6.27 1903.11.19 1903.11.27	1903.9.24					
김진찬 金鎭贊	의주전보사주사 은산전보사주사 평양전보사주사 옥구전보사주사	1902.6.27 1903.3.26 1903.8.24 1903.11.27						광무 5년 3급 전무 학도
김태진 金泰鎭	함흥전보사주사 개성전보사주사	1899.10.13 1900.1.23			함경북도관찰부주사 (1897.8.2)			
김하영 金河永	옥구전보사주사 한성전보지사주사	1902.9.24 1903.11.20						광무4, 5년 3급 전무 학도
김현만 金顯萬	해주전보사주사	1899.9.25	1899.10.5					
김현종 金顯鍾	통신원주사	1900.3.28			농상공부주사 (1899.12.2)			
김형규 金炯奎	해주전보사주사	1899.10.5	1899.10.13					

이름	임명처	임명날짜	면직날짜	면직사유	전직(날짜)	겸직(기간)	이직(날짜)	기타
남기훈 南基薰	함흥전보사주사 전주전보사주사	1900.11.29 1902.6.27						광무4년 전무 학도 1급
남직희 南稷熙	옥구전보사주사 부산전보사주사 무안전보사주사	1899.6.2 1899.7.10 1902.6.2					1906 탁지부 주사 1910 군서기(온양군) 1910 중추원 찬의 1932 중추원 참의	
류인수 柳仁秀	개성전보사주사	1903.4.3			안산군공립소학교부교원(1902.7.19~1903.4.3)		1909 탁지부 대신관궁 주사	
류하영 柳夏永	원산전보사주사 충주전보사주사 부산전보사주사 충주전보사주사	1898.7.1 1901.6.8 1903.5.7 1903.6.2	1903.6.2					
문언교 文彦敎	진주전보사주사 인천전보사주사 한성전보사주사	1901.12.10 1902.1.6 1902.6.4						광무4, 5년 2급, 1급 전무학도
민기호 閔箕鎬	인천전보사주사	1903.4.3			임시위생원위원 (1903.4.3)		1909 탁지부 인천세관 주사 1911 군서기 1921 (원산군)군수	
민상호 閔商鎬	통신원총판	1900.3.26			농상공부협판(1900.3.21~1900.11.26)	예식원부장(1900.12.20) 서북철도국의사장(1900.12.20)		
박경환 朴景煥	인천전보사주사	1904.2.13						
박규회 朴奎會	부산전보사주사 전주전보사주사	1898.3.8 1900.1.23	1901.9.7	身故				
박규희 朴奎熙	금성전보사주사 공주전보사주사	1903.4.16 1903.7.17						
박동규 朴東奎	해주전보사주사	1899.9.30	1899.10.13					
박상준 朴相駿	金城전보사주사 은산전보사주사	1900.6.11 1900.8.15	1903.3.26				1908 평남 강동 군수 1926 강원도지사 1931 중추원참의	
박상환 朴祥煥	한성전보사주사	1903.4.3						
박성호 朴星鎬	영변전보사주사 운산전보사주사	1902.1.27 1902.10.27						광무4, 5년 2급 1급 전무학도
박승규 朴勝圭	개성전보사주사 안주전보사주사 개성전보사주사 평양전보사장	1896.8.25 1899.9.6 1899.9.21 1900.1.5						

이름	임명처	임명날짜	면직날짜	면직 사유	전직(날짜)	겸직(기간)	이직(날짜)	기타
박영배 朴永培	원산전보사주사 개성전보사주사	1898.2.26 1902.1.20	 1902.4.8		농상공부기수1898.2.26)			
박인승 朴寅承	의주전보사주사	1900.3.12	1901.11.29					
박인회 朴寅會	부산전보사주사	1904.2.9						
박재범 朴在範	해주전보사주사	1899.10.13	1900.11.22	身故				
박정열 朴正烈	함흥전보사주사	1899.9.25	1899.10.3					
박준현 朴峻顯	경성전보사주사	1903.11.27						
박진만 朴鎭萬	한성전보사주사	1903.3.2						광무5년 3급 전무 학도
박하진 朴夏鎭	창원전보사주사	1899.6.2	1899.11.14					
박해묵 朴海默	함흥전보사주사 부산전보사주사	1903.8.24 1904.2.1						
백낙진 白樂晋	전주전보사주사 인천전보사주사 무안전보사장	1897.10.18 1897.10.26 1900.11.24						
백문용 白文鏞	인천전보사주사 개성전보사주사 안주전보사주사 한성전보사주사	1897.2.28 1897.6.28 1899.9.21 1899.10.13						
백윤덕 白潤德	한성전보사주사	1896.8.25	1902.4.4		농상공부기수(1896.8.25)			
백철용 白喆鏞	한성전보사장 인천전보사장 한성전보사기사	1896.8.25 1899.5.29 1899.10.12			농상공부기사(1896.8.25)		1909 대구재무감독국 마산포재무서장 1911 군수	
백태원 白泰元	부산전보사주사	1903.3.2						
변영진 邊永鎭	통신원주사	1900.3.28			농상공부기수(1899.7.18)			
상운 尙澐	공주전보사주사 은진전보사장	1897.10.18 1903.2.22			농상공부기수(1897.10.18)			
서경희 徐景熙	안주전보사주사 함흥전보사주사 무안전보사주사	1899.6.2 1900.1.23 1900.3.22						
서병문 徐丙聞	한성전보사주사	1899.10.13					1907 7월 탁지세무 주사, 1909 탁지부 평양재무감독국 주사 1910 군서기(옹진군)	
서상규 徐相圭	한성우체사주사 통신사전화과주사	1897.10.1 1903.5.20	1897.10.19 1903.5.21					

이름	임명처	임명날짜	면직날짜	면직사유	전직(날짜)	겸직(기간)	이직(날짜)	기타
서상석 徐相晳	전주전보사주사 전주전보사장 창원전보사장	1897.10.26 1899.10.12 1901.11.23			농상공부기수 (1897.10.26)			
서상욱 徐相旭	대구전보사주사	1898.3.8	1902.12.30	身故	농상공부기수(1898.3.8)			
성낙필 成樂弼	통신사전화과주사 함흥전보사주사	1900.10.23 1903.4.16	1900.10.24		강원도관찰부주사 (1899.5.30)			광무 5년 3급 전무 학도
성두식 成斗植	은산전보사주사	1904.2.13			한성부재판소주사 (1902.9.16)		1909 내부대신관방 회계과 주사 1910군서기(장기군) 1916 군수	
송지인 宋趾仁	경성우체사주사 안주전보사주사 옥구전보사주사	1896.8.25 1898.4.17 1899.6.2						
신복희 申宓熙	함흥전보사주사 경성전보사주사 충주전보사주사 수원전보사주사	1900.3.22 1900.11.29 1901.6.8 1903.3.2						
신태영 申台永	개성전보사주사 충주우체사주사 전주우체사주사 청주우체사주사	1899.6.2 1899.8.22 1901.7.12 1902.5.22	 1902.5.22					
신홍구 申鴻求	무안전보사주사 인천전보사주사	1898.7.1 1900.3.22					1907 임시군용급철도용지 조사국서기	
심상일 沈相一	경성전보사주사 은진전보사주사	1901.7.6 1903.3.2						광무 4, 5년 2급 1급 전무 학도
심태진 沈泰鎭	함흥전보사주사	1904.2.9						
심헌택 沈憲澤	의주전보사주사	1898.3.17	1898.3.23				중추원의관 (1903.3.28)	
안건호 安建鎬	인천전보사주사 한성전보사주사	1901.7.6 1902.1.6						광무 4, 5년 3급 전무 학도
안병태 安炳泰	전주전보사주사 한성전보사주사	1899.10.13 1900.2.22						
안병한 安炳漢	성진전보사주사 한성전보사주사	1900.11.29 1902.4.4	 1902.7.7	 母憂				
양규환 梁圭煥	은산전보사주사	1903.8.24	1904.1.23					
오경근 吳景根	의주전보사주사 박천전보사주사 의주전보사주사	1898.3.23 1899.6.2 1899.7.10						
오관영 吳觀泳	전주전보사주사	1899.10.13						

이름	임명처	임명날짜	면직날짜	면직사유	전직(날짜)	겸직(기간)	이직(날짜)	기타
오구영 吳龜泳	전주전보사주사 인천전보사주사	1900.11.29 1902.6.6						광무 4년 전무 학도 1급
오기정 吳基鼎	무안저보사주사 한성전보사주사 수원전보사주사	1898.7.1 1902.6.4 1903.3.2						
오범선 吳範善	평양전보사주사 삼화전보지사주사 삼화전보사주사 운산전보사주사 삼화전보사주사	1897.5.21 1897.10.26 1897.11.4 1899.9.6 1899.9.21						오기선(吳驥善)으로 개명
오인묵 吳仁默	운산전보사주사 免 징계 의주전보사주사 성진전보사주사 삼화전보사주사	1901.1.11 1902.9.27 1902.9.29 1903.2.11 1903.12.16	1902.1.29					광무4년 전무 학도 1급
오재협 吳在協	통신원주사	1902.11.1						
오진근 吳鎭根	대구전보사주사 인천전보사주사	1901.7.6 1902.6.6						광무4, 5년 2급, 1급 전무학도
오한영 吳漢泳	원산전보사주사 부산전보사주사 원산전보사주사	1897.5.21 1898.7.1 1901.12.10						
유인수	개성전보사	1905.03.17					1909 탁지부 사계국 주계과주사 1910군서기(해주군) 1929 군수	
유종표 劉宗杓	한성전보사주사 개성전보사주사 운산전보사주사 개성전보사주사 영변전보사주사 부산전보사주사 공주전보사주사 금성전보사주사	1897.12.12 1898.2.26 1899.6.2 1899.9.6 1901.5.18 1902.6.2 1903.3.2 1903.7.17	1901.1.17					
윤상욱 尹相郁	전선사주사 통신사전화과주사	1898.7.15 190010.12	1898.12.10 1901.1.25		법부주사 (1897.12.8) 태복사주사 (19002.15)		종정원주사 (1898.12.10) 중추원의관 (1901.1.25)	
윤정대 尹鼎大	안주전보사주사 평양전보사주사	1900.1.23 1901.8.24	1901.8.24					
윤찬주 尹贊柱	함흥전보사주사	1899.10.3	1899.10.13					
윤창선 尹昌璿	평양전보사주사	1902.7.8	1902.10.24					광무5년 전무 학도 3급

이름	임명처	임명날짜	면직날짜	면직사유	전직(날짜)	겸직(기간)	이직(날짜)	기타
이규찬 李圭贊	전선사주사 통신사전화과장	1897.4.7 1899.6.25	1897.5.30 1904.2.13		종정원주사 (1899.5.2)	군부포공국포병과장 (1903.10.9 ~1903.10.24) 육군보병참위(1903.10.24 ~1904.2.13)	종정원주사 (1897.5.30) 육군보병부위 (1904.2.26)	
이근영 李根英	광주전보지사주사 인천저보사주사 한성전보사주사	1901.12.11 1902.4.7 1902.6.4	1903.12.23					
이기소 李起韶	은진전보사주사 한성전보지사주사 한성전보사주사	1903.3.4 1903.4.16 1903.6.24						
이기진 李起鎭	한성전보사주사 전주전보사주사 금성전보사주사	1898.2.26 1899.6.2 1899.7.26	1900.1.26	身故	농상공부기수(1898.2.26)			
이기창 李基昌	통신원주사	1900.3.28			내부기수 (1897.6.13)			
이남구	개성전보사	1905.03.17					1909 탁지부 대구 재무감독국 의홍재무서 서장	
이남규 李南圭	원산우체사주사 삼화전보사주사 통신원주사	1896.8.25 1897.12.12 1900.3.28	1898.2.26 1902.9.8	身故			농상공부기수 (1898.2.26)	
이남호 李南鎬	운산전보사주사 평양전보사주사 한성전보사주사	1900.11.29 1900.12.14 1902.6.4	1902.9.22	身故				광무4년 전무 학도 1급
이돈형 李敦衡	원산전보사주사 삼화전보사주사 부산전보사주사	1897.12.30 1898.2.26 1901.12.10	1904.2.4	母憂				
이문선 李文善	평양전보사주사 북청전보사주사	1897.10.26 1900.11.5	1900.1.5 1903.12.23					
이범신 李範信	통신원주사	1900.3.28						
이병구 李秉九	인천전보사주사 금성전보사주사	1897.5.21 1899.6.2	1899.12.9	祖父憂				
이병규 李秉珪	무안전보사주사 광주전보사주사	1902.6.27 1902.9.2						광무5년 3급 전무 학도
이병옥 李炳玉	부산전보사주사	1898.4.16	1898.7.1					
이병종 李秉鍾	북청전보사주사	1900.11.5						
이봉선 李鳳善	춘천우체사주사 통신사전화과주사	1896.8.25 1901.1.18	1897.10.29					

이름	임명처	임명날짜	면직날짜	면직사유	전직(날짜)	겸직(기간)	이직(날짜)	기타
이봉승 李鳳承	대구전보사주사 한성전보사주사	1903.8.24 1903.12.23						
이수익 李壽翊	통신원주사	1902.11.1						
이용인 李龍鱗	평양전보사주사 안주전보사주사 운산전보사주사	1899.10.13 1901.8.24 1902.3.6						이범순(李範淳)으로 개명
이원창 李源昌	한성전보사주사	1902.1.5					1909 외사국 번역과 주사 1910 총독부 인사국, 1916 군서기 (고양군) 1928 군수	
이원학 李源學	함흥전보사주사 원산전보사주사	1900.11.29 1902.1.27						광무4년 1급 전무 학도
이인수 李寅洙	개성전보사주사	1900.1.12	1900.1.23				1910 군서기 (의주군) 1916 군수	
이재구 李宰求	인천전보사주사	1897.2.28						
이정래 李鼎來	한성전보사주사 한성전보사장 한성전보사장	1896.8.25 1899.10.12 1900.10.26	1900.8.15		농상공부기수(1896.8.25)		주답일본국공사관 3등참서관 (1900.8.15)	
이제건 李濟健	의주전보사주사 의주전보사장 옥구전보사장	1896.8.25 1898.2.17 1899.7.3						
이조헌 李祖憲	개성전보사주사 함흥전보사주사 공주전보사주사 免 징계 원산전보사주사	1899.10.13 1900.2.16 1900.11.26 1903.8.20 1903.8.24	1903.7.17					
이종구 李鍾九	경성전보사주사	1903.7.18						
이종익 李鍾翼	통신사전화과기사 통신사전화과장	1899.6.25 1904.2.13						
이종헌 李鍾憲	개성전보사주사 삼화전보사주사 해주전보사주사	1897.10.26 1898.2.26 1899.10.13	1898.9.9					
이종헌 李鍾獻	함흥전보사주사 옥구전보사주사	1902.6.27 1903.4.8						
이종협 李鍾浹	부산전보사주사 한성전보사주사 창원전보사주사 평양전보사주사 성진전보사주사 한성전보지사주사	1899.6.2 1899.7.10 1899.12.2 1901.11.29 1903.3.23 1903.6.24			개성부공립 소학교교원 (1897.5.15)			

이름	임명처	임명날짜	면직날짜	면직사유	전직(날짜)	겸직(기간)	이직(날짜)	기타
이종형 李鍾瀅	한성전보사주사 삼화전보지사주사 삼화전보사장 평양전보사장	1896.8.25 1897.10.26 1897.11.7 1901.8.24			농상공부 기수(1896.8.25)			
이준구 李浚九	통신원주사	1902.11.1						
이준재 李準宰	평양전보사주사 한성전보지사주사	1902.10.27 1903.8.18						광무5년 3급 전무 학도
이중억 李重億	의주전보사주사	1898.3.8	1898.3.17					
이중현 李中鉉	통신원주사	1902.11.1			상공학교 교관(1902.8.6)			
이창우	개성전보사	1905.03.17					1909 탁지부 대구 재무감독국 현풍재무서 서장 1910 군서기(현풍군)	
이춘영 李春英	의주전보사주사	1898.2.26	1898.3.8					
이필구 李弼求	금성전보사주사 광주전보지사주사 무안전보사주사	1900.8.15 1901.12.11 1902.9.2						
이필우 李弼雨	광주전보사주사	광무6년 4.			광무6년 4월 9일 인천사로 전임			광무4, 5년 1급 전무 학도
이호영 李浩榮	평양전보사주사 해주전보사주사	1902.10.27 1903.3.23						광무4, 5년 3급전무 학도
이호필 李鎬弼	충주전보사주사 대구전보사주사	1903.3.4 1903.8.24						광무5 3급 전무 학도
이홍선 李鴻善	한성전보사주사	1898.2.17						
이희선 李羲宣	부산전보사주사 전주전보사주사	1898.3.8 1898.5.27						
이희준 李羲俊	전주전보사주사 부산전보사주사 공주전보사주사 성진전보사주사	1897.12.12 1898.5.27 1899.6.2 1903.6.29						이희상(李羲尙)으로 개명
임원재 任元宰	경성전보사주사 공주전보사주사	1903.3.4 1903.7.17					1909 탁지부 공주재무 감독국 괴산재무서 서장 1910 군서기(괴산군)	
임형규 林瀅圭	의주전보사주사 성진전보사주사 의주전보사주사	1899.6.2 1900.11.5 1903.2.11	1899.11.14					

이름	임명처	임명날짜	면직날짜	면직 사유	전직(날짜)	겸직(기간)	이직(날짜)	기타
전규명 全圭明	삼화전보사주사 한성전보사주사 전주전보사주사	1898.9.9 1899.10.13 1900.2.22	 1902.1.12	 母憂				
전영칠 全榮七	해주전보사주사	1899.9.30	1899.10.13					
정두영 鄭斗永	삼화전보사주사 인천전보사주사	1899.10.13 1900.11.26	 1902.4.7					
정봉화 鄭鳳和	금성전보사주사	1900.2.20	1900.2.24					
정우헌 鄭友憲	공주전보사주사 한성전보사주사 성진전보사장	1897.10.18 1899.6.2 1900.11.24						
정원명 鄭元明	은산전보사주사	1904.2.9						
정재성 鄭在星	한성전보지사주사	1903.8.18						
정환벽 鄭煥璧	한성전보사주사	1903.4.3						
정희주 鄭熙?	삼화전보사주사 한성전보지사주사	1903.3.2 1903.8.18						
조관호 趙觀鎬	한성우체사주사 무안전보사주사	1896.8.25 1897.12.30	 1898.2.26				농상공부기수 (1898.2.26)	
조규식 趙奎植	통신원주사	1902.11.1						
조동철 趙東喆	삼화전보사주사	1903.8.24						
조중은 趙重恩	평양전보사주사 평양전보사장 옥구전보사장 의주전보사장 대구전보사장	1896.8.25 1898.2.17 1899.5.29 1899.7.3 1901.6.8					1909 군수	
조충호 趙忠鎬	평양전보사주사 인천전보사주사 한성전보사주사 인천전보사주사	1896.8.25 1899.6.2 1900.6.11 1900.7.20	 1901.7.4	 父憂				
조태하 趙台夏	금성전보사주사 은진전보사주사	1902.1.27 1903.4.16						광무4, 5년 2급 1급 전무학도
최병선 崔炳璇	통신원주사	1902.11.1						
최봉기 崔鳳基	평양전보사주사 시흥전보지사주사	1903.4.3 1903.8.18						
최성우 崔誠愚	한성전보사주사 免 징계 대구전보사주사	1899.10.13 1903.7.15 1903.9.28	1903.6.21				1909 탁지부 건축소 세무계 1911 총독부 회계국 1912 군수	

이름	임명처	임명날짜	면직날짜	면직 사유	전직(날짜)	겸직(기간)	이직(날짜)	기타
최승칠 崔承七	한성전보사주사	1897.12.12	1902.1.3	父憂				
최용규 崔鏞圭	한성전보사주사 진주전보사주사	1899.12.2 1902.1.5						
최종악 崔鍾岳	안주전보사주사 운산전보사주사 안주전보사주사	1898.7.1 1899.9.6 1899.10.13					1909 군주사 1910 군서기(횡간군)	
피희두 皮熙斗	전주전보사주사 무안전보지사주사 무안전보사장 경성전보사장	1897.10.18 1897.10.26 1897.11.7 1900.11.24						
한종익 韓宗翊	개성전보사주사 인천전보사주사 한성전보사주사 한성전보사장 한성전보사기사	1896.8.25 1897.6.28 1897.10.26 1899.6.13 1899.10.12					농상공부기사 (1897.12.30)	
홍기주 洪箕周	한성전보사주사	1898.2.17					1909 탁지부 사세국 세무과 1910 군서기(김해군)	
홍문주 洪文周	창원전보사주사 충주전보사주사 창원전보사주사	1900.11.3 1901.6.8 1901.11.29	 1901.11.29 1903.6.16					
홍승순 洪承淳	원산전보사주사 충주전보사주사 부산전보사주사	1898.7.1 1901.11.29 1903.6.2	 1904.1.28					홍승건(洪承建)으로 개명
홍태건 洪泰健	영변저전보사주사 진주전보사주사 대구전보사주사	1901.11.7 1902.1.27 1903.1.5						광무5년 2급, 1급 전무학도
황석희 黃錫憙	평양전보사주사 의주전보사주사 박천전보사주사 운산전보사주사 영변전보사주사	1898.2.29 1898.7.27 1899.7.10 1899.10.13 1902.10.27	 1902.10.27					
황정연 黃貞淵	공주전보사주사 한성전보사주사	1903.6.29 1903.11.20					1909 탁지부 전주재무서감독국여수재무서 서장 1910 군서기(해남군)	

찾아보기

지은이 | 김 연 희

이화여자대학교 과학교육과를 졸업하고, 서울대학교 과학사 및 과학철학 협동과정에서 과학사로 석사 및 박사학위를 받았다. 개항 이후 정부에 의해 도입한 근대 과학과 기술에 관한 책을 포함해 여러 편의 논문을 발표했다. 또 한국 전통 과학과 근대 과학 도입에 대한 어린이들의 이해를 돕기 위해 책들을 저술하기도 했다. 서울대, 연세대, 성균관대, 이화여대 등에서 강의했으며, 서울대 연구교수를 역임했다.
현재 문화재청 문화재위원, 국립고궁박물관 자문위원회 부위원장으로 활동 중이다.

전신으로 이어진 대한제국,
성공과 좌절의 역사

김 연 희 지음

초판 1쇄 발행 2018년 6월 20일

펴낸이 오일주
펴낸곳 도서출판 혜안

등록번호 제22-471호
등록일자 1993년 7월 30일

주 소 ㊄04052 서울시 마포구 와우산로 35길 3(서교동) 102호
전 화 3141-3711~2
팩 스 3141-3710
이메일 hyeanpub@hanmail.net

ISBN 978-89-8494-609-5 93400

값 30,000 원